GOOD MORNING, MR MANDELA

Née en 1970, Zelda la Grange rejoint en 1994 le secrétariat du premier président démocratiquement élu d'Afrique du Sud. En 1999, quittant ses fonctions, Nelson Mandela lui demande de rester à ses côtés, ce qu'elle fait, jusqu'à son décès. Coordinatrice de la « Journée des motards pour Mandela », dirigeante depuis 2010 du Women Insurance Trust, Zelda la Grange a été nommée en 2014 ambassadrice du Beeld Children's Fund.

ZELDA LA GRANGE

Good Morning, Mr Mandela

TRADUIT DE L'ANGLAIS (AFRIQUE DU SUD) PAR RENAUD BOMBARD,
MARIANNE THIRIOUX ET EMMANUEL PAILLER

KERO

Note de l'auteur

En juin 2013, à l'occasion d'une interview menée par Dali Tambo, fils d'Oliver Tambo, figure de proue de l'ANC, Robert Mugabe, le président du Zimbabwe, déclara que Nelson Mandela était «beaucoup trop saint», au sens qu'il s'était montré trop bienveillant à l'égard des Blancs, au détriment des Noirs de son propre pays. Certains approuvèrent, d'autres protestèrent. À mon avis, Mugabe n'avait pas tout à fait tort, et l'on pouvait jusqu'à un certain point comprendre ce point de vue. Et pourtant, à l'occasion d'un entretien avec Richard Stengel, rapporté dans *Conversations avec moi-même*, Madiba lui-même disait : «On a l'impression que je vois trop le bon côté des gens. C'est une critique que je dois admettre et à laquelle j'ai essayé de m'adapter. Que cela soit vrai ou non, c'est quelque chose que je juge bénéfique. C'est une bonne chose d'assumer que l'on agit en partant du principe que les autres sont des êtres intègres et honorables… car si c'est ainsi que l'on considère ceux avec qui l'on travaille, on attire l'intégrité et l'honorabilité.»

À tort ou à raison, cette interview me donna le sentiment d'avoir une certaine responsabilité dans le fait qu'il se soit montré trop bon envers les Blancs. Il a effectivement fait preuve de trop de bonté envers ma modeste personne, mais je veux croire qu'il a éprouvé quelque fierté à avoir réussi à changer en profondeur mon insignifiante existence. Il disait souvent que si l'on change en bien une seule personne, on a fait son devoir. Or il a changé non seulement ma vie, mais aussi celle de millions de gens. Son action a dépassé largement celle que l'on peut attendre d'un être humain, et c'est peut-être pour cette raison qu'il mérite tout compte fait d'être salué comme un saint.

Au cours d'une autre conversation avec Richard Stengel, Madiba déclara : « Le devoir est de travailler avec des êtres humains en tant qu'êtres humains, et non parce qu'on les prend pour des anges. Une fois que l'on a compris que tel homme a telle qualité et telle faiblesse, on fait avec, et l'on s'accommode de cette faiblesse en essayant d'aider l'homme à la surmonter. Je ne veux pas être effrayé par le fait qu'une personne a commis des erreurs, qu'elle a certains travers. Je ne puis me permettre d'être influencé par ça. Et c'est pour cela que beaucoup de gens me critiquent. »

J'essaie de ne pas me dire « Pourquoi moi ? » quand je m'interroge sur la raison pour laquelle Nelson Mandela m'a choisie. Au cours des dix-neuf années que nous avons passées ensemble, il a appris quels étaient mes défauts, quelles étaient mes qualités ; et il a privilégié ces dernières pour faire de moi la personne que je suis aujourd'hui.

Je l'ai servi durant près de vingt ans et j'ai assumé le rôle d'assistante personnelle jusqu'à ce qu'il nous quitte, le 5 décembre 2013. C'est en 2009 que j'ai décidé de me lancer dans la rédaction de ce livre afin de lui rendre hommage. Je veux avant tout faire part de mon expérience – de mes expériences… – dans l'espoir que mon histoire contribuera à changer la vie d'autres personnes, ou du moins l'influencera. Mon livre est donc un hommage à Khulu[1] tel que je l'ai connu.

---

1. « Grand-père » en xhosa (voir p. 11).

Ce n'est pas son histoire à lui. C'est la mienne, et j'en suis fière. Le lecteur risque d'être déçu s'il s'attend à ce que je lave du linge sale en public. Je me refuse en effet à trahir la confiance que Nelson Mandela a placée en moi. C'est le plus grand honneur qu'il pouvait m'accorder – sa confiance –, et j'ai bien l'intention d'en rester digne jusqu'au terme de mon existence. C'est sur la base de cette confiance que j'ai décidé de ce que je pouvais raconter sur lui, et de ce que je devais taire. Ce livre n'est donc pas un déballage de confidences. Ce n'est pas non plus un ouvrage exposant de grandes visions politiques, pas plus qu'une dissection thématique de sa vie.

C'est tout simplement l'histoire des expériences que j'ai vécues avec lui. L'une des leçons les plus importantes que m'a enseignées ce grand homme au fil des années – et que m'a réaffirmée plus tard sa femme Graça Machel –, c'est que l'on n'a de comptes à rendre qu'à une seule personne : soi-même. Quand on va se coucher le soir, c'est avec ses propres idées, sa propre conscience et, une fois achevée la rédaction de ce livre, j'ai besoin de sentir le confort d'un oreiller : celui d'une conscience sans tache. Je veux qu'il soit toujours fier de moi, car même si l'on peut avoir l'impression que, au cours des deux dernières années, nos vies ont été assombries par des choses négatives, il y a là une belle histoire à raconter ; et cette histoire, je dois admettre que j'en fais partie et qu'il est de mon devoir de la relater. Par-dessus tout, j'ai besoin d'être persuadée au fond de mon cœur que, s'il devait lire ce livre, il serait content de ce que j'y retrace et qu'il en approuverait les moindres détails. Ayant passé seize de ces dix-neuf dernières années à ses côtés, vingt-quatre heures sur vingt-quatre, je sais ce que, dans ce qui est du domaine public, il ne verrait pas d'objection à ce que je raconte, et ce qu'il ne voudrait pas voir divulgué, et qu'il me revient donc de protéger.

Cet ouvrage est donc une suite d'histoires, dont certaines à mes propres dépens, le long d'une route très fréquentée. Il n'y a que des leçons à en tirer, sans le moindre regret. Je suis une milliardaire en émotions et, même si plus rien d'extraordinaire ne m'arrive jusqu'à la fin de ma vie, je me satisferai de mes souvenirs jusqu'au jour de ma mort. Mon existence a été riche. La plupart de mes contemporains n'auront pas l'expérience de ce dont j'ai été témoin ; mon histoire est donc celle d'un changement, de la lente métamorphose de mon esprit, de mon système de croyances, aboutissant à ce que je suis aujourd'hui. À celui qui me lit de décider s'il peut s'identifier à telle ou telle partie, ou quelles leçons il peut tirer de mon histoire. Ce n'est pas à moi de le faire.

Il serait par ailleurs incorrect de prétendre que j'ai été la seule, ou même quelqu'un de spécial, dans l'entourage de Madiba. J'ai joué un rôle particulier dans sa vie, pour l'essentiel dans sa vie publique. Mais il y en a eu beaucoup d'autres, personnel de maison, collaborateurs, personnel médical ou de sécurité, qui ont joué eux aussi des rôles importants pour lui, et dont il était totalement dépendant. Certains d'entre eux figurent dans mon récit, mais je n'ai tout simplement pas pu rendre hommage à tous et à chacun.

J'ai donné le maximum dans tous les domaines, sans exception, et ce que vous avez sous les yeux est le mieux que j'étais capable de faire. J'espère contribuer – modestement – au legs de Nelson Mandela en partageant les expériences et les privilèges qui ont été les miens. Si je peux changer une vie en écrivant mon histoire, je considérerai que j'ai fait mon devoir.

Avec l'expression de ma reconnaissance et de ma gratitude éternelles…

Zeldina

C'était au début des années 2000. J'avais alors une trentaine d'années. Je guettais comme d'habitude devant la porte de nos bureaux de Johannesburg, attendant l'arrivée de Nelson Mandela, afin de l'accueillir, de le conduire à son bureau et de l'informer du programme de la journée. Lorsque sa voiture apparaissait au coin de la rue, mon visage s'éclairait, quelle que fût la pression qui pesait sur mes épaules. Le sourire que j'arborais était empreint d'amour et d'admiration, comme celui qu'on pourrait avoir en apercevant ses grands-parents les plus chers. Sa voiture s'arrêta et les gardes du corps en sortirent. Nous nous saluâmes et échangeâmes brièvement quelques plaisanteries avant qu'ils n'aillent ouvrir la porte de la lourde limousine blindée pour que Madiba puisse sortir. Madiba est le nom de clan de Nelson Mandela en Afrique du Sud. C'est aussi par ce terme affectueux que les gens le désignent. Certains l'appellent *Tata*, ce qui signifie «Père», mais la plupart utilisent le surnom de Madiba pour le désigner ou s'adresser à lui. Pour ma part, je l'appelais Khulu, version abrégée de *Tata um'khulu*, qui signifie «Grand-Père».

Il était en train de sortir de sa voiture quand nos regards se croisèrent. Je m'exclamai : « Bonjour, Khulu. » Lui m'appelait Zeldina. On lui passa sa canne pour l'aider à s'extirper de la limousine. C'était une canne en ivoire qui lui avait été offerte par Douw Steyn, un bon ami à lui. Les choses matérielles lui étaient à peu près indifférentes, mais sa canne était l'un des rares objets auxquels il attachait de l'importance.

« Bonjour, Zeldina », me dit-il en émergeant de la voiture. Son visage s'éclaira de son sourire habituel, même si j'y décelai une certaine réserve. Tout en s'appuyant sur sa canne pour marcher, il me tenait le bras de sa main gauche.

« Comment allez-vous ce matin, Khulu ? » lui demandai-je.

« Je vais bien, Zeldina », me répondit-il sans poursuivre, comme il le faisait d'ordinaire en me demandant de mes nouvelles, second signe montrant que quelque chose le perturbait.

Tout en l'accompagnant à son bureau, je lui laissai un petit moment pour rassembler ses idées avant de commencer à l'accabler avec le lourd programme de la journée. Ce n'est qu'une fois la porte de son bureau refermée qu'il se confia.

« Tu sais, Zeldina, j'ai fait un rêve cette nuit.

— Oui ? fis-je.

— J'ai rêvé que tu me quittais, que tu m'abandonnais… »

Cela me laissa abasourdie. Moi ? Zelda la Grange ? Abandonner Nelson Mandela ? Comment cette idée avait-elle pu lui traverser l'esprit ? À l'époque, j'étais à son service depuis près de dix ans. Qu'est-ce qui avait bien pu l'amener à penser que j'allais le quitter ? Bien au contraire, du fait de ce que j'avais vécu dans ma petite enfance, c'était moi qui craignais d'être abandonnée. Je devais absolument le rassurer. Posant ma main gauche sur la sienne – celle qui tenait mon bras droit –, je lui dis : «Khulu, jamais de ma vie je ne ferai une chose pareille, et je vous demande, s'il vous plaît, de ne plus jamais avoir de pensée de ce genre. Je peux vous donner l'assurance que jamais je ne vous abandonnerai.»

Et j'ajoutai, sur un ton plus léger : «D'ailleurs, je crois que vous me laisserez ou me chasserez avant que ce ne soit moi qui vous quitte.»

Il me dévisagea, eut un petit rire et leva les sourcils avant de répliquer : «Jamais je ne ferai cela.»

Chacun devait toujours rassurer l'autre. Prendre soin de l'autre. J'ai appris au fil du temps à aimer cet homme qui avait jadis été l'ennemi de mon peuple. Qui emplissait nos yeux de frayeur. Quand on était un Afrikaner blanc grandissant dans l'Afrique du Sud sous l'apartheid, on passait sa vie à opprimer ce même peuple que représentait Nelson Mandela. Il était la voix des opprimés et de la lutte de libération. Moins de quinze ans après qu'il eut été libéré de prison, voilà que je m'efforçais d'expliquer et de défendre mon engagement auprès de l'homme que nous avions jadis méprisé.

L'apartheid, c'était le système introduit par le gouvernement blanc d'Afrique du Sud dans les années 1940. Il avait pour doctrine la suprématie des Blancs, l'oppression des Noirs, et il avait établi une législation instituant la séparation et la ségrégation des Blancs et des Noirs en Afrique du Sud. On appliquait les lois d'apartheid dans les églises et les écoles, sur les plages et dans les restaurants, dans tous les espaces où la minorité blanche pouvait se sentir incommodée par la présence des Noirs.

Et pourtant j'avais cheminé aux côtés de Nelson Mandela pendant la majeure partie de ma vie professionnelle. J'étais une jeune Afrikaner dont les opinions et la mentalité avaient été bouleversées par le plus grand homme d'État de notre temps. Pour moi, il était beaucoup plus que ma conscience morale. J'avais appris à prendre soin de lui, parce qu'il prenait soin de moi. Il avait modelé ma façon de penser, l'avait transformée, parce que, pour lui, employer une jeune femme dont la langue était l'afrikaans à titre d'assistante personnelle n'était pas seulement un geste sans précédent, c'était tout simplement inouï.

I
PREMIÈRE PARTIE

« Si ce n'est pas pour le bien, abandonne… »

1970-1994

1

Enfance

Je suis née le 29 octobre 1970 à Boksburg, à l'est de Johannesburg. Non pour passer aussitôt de vie à trépas, mais pour avoir une belle vie, ce que l'on espère pour presque tous les bébés qui viennent au monde.

Ce même jour, Nelson Mandela commençait sa neuvième année d'emprisonnement. En prison depuis 1962, convaincu de trahison après le procès de Rivonia en 1964, il avait été condamné à la prison à vie. Comme d'autres prisonniers politiques, il était incarcéré à Robben Island, une île désolée au large de la ville du Cap, pour s'être opposé à l'apartheid.

À cette époque, mon père travaillait pour une compagnie de travaux publics et ma mère était enseignante. Ils étaient très pauvres. L'autre enfant de la famille, mon frère Anton, avait trois ans quand je suis née. Comme nos parents étaient blancs, nous fûmes dès notre naissance des privilégiés, de par la loi. Il en allait ainsi en Afrique du Sud, en 1970. Alors même que les familles de mes deux parents passaient leurs vacances au même endroit, chaque année en décembre, c'est par le plus grand des hasards que mon père, qui travaillait à la poste, et ma mère, qui faisait ses études pour devenir enseignante, firent connaissance à Boksburg.

La famille de mon grand-père paternel était issue de huguenots français qui s'étaient enfuis du sud de la France dans les années 1680 pour échapper à la persécution des protestants par les autorités catholiques. La famille la Grange était originaire d'un bourg du nom de Cabrières-d'Avignon, un endroit dont je ferais la découverte et que je visiterais à deux reprises, lorsque je travaillerais pour Nelson Mandela.

Mon père avait un frère. Leurs parents demeuraient à Mosselbay, petite ville côtière située sur la pittoresque Route des Jardins, dans la province du Cap. La sœur de ma grand-mère fut la première Sud-Africaine diplômée de la faculté de Pharmacie et, aujourd'hui encore, la famille Scholtz gère une officine réputée dans la ville de Willowmore, province du Cap-Oriental. C'était donc une femme plutôt impressionnante, à qui cette réussite conférait automatiquement une certaine stature.

J'aimais beaucoup mon oncle paternel. Il s'appelait Anthony Michael, mais nous l'avions surnommé « Oupa Mike » (Grand-Père Mike). Il nous rendait visite plusieurs fois par an et restait chaque fois chez nous deux ou trois semaines. Il fumait la pipe et l'odeur de la fumée finissait toujours par nous énerver. Il s'installait toujours dans le même fauteuil et n'arrêtait pas de s'essuyer la main sur l'accoudoir. Sa peau de vieillard était pleine de craquelures où se fourraient les débris du tabac dont il bourrait sa pipe. Lorsqu'il partait, l'accoudoir était tout noir, à la grande irritation de ma mère, mais personne ne lui interdit jamais de fumer dans la maison.

Ma mère était l'aînée des trois enfants Strydom. La seule famille célèbre portant ce nom était celle de J. G. Strijdom (parfois orthographié Strydom), sixième Premier ministre d'Afrique du Sud entre 1954 et 1958. Son successeur ne fut nul autre que H. F. Verwoerd, «le père de l'apartheid». Quand j'appris, encore enfant, qu'un Strijdom avait été Premier ministre, je fus convaincue que nous avions avec lui des liens de parenté, ce que rien par la suite ne devait confirmer.

Mon grand-père maternel trouva la mort dans un accident de moto alors que ma mère n'avait que treize ans. Je lui ai plusieurs fois demandé si elle se souvenait de la nuit où elle avait appris la nouvelle de la disparition de son père. Tout en s'efforçant la plupart du temps d'éluder la question, elle m'a expliqué qu'elle se rappelait avoir été réveillée par quelqu'un qui frappait à la porte d'entrée, puis par les pleurs hystériques de ma grand-mère.

Cette dernière n'avait pas trente-six solutions pour élever sa progéniture. Elle occupait un petit poste d'employée de bureau aux Chemins de fer sud-africains, et il lui était impossible financièrement d'élever seule trois enfants.

Elle décida donc d'envoyer ma mère, son aînée, dans un orphelinat. L'établissement se trouvait au Cap, raison pour laquelle ma mère a toujours détesté cette ville, qui est pour elle synonyme d'abandon.

Maman ne voyait sa mère et ses frère et sœur qu'une fois l'an, durant les vacances de décembre. Les familles la Grange et Strydom faisaient tous du camping dans un endroit appelé Hartenbos, non loin de Mosselbay, sans jamais avoir eu l'occasion d'y faire connaissance.

Les souvenirs d'enfance de ma mère se résument à trois mots : souffrance, rejet, tristesse. Le monde entier souffrait des effets de la Deuxième Guerre mondiale et ne se remettait que lentement de la récession économique, et ma mère, pauvre parmi les pauvres, en subissait les conséquences alors même qu'elle était une enfant afrikaner dans l'Afrique du Sud des années 1940. Je l'admire beaucoup de ne pas avoir gardé rancune à sa mère, en dépit des circonstances.

Mamie Tilly, ma grand-mère maternelle, faisait ainsi partie de notre vie de tous les jours, alors qu'elle avait abandonné ma mère. Je lui rendais fréquemment visite après la classe : sa maison était située entre la nôtre et l'école, ce qui était très pratique. Avant de déménager pour s'installer près de nous, Mamie Tilly résidait juste en face des Bâtiments de l'Union. Situé sur la colline dominant la ville de Pretoria, capitale administrative de l'Afrique du Sud, cet ensemble de constructions, œuvre de l'architecte Herbert Baker, était le siège du gouvernement d'apartheid. Un lieu imposant, monumental et superbe : pour ma famille, c'était un peu comme habiter juste en face de la Maison-Blanche.

Chaque dimanche, les la Grange et les Strydom venaient déjeuner chez ma grand-mère, après quoi ils allaient se promener sur les pelouses toujours fraîchement tondues des Bâtiments de l'Union. Ces édifices représentaient l'autorité suprême et nous gravissions avec le plus grand respect les marches qui y menaient.

Mes cousins, mon frère et moi-même jouions dans l'espace public, dévalant la pelouse en roulant, à grand renfort d'éclats de rire : des enfants heureux grandissant dans l'Afrique du Sud de l'apartheid.

Nous étions le modèle typique de la famille blanche privilégiée, tirant profit de ce qu'offrait l'apartheid : une bonne éducation, l'accès aux services publics de base, et le sentiment d'être propriétaires de cette terre et de ses ressources. L'apartheid était la solution politique de notre régime pour mettre en œuvre la ségrégation et la séparation des races, des classes et des cultures.

Henrik Verwoerd, alors Premier ministre, appelait « la politique » le régime institué par les leaders afrikaners à la fin des années 1950. « Nous menons une politique de bon voisinage », déclarait-il, laissant entendre par là que les Afrikaners prenaient soin de tous les groupes raciaux constituant l'Afrique du Sud. Mais la réalité, c'était que l'apartheid était un moyen de s'assurer que les Afrikaners bénéficiaient de l'économie, des possibilités et de la richesse des ressources naturelles du pays, au détriment des autres.

Au milieu des années 1970, le gouvernement d'apartheid avait créé un État raciste fondé sur des décisions prises derrière les murs des Bâtiments de l'Union. Noirs et Blancs étaient séparés, n'avaient pas le droit de se marier entre eux, de se lier d'amitié, d'avoir des relations sexuelles ou de résider dans les mêmes villes. Ces interdictions étaient stipulées dans les articles d'une loi baptisée Group Areas Act – loi sur les zones réservées. Il s'agissait d'empêcher les gens de se déplacer librement et de vivre à l'intérieur des mêmes frontières. Les

Noirs ne pouvaient voyager dans les mêmes autobus, nager dans la même mer que les Blancs. Du fait de cette politique d'apartheid, en 1974, l'Afrique du Sud se vit interdire par l'Organisation des Nations unies de participer aux échanges commerciaux mondiaux ; trois ans plus tard, une résolution fut votée, imposant contre nous un strict embargo sur les armes. Les États-Unis, la Grande-Bretagne et la France s'opposèrent à l'exclusion de l'Afrique du Sud de l'ONU, en dépit de plusieurs résolutions qui y appelaient.

Tandis que mon pays était un paria sur le plan international, nous continuions à jouer et à rire devant le siège du gouvernement. Les gens comme nous étaient protégés. Protégés des hommes comme Nelson Mandela. C'était de gens comme lui – des Noirs, décidés à renverser le gouvernement et à défier la supériorité des Blancs – que nous avions peur.

Aucun de mes parents n'était engagé en politique ni ne travaillait pour le gouvernement. Mais nous soutenions le régime. Nous étions racistes, j'imagine… Nous incarnions à l'époque le type parfait de la famille afrikaner de la classe moyenne : des citoyens respectueux de la loi, défenseurs inconditionnels des directives de l'Église et du gouvernement. Notre respect de l'autorité et des liens avec l'Église réformée hollandaise dépassait le sens commun. Comme toute bonne famille afrikaner, nous assistions tous les dimanches au service religieux et nous participions à toutes les activités qui y étaient liées afin de prouver que nous étions des citoyens modèles.

L'apartheid faisait donc partie de notre vie. Nous en incarnions les valeurs. Tout cela était acceptable et incontestable, non seulement parce que le gouvernement du Parti national, alors au pouvoir, l'avait décrété, mais aussi parce que notre Église l'avait entériné.

Étaient noirs tous ceux qui n'étaient pas blancs. À nos yeux, métis (*coloured*) et Indiens étaient également noirs. Les *coloured* (on dit maintenant *brown*, «bruns») étaient les descendants de différents groupes ethniques, tout comme les Afrikaners, mais certains de leurs ancêtres avaient la peau foncée et ils étaient donc considérés comme noirs en Afrique du Sud.

La généalogie des Afrikaners blancs est très mélangée, puisqu'elle inclut du sang hollandais, français, allemand et britannique. Même si c'était impensable à l'époque, l'histoire moderne et les recherches récentes révèlent que la quasi-totalité des Afrikaners blancs ont un ADN qui fait remonter leurs origines jusqu'à des ancêtres noirs et métis d'Afrique du Sud – ce que tous les intéressés n'acceptent pas facilement.

Du temps de l'apartheid, on ne se posait pas vraiment de questions, on passait à l'action. Je savais que tous les Noirs étaient tenus d'avoir un laissez-passer et qu'ils devaient le présenter chaque fois que des policiers décidaient arbitrairement de les contrôler. J'ignorais en revanche qu'ils avaient l'autorisation de se déplacer uniquement dans les zones spécifiées sur leur laissez-passer ; si celui-ci ne mentionnait pas celle dans laquelle ils se trouvaient, ils étaient arrêtés pour avoir contrevenu à la Loi sur les laissez-passer, et ils étaient jetés en prison avant d'être déportés vers leur région d'origine. Si vous aviez un laissez-passer pour

Johannesburg, vous ne pouviez pas emménager à Pretoria, deux villes éloignées entre elles d'à peine une cinquantaine de kilomètres. C'était le moyen pour le gouvernement de contrôler les déplacements des Noirs.

À en croire notre Église, nous avions le droit pour nous. Et de fait, le terme de droit, ou plus exactement de droite, était parfaitement approprié. Le conservatisme à son apogée...

Comme la plupart des familles blanches, nous avions une domestique noire qui travaillait chez nous à plein temps. Elle s'appelait Jogabeth. Quand on songe à cette époque, on est forcé de reconnaître que la plupart des enfants blancs de mon âge ont été élevés par des Noires. Celles-ci n'étaient pas seulement des domestiques, mais également des mères de substitution. Quand j'étais petite, Jogabeth faisait partie de notre famille jusqu'à un certain point, et dans des limites bien précises : celles de l'apartheid. On lui avait attribué une chambre, à l'arrière de la maison. Avec des toilettes mais sans douche ni baignoire. Elle disposait d'une tasse et de couverts séparés et n'était pas autorisée à utiliser «les nôtres». Je n'ai pas le souvenir d'une seule occasion où mes parents lui aient dit qu'elle n'avait pas le droit de le faire, mais elle le savait, et nous de même. Tout cela était de l'ordre du non-dit. Il n'empêche que Jogabeth était pour moi essentielle.

Toucher une personne noire était tabou. Outre le fait que les Blancs étaient censés être supérieurs aux Noirs, notre éducation nous amenait à croire que ceux-ci étaient moins propres que nous, que

leur odeur et la texture de leurs cheveux étaient différentes. Jamais l'idée de toucher la chevelure ou le
visage d'un Noir ne nous aurait effleurés. C'était tout
bonnement impensable. Et pourtant Jogabeth me
portait sur son dos quand j'étais bébé. Même si jamais
je n'aurais touché ses cheveux, ses mains, ses bras et
sa poitrine étaient là pour m'apporter du réconfort
quand j'en avais besoin. Et comme elle nous élevait,
mon frère et moi, elle n'était pas à nos yeux aussi
noire que les autres Noirs. Elle ne constituait pas une
menace : elle nous servait et par conséquent nous l'ac-
ceptions mieux que ses semblables.

Je n'ai pas oublié ces multiples occasions où, étant
tyrannisée par mon frère, Jogabeth me réconfortait
d'avoir perdu la bataille. Elle était mon refuge et je
savais que, aussi longtemps qu'elle s'occuperait de
moi, je serais protégée des persécutions fraternelles.
Je trouvais le réconfort dans ses bras, blottie contre
sa poitrine.

J'avais douze ans, et mon père travaillait alors aux
South African Breweries, la plus importante brasserie
d'Afrique du Sud (il en deviendra son directeur de la
logistique) quand les troubles politiques contre l'apartheid jouèrent pour la première fois un rôle dans ma
vie. Les bureaux directoriaux des SAB se trouvaient
dans le Poyntons Building, sur Church Street, à Pretoria. Le vendredi 20 mai 1983, papa devait prendre
l'avion pour un voyage d'affaires au Cap. Juste avant
16 heures, une bombe explosa, touchant en plein
cœur la capitale administrative du pays. L'information
fut aussitôt relayée par les radios, et l'on rapporta que

la voiture piégée avait sauté juste devant le Poyntons Building.

Quand elle apprit la nouvelle, ma mère essaya de joindre par téléphone le bureau de mon père, en vain. Elle appela ensuite l'aéroport pour s'assurer qu'il avait bien pris le vol de 18 heures, mais les autorités aéroportuaires refusèrent de donner la moindre information concernant les passagers, comme c'est l'habitude. Impossible de trouver quelqu'un capable de dire si mon père se trouvait toujours à l'intérieur du bâtiment au moment de l'explosion, s'il l'avait déjà quitté au moment fatidique, ou s'il s'était trouvé alors à proximité du parking, à pied ou en voiture. Il participait fréquemment à des déjeuners d'affaires dans des restaurants situés non loin des bureaux de la société et nous craignions le pire. Ce n'est que vers 21 heures ce soir-là, peu après qu'il soit arrivé à son hôtel du Cap, qu'il nous appela pour nous faire savoir qu'il était sain et sauf. Ce furent les cinq heures les plus longues de ma vie. Nous fûmes soulagés d'apprendre que, pour lui, tout allait pour le mieux. Je ne demandai pas pourquoi la résistance à l'apartheid devait être si intense ou prendre des formes si violentes. Au contraire, cette violence ne fit que renforcer mes convictions concernant l'apartheid et la différence fondamentale entre Blancs et Noirs.

Umkhonto we Sizwe (MK), l'aile militaire de l'ANC, le Congrès national africain, revendiqua l'attentat à la bombe qui avait fait dix-neuf morts – huit Noirs et onze Blancs –, ainsi que deux cent dix-sept blessés. La bombe de Church Street avait explosé en pleine heure de pointe. Les deux hommes qui avaient préparé puis perpétré l'attentat trouvèrent eux aussi la mort, la bombe ayant accidentellement été actionnée trop tôt.

Umkhonto we Sizwe, «fer de lance de la nation», fut créé en 1961, après que Nelson Mandela et d'autres membres fondateurs de l'organisation eurent décidé que la violence en Afrique du Sud était devenue le seul moyen de répondre à celle exercée par le régime d'apartheid. Dans la mesure où le gouvernement avait recours à des moyens violents pour combattre l'ANC et continuer d'opprimer les Noirs en les maintenant sous les lois d'apartheid, MK fut la réponse de l'ANC à ces pratiques. Dans sa longue plaidoirie au terme du procès de Rivonia, en 1964, où il fut accusé d'actes de terrorisme et à l'issue duquel il fut, avec plusieurs autres, condamné à la réclusion à perpétuité, Nelson Mandela notait à propos du MK : «Il serait irréaliste et erroné pour les dirigeants africains de continuer à prêcher la paix et la non-violence alors que le gouvernement répond par la force à nos revendications pacifiques.»

C'est après être allé en Éthiopie et au Maroc en 1962 pour recevoir une formation militaire et obtenir du soutien pour le MK que Nelson Mandela fut prêt à recourir à la violence. Je ne suis pas sûre cependant que, durant son emprisonnement, il ait été au courant des initiatives prises à l'extérieur par les cadres de l'ANC et que les militants détenus aient été consultés sur l'opportunité de commettre de tels actes de violence. En 1983, Oliver Tambo était président de l'ANC; Nelson Mandela était déjà âgé de soixante-cinq ans, il était enfermé depuis douze ans, et il était difficile de communiquer avec les prisonniers. Quand, par la suite, je lui demanderais s'il avait été informé de la bombe de Church Street, il me répondrait qu'on l'avait mis au courant après l'explosion.

L'ANC savait qu'elle devait absolument forcer la main du régime raciste. À cette fin, elle était obligée d'avoir recours à la violence. Le gouvernement n'était prêt ni à abolir l'apartheid ni à améliorer les conditions de vie des Noirs, et il préférait répondre par la violence aux actions de son adversaire. L'ANC répliqua donc à son tour par la violence, en s'attaquant tout d'abord à des installations stratégiques, d'une importance cruciale pour l'État. Le Poyntons Building en faisait partie, le quartier général de l'armée de l'air sud-africaine étant situé dans le même bâtiment.

D'une manière générale, je ne me souciais guère de ce qui se passait dans le pays, de la pauvreté des Noirs et de la violence, mais je savais que nous vivions dans des cocons et que nous menions les uns contre les autres un combat acharné parce que nous ne pouvions coexister. On nous avait instinctivement inculqué que si une personne noire nous approchait, le mieux était de nous détourner et de changer de trottoir. On ne parlait pas avec ces gens-là, on les craignait. Ils n'étaient pas nos amis. Ma vie me convenait tout à fait et je savais depuis mon plus jeune âge que si nous bouclions à double tour nos portes et nos fenêtres, c'était de peur que des Noirs viennent nous attaquer en pleine nuit. Jamais il ne me vint à l'esprit que certains Blancs pouvaient nous vouloir du mal eux aussi. C'était toujours eux, «les Noirs», la menace. Jamais je ne m'interrogeais sur la raison pour laquelle ils pouvaient nous attaquer, ni même sur qui ils étaient, ou ce que pouvait bien être leur existence. Tout ce que je savais, c'est qu'ils étaient dangereux.

Le dimanche, nous allions solennellement prier à l'église pour les hommes qui défendaient nos frontières. C'était ce qu'il convenait de faire puisque tout le monde le faisait. En tout cas, tous les Blancs de ma communauté. J'ignorais de quelles frontières il s'agissait, mais je savais qu'ils se battaient contre les Noirs. Mes connaissances se limitaient au fait que les Blancs protégeaient nos frontières de l'infiltration par encore plus de Noirs. Étrange, dans ces conditions, que nous ne nous soyons jamais posé la question de savoir : quels Noirs ? Est-ce que nous protégions nos frontières de l'infiltration d'autres Noirs, ou les protégions-nous d'autres forces militaires de la région infiltrant l'Afrique du Sud pour soutenir l'ANC ? On se contentait de nous dire : nous nous battons contre les communistes noirs. On m'apprit à croire que tous les Noirs étaient communistes et athées. Et pourtant, tous les dimanches, des Noirs se rassemblaient par petits groupes pour assister à des offices religieux en plein air. Mais je passais outre cette constatation et je n'ai pas souvenir que la contradiction avec ce qu'on m'avait mis dans la tête m'ait gênée le moins du monde. Enfant, il est facile de se conformer à la norme lorsqu'on grandit dans un environnement sûr. Si j'avais été opprimée, privée d'accès à une école, à une maison digne de ce nom, à l'électricité et à l'eau courante, peut-être me serais-je posé des questions, peut-être mon cerveau m'aurait-il conduite à m'intéresser davantage à l'injustice à un âge encore tendre. Mais ce ne fut pas le cas.

Aujourd'hui, je me rends compte que chaque communauté, et donc celle dans laquelle l'on est éduqué, fait le choix d'une certaine façon de vivre. Les gens qui vous entourent, les adultes, décident de ce qui est acceptable socialement et de ce qui ne l'est pas. En tant que membre de cette communauté, on mène cette existence sans se rendre compte qu'il en existe une autre à côté : des interrogations, des choix politiques, des événements internationaux, des tendances majeures qui influent sur votre univers. Lorsqu'on vit dans le confort, on ne pose pas de questions ; je ne m'en posais donc pas sur ce qu'il se passait au-delà des murs de notre maison.

On ne naît pas raciste. On le devient, influencé par ce qui vous entoure. À l'âge de treize ans, j'étais devenue raciste. Jamais je n'aurais dû devenir l'assistante de Nelson Mandela, encore moins celle qui resta le plus longtemps à ses côtés. Et c'est pourtant ce que j'ai fait.

2

Changement

Il n'est pas impossible qu'un événement survenu dans mon enfance m'ait préparée à Nelson Mandela.

Durant ces années, ma mère fut à maintes reprises victime de violents accès de dépression : elle passait des journées entières à pleurer ou à rester enfouie au fond de son lit. Jamais elle ne cessa de s'occuper de nous, mais ses périodes de profonde tristesse sont restées ancrées dans ma mémoire. Quand on ne comprend pas ce qu'il se passe, on ne peut qu'être désemparé de se sentir totalement impuissant.

Ma mère est depuis toujours, et jusqu'à ce jour, l'une des femmes les plus honnêtes, les plus douces, les plus distinguées que j'aie connues. Je ne l'ai jamais entendue jurer ou dire des grossièretés devant moi, pas plus que je ne l'ai vue insulter ou dénigrer qui que ce soit, quand bien même l'avait-on mise en colère ou lui avait-on nui d'une façon quelconque. Elle sait conserver son calme en toutes circonstances et garder ses émotions les plus extrêmes au fond d'elle-même. Modérée par nature, je ne me rappelle pas l'avoir jamais vue exprimer une joie intense ou un enthousiasme particulier. Il est clair que les années passées à l'orphelinat quand elle était enfant lui ont appris à dissimuler ses émotions. Cette époque l'a fortement marquée. Cette capacité à cacher son moi profond, je l'ai retrouvée plus tard, durant les années passées avec Nelson Mandela : lui aussi a dû réprimer ses émotions pour survivre à la prison.

Mon père avait souvent du mal à supporter les accès de dépression de maman ; ils finissaient presque toujours par se disputer, papa lui reprochant son excessive passivité. Il faut dire que mon père est un homme très sociable, qui aime plaisanter, tandis que ma mère reste plus volontiers sur son quant-à-soi et apprécie modérément la compagnie des autres. J'ai hérité d'elle ce côté un peu sauvage. Mais aucun de nous ne se rendait compte de l'étendue réelle des problèmes qui étaient les siens.

Un vendredi après-midi, rentrant chez moi après avoir joué chez une amie, je trouvai la maison vide. Alors que j'ouvrais la porte de la cuisine, je perçus le bruit de la voiture de maman dans le garage. Sans y accorder d'attention particulière, j'entrai tranquillement dans la maison, vaquant à mes occupations. Au bout d'un moment, j'entendis que la voiture se trouvait toujours dans le garage. Le moteur tournait, mais je n'entendais pas maman ouvrir la porte du garage pour sortir. Je décidai alors d'aller voir ce qui se passait. Quand j'ai ouvert la porte séparant la maison et le garage, je me souviens comme si c'était hier d'avoir vu la tête de ma mère appuyée contre la vitre de la voiture, tandis que le moteur tournait toujours ; elle semblait dormir. Je me suis alors précipitée sur la portière côté conducteur et j'ai essayé de l'ouvrir. Elle était verrouillée de l'intérieur. C'est alors que je remarquai qu'un tuyau sortait de la vitre, et que celui-ci était relié au pot d'échappement. Ce n'est qu'à ce moment que j'ai compris ce qui se passait. Pleurant, hurlant tout à la fois, j'ai alors tenté de forcer la portière.

Je n'avais que douze ans et ma force physique était limitée. Je donnais des coups contre la vitre, sans obtenir la moindre réaction de sa part, après quoi je ne me souviens plus de grand-chose. Sinon que j'appelais ma grand-mère, qui arriva rapidement puisqu'elle habitait tout près. Je ne sais pas comment ma mère est sortie de la voiture, comment elle est arrivée jusqu'à sa chambre ; j'ignore à quelle heure Anton, mon frère, rentra à la maison, ni quand le docteur et la meilleure amie de ma mère arrivèrent à leur tour. Je ne me souviens pas de l'identité de la personne qui prévint mon père, cette fois encore en voyage d'affaires, ni de la façon dont on réussit à le joindre (les téléphones portables n'avaient pas encore été inventés à l'époque). Ce que je n'ai pas oublié, en revanche, c'est que ce fut le dernier jour de ma vie où je sentis une odeur. Et cette odeur était celle du gaz d'échappement. D'après les médecins, c'est le choc ressenti ce jour-là qui oblitéra totalement mon odorat, réaction psychosomatique classique suite à un trauma.

Ma mère fut admise dans une clinique pour personnes souffrant de dépression, où elle fut stabilisée. Pour ma part, je ne cessai dès lors de m'interroger : pourquoi avait-elle décidé de m'abandonner, tout comme elle-même l'avait été par sa propre mère ? Est-ce que je l'avais déçue ? Ne m'aimait-elle pas assez pour avoir envie de continuer à vivre ? Étaient-ce les disputes incessantes qui m'opposaient à mon frère qui l'avaient poussée à cette extrémité ? Je n'en voulus jamais à ma mère, j'éprouvai surtout un sentiment de tristesse et d'abandon.

Cet incident du garage, en 1982, devait marquer à jamais mes relations avec autrui. J'ai constamment une peur panique d'être abandonnée. De me retrouver seule. Je pratique alors une sorte de surcompensation : je me sacrifie pour plaire aux gens, dans l'espoir d'éviter autant que possible de me retrouver en situation d'être abandonnée. Et cette crainte de l'abandon s'accompagne d'un besoin constant de m'affirmer. Pas la recette idéale pour les relations amoureuses, mais c'est parfait quand vous décidez de consacrer votre vie au travail, et singulièrement à l'homme d'État le plus admiré au monde. Par un étrange coup du sort, il se trouve que Nelson Mandela avait besoin que quelqu'un se consacre entièrement à lui. Pour l'aider. Et ce quelqu'un devait être disponible en permanence. Pour le soutenir et être soutenue par lui. Nous étions en quelque sorte complémentaires, chacun dépendant plus ou moins de l'autre. Et mon besoin de plaire cadrait exactement avec son exigence d'absolue loyauté.

En 1988, âgée de dix-huit ans, j'achevai mes études secondaires. Les actualités étaient dominées par les reportages sur les assassinats de policiers ou de « cadres », comme l'on qualifiait les combattants de la libération. Pas un mois sans que l'on signale l'explosion d'une bombe quelque part dans le pays. Cela devint banal, au point que l'on finissait par ne plus prêter attention aux chiffres. La mort était omniprésente. Et l'Afrique du Sud au bord de la guerre civile. La violence dominait tout et les Afrikaners blancs de la classe moyenne en venaient à se demander si une guerre franche et massive contre les Noirs n'était pas finalement la seule issue.

Pour moi, la vie continuait comme avant. Mon père m'avait demandé ce que je voulais faire comme études. Je n'en avais aucune idée, mais comme les activités culturelles proposées à l'école m'intéressaient beaucoup, je lui répondis que j'avais choisi de devenir comédienne. Il m'opposa un «non» catégorique et m'expliqua que, à moins d'être Sandra Prinsloo – l'une des actrices les plus célèbres et admirées d'Afrique du Sud –, je n'avais aucune chance de réussir dans cette voie. J'avais pourtant toujours rêvé de devenir comédienne. Je me souviens que, dès ma plus tendre enfance, je jouais à la secrétaire chaque fois que j'accompagnais mon père à son bureau lorsqu'il devait travailler le week-end. Comme la grande majorité des parents afrikaners l'auraient fait à l'époque, mon père me convainquit d'embrasser plutôt une carrière où la sécurité de l'emploi l'emporterait sur la passion. Je décidai donc de m'inscrire au Technikon de Pretoria (aujourd'hui l'université technologique de Tshwane), pour un cursus de trois ans qui me permettrait d'obtenir un diplôme national de secrétaire de direction.

En septembre 1989, un peu moins d'un an après mon dix-huitième anniversaire (l'âge qui ouvre le droit de vote aux citoyens sud-africains), eurent lieu des élections générales. Les Noirs en étaient exclus.

Les lois de l'apartheid n'accordaient en effet le droit de vote ni aux métis, ni aux Indiens, ni aux Noirs. Dans ce qui fut le dernier scrutin national fondé sur la race, le Parti national subit un recul et ne parvint à recueillir que 48 % des voix. Ce parti dirigeait le pays sans interruption depuis 1948, avec une politique fondée sur l'apartheid, la ségrégation et la défense des Afrikaners. Ses partisans étaient surnommés les Nats. Étant une farouche conservatrice, plus ultra encore que les Nats, je donnai ma voix au Parti conservateur.

Les Nats commençaient à l'époque à parler de réforme ; plus précisément, il était question d'autoriser les Noirs à voter, en mettant un terme à la Loi sur les zones réservées, le Group Areas Act, donc à la discrimination fondée sur la couleur de peau. Le Parti conservateur s'opposait à tout changement des lois d'apartheid et il devint cette année-là le parti d'opposition officiel en s'assurant 31 % des voix. Alors que, à l'époque, la population totale était de l'ordre de trente millions (aucun chiffre officiel n'était disponible, les Noirs n'étant pas comptés comme citoyens), à peine un peu plus de trois millions d'électeurs (tous blancs) étaient inscrits sur les listes, dont un peu plus d'un million s'exprimèrent en faveur de la politique de réformes du Parti national, soit presque la moitié des votants.

La même année, Nelson Mandela avait eu le 4 juillet une première entrevue avec l'homme qui était alors le président sud-africain, P. W. Botha. On savait que celui-ci s'opposait à la domination de la majorité noire, mais son empressement à rencontrer Nelson Mandela donna le ton aux concessions qui allaient suivre.

À ce stade, Nelson Mandela en était à sa vingt-sixième année d'emprisonnement. Il était devenu la figure de proue des opprimés d'Afrique du Sud alors même que très peu de gens le connaissaient, à l'exception des cadres de l'ANC. Il était en train de devenir le symbole de la liberté pour les masses populaires du pays, même si les photos que l'on publiait de lui dataient des années 1960 ou étaient des portraits de l'homme tel que les dessinateurs se l'imaginaient. Aucun photographe professionnel ou occasionnel ne fut autorisé à accéder à la prison pour y prendre des photos d'un Nelson Mandela vieillissant.

P. W. Botha démissionna inopinément de la présidence en août 1989, un mois avant les élections, furieux que son ministre de l'Éducation de l'époque, F. W. de Klerk, ne lui ait pas rendu compte de sa rencontre avec Kenneth Kaunda, le président de la Zambie. M. de Klerk fut nommé président par intérim pour le mois précédant les élections.

À ce moment-là, Nelson Mandela avait été transféré à la prison Victor Verster dans la région du Paarl, proche de la ville du Cap. Là, il rencontra régulièrement le président de Klerk, et ce dernier annonça la libération des premiers prisonniers politiques condamnés à de longues peines, un mois tout juste après sa nomination au poste de président. Ce geste marqua une date dans l'histoire de l'Afrique du Sud : le changement devenait inévitable. Pour ma part, j'ignorais totalement que des prisonniers avaient été libérés et je ne me souviens même pas avoir prêté l'oreille à cette nouvelle. Parmi eux, se trouvaient notamment Walter Sisulu, Andrew Mlangeni, Raymond Mhlaba et Ahmed Kathrada, amis et compagnons parmi les plus proches de Nelson Mandela. Qui aurait pu imaginer que je compterais plus tard parmi les fans les plus enthousiastes de ces prisonniers ?

Le 2 février 1990, le président de Klerk annonça la libération sans condition de Nelson Mandela au terme de vingt-sept années d'emprisonnement. Février, dans le nord de Pretoria, là où vivait ma famille, est l'un des mois les plus chauds de notre été austral. Je faisais des longueurs dans notre piscine quand mon père sortit de la maison. Je remarquai tout de suite que quelque chose le préoccupait. « Oui, papa ? » fis-je. Il m'observa un moment sans mot dire avant de répondre : « C'est que maintenant, on a un gros problème. On a relâché le terroriste. — Qui ça ? » À ma question, il répondit : « Nelson Mandela. » J'ignorais absolument qui était cet homme et en quoi cela pouvait bien nous concerner. Je sentais bien que mon père était inquiet, mais je repris mes longueurs de bassin, le laissant seul avec ses soucis.

Ce n'est que bien plus tard, après que j'ai rejoint les services de la présidence, que M. Mandela me raconta que M. de Klerk lui avait rendu visite quelques jours avant l'annonce de sa libération. De but en blanc, il avait annoncé à M. Mandela qu'il était libre de partir. Ce dernier avait répondu qu'il ne pouvait pas le faire sur-le-champ : il avait besoin de laisser un peu de temps à son peuple pour lui permettre de se préparer à sa sortie de prison. Il demanda un délai de quelques jours.

Si au bout de vingt-sept ans d'incarcération on m'annonçait : « Vous êtes libre de sortir », je suis sûre que j'oublierais la politesse pour me retrouver au plus vite de l'autre côté des murs de ma prison. Mais M. Mandela, lui, demanda à y rester encore un peu. Quand, par la suite, je lui demandai s'il n'avait pas craint alors que le gouvernement ne change brutalement d'avis pendant ces quelques jours, il me regarda, surpris d'une telle méfiance, puis éclata de rire avant de répondre tout simplement : « Non ».

Je ne fus en mesure d'appréhender ce qui s'était vraiment passé en Afrique du Sud à cette époque que bien des années plus tard. J'ignorais notamment que Nelson Mandela était déjà âgé de soixante et onze ans au moment de sa libération. Je ne savais pas non plus qu'il avait perdu sa mère et son fils durant son incarcération et qu'il n'avait pas été autorisé à assister à leurs funérailles respectives. Le fait qu'il ait été un être humain, un individu capable d'émotions, ne me traversa pas l'esprit. Tout ce que je savais, c'est que nous avions du souci à nous faire, puisque mon papa le disait.

En 1992, le gouvernement encore dominé par le Parti national, blanc, organisa un référendum pour décider de l'avenir de l'apartheid. Ce système, mis en œuvre en 1948, battait sérieusement de l'aile. On demanda à la population blanche de s'exprimer pour ou contre la politique de réformes initiée par le président de Klerk. Rares étaient ceux qui partageaient l'idée que les réformes iraient beaucoup plus loin que ce qui était prévu à l'origine, mais une chose était claire : l'apartheid était en train de perdre ses derniers supporters au sein de la communauté internationale.

Au total, deux millions huit cent mille Blancs participèrent au référendum ; un million neuf cent mille se déclarèrent en faveur de la réforme et d'une élection à laquelle les Sud-Africains non blancs pourraient voter. Huit cent soixante-cinq mille de mes compatriotes votèrent contre l'abolition de l'apartheid. Je fis partie de ceux-là. Et j'en fus fière. Je contribuais ainsi, estimais-je, à ce que le pays reste gouvernable. En fait, demeurait prégnante cette peur des Afrikaners de voir l'Afrique du Sud devenir ingouvernable si elle était dirigée par des Noirs, qui jetteraient dès lors les Blancs dans l'océan afin de se venger de ce que ceux-ci leur avaient dénié pendant des siècles.

Tout cela prit fin dès 1990, quand M. Mandela fut libéré. Cette décision marqua la fin de l'apartheid et le début de l'histoire d'un pays où la loi « un homme, un vote » s'appliquerait, indépendamment de sa couleur de peau.

Mais ce genre de choses ne m'atteignait guère à l'époque : je profitais à plein de ma vie d'étudiante, avec son lot de fêtes et de bachotage intensif, tard dans la nuit, histoire de rattraper le retard pris du fait des bringues à répétition. Je n'avais aucun engagement, quel qu'il soit, ne m'intéressais absolument pas à la politique ni à l'avenir de l'Afrique du Sud, même si je savais que l'apartheid avait pris fin et que les Noirs étaient désormais libres de se déplacer comme bon leur semblait. Au cours de nos soirées, nous faisions parfois allusion aux événements qui se déroulaient en Afrique du Sud, mais sans jamais aller au fond des choses, et en jouant toujours sur ces peurs propres à nous tous, Afrikaners blancs, selon lesquelles, pas de doute, « il y avait de quoi s'inquiéter ». Cela résumait parfaitement tout ce que je comprenais de la situation politique, qui ne me préoccupait donc pas outre mesure.

Je me souviens que, en avril 1993, nous étions en route pour aller passer les fêtes de Pâques dans la ferme de mon oncle, à Ellisras, dans le Nord, quand la radio de la voiture nous apprit que Chris Hani, le très charismatique dirigeant du Parti communiste et chef d'état-major de l'aile militaire de l'ANC, avait été assassiné. Pour les Blancs d'Afrique du Sud, les communistes constituaient une vraie menace pour notre sécurité et notre avenir financier. D'une certaine façon, Nelson Mandela était lui aussi considéré comme communiste. Notre pays, en tout cas notre monde de Blancs, étant dominé par la religion ou en tout cas par les directives de l'Église, il était impensable que le Parti communiste occupe un jour une place légitime en Afrique du Sud. Nous étions un État capitaliste dans lequel les Blancs possédaient et contrôlaient la totalité des ressources.

Quand, par la suite, je questionnai mes parents sur ce Chris Hani, je m'entendis répondre que même si l'homme était un communiste, ceux, quels qu'ils soient, qui avaient pris l'initiative de son assassinat avaient commis une grossière erreur, car il était assurément moins dangereux pour les Blancs que ce terroriste de Mandela. Je ne compris rien à cette explication : pour moi, tout ce qui était communiste représentait une menace sérieuse ; or même si Mandela n'avait jamais été dénoncé officiellement comme membre du Parti communiste, Chris Hani était à coup sûr beaucoup plus dangereux puisqu'il était le principal dirigeant de ce parti. Non ? D'après mes parents, Chris Hani avait montré une certaine tolérance envers les Blancs, sans doute parce qu'il n'avait pas été emprisonné à Robben Island comme Nelson Mandela ; ils en concluaient ainsi qu'Hani n'avait pas pour les Blancs la haine qu'était censé éprouver envers eux M. Mandela.

Nous ignorions bien sûr (c'était d'ailleurs le cadet de nos soucis) que la haine et l'amertume n'effleuraient même pas M. Mandela.

Celui-ci avait donc secrètement engagé des négociations avec le gouvernement depuis sa prison, bien décidé à provoquer une transition pacifique. Comme le déclara Ahmed Kathrada, codétenu de Madiba et l'un de ses plus proches amis : « Le pardon est un choix. » On s'attend presque toujours au pire, cela fait partie de notre nature, et nous nous attendions à voir Nelson Mandela se conformer à nos prévisions.

C'est pendant cette phase politique aussi fascinante que périlleuse que je tombai amoureuse et me fiançai. Comme la plupart des jeunes filles afrikaners de mon âge, je n'aspirais qu'à me marier et à avoir des enfants. Je n'avais que vingt-deux ans, mais quelle importance ? Je venais par ailleurs d'obtenir mon diplôme et, en 1992, j'avais trouvé un premier emploi de secrétaire au ministère des Dépenses de l'État. Au bout de quelques mois, m'ennuyant à mourir, j'avais demandé ma mutation à un poste plus intéressant et l'on m'avait transférée à la division des Ressources humaines, au sein du même ministère, où j'occupais la place d'employée administrative. Nos bureaux se trouvaient dans le centre de Pretoria.

L'apartheid n'existait plus, mais la vie continuait, inchangée. Ce nouvel état de fait ne touchait en rien notre quotidien. Nous vivions toujours «à part», alors même que les changements politiques avaient commencé à faire sentir leurs premiers effets avant les élections de 1994. La violence, l'agitation se perpétuaient dans de lointaines contrées et nous étions sans cesse confrontés à des images de cadavres dans des zones rurales. Les manifestations de violence ne concernaient plus seulement l'opposition entre Noirs et Blancs, elles étaient également provoquées par des tensions entre l'ANC et l'Inkatha Freedom Party, le Parti de la liberté Inkatha, à l'époque principal rival de l'ANC.

Et puis mes fiançailles furent rompues. J'en fus affligée et désemparée. Lorsqu'une rupture de ce genre intervient dans ma vie, mon premier réflexe est de me jeter à fond dans mon travail, ce qui est pour moi le meilleur moyen d'oublier ma peine.

Le 10 mai 1994, le premier président noir d'Afrique du Sud démocratiquement élu prit ses fonctions. J'avais alors vingt-trois ans et je consacrais toutes les heures supplémentaires que je pouvais accumuler à me construire une carrière au sein de la division des Ressources humaines du ministère des Dépenses de l'État. Alors même que le jour de sa prestation de serment était férié, j'étais en train de me rendre à mon travail pour y effectuer des heures supplémentaires. La circulation était quasiment nulle ; les gens évitaient de sortir par peur d'éventuelles explosions de violence après l'entrée en fonction du gouvernement dirigé par l'ANC, considéré comme un ennemi pour tous les

Blancs, y compris ceux qui avaient voté en faveur des réformes et de l'abolition de l'apartheid. L'arrivée au pouvoir d'un gouvernement mené par l'ANC impliquait que la plupart de nos dirigeants seraient désormais des Noirs, ce qui représentait un sacré défi pour la suprématie blanche.

L'heure de la revanche avait sonné et nous nous attendions à ce que les Noirs commencent à régler leurs comptes avec nous autres Blancs pour les siècles d'oppression endurés. Des véhicules militaires étaient visibles partout dans les faubourgs, et des voitures de police se tenaient prêtes à intervenir à la moindre instruction. Mais tout cela n'affectait en rien mon existence et je me retrouvai en sécurité dans le confort de mon bureau le jour de l'entrée en fonction du président. Aussi longtemps que la police, la même que dans le régime précédent, était visible dans les rues, on ne risquait absolument rien.

En rentrant chez moi en voiture, je me rappelle avoir vu des Noirs se promener dans les rues et des gens sourire, visiblement heureux, danser et pousser des hourras. Mes réflexions se limitaient à peu de chose : d'accord, vous pouvez maintenant faire tout ce qu'il vous plaît, mais je vous en prie, ne venez pas nous tuer cette nuit sous prétexte que nous sommes blancs.

Avant les élections, certains Blancs avaient accumulé des conserves et toutes sortes de denrées périssables par peur de la guerre civile, des violences et autres perturbations. Nous nous attendions à ce que les Noirs prennent possession du pays et, dès lors, nous privent des services de base, à ce qu'ils pillent les boutiques et créent un chaos absolu, à ce qu'ils sabotent les canalisations d'eau et les lignes électriques alimentant les quartiers blancs. Les gens stockaient packs d'eau minérale, bougies, conserves, tout ce qui pouvait s'avérer utile en cas d'urgence. Nous nous attendions à ce que les Noirs se vengent.

Mais cette nuit-là, rien ne se passa : nous nous réveillâmes le lendemain matin, partîmes au travail et reprîmes le cours normal de nos vies, inchangées par les événements de la veille et par ceux qui dirigeaient désormais le pays. Notre existence se poursuivit d'une façon étonnamment identique. Nous avions toujours nos maisons, nous étions toujours vivants et l'eau coulait toujours du robinet. Il n'y avait là rien qui laissât présager que bientôt le socle même de ce qui constituait ma vie – mon ignorance, mes croyances, mes valeurs – allait être chamboulé et mis à l'épreuve. Comment aurais-je pu deviner que je sortirais de ce cocon douillet, paranoïde, tissé de peur et de déni, et que l'homme qui m'aiderait à m'en extirper – en me tenant si gentiment la main – ne serait autre que Nelson Mandela ?

II
DEUXIÈME PARTIE

Les prémices d'une aube nouvelle

1994-1999

3

Rencontre avec M. Mandela

Peu après les élections de 1994, le gouvernement en place eut besoin de recruter du personnel nouveau. Mon département fut chargé de participer à ce projet considérable consistant à rendre l'ex-gouvernement de l'apartheid plus « représentatif », ce qui, en d'autres termes, revenait à dire que nous devions embaucher plus de Noirs. Ce fut le début d'une profonde transformation : l'Afrique du Sud devait être gouvernée au bénéfice de tous. Tous devaient donc être représentés.

Des milliers et des milliers de personnes posèrent leur candidature. Il nous fallut des semaines pour établir une présélection pour chacun des postes à pourvoir. Il était clair, d'une part, qu'il y avait un grand déficit de personnes bien formées, et d'autre part, qu'un nombre considérable de Sud-Africains recherchaient désespérément du travail. Nombre de candidatures durent être mises à la poubelle, les postulants, illettrés, s'étant vu refuser une éducation normale sous le régime d'apartheid. Il me fallut travailler dur pour traiter toutes ces candidatures. On ne me proposa, pour ce surplus de travail, aucun avantage particulier, prime ou autre, mais je suis ainsi faite : quand on me confie une tâche, je dois en venir à bout au plus vite. Je fais partie de ces gens qui aiment régler rapidement les choses pour ne plus avoir à y penser, et, sans que ce soit nécessaire, je travaille souvent à un rythme qu'on n'exige nullement de moi. J'étais à la recherche d'un nouveau job, j'avais envie d'un nouveau départ, histoire d'oublier mes fiançailles rompues, mais en attendant je focalisai toute mon attention à absorber ces piles de candidatures.

C'est alors qu'un collègue m'informa qu'un département administratif rattaché au bureau du président, nouvellement créé, recherchait une dactylo. Le poste impliquait de travailler six mois de l'année à Pretoria et le reste du temps au Cap. Lorsque le Parlement était en session, les hommes et femmes politiques, leur famille et leurs collaborateurs résidaient et travaillaient au Cap, siège du Parlement. Durant les vacances parlementaires, tout ce petit monde retournait à Pretoria, la capitale administrative. C'était le genre de transhumance dont j'avais toujours rêvé et le fait que le poste proposé fût hiérarchiquement inférieur à celui que j'occupais n'avait pour moi aucune espèce d'importance. J'étais également intéressée par un détail : l'annonce spécifiait que le poste en question concernait un « Ministre sans portefeuille ». Je me disais que, à coup sûr, un ministre sans portefeuille ne devait pas être surchargé de travail, et que, par conséquent, il ne devait pas être bien pénible de travailler pour lui. J'allais apprendre bien sûr par la suite que « sans portefeuille » signifiait simplement que le ministre en question pouvait se voir confier n'importe quel dossier et qu'il n'avait donc pas de champ d'action ni de programme spécifique.

J'entamai sans délai des discussions avec mes supérieurs, au sein de mon propre département, les informant que je souhaitais poser ma candidature pour ce poste, à la condition de pouvoir être mutée avec le même salaire si je venais à être choisie. Ils acceptèrent.

L'entretien d'embauche devait avoir lieu au sein des Bâtiments de l'Union. Non seulement je ne faisais plus de roulades sur le gazon, mais désormais un Noir était l'homme le plus puissant d'Afrique du Sud. Et il veillait à ce que des gens comme moi, afrikaners, blancs, conservateurs, fassent partie de la nouvelle administration. À l'intérieur des bâtiments officiels, les gens étaient accueillants, détendus, et je remarquai nombre de visages bien blancs dans les parages en dépit du fait que le gouvernement désormais au pouvoir était dominé par l'ANC.

Durant l'entretien, une dame noire entra dans le bureau. Gaie et flamboyante, elle était vêtue d'un ensemble en satin aux couleurs vives. C'était là une image à laquelle je n'étais pas habituée : celle d'une dame noire habillée grand style, et dont la tenue était sans nul doute beaucoup plus onéreuse que celle à laquelle ma mère tenait le plus. Elle nous interrompit fort impoliment pour lancer à mes vis-à-vis : «J'ai besoin d'une dactylo. Je me fiche qu'elle soit noire ou blanche, mais j'en ai besoin tout de suite.» Je souris en me disant : je suis celle qu'il vous faut. Je n'avais aucune idée du poste qu'occupait cette femme. Elle échangea rapidement quelques mots avec les deux personnes chargées de l'entretien avant de quitter la pièce. Quelques heures plus tard, celles-ci me téléphonèrent pour me demander si je serais intéressée par un poste de dactylo au sein du secrétariat du président. On m'expliqua que cela impliquerait que je travaille à côté de son bureau personnel. Je n'avais qu'une idée en tête – Le Cap –, et comme l'on m'assurait que le job se ferait aux mêmes conditions que celui auquel j'avais postulé initialement, je dis clairement que j'étais intéressée.

J'appris que la dame qui avait interrompu si grossièrement mon entretien n'était autre que la secrétaire particulière du président, Mary Mxadana. Je crus comprendre que je serais sous ses ordres. Elle m'avait eu l'air plutôt agréable. Lorsque je travaillais encore pour le ministère des Dépenses de l'État, on m'avait chargée de former deux fonctionnaires juniors, noires, qui avaient été intégrées au personnel après que le processus de transformation eut été mis en route. Je les avais trouvées sympathiques et avais fini par bien travailler avec elles. Lentement mais sûrement, je commençais à voir les Noirs sous un jour un peu différent. Je n'avais plus systématiquement peur d'eux, quels qu'ils soient. Je parlais désormais normalement avec eux, sans me dire qu'ils n'étaient capables de comprendre qu'un afrikaans ou un anglais « petit-nègre. » Mary était amicale et, malgré mes doutes, elle me mit tout à fait à l'aise.

Je me rendis vite compte que j'allais travailler dans un bureau qui était le centre politique des convictions auxquelles je continuais de m'opposer, puis je me dis que ce n'était qu'un job, après tout, et que je n'aurais pas grand-chose à voir avec la « vraie » politique. Prête au compromis, j'en vins à jouer avec l'idée que, finalement, j'aimais bien le Dr Mangosuthu Buthelezi, président de l'Inkatha, principal opposant à l'ANC. Je l'avais vu à la télévision durant la campagne électorale, je l'avais apprécié ; donc, si mon opinion sur son compte avait changé, Nelson Mandela pouvait ne pas être entièrement mauvais lui non plus. J'étais toute prête à faire un essai, mais restais très réaliste : si le travail dans ce bureau ne me plaisait pas, rien ne pourrait m'empêcher de partir.

Je ne me souviens pas avoir éprouvé autre chose que du soulagement quand on m'appela pour me dire que le job m'était attribué. Deux semaines après l'entretien, je commençai mon travail, au bureau du président, comme dactylo ministérielle senior.

Le 12 octobre 1994, j'entrai pour la première fois dans les Bâtiments de l'Union en tant qu'employée au sein du bureau personnel du président Mandela. J'avais bien vu des photos de lui, mais je ne savais rien sur son compte, hormis le fait qu'il avait passé beaucoup de temps en prison à Robben Island et que ma famille le considérait comme un terroriste. Je ne m'attendais pas à avoir le moindre rapport avec lui, ni même à le voir un jour.

J'arrivai bien à l'heure et fus accueillie à la réception par une autre employée qui, après que nous eûmes franchi plusieurs portes vitrées et subi plusieurs contrôles de sécurité, me précéda dans ce qu'on appelait la suite présidentielle, constituée d'une série de bureaux donnant sur un long couloir. Elle me désigna un bureau et un ordinateur dans une pièce qui évoquait un « pool », même si le seul autre bureau était le sien. Elle occupait le poste d'administratrice et avait la double tâche de répondre au standard du bureau privé du président et de servir ponctuellement d'assistante.

Elle m'expliqua que le staff du bureau personnel du président se limitait à trois personnes : Mary, elle-même et Elize Wessels. Cette dernière venait de l'équipe du gouvernement de Klerk, où elle travaillait pour la première dame, Marike de Klerk.

Je sentis tout de suite que l'atmosphère était tendue entre la « vieille » équipe, autrement dit la blanche, et la « nouvelle », la noire. Chacune s'appliquait, qui à marquer son territoire, qui à affirmer sa position dans la nouvelle administration. Il était clair par ailleurs que la « vieille garde » était là pour aider la nouvelle équipe dirigeante à prendre progressivement le pouvoir, à la guider et à la conseiller bon gré mal gré.

Mary n'arriva que bien plus tard au bureau. On sentait sa présence avant même qu'on l'ait remarquée. Elle avait une autorité naturelle et s'habillait de façon très voyante, ce qui ajoutait à sa personnalité pleine de dynamisme. Elle pénétra dans le bureau tel un tourbillon et me serra dans ses bras pour me souhaiter la bienvenue. Elle se montra extrêmement amicale, et je me sentis tout de suite à l'aise. N'ayant jamais travaillé jusqu'alors pour une Noire, j'eus cependant quelque réticence à trop vite baisser ma garde. Au début en tout cas, la confiance entre Noirs et Blancs n'était que de surface : aucun ne savait exactement à quoi s'attendre de la part de l'autre. J'étais toute disposée à travailler avec Mary, mais je m'accrochais à mes convictions politiques, estimant que c'était ma situation financière et concrète qui m'avait contrainte à me retrouver dans ce bureau.

Ce n'est pas nécessairement une caractéristique propre à tous les Afrikaners, mais en règle générale, nous sommes respectueux des personnes âgées et de celles qui sont en position d'autorité ; d'accord ou non avec ce qu'elles défendaient, nous nous montrions toujours courtois. Si vos principes ne vous permettaient pas de respecter telle ou telle personne, vous vous contentiez de l'ignorer. Je découvris que j'avais du respect pour Mary. Elle me parla de la lutte de libération, et je me mis à m'intéresser à l'histoire de mon pays. J'eus l'impression d'avoir vécu sur une autre planète, car j'ignorais absolument tout de ce qu'elle me racontait. Peut-être est-ce précisément cette innocence, cette ignorance qui l'amenèrent à se sentir à l'aise avec moi. Elle se montrait très chaleureuse, très amicale à mon endroit, et nous partagions une même passion pour la musique. Elle me parla de la chorale dont elle faisait partie et m'apporta un CD. Son mari était le chef de la chorale, dont elle-même était un des membres fondateurs. Ils chantaient comme des anges.

Au cours des deux semaines suivantes, on m'en dit plus long sur ce qui se passait autour du président. Que l'on ne voyait ni n'entendait jamais, ce qui m'amena à penser que si « un jour » je l'apercevais, ce ne pourrait être que de loin. En revanche, je rencontrai bon nombre de gens, de Parks Mankahlana qui, me dit-on, était le porte-parole du président, jusqu'à Tony Trew qui, comme je l'appris, était sa « plume », en passant par notre patron, le professeur Jakes Gerwel, qui avait le titre de directeur général de la présidence. Il me fallut un certain temps pour m'y retrouver dans les noms, les mémoriser et savoir qui faisait quoi.

Ma tâche principale consistait à taper ce que me demandait Mary et à mettre régulièrement à jour l'agenda du président. Très vite, elle m'apprit comment distribuer ce programme aux personnes chargées de la sécurité du grand homme, en me demandant de bien veiller à l'envoyer simultanément aux deux responsables du service, le Noir et le Blanc. Comme tous les services gouvernementaux, la police sud-africaine était en pleine transformation : la police de l'ancien régime d'apartheid, dominée par les Blancs, procédait à l'intégration de nombreux éléments de l'ex-branche militaire de l'ANC, Umkhonto we Sizwe, ainsi que de l'Apla, aile militaire du Congrès panafricain, autre parti engagé dans la lutte de libération. J'éprouvai au début quelque difficulté à m'y retrouver, et il me fallut parfois envoyer à deux reprises le même fax au même numéro, mais en l'adressant à l'attention de deux personnes différentes. La fusion des forces de police était clairement plus symbolique qu'autre chose, les deux parties opérant pour l'essentiel de façon indépendante tout en s'efforçant de créer entre elles un climat de confiance. Mais je suis une personne qui applique strictement le règlement : quand on me donne des instructions, je les suis à la lettre, et c'est donc ainsi que je fis mon travail, sans poser de questions ni pinailler sur des détails pratiques.

Je travaillais à la présidence depuis deux semaines quand on annonça que le président allait venir au bureau pour la première fois. Entre-temps, Mary m'avait un peu parlé de lui, du genre de personne qu'il était, du fait qu'il était gentil mais strict sur la discipline. Comme je l'ai déjà mentionné, les Afrikaners apprennent dès leur tendre enfance à respecter l'autorité, de sorte que, avant même de l'avoir rencontré, j'avais du respect pour lui, pour la seule raison qu'il était le président de mon pays. Il n'avait rien fait publiquement pour aller à l'encontre de ce sentiment, et je n'avais par conséquent aucune raison de ne pas le respecter.

Dès mon arrivée au bureau, tôt ce matin-là, je sentis une tension inhabituelle dans le bâtiment, mais dans le même temps une sorte d'excitation. Les policiers qui gardaient nos bureaux avaient l'œil aux aguets, leur uniforme était repassé de frais, et très vite, une équipe d'hommes en costume sombre fit son entrée, se présentant comme l'équipe avancée des gardes du corps du président. L'arrivée de ce dernier étant visiblement imminente, j'allai fermer la porte de mon bureau afin de ne pas gêner ce qui allait se passer dans le couloir. D'après les bruits de pas et les éclats de voix à l'extérieur, j'en conclus que le président était arrivé, puis qu'il était passé devant mon bureau pour rejoindre le sien. Des visiteurs y furent introduits sans délai. Tous furent ponctuels, et tout se passa avec une précision militaire. Quant à moi, je restai tranquillement assise sur ma chaise, attendant que l'on me donne des instructions. J'avais remarqué que les gardes du corps étaient tous armés, j'étais donc tendue et attentive à ne pas faire un geste qui aurait pu être mal interprété. C'était la première fois que je côtoyais des gens armés, et cela me rendait un peu nerveuse.

Quelques heures plus tard, Mary me demanda de lui taper quelque chose et de le lui porter dans son bureau quand ce serait prêt. C'est ce que je fis. J'avais les yeux fixés sur la feuille de papier devant moi quand je faillis entrer en collision avec le président Nelson Mandela, alors qu'il sortait du bureau de Mary, entouré de gardes du corps. Il fut le premier à me tendre la main pour serrer la mienne ; toute troublée, ignorant s'il était convenable que je le salue, je lui dis : « Bonjour, monsieur Mandela. » On ne sait pas très bien quoi faire à ce stade, à part fondre en larmes. Ce que je fis. J'étais dépassée par l'événement, et je me mis à sangloter. Il s'adressa alors à moi mais, totalement sous le choc, je ne compris pas ce qu'il me dit. Il fallut que je lui dise : « Pardon, monsieur le président », pour qu'il répète ses paroles, et quand j'eus recouvré mon audace ou ma jugeote – j'ignore laquelle des deux –, je me rendis compte qu'il s'était adressé à moi en afrikaans. Ma langue maternelle.

Il était visiblement âgé et semblait très gentil. Les premières choses que je remarquai furent les rides de son visage et son sourire sincère, chaleureux. D'une voix douce, pleine d'attention, il me demanda comment je m'appelais. Je m'apprêtais à retirer ma main de la sienne, mais il continua de la tenir. Je sentais la texture de sa peau sur la mienne, et je me mis à transpirer. Je n'étais pas sûre d'être censée tenir la main de cet homme noir. J'avais envie qu'il me lâche, mais il n'en fit rien et me demanda d'où je venais, où je travaillais. Je ne savais pas exactement si je devais lui répondre en afrikaans ou en anglais, et je suis incapable aujourd'hui de me rappeler la langue que je choisis.

Nous continuâmes à converser dans un mélange des deux langues. J'étais complètement envahie par l'émotion et je fus vite incapable de poursuivre.

C'est alors qu'un sentiment de culpabilité aiguë me saisit. Je me sentis coupable que cet homme au ton si aimable, aux yeux si doux, à l'esprit si généreux se soit adressé à moi dans ma propre langue après que « mon peuple » l'eut envoyé croupir en prison durant tant d'années. Je regrettai instantanément d'avoir voté « Non » au référendum. Comment corriger de tels préjugés en cinq minutes ? Soudain, j'eus envie de m'excuser. Jamais je n'avais songé à ce que pouvaient bien représenter vingt-sept années de captivité, mais ce que je savais, c'est que moi, je n'avais pas encore vingt-sept ans. Je n'en avais que vingt-trois, presque vingt-quatre, et j'étais incapable de concevoir une vie entière passée en prison.

M. Mandela nota que je n'étais pas en état de poursuivre notre conversation. Tenant toujours ma main de sa main droite, il posa la gauche sur mon épaule et la tapota en me disant : « Tout est OK, calmez-vous, je crois que vous en faites trop. » Primo, je n'avais pas l'habitude que l'on se montre direct avec moi au point de me dire que j'en faisais trop et, secundo, j'étais gênée que ce soit un président qui m'ait fait cette remarque. Je me calmai, il était manifestement pressé, nous nous quittâmes donc. Ses derniers mots furent : « Heureux de vous avoir rencontrée, j'espère vous revoir bientôt. » Alors qu'il s'éloignait, je pensais : comment puis-je être importante aux yeux d'un président ? Après tout, c'est mon peuple qui lui a fait endurer toutes ces souffrances.

Je demeurai sous le choc toute la journée. De retour chez moi, je racontai à mes parents que j'avais rencontré le président, et quel homme charmant il semblait être. Qu'il m'avait parlé en afrikaans. Mes parents ne me posèrent aucune question et continuèrent de vaquer à leurs occupations, indifférents à ce que je venais de leur annoncer. J'eus l'impression que, habitués à ce que j'exagère un peu, ils pensaient que je mentais. Je m'endormis encore ébahie par cette rencontre, sans trop savoir que penser de ce gentleman que ma famille et ma communauté considéraient comme un terroriste.

Le lendemain, je demandai à Mary comment il se faisait que le président parle si bien l'afrikaans. Elle m'expliqua qu'il avait appris cette langue en prison et qu'il l'avait fait en toute connaissance de cause, afin de communiquer avec ses geôliers. Ce n'est que plus tard qu'il me vint brusquement à l'esprit qu'avec son afrikaans, il avait également dû charmer les leaders de l'apartheid lorsqu'il les rencontrait durant les négociations. C'est toujours une expérience très amusante que de voir les événements aller au-delà de ce que l'imagination peut concevoir. La dernière chose que tout Afrikaner pouvait attendre de Nelson Mandela, c'était qu'il lui parle en afrikaans. Tout devint lumineux lorsqu'il me confia, bien plus tard : « Quand on parle à un homme, on parle à sa tête, mais lorsqu'on lui parle dans sa langue, on parle à son cœur. » Et c'est très exactement ce qu'il venait de faire. J'en vins à comprendre qu'en apprenant la langue de ses gardiens, il était quasiment en mesure de les séduire. L'afrikaans, langue de l'oppresseur, était détesté à l'époque, car synonyme du régime d'apartheid. J'appris aussi par la suite que, en 1974, l'afrikaans avait été imposé comme langue principale dans les établissements scolaires réservés aux Noirs. Cette décision avait entraîné le soulèvement de Soweto de 1976, auquel avaient pris part 20 000 étudiants noirs. Bien que les chiffres officiels aient arrêté à 176 le nombre de morts lors du soulèvement, on estime que celui-ci fit plus probablement 700 victimes. Les Noirs n'étaient pas recensés à l'époque en Afrique du Sud, et les chiffres officiels ne correspondaient jamais aux estimations dans la mesure où il n'existait pas de registre officiel.

À plusieurs reprises dans les semaines qui suivirent, j'aperçus de loin le président, alors qu'il arrivait à son bureau ou bien en repartait. Je me concentrais sur mes travaux de dactylographie, donnais des coups de main à Mary et j'évitais de me mettre en avant lorsqu'il était présent au bureau. Je jugeais plus intéressant de me lier d'amitié avec ses gardes du corps, noirs et blancs. Certains étaient tout à fait aimables avec moi, et m'interrogeaient sur mes antécédents. Je ne sus jamais s'ils effectuaient des vérifications sur mon compte, s'ils me posaient des questions par pur intérêt pour ma personne ou si leur travail consistait, entre autres, à s'assurer que je ne risquais pas de constituer une menace pour le président.

Chaque fois que celui-ci passait devant mon bureau, je veillais à ce que ma porte soit fermée afin d'éviter d'avoir avec lui un nouveau contact trop chargé en émotion. Je me dissimulais entièrement à sa vue lorsque je l'entendais approcher, et ne le voyais que de dos lorsqu'il passait devant mon bureau. Sa présence dans les lieux ne m'en enchantait pas moins, car elle donnait lieu à une certaine effervescence, ainsi qu'à la visite de personnages intéressants. J'étais toutefois plus intriguée par lui que par ses visiteurs, à qui je ne prêtais guère attention, même si je savais que certains d'entre eux avaient des noms dont on parlait dans les médias ou les magazines.

Je me rappelle très bien la visite de Basetsana Makgalamela, la nouvelle miss Afrique du Sud, après son couronnement. Avant son arrivée, je m'étais entraînée à prononcer son nom, que j'avais parfaitement mémorisé lorsqu'elle fit son apparition. Après son entrevue avec le président, Mary nous appela pour faire sa connaissance.

Une après-midi, Mary nous annonça que le président souhaitait inviter à déjeuner tous les membres de son équipe le lendemain, dans sa résidence personnelle. Peu après son entrée en fonction, il avait rebaptisé la demeure présidentielle Mahlamba Ndlopfu, ce qui signifiait « prémices d'une aube nouvelle ». Une appellation tout à fait appropriée, à mon sens. J'étais sur les nerfs, et absolument pas prête à déjeuner avec un président, quel qu'il soit. Je n'avais aucune idée des couverts à utiliser en premier, par exemple, mais l'une de mes collègues me rassura en me disant que je n'aurais qu'à la regarder faire et à suivre son exemple. Le soir, j'interrogeai également ma mère, qui se saisit aussitôt du livre d'Emsie Schoeman — une Sud-Africaine qui faisait autorité en matière d'étiquette — et j'eus droit à un cours intensif sur la façon de se comporter à table.

À notre arrivée à Mahlamba Ndlopfu, nous fûmes conduits dans un salon. Le président était encore en réunion, mais, dès qu'on lui annonça notre arrivée, il l'interrompit pour venir nous rejoindre. Il nous salua tous, serrant la main de chacun et, tout en conversant avec notre groupe de la façon la plus détendue, il nous mena vers la salle à manger. Cette fois, je parvins à me contrôler et à garder les yeux secs. C'était un geste très gentil de sa part que d'avoir invité tout son staff à déjeuner. En regardant mes sept collègues, je me dis soudain que nous étions très représentatifs de la diversité raciale d'Afrique du Sud : Mary Mxadana, sa secrétaire personnelle, était noire ; tout comme Morris Chabalala, l'un des assistants de cette dernière ; Elize Wessels, l'autre assistante de Mary, était blanche ; Alan Pillay, le responsable administratif, indien ; Lenois Coetzee, l'une des deux réceptionnistes, blanche ; sa collègue Olga Tsoko, noire ; enfin moi, la plus jeune et la moins élevée dans la hiérarchie, blanche.

On me raconta que, peu après son entrée officielle en fonction, le président avait convoqué l'ensemble des membres du staff de l'ex-présidence, tous collaborateurs de l'ancien régime, à une assemblée générale : là, il avait apaisé leurs craintes d'être renvoyés ou mis au chômage sans autre forme de procès, sans qu'ils aient leur mot à dire. Il leur demanda de rester à leur poste pour aider à construire le nouveau gouvernement d'unité nationale, tout en leur laissant la possibilité de partir s'ils le souhaitaient. L'équipe apprécia grandement que le président leur ait laissé le choix. Désormais, son staff était un mélange de Noirs et de Blancs représentant la « nation arc-en-ciel » qu'il invoquait souvent dans ses discours.

Je remarquerais également par la suite qu'à Tuyn-huys, le bureau du président au Cap, situé près du Parlement, les portraits des anciens présidents et Premiers ministres du pays étaient restés accrochés au mur. Une fois de plus, je trouvais étrange qu'il n'ait pas eu envie de gommer le passé, alors que ces hommes avaient été les fers de lance de l'oppression de son peuple et l'avaient envoyé derrière les barreaux. Mais on me raconta que le président Mandela avait insisté pour que ces portraits demeurent à leur place : ils faisaient partie intégrante de l'histoire de l'Afrique du Sud, aussi désagréables qu'aient été ces souvenirs.

Au déjeuner, organisé autour d'une table ronde, je choisis très vite une chaise éloignée de la sienne pour éviter qu'il engage avec moi une conversation qui m'aurait mise mal à l'aise, ou qu'il me pose des questions délicates ; je n'avais pas non plus envie d'occuper le siège de quelqu'un qui aurait eu envie de s'asseoir à côté de lui. Il était une heure de l'après-midi et, au lieu d'apporter des plats, l'un des membres du personnel de maison entra dans la pièce avec un petit transistor noir qui ressemblait, sinon à une anti-quité, du moins à un objet depuis longtemps passé de mode. C'était l'heure des informations. On alluma donc la radio, et l'on posa le poste sur le rebord de la fenêtre. Tandis que le journal de la mi-journée se déroulait, nous nous regardions, gênés. Très concen-tré, le président écoutait les nouvelles, prenant visiblement fort au sérieux ce qui était en train de se dire. Je me rappelle vaguement les journalistes mentionner que l'Afrique du Sud allait fournir des troupes pour le maintien de la paix en Afrique, que le paquebot *Achille Lauro* avait sombré au large des côtes somaliennes, et que Cindy Crawford et Richard Gere avaient annoncé leur séparation. J'essayais de me concentrer sur les nouvelles, mais mes pensées allaient avant tout au président : que ressentait-il, à quoi pensait-il là, maintenant, et, plus important, que pensait-il des trois Afrikaners blancs qui se trouvaient à sa table ?

Après les nouvelles, on servit le déjeuner. Contrairement à mon attente, il fut des plus simples : hors-d'œuvre, plat principal, dessert et café. La nourriture était faite maison, sans tralalas, et l'on savait très exactement ce que l'on avait dans son assiette. Le président prit un verre de vin et, si l'on nous en proposa également, je m'en tins pour ma part à de l'eau. Pendant le repas, il commença à nous raconter certains épisodes de ses années en prison et je dus enfoncer mes ongles dans les paumes de mes mains pour m'empêcher de pleurer. Quand vint le dessert, je fus incapable de me contenir et mes yeux s'emplirent de larmes. J'éprouvais une telle pitié pour lui. Il évoqua pour nous son si précieux potager, les plants qu'il faisait pousser dans sa prison et ces tomates dont il était si fier. Il nous raconta également les conditions de travail dans les carrières de gypse, comment les reflets du soleil sur la roche blanche lui avaient abîmé les yeux. Avec son exceptionnel don de conteur, il nous transporta par l'imagination jusqu'à cet Alcatraz sud-africain qu'était sa prison de Robben Island.

J'essayai de me représenter ce que cela signifiait que de vivre là, saison après saison, dans une cellule de prison, les sols de ciment froids, les salles de douches communes, sans jamais la moindre intimité, mangeant toujours aux mêmes heures la même nourriture parfaitement insipide, et ce, vingt-sept années durant. Tout cela dépassait l'entendement. Ce qui me frappa le plus, c'est qu'il racontait toutes ces histoires sans laisser paraître la moindre tristesse. Pour moi, ce que j'entendais tenait de la tragédie, et pourtant il dépeignait tout cela avec une verve pleine d'images colorées, contraires à celles, sinistres, que me renvoyait ma propre imagination.

Le déjeuner prit fin rapidement. De retour au bureau, nous échangeâmes nos réflexions et je me sentis libre d'exprimer ma compassion. Mais à l'évidence, ce n'était pas ce que recherchait le président. À ses yeux, ce qu'il avait vécu faisait partie de l'Histoire et ne devait en aucun cas donner le ton du reste de sa vie. Je tombai peu après sur une citation qui exprimait parfaitement cette attitude : «Ce qui importe dans la vie n'est pas ce qui vous arrive, mais la façon dont vous gérez ce qui vous arrive.»

Je lus plus tard qu'il avait écrit qu'il est plus facile de changer les autres que de se changer soi-même. Aujourd'hui encore, je m'interroge sur les sentiments divers qui ont dû l'agiter en son for intérieur quant aux concepts de pardon et de réconciliation, j'essaie d'imaginer quels efforts il faut faire sur soi-même pour changer son mode de pensée et ses convictions : pour prendre la décision de pardonner, ainsi que me l'a raconté Ahmed Kathrada. Mais comme le disait Madiba : en décidant de pardonner on ne se contente pas de libérer l'opprimé, on libère également l'oppresseur.

Plus tard cette année-là, le Dr Johan Heyns, un éminent progressiste sud-africain, fut assassiné ; le président convoqua alors tous les généraux des forces de sécurité sud-africaines à une réunion dans son bureau. La victime était l'un des principaux dirigeants de l'Église hollandaise réformée d'Afrique du Sud. Cette Église tenait le haut du pavé pendant la période de l'apartheid, qu'elle justifiait par la religion, et le Dr Heyns était l'un des rares leaders afrikaners qui avait critiqué l'apartheid à une époque où cela n'était guère à la mode. On soupçonnait qu'une troisième force était entrée en jeu, dont le but était d'essayer de déstabiliser le pays et de créer des tensions entre Noirs et Blancs à un moment où l'Afrique du Sud était encore vulnérable. On pensait que le Dr Heyns, qui avait connu son chemin de Damas et avait montré son vif désir de travailler avec le nouveau gouvernement, était tombé sous les coups d'extrémistes afrikaners blancs, du même genre que ces conservateurs que j'avais auparavant soutenus. Les Afrikaners conservateurs voyaient ces premières réformes d'un très mauvais œil. Peu à peu, je m'étais mise à réfléchir à mes propres convictions et, tout en restant perplexe, je m'étais assouplie, tout de même consciente du fait que la résistance au changement n'était ni logique ni justifiable.

Tandis que tous ces généraux passaient devant mon bureau pour se rendre dans celui du président, je ne pus m'empêcher de ressentir une grande fierté en les voyant défiler en grand uniforme. Nous, Afrikaners, sommes des gens fiers, en particulier de nos généraux et autres hauts gradés ; par nature, certes, mais aussi parce que, depuis toujours, nous leur avons accordé une confiance inconditionnelle. Je me sentais fière de leur présence, même si je n'ignorais pas la tension qui régnait dans les lieux.

Le président convoqua également le général Constand Viljoen, le leader du Front de la liberté, un parti de droite, qui s'opposait à M. Mandela dans plusieurs domaines, du partage du pouvoir à la réforme agraire. J'étais extrêmement honorée de rencontrer le général Viljoen, car il était un vrai Boer dans tous les sens du terme (*boer* signifie « fermier » en afrikaans). Lui aussi fut heureux de trouver dans les bureaux du président une fille qui avait tout de l'Afrikaner typique. J'imagine qu'il se sentit plus à l'aise en voyant dans ces locaux une personne partageant la même culture et la même origine que les siennes. Le président ne souhaita pas s'entretenir avec lui dans son propre bureau, redoutant sans doute des micros cachés ; il le reçut donc sur un canapé installé à l'entrée des toilettes pour femmes, juste en face de la porte de mon bureau. Quand ils se furent installés, le président m'appela. Je fus présentée au général en afrikaans et, avec un sourire plein de chaleur, le président informa son interlocuteur que j'étais une authentique Afrikaner (*boere meisie*, autrement dit une fille de ferme.)

Pourquoi avait-il dit cela ? Parce que je parlais afrikaans ? Avait-il senti que je venais d'une famille conservatrice ? Ou était-ce tout simplement parce que j'avais l'apparence d'une Afrikaner type ? Ce n'est que par la suite que je me dis que mon poids, que je surveillais de près à l'époque, avait peut-être joué un rôle dans l'affaire. Les Afrikaners sont en général des gens plutôt forts, comme on dit, à l'ossature très robuste. La plupart, dont les membres de ma propre famille, aiment bien manger, pain et viande en particulier. Nelson Mandela me considérait-il comme l'image même de la fermière afrikaner ?

De retour chez moi ce soir-là, je racontai avec la même fierté à mes parents que j'avais rencontré le général Viljoen. Je ne m'intéressais toujours pas à la politique et tout ce que je savais, c'était qu'il était venu discuter de la disparition du Dr Johan Heyns. Mes parents furent visiblement très impressionnés, car l'on considérait à l'époque le général Viljoen comme le représentant des conservateurs afrikaners. Un rapport des services secrets consacré à la mort du Dr Heyns passa quelque temps après sur mon bureau, mais je ne lui accordai pas même un coup d'œil, ce que je regretterais vivement par la suite.

Au fil des mois, je commençai à me sentir de plus en plus chez moi dans mon nouvel environnement : je tenais Mary au courant des problèmes de sécurité, je briefais l'armée de l'Air sur les déplacements du président, je collaborais avec son staff à l'ANC. Tous les lundis, le président passait la journée entière à Shell House, comme on l'appelait, le quartier général de l'ANC à Johannesburg (celui-ci s'installera par la suite à Luthuli House, du nom du fondateur et premier président de l'ANC, Albert Luthuli.). Pas question pour nous de nous mêler des lundis : en cinq années, voyages à l'étranger exceptés, le président ne manqua pas une seule fois de se rendre le lundi au QG du parti. Nous ne sûmes jamais ce qu'il y faisait, avec qui il était en contact, et son travail proprement partisan était bien distinct de ses devoirs officiels de président du pays. Mais il faisait partie intégrante de l'ANC, et il ne se sépara jamais de ce parti qui avait modelé son existence et sa carrière politique tout entière. Dans l'exécution de ses tâches quotidiennes, il respectait scrupuleusement la politique et le cadre fixés par l'ANC.

Et puis, un beau jour, je reçus un coup de fil de Mary m'annonçant que le président souhaitait que j'aille le retrouver chez lui, à sa résidence privée de Houghton, à Johannesburg, pour l'« aider avec l'afrikaans ». À la suite d'une opération à l'œil, il avait des problèmes de vue et l'on nous avait dit qu'il resterait quelques jours chez lui, le temps de se remettre.

En arrivant à la résidence de Houghton, je découvris plusieurs véhicules de sécurité garés à l'extérieur. Le président lui-même était dans le jardin, sous un arbre, installé dans un fauteuil confortable, les jambes allongées, légèrement surélevées. Il portait des lunettes de soleil (manifestement pour protéger l'œil qui avait été opéré). Nous échangeâmes une poignée de main et nous saluâmes chaleureusement. Il me demanda de m'asseoir à ses côtés, me tendit un numéro du *Beeld* (le quotidien local en langue afrikaans) et me demanda de lui en faire la lecture.

Soudain prise de panique, je crus un moment que je ne savais plus lire.

Je me débrouillai tant bien que mal jusqu'au moment où il m'arrêta et m'invita à me détendre. Il y avait de l'humour dans sa voix. Il me demanda alors de reprendre au début et de lire avec un débit moins rapide. Dès lors, tout se déroula mieux. Au cours de la lecture d'un article, je tombai sur le nom de Mamoepa. Ronnie Mamoepa était à l'époque le porte-parole de l'ANC. En lisant son nom, je le prononçai à l'anglaise ou à l'afrikaans : Mamoupa. Le président m'interrompit et corrigea ma prononciation : Mamo-épa. Je le remerciai et poursuivis ma lecture. Tombant une nouvelle fois sur le nom de famille de Ronnie, j'essayai de le passer aussi vite que possible, mais le président m'interrompit de nouveau et me corrigea patiemment, me demandant de répéter le nom après lui. La troisième fois, je compris que je devais faire attention et que mon manque d'application ne l'amuserait pas très longtemps. Aussi, lorsque je rencontrai le nom pour la quatrième fois, il me félicita pour ma prononciation. J'eus l'impression que je venais de remporter une médaille d'or olympique et fus presque gênée de son excès de louanges. Je me détendis un peu, mais sans plus. J'étais si contractée que je lisais encore trop vite, et il me demanda à plusieurs reprises de ralentir mon débit. Puis il me pria de lui expliquer un terme qu'il ne comprenait pas ; je lui relus la phrase et lui expliquai le contexte. Je lui lus encore quelques articles, puis il me congédia et je rentrai à Pretoria. Je me rappelle avoir transpiré comme une coureuse de marathon sous l'effet du stress et fus soulagée de retrouver le calme de mon foyer, où j'allais pouvoir me remettre de ce nouveau contact déstabilisant avec le président.

Au bureau, ce fut de nouveau « business as usual », et quand le président réapparut la fois suivante, il me fut plus facile de lui faire face. Mon travail ne m'amenait pas à avoir des rapports directs avec lui, mais il m'arrivait de le croiser dans les couloirs ou de le voir passer devant mon bureau. Je ne songeais plus à me cacher, je ne rougissais plus, et j'acceptais l'idée que, s'il avait soudain envie de se débarrasser de moi sous prétexte que j'étais une Afrikaner blanche, je devrais en prendre mon parti. Pour le moment, en tout cas, il ne semblait pas prévu que je sois victime d'une telle décision et, tout en demeurant quelque peu sceptique sur ses sentiments envers les Blancs, j'étais rassurée que, jusqu'à présent, il n'eût montré qu'une grande chaleur à mon égard.

Je m'efforçais de mieux comprendre le monde politique qui m'entourait. Ce n'était pas commode et j'en fus réduite à prendre des cours de rattrapage accéléré en histoire sud-africaine. L'un des gardes du corps proposa de nous emmener, mes deux meilleurs amis, Pieter Moolman et Andries Ellis, et moi, faire une excursion à Soweto. Soweto est un ancien township noir de la banlieue de Johannesburg, où, sous l'apartheid, les Noirs étaient regroupés, avec interdiction de vivre ailleurs. Nous étions nerveux et effrayés, mais nous acceptâmes l'offre, curieux de voir à quoi ressemblait un pareil endroit.

Le garde du corps nous emmena dans la première maison du président Mandela, Vilakazi Street, nous montra l'endroit où, dans la même rue, résidait l'archevêque Desmond Tutu, puis le musée Hector-Pieterson. Enfin, il nous raconta des épisodes du soulèvement étudiant de 1976. Alors âgé de treize ans, Hector participa à cette manifestation qui regroupa des milliers d'étudiants et collégiens protestant contre l'usage de l'afrikaans comme langue exclusive pour l'instruction des Noirs. Leur marche devait être une manifestation pacifique, mais elle sombra dans la violence quand les policiers arrivèrent et tirèrent des coups de feu pour disperser la foule. Hector fut touché par une balle, et la photo d'un autre collégien le portant et quittant les lieux en courant tandis que son camarade mourait dans ses bras devint l'image symbolique que le monde entier conserva de l'Afrique du Sud de l'apartheid. Hector Pieterson était devenu un héros.

L'officier de police qui s'occupait de nous pendant cette excursion nous montra ensuite plusieurs endroits qui servaient de planques aux militants de l'ANC et à son aile militaire quand ils menaient des opérations clandestines ; nous étions passionnés par ce que nous apprenions, et en même temps toujours très nerveux d'être à Soweto. À l'époque, il n'était pas facile pour un Blanc de faire ce genre de visite, mais j'étais plutôt tranquille : notre guide était armé et je savais qu'il aurait des ennuis si, alors que nous étions sous la protection d'un garde du corps du président, il nous arrivait quelque chose. Nous fîmes donc un grand tour en voiture, ce qui me permit de constater que Soweto n'était pas le township avec ses camps de squatters et ses taudis, bref, le bidonville géant que je m'étais imaginé. On y construisait désormais des maisons dignes de ce nom, voire des résidences luxueuses, et il n'y avait visiblement là rien à craindre. J'appris par la suite que la personne qui s'était occupée de nous ce jour-là était très liée à la National Intelligence, les renseignements intérieurs du pays ; ce qui me donna à penser que, s'il s'est proposé pour cette excursion, c'était sans doute pour fouiller dans nos vies et ainsi jauger notre degré de dangerosité, en particulier pour moi, qui travaillais à proximité immédiate du président.

Fin 1994, celui-ci partit en vacances en Arabie Saoudite. Comment quelqu'un pouvait-il bien avoir envie d'aller passer ses vacances là-bas ? Cela dépassait mon entendement. On me raconta que, sur place, il avait visité un hôpital, qu'il avait rencontré des infirmières sud-africaines, et qu'il y avait également des amis, mais quelle idée de prendre des vacances dans un désert comme l'Arabie Saoudite !

Le jour de son retour, Mary m'invita à l'accompagner à l'aéroport pour accueillir le président. Toute excitée, je sautai sur l'occasion. Mon attitude à son égard avait changé. Ses contacts avec moi étaient toujours plaisants, il se montrait très amical et chaleureux chaque fois qu'il m'adressait la parole. J'attendais donc avec impatience la moindre occasion de le rencontrer. Mary me demanda de prendre mon répertoire téléphonique pour le cas où il aurait envie de passer des coups de fil depuis l'aéroport, ce qui était son habitude à l'époque. J'étais en effet munie en permanence d'un solide répertoire comprenant tous les numéros de téléphone dont lui ou Mary pourraient avoir besoin. Ce n'était pas quelque chose qu'elle m'avait demandé de faire, mais j'étais partie du principe que, si l'on voulait être efficace, il fallait pouvoir disposer à tout moment de certaines informations ; c'était dans cet esprit que j'avais commencé à constituer ce répertoire téléphonique.

Quand il arriva à l'aéroport, le président parut content de me voir. Il me confia qu'il avait pensé à moi. Je me dis une fois de plus : tu parles… J'étais certaine qu'un président avait à penser à des choses plus importantes qu'à une petite dactylo de son équipe. Plus tard, je me rendis compte qu'il avait sans doute déjà commencé à réfléchir à une stratégie consistant à se servir de moi comme du parfait exemple de l'Afrikaner travaillant à son service, et à la façon dont les minorités réagiraient à une initiative de cet ordre. J'avoue que cela ne me traversa pas l'esprit sur le moment : ce qu'il dit me flatta sans que je le prenne pour argent comptant.

Une foule considérable de journalistes de la presse écrite et audiovisuelle attendait l'arrivée du président sur la base aérienne de Waterkloof. Juste après qu'il m'eut saluée, un photographe prit un cliché de lui et de Mary se dirigeant vers le salon d'honneur. La photo fut publiée le lendemain dans le *Sunday Times,* et mon père téléphona au journal pour se faire envoyer une copie de l'original. À ma grande surprise, ils avaient aussi pris une photo de moi accueillant le président. La copie que je reçus devint dès lors le bien le plus précieux de ma vie ; je notai une certaine fierté de mon père à mon égard : s'il n'avait pas rencontré personnellement le président Mandela, il commençait à s'en faire une idée sur la base des histoires que j'avais rapportées à la maison suite à mes quelques contacts avec lui. Nelson Mandela était en train de changer l'opinion des Sud-Africains les uns après les autres. Mon père y compris.

4

Travailler pour un président

Au bureau, nous recevions parfois des requêtes ou des coups de fil complètement farfelus. Ainsi, un monsieur m'appela pour me dire qu'il était propriétaire d'un perroquet qui imitait fort bien le président ; il demandait l'autorisation d'amener sa bestiole au bureau afin que ce dernier puisse l'entendre. C'est moi qui avais eu l'honneur de prendre cet appel, et je répondis bien entendu que je ne pensais pas que ce serait possible. Une autre fois, une voix d'homme me dit en afrikaans : « Bonjour, madame, veuillez me livrer vos pintes. » Je m'étonnai : « Pardon, monsieur ? — Vos pintes, j'ai besoin de vos pintes, s'il vous plaît. » À quoi je répliquai : « Désolée, monsieur, je crois que vous n'avez pas fait le bon numéro. Je ne vois absolument pas de quoi vous me parlez. » Il m'expliqua alors qu'il appelait d'une laiterie et qu'il avait en effet composé un faux numéro. Il souhaitait se procurer notre production de lait du jour. Avant de raccrocher, je lui expliquai que, même si j'avais disposé du produit qu'il demandait, j'aurais été bien incapable de lui donner le prix d'une pinte de lait !

Un jour, c'est un tueur en série en cavale, du nom de
Collen Chauke, qui appela notre standard : il souhaitait parler au président, et à lui seul, avant de se livrer à
la police. Il voulait que le président lui vienne en aide,
sans doute parce qu'il craignait d'être abattu par les
policiers lorsqu'il se livrerait. C'est Olga qui était au
standard ce jour-là, et elle se hâta d'alerter la police sur
une autre ligne. Chauke fut arrêté quelques heures plus
tard et il n'eut pas le loisir de parler au président...

Nous ne nous occupions donc que de choses
sérieuses, même si, certains jours, nous avions quelque
mal à rester concentrés face à certains appels ou suggestions complètement délirants.

Notre rythme de travail était frénétique, surtout
quand le président était là. En sa présence, tout semblait calme et paisible, mais en coulisses c'était la
course permanente. Nous n'avions guère de temps
pour autre chose que de travailler. Basée au Cap, Elize
se débrouillait beaucoup mieux que nous : sa vie était
nettement plus équilibrée. Mais nous, à Pretoria, nous
nous battions en permanence contre le temps pour
arriver à bout de nos tâches de la journée. Comme
j'ai déjà eu l'occasion de le préciser, Elize avait été au
service de Marike de Klerk, l'ex-première dame ; elle
était donc l'une des collaboratrices de l'ancien régime
qui avait décidé de continuer avec la nouvelle équipe.
Mais nous autres n'avions ni le savoir-faire ni les compétences de personnes ayant déjà travaillé pour un
président, et bon nombre de choses se faisaient par
tâtonnements.

La présidence se concentrait avant tout sur la
mise en œuvre de la Constitution provisoire et

l'établissement de structures permettant d'améliorer le fonctionnement de celle qui serait ratifiée en 1996. Pour sa part, le président se préoccupait essentiellement de la réconciliation et veillait à apaiser les sentiments tant des Noirs que des Blancs qui avaient eu à souffrir de l'apartheid ou de son abolition.

Outre la frappe du planning du président et sa distribution quotidienne au personnel chargé de la sécurité et de la maison présidentielle, à l'armée de l'Air et aux autres parties concernées, Mary me chargeait de certaines autres tâches pratiques. Il lui arrivait ainsi de me demander de porter son thé au président ou à ses hôtes, mais aussi d'aller à la station-service faire le plein d'essence pour sa propre voiture, ou d'aller chercher ses vêtements à la teinturerie. Je n'y voyais aucune objection et m'appliquais à faire tout ce que l'on me demandait. J'allais souvent déposer des documents à la résidence du président à Pretoria, je recevais certains visiteurs et j'apprenais à régler certaines demandes de renseignements transmises au staff personnel du président. Nous commençâmes à opérer d'une manière plus structurée : le travail était divisé entre les trois secrétaires privées et Alan. Je fus chargée pour ma part de l'essentiel des tâches administratives. Tout en opérant à l'intérieur du service plus vaste que constituait la présidence (Department of the Office of the President), le staff personnel du président s'occupait surtout de ses affaires privées ainsi que de ses rendez-vous et déplacements au quotidien, mais aussi des requêtes qui lui étaient adressées directement ou qui nécessitaient son attention personnelle. La présidence, elle, s'occupait du cabinet et des questions politiques.

Je connaissais désormais un peu mieux le professeur Jakes Gerwel, le directeur général de la présidence. Le professeur Gerwel – que nous appelions Prof – était un universitaire. Métis («Brun») originaire de la province du Cap-Oriental, il avait été militant anti-apartheid depuis son plus jeune âge. Un chasseur de têtes l'avait débauché de l'université du Cap-Occidental pour le propulser au poste de chef du bureau du président ainsi qu'à celui de secrétaire de cabinet du premier gouvernement démocratiquement élu. C'était la première fois que je rencontrais un intellectuel véritable, et lors de notre première entrevue je fus légèrement surprise qu'un «Brun» puisse avoir tant de diplômes universitaires. Il avait obtenu la plupart avec mention, tous en littérature et en langues. Pour l'ignorante que j'étais, seuls les Blancs pouvaient être aussi cultivés. On m'avait parlé de ses nombreux diplômes avant que je le rencontre. C'était une personne extrêmement aimable, qui traitait manifestement les gens avec respect et sans préjugé (je m'étais attendue à être prise de haut par quelqu'un d'aussi diplômé). Même si cela semblait incroyable, on me dit qu'il était afrikaner lui aussi. Une fois de plus, du fait de mes préjugés, j'avais peine à croire qu'on pouvait être afrikaner sans être blanc.

Son sourire et ses cheveux ébouriffés, style afro, étaient les principaux signes distinctifs de Prof. Il me rappelait Albert Einstein. Chaque fois que le président était à son bureau, Prof Gerwell passait fréquemment devant les nôtres avant de se rendre dans celui du président, et il s'arrêtait toujours pour nous demander si tout se passait bien. Le président comptait beaucoup sur les conseils de Prof Gerwel pour tout ce qui avait trait à l'exercice de sa charge, jusque dans les plus infimes détails. Leur relation était très étroite, et le président admirait beaucoup la façon calme et posée qu'avait Jakes de traiter non seulement les affaires d'importance nationale, mais aussi les problèmes plus personnels.

En février 1995, nous commençâmes à préparer notre déplacement au Cap pour la première session parlementaire de l'année.

Au Cap, les collaborateurs du Parlement résidaient dans un village spécifiquement construit pour eux, appelé Acacia Park. En fonction de leur statut hiérarchique et de leur ancienneté (ainsi que de la taille de leur famille), ils se voyaient allouer qui un appartement, qui une petite maison. Pour nous autres célibataires, un studio avec une cuisinette et une salle de bains faisait l'affaire. J'appréciais d'être indépendante, mais me liai rapidement d'amitié avec plusieurs de mes collègues. Maretha Slabbert en faisait partie ; elle travaillait alors au secrétariat du cabinet à la présidence. Dix-sept ans plus tard, nous continuions à travailler ensemble, et elle représente le soutien le plus important de ma vie jusqu'à ce jour, tant sur le plan personnel que professionnel.

Quand arrivait juillet, le Parlement se mettait en vacances, et tout ce petit monde faisait ses valises et retournait à Pretoria jusqu'à la fin de l'année. Je ne peux pas dire que j'attendais ce moment avec impatience : je n'appréciais guère de revenir à un mode de vie qui me privait de mon indépendance, comme le fait de devoir vivre chez mes parents et d'avoir des comptes à rendre. Et pourtant, j'aimais bien revoir mes amis, partager mes expériences avec eux, sans parler de ces petits agréments de la vie quotidienne qui consistent à retrouver ses vêtements lavés et repassés sans avoir à s'en préoccuper. Souvent, au cours des soirées qui nous réunissaient, mes amis me titillaient, expliquant aux autres que je travaillais désormais pour «l'ennemi». Je prenais cela à la plaisanterie, mais au fil des ans, gagnant en âge et en maturité, nous nous mîmes à discuter plus sérieusement d'histoire et de politique. Je me sentais mieux informée, en tout cas plus en mesure de parler intelligemment d'un domaine sur lequel j'estimais avoir acquis certaines connaissances. Ces discussions débouchaient souvent sur des débats très vifs, car ma perception des événements qui se déroulaient en Afrique du Sud se modifiait progressivement du fait de mes contacts avec le président et des lumières que m'avaient transmises certains de mes collègues.

Mary passait par ailleurs plus de temps avec moi ; elle me parla de la vie privée du président, de l'échec de son mariage avec Winnie Madikizela, de leurs filles, Zindzi et Zenani. À part les cérémonies officielles où le président avait besoin d'être accompagné, et où il faisait appel à l'une de ses filles, je les voyais très peu. D'ailleurs, à en juger par son emploi du temps quotidien, on comprenait bien que le président n'avait guère de temps pour une vie privée. J'appris également qu'il avait deux enfants survivants de son premier mariage, mais nous ne les vîmes jamais ni n'eûmes à faire à eux à aucun moment.

J'avais remarqué que, chaque fois que le président recevait des visiteurs afrikaners, il faisait appel à moi pour lui apporter des documents, ou me demandait de servir le thé dans son bureau. Je n'y voyais aucun inconvénient, car cela me donnait une occasion supplémentaire de le voir. Jour après jour, il abattait mes défenses et, comme pour le gypse des carrières où il trimait lorsqu'il était prisonnier à Robben Island, il grattait couche après couche mes préjugés et les restes de cet apartheid qui me collaient à la peau. Avec un intérêt non feint, il m'interrogeait sur moi, mes parents et ma vie en général. Des questions nouvelles chaque fois. Toute personne qui s'intéresse à vous devient automatiquement sympathique, quelles que soient les idées préconçues que vous puissiez avoir sur elle. Et comme dans le cas précis elle était sincère, j'appréciais cette attention. Jamais je ne me serais imaginé qu'un président m'accorde de l'importance au point de s'enquérir de mon bien-être.

À l'une de ces occasions, alors qu'on était en train de tourner un documentaire consacré à la vie quotidienne du président, on me demanda de servir le thé durant une réunion à laquelle assistait Jay Naidoo, ministre sans portefeuille auprès de la présidence, l'homme avec qui j'aurais dû travailler si Mary n'avait pas fait irruption dans le bureau où se déroulait mon entretien d'embauche. Le président me présenta au ministre Naidoo en afrikaans. Ce dernier me gratifia d'un sourire sans conviction. Ce qui m'amena à douter du fait que tous les anciens militants anti-apartheid avaient rejoint M. Mandela sur la voie du pardon.

Lorsqu'on projeta le documentaire, mes parents furent stupéfaits d'apprendre que certains de leurs amis avaient décidé de rompre tout lien avec eux parce que je servais le thé à un Noir. Les membres de la communauté afrikaner n'étaient pas tous d'accord pour s'adapter aux changements en Afrique du Sud. Leurs relations avec les Noirs restaient du même ordre que durant l'apartheid – celles de maîtres à domestiques. Pour la plupart des Blancs, rien n'avait changé au quotidien. Ils vivaient dans la même bulle de confort matériel qu'auparavant et rares étaient ceux qui acceptaient réellement de participer à un effort concerté pour transformer le pays en une société non raciale. Beaucoup d'entre eux n'ont malheureusement toujours pas quitté cette bulle, aujourd'hui encore.

Mes parents se retrouvèrent dans une situation délicate : ils voyaient bien que je travaillais dur, que j'appréciais ce que je faisais, et pourtant il était clair que notre communauté n'était pas prête à soutenir mes efforts. Des années plus tard, ces mêmes personnes m'approchèrent pour me demander de faire signer des livres par le président Mandela, après qu'il eut pris sa retraite, et je me fis un plaisir de leur rendre ce service. J'ignore si leur opinion n'avait changé que sur le seul président…

À l'automne, je reçus un coup de fil de Rochelle, la nièce de M. Mandela, qui s'occupait de lui lorsqu'il résidait à Johannesburg. Elle m'annonça que le président souhaitait que je l'accompagne le soir même à une réception donnée à l'hôtel Carlton en l'honneur des United World Colleges. Après que, en 1992, il eut quitté Winnie Madikizela-Mandela, son épouse d'alors, sa première résidence permanente se trouvait dans un faubourg appelé Houghton. Rochelle s'y installa pour s'occuper de son oncle, organiser sa maison et gérer le personnel, mais également pour lui apporter une aide plus personnelle. Je me trouvais à Pretoria lorsqu'elle m'appela et je fus aussitôt prise de panique. Je demandai à ma mère comment je devais m'habiller et nous portâmes notre choix sur une jupe et une veste noires, très simples. Je devais me trouver chez le président à une heure donnée, et Rochelle m'avait précisé que je me rendrais à la réception en voiture avec lui. Ce qui me stressa encore plus. Qu'étais-je censée dire ou faire avec un président à côté de moi ? Personne ne vous prépare à ce genre de situation.

Arrivée chez lui, je demandai à Rochelle ce que l'on attendait de moi. Elle me répondit que je devais juste l'accompagner ; quand le moment serait venu pour lui de prendre la parole, je devrais poser le texte du discours à l'endroit d'où il était censé parler, ne pas oublier de poser également ses lunettes et m'assurer qu'il avait un verre d'eau devant lui. La sécurité s'occuperait du reste. J'attendais avec anxiété que Rochelle me dise que le président avait appelé Mary pour l'informer qu'il souhaitait que je l'accompagne, car je n'étais pas très à l'aise à l'idée que ce n'était pas elle qui me l'avait demandé. Mais le briefing de Rochelle s'arrêta là.

Arrivé en bas de l'escalier, le président me salua amicalement et m'invita à monter en voiture avec lui. La sécurité ouvrit la lourde porte blindée, que je pouvais à peine bouger. Ne voulant pas empiéter sur l'espace vital du président, je veillai à me tenir bien dans mon coin, pratiquement collée à la portière. Crispée. En chemin pour l'hôtel Carlton, au centre de Johannesburg, le président m'apprit que j'allais devoir rencontrer la reine Noor, l'épouse du roi de Jordanie. Quand je lui demandai comment je devais m'adresser à elle, il m'expliqua avec un sourire : « Non, vous voyez, vous devez l'appeler Votre Majesté, parce que c'est une reine. » Le président commençait toujours ses phrases par « non », que la réponse soit positive ou négative, ce « non » étant d'ordinaire suivi de « vous voyez ». Je prêtais une telle attention à chacun de ses mots que je ne pus m'empêcher de le remarquer. Il avait une façon de s'adresser aux gens en leur manifestant le plus grand respect, quelle que fût la personne qu'il avait en face de lui, et il choisissait ses mots avec soin. Commencer chacune de ses phrases par « non » n'avait aucune connotation péjorative. C'était juste une habitude, une sorte de tic de langage.

À notre arrivée sur place, on commença à se bousculer autour du président, et la sécurité eut des difficultés à maintenir la foule à distance tout en s'efforçant de frayer à M. Mandela un chemin vers la porte de l'hôtel où devait avoir lieu la réception. À la porte, Sa Majesté la reine se porta à sa rencontre. Le président me présenta alors avec ces mots : « Votre Majesté, voici ma secrétaire, Zelda la Grange. » a) Je n'étais pas sa secrétaire, et b) je pensais vraiment qu'elle s'en moquait. Mais, à ma grande surprise, elle s'intéressa à moi et me demanda depuis combien de temps je travaillais pour le président. Ma réponse : presque un an. Le fait que notre historique n'était pas bien long ne découragea apparemment pas son intérêt pour ma personne. C'était l'une des femmes les plus ravissantes que j'aie jamais rencontrées. Elle avait vraiment la stature d'une reine et se déplaçait avec grâce. Je dus me pincer pour me convaincre que je ne rêvais pas. J'avais rencontré une reine !

Comment aurais-je pu deviner qu'une surprise plus grande encore m'attendait à l'intérieur ? La sécurité nous conduisit à la table d'honneur. Jamais je n'avais vu une telle bousculade, et je fis de mon mieux pour rester le plus près possible du président. En plus de la sécurité qui nous serrait de près, formant un cercle autour de nous, les gens poussaient, nous empêchant de nous mouvoir librement. Tout le monde voulait toucher le président ou le voir d'aussi près que possible. Dès que la reine et lui se postèrent derrière leur siège dans la salle, le brouhaha se calma et les gens s'apprêtèrent à rejoindre leur place. Me tournant alors vers les agents de sécurité, je leur demandai : «Où dois-je aller ?» Je comptais sur eux pour me guider et me dire ce que je devais faire. Ils me désignèrent mon siège, juste à côté de la reine. Je rougis violemment et sentis mon cœur envoyer des flots de sang dans tous les muscles de mon corps. Il n'était pas question, cela ne se discutait même pas, que je sois obligée de m'asseoir à côté d'une reine. Qu'allais-je bien pouvoir lui dire ? Qu'allais-je bien pouvoir faire ? Je ne me souvenais même pas, malgré mes cours de rattrapage accéléré, de quel couteau je devais me servir pour les hors-d'œuvre. Mon cerveau reptilien me rappela alors que j'avais entendu ma mère me dire : «Commence avec celui qui est le plus

à droite.» OK, tout n'était pas perdu. Mais tout de
même non, ce n'était possible. J'expliquai à la sécurité
qu'il y avait erreur. Entre-temps, le président et la reine
s'étaient installés, tandis que, mal à l'aise, j'essayais très
nerveusement de m'éclipser : à ce stade, j'étais la seule
personne dans la salle à me tenir encore debout.

Le président me regarda d'une façon qui voulait
clairement dire : «Zelda, installez-vous.» Je le regardai
au fond des yeux – les miens reflétaient une panique
noire, comme si je lui disais : «Sauvez-moi, dites-moi
de m'en aller !» Au lieu de cela, il eut un mouvement
de tête pour me signifier de m'asseoir. Donc, je m'assis. La reine et le président échangeaient des plaisanteries. Quant à l'identité de l'autre personne qui se
trouvait à côté de moi, je n'en avais aucune idée. Elle
aurait pu être totalement nue ou totalement morte, je
ne l'aurais même pas remarqué. Je fixai le motif de la
nappe avant de le suivre du doigt, espérant ainsi me
donner une contenance, apparaître détendue, mais
intérieurement, je défaillais sous l'effet du stress et
de la tension nerveuse. Je savais que j'étais censée ne
pas poser mes coudes sur la table, mais, incapable de
dissimuler plus longtemps que j'étais tout sauf à ma
place, je me dis qu'en poser un seul affermirait un peu
plus ma position. Il était évident que m'installer à côté
de la reine allait complètement à l'encontre du protocole. Même moi, je savais ça.

La reine se tourna alors vers moi et commença
à me parler. Je lui souris et, par-dessus son épaule,
lançai de nouveau au président un regard qui voulait
dire : «OK, monsieur, maintenant, vous êtes censé me
venir en aide !» Je lui en voulus un peu car, au lieu de

voler à mon secours, il se contenta de sourire, à l'évidence sans remarquer mon affolement. La reine commença alors à me poser des questions sur la situation politique du pays, le lieu où j'avais passé mon enfance et toutes ces sortes de choses. Je suis incapable de me souvenir de ce que je lui répondis, mais je savais que je devais donner l'impression d'une optimiste à tous crins en partant du principe que, puisque j'étais avec le président, on devait attendre de moi que j'envisage positivement l'avenir de l'Afrique du Sud. Je ne savais pas vraiment de quoi je parlais et je n'étais pas encore bien certaine de ce que je devais penser : si je voyais vraiment un avenir au pays et dans quelle direction nous allions. Mon opinion sur la nouvelle Afrique du Sud n'avait à l'époque pas encore évolué au-delà du fait que, désormais, j'appréciais plutôt le président.

Je fus alors sauvée par le gong. La cérémonie commença. Après le discours de la reine, on demanda au président de prendre la parole. Il parlait depuis son siège et on lui tendit un micro. Je lui passai le texte de son discours ainsi que ses lunettes, qu'il reposa aussitôt sur la table avant de se mettre à parler. Pourquoi aurait-il besoin de ses lunettes puisqu'il ne s'en sert pas ? me dis-je. Une fois son discours terminé, il me rendit les feuillets en me lançant tout haut « Merci, chérie », sur un ton plein de considération et de gratitude. Je n'avais pas l'habitude qu'on m'appelle « chérie ». Par la suite, je comprendrais que c'était juste un terme affectueux dont il usait de temps en temps avec pas mal de femmes. Jusqu'alors, j'avais toujours trouvé à ce mot une connotation désobligeante. Mais dans la bouche de Nelson Mandela, comment s'en offusquer ? Sous le choc, je sentis le sang me monter au visage, éprouvant le même genre de malaise que lorsque, adolescent, votre mère vous embrasse en public. Estimant cependant avoir accompli mon devoir, je m'apprêtai à me détendre et à commencer à manger.

Cela faisait cinq minutes que nous attendions les plats quand le président me lança : «Zelda, je crois qu'il est temps pour nous de partir.» Le maître de cérémonie annonça son départ et nous levâmes le camp. Au fil des années, j'allais découvrir qu'il n'aimait pas manger à l'extérieur. Il raffolait des plats préparés maison par l'un de ses chefs xhosas, Xoliswa ou Gloria, qui travaillaient pour lui depuis des lustres, et il ne mangeait donc que rarement à l'occasion d'événements publics.

Nous approchions de la voiture quand quelqu'un surgit avec, à la main, un exemplaire de l'autobiographie du président, *Un long chemin vers la liberté*. La sécurité le repoussa, mais l'homme insista et arriva à proximité immédiate du président, qui, dès lors, ne pouvait plus refuser. Après avoir signé le livre, il le tendit à un officier de sécurité et continua de marcher vers la voiture. En me retournant, je vis que l'officier avait arraché la page portant la signature du président et qu'il disait à l'homme qu'il n'aurait pas dû désobéir à l'ordre qu'on lui avait donné. J'en fus profondément choquée. Je ne pouvais pas deviner alors que plus tard je ferais partie de ces gens chargés autant que possible de maintenir l'ordre, quoi qu'il en coûte, même si je n'eus jamais à arracher aucune page à un livre.

Sur le chemin du retour, je confiai au président que je jugeai déplacé d'avoir été installée à côté de la reine. Avec un sourire, il me répliqua : « Ne vous en faites pas, tout était OK. » Ce qui me rendit encore plus nerveuse. Le président ne sembla pas le remarquer. Une fois chez lui, il m'invita à prendre un café, mais j'avais hâte de rentrer à Pretoria. C'était vraiment trop pour moi. Il insista pour que les agents de la sécurité me ramènent « dans ma maison », pour reprendre ses termes, mais une fois dehors, je persuadai les officiers que ça n'était pas nécessaire. Ils étaient fatigués, et je n'allais sûrement m'embarrasser de quelqu'un jusque chez moi. Par la suite, quand je l'accompagnerais de façon plus régulière, il insisterait toujours pour que des agents de la sécurité me raccompagnent, et, de même, je ferais mine d'accepter.

À l'hiver 1995, le président fut invité à Swellendam, dans la province du Cap-Occidental, une petite ville afrikaner aux allures de village, située sur la Route des Jardins, qui lui avait décerné la médaille de la Liberté. Pour une bourgade qui était encore dominée par les Afrikaners blancs, l'attribution d'une telle distinction au président était un acte d'unité, et celui-ci avait décidé de l'accepter. Cette fois encore, quelques jours avant la cérémonie, il m'annonça qu'il souhaitait que je l'accompagne. Il me convoqua la veille à Genadendal, sa résidence officielle au Cap et, dès mon arrivée, m'invita à m'asseoir. Genadendal est à l'origine le nom d'une petite communauté d'Afrikaners bruns installée dans la province agricole du Cap-Occidental. Le président avait choisi ce nom pour sa résidence officielle au Cap en hommage à la communauté en question, le nom de Genadendal pouvant être traduit littéralement par « vallée de la gratitude ».

Il m'annonça qu'il souhaitait peaufiner son afrikaans et me demanda de l'aider pour sa prononciation, car il ferait la totalité de son discours dans cette langue. Après quoi, il se lança et commença de lire sans plus de cérémonie. Au début, je n'eus pas le cœur de le corriger ; il levait la tête de temps en temps pour quêter mon approbation, et je hochais la mienne comme un vrai professeur tout en me haïssant d'apparaître ainsi comme la Blanche convaincue de sa supériorité. Certes, il m'avait demandé de l'aider, mais la situation était tout à fait typique de l'époque de l'apartheid : un Blanc supervisait ce que faisait le Noir, celui-ci quêtant l'approbation du Blanc. Par ailleurs, je ne comprenais pas bien ce qu'il lisait, et j'étais obligée de faire un gros effort de concentration. Quand il en eut terminé, il exprima le désir de relire entièrement le discours. J'opinai – qui ne l'aurait pas fait ? –, mais cette fois, rassemblant tout mon courage, j'ajoutai quelques corrections. Son débit se fit un peu plus nerveux et lorsqu'il me regardait par-dessus ses lunettes, c'était plus pour s'affirmer que pour obtenir mon approbation. Ce qui ne m'empêchait pas de continuer à hocher la tête.

Ce fut pour moi l'occasion de faire mon premier voyage en hélicoptère. J'étais nerveuse, mais je me décontractai en voyant le président tellement à l'aise dans le gros Oryx de l'armée de l'Air. L'appareil était piloté par des militaires blancs, et je me demandai s'il leur faisait totalement confiance. En 1995, rares étaient encore les pilotes noirs suffisamment entraînés et qualifiés pour être incorporés dans l'armée de l'Air nouvellement réorganisée. Pendant le voyage, je songeai à son discours et me demandai s'il se rappelait les mots que nous avions répétés la veille. J'étais inquiète pour lui alors que lui semblait parfaitement serein, comme s'il se rendait à quelque réunion entre amis.

Arrivé à Swellendam, il fut reçu à bras ouverts et insista pour commencer sa visite en se promenant à pied au milieu de la population. Lorsqu'une petite fille monta sur l'estrade pour le saluer, son visage s'éclaira largement. Très décontracté, il s'adressa à elle en afrikaans, et c'est dans cette même langue que, toute timide, elle lui répondit. Il appréciait visiblement ce contact et je pus me rendre compte que, manifestement, le courant passait avec cette fillette. Il lut son discours et énonça parfaitement les mots que je l'avais aidé à réviser. En prononçant tout son discours en afrikaans, il toucha en profondeur le cœur de la communauté, et les gens lui en surent le plus grand gré.

C'est à Pretoria, un jour où je lui servais le thé – il était seul cette fois-là –, qu'il me demanda de m'asseoir à son bureau, en face de lui. Je m'exécutai, non sans anxiété, ne sachant pas à quoi m'attendre. Cette demande étant tout à fait inhabituelle, je me dis que j'allais avoir des ennuis et, essayant de comprendre pour quelle raison, passai mentalement en revue les histoires que j'avais bien pu raconter, et à qui, aux cours des dernières semaines. Il me dit alors : « Non, vous voyez... Je veux que vous veniez au Japon avec moi. » Ma première pensée fut : est-ce qu'on jugera convenable que nous nous rendions ensemble à l'étranger ? Et la seconde : mais non, voyons, c'est exactement comme la première fois que je l'ai rencontré, je ne comprends pas ce qu'il vient de dire. Je crois que je lui répondis : « Pardon, monsieur ? » Il répéta donc sa proposition : « Je veux que vous veniez au Japon avec moi. » J'en profitai pour essayer d'assimiler ses paroles et tout ce que je trouvai à répondre fut : « Merci, monsieur le président, mais pour le moment je n'ai pas l'argent nécessaire pour aller au Japon. » Il éclata de rire, se demandant probablement comment réagir à une telle stupidité. Voyant ma surprise face à son hilarité, il reprit rapidement son sérieux pour réitérer sa demande, en ajoutant cette fois certaines précisions essentielles : « Je veux que vous m'accompagniez au Japon en tant que membre de ma délégation durant notre visite d'État. » Je compris donc vaguement que cela concernait le travail, et il poursuivit en m'expliquant que je devais aller voir Prof Gerwel, le directeur général de la présidence, qui m'expliquerait tout.

Je le remerciai et pris congé. Sans dire un mot à Mary. Impossible de me rappeler si elle se trouvait dans son bureau lorsque je regagnai le mien. De retour à mon poste de travail, je tentai de digérer la scène qui venait d'avoir lieu, me demandant ce que je devais faire de cette information et qui contacter. À écouter le président, rien n'était plus facile que de m'entretenir avec Prof Gerwell mais, tout de même, il était notre chef, et il n'était pas si simple de pousser sa porte pour l'interroger ! Je décidai donc de laisser les choses en l'état, de ne parler à personne de cette affaire et d'oublier ce qui venait de se produire, persuadée que tout cela était une erreur.

Quelques jours plus tard, Prof Gerwell passa devant nos bureaux pour se rendre chez le président, et il nous salua comme à son habitude. Là, il s'approcha de moi et me dit qu'il avait parlé au président, et que celui-ci l'avait informé que je devais être intégrée dans la délégation pour le Japon. J'étais si nerveuse ! Il m'envoya au ministère des Affaires étrangères afin de me faire établir un passeport, me précisant à qui m'adresser pour les formalités. Il ajouta qu'une autre jeune femme, originaire du Cap-Occidental, du nom de Melissa Brink, ferait également partie de la délégation. Le président l'avait rencontrée dans cette province à l'occasion d'un meeting public avec la communauté métisse, au cours duquel elle l'avait interpellé, mettant au défi l'ANC de lui procurer l'instruction que, selon ses parents, ce parti pourrait lui fournir s'il arrivait au pouvoir. Elle estimait que les progrès étaient trop lents et avait eu le courage de demander des explications au président lorsqu'elle en avait eu l'occasion. Impressionné, celui-ci avait en outre apprécié qu'une fille aussi jeune se soit montrée désireuse de s'instruire au point d'avoir le cran de l'interpeller publiquement.

Je n'avais aucune idée de la raison pour laquelle j'avais été invitée à participer à ce voyage, et personne d'autre n'était capable de me le dire. Mais pour moi, la cerise sur le gâteau, c'était que non seulement je n'allais rien devoir payer, mais qu'en plus je recevrais une indemnité de déplacement à l'étranger. Quand on m'indiqua le montant de ce que j'allais toucher, je m'alarmai : cela ne ressemblait-il pas à une sorte de prime de risque ? Je pense que je dus rendre fous les fonctionnaires des Affaires étrangères avec toutes mes questions, signe manifeste de mon inexpérience.

J'éprouvais par ailleurs un sentiment de culpabilité à l'égard de Mary. J'ignorais à qui il revenait de l'informer que j'accompagnerais la délégation dans le cadre de ce voyage, et quel y serait mon rôle, et je n'étais pas vraiment à l'aise de travailler dans un lieu où elle-même n'était pas certaine du statut qui était désormais le mien ; après tout, je travaillais plus pour elle que pour le président.

Et le jour vint pour moi de m'envoler pour le Japon avec l'équipe préparatoire. Je ne crois pas avoir jamais été aussi excitée de ma vie. Armée de mon passeport diplomatique, de vêtements nouvellement confectionnés et de bonnes manières récitées par ma mère, je partis pour mon premier voyage à l'étranger. Avant ce jour, je n'avais en effet jamais franchi les frontières de l'Afrique du Sud ; ce premier voyage lointain, au Japon qui plus est, était pour moi comme un rêve éveillé.

À notre arrivée à Tokyo, nous fûmes reçus par des fonctionnaires de l'ambassade et conduits à l'Osaka Palace Hotel. Je sentis tout de suite que tous les membres de l'ambassade étaient aussi intrigués que moi par ma présence. Mary arriva le lendemain. Entre nous la tension était palpable. Chacun veillait à ne pas me faire de remarques, car tout le monde savait que ma présence tenait à une instruction directe du président. Je tentai de me renseigner sur qui faisait quoi lors d'une visite d'État, mais ce n'était pas évident.

Nous étions entourés d'officiers de sécurité et de responsables du protocole, et je me pris rapidement d'affection pour un monsieur dénommé Johan Nieman, des Affaires étrangères. Celui-ci me servit de guide et m'expliqua tout dans les moindres détails. Il fut également le premier à me demander : « Dites-moi, comment se fait-il que vous soyez de ce voyage, et quel est exactement votre rôle ? » Je lui expliquai que j'étais une simple dactylo et que je n'avais aucune idée de ce que pouvait bien être mon rôle, mais il me rassura en m'expliquant que le président nous avait personnellement invitées, Melissa et moi, et que je ne devais donc me laisser intimider par rien ni personne. Ce qui me rasséréna quelque peu.

Au cours de mes conversations avec les collègues qui étaient également du voyage, je compris le but de notre voyage : resserrer les liens économiques entre l'Afrique du Sud et le Japon. Plusieurs ministres nous accompagnaient et l'objectif poursuivi par ces hauts responsables durant les visites d'État m'apparut clairement. Je commençais peu à peu à acquérir un peu de sens politique…

Le président Mandela devait rendre visite à l'empereur du Japon. À notre arrivée au palais impérial, il nous fut demandé de nous aligner en fonction de notre rang hiérarchique : les plus hauts responsables, les ministres, étaient placés au plus près du président, et ainsi de suite, jusqu'au plus modeste. Inutile de préciser que Melissa et moi étions tout à fait en bout de ligne.

C'est à cette occasion que je compris enfin pourquoi Melissa et moi avions été conviées à participer à cette délégation. Melissa fut présentée comme une jeune femme de couleur, métisse en l'occurrence, et moi comme une Afrikaner. En regardant mes collègues, je me rendis compte que notre délégation était parfaitement « représentative », et je fus ravie d'en faire partie. Le président voulait que toutes les races soient représentées dans son équipe. Il était bien décidé à prouver au monde que, s'il prêchait la réconciliation à l'ensemble des Sud-Africains, c'est qu'il y attachait une importance telle qu'il souhaitait appliquer ce concept dans ses propres services et promouvoir l'unité de l'Afrique du Sud jusque dans son environnement le plus proche.

Lorsque vint mon tour, le président me présenta à l'empereur en ces termes : « Voici Zelda la Grange ; c'est ma secrétaire et une authentique *boere meisie* afrikaner. » Je ne suis pas certaine que l'empereur ait su ce qu'était qu'une *boere meisie* afrikaner. Il eut un air perplexe, mais me sourit courtoisement tout en me serrant la main.

Je découvris également que je pouvais m'adresser au président en afrikaans chaque fois que je ne savais pas ce que je devais faire ; aussitôt, sans perdre son calme, il m'adressait à la bonne personne au service du protocole. Lui-même était briefé par les responsables du protocole et, souvent, lorsqu'il me voyait hésiter, c'est lui qui me parlait en afrikaans et me disait quoi faire. Lorsque son emploi du temps lui laissait des plages de liberté, nous ne quittions pas notre lieu de résidence. Les autres membres de la délégation partaient faire du shopping et visiter des sites touristiques, mais personnellement j'étais trop inquiète pour sortir. Et si le président me faisait appeler et que je n'étais pas là ? C'était inconcevable. Au cours du banquet d'État, bien qu'assise assez loin du président, j'étais en mesure de suivre le moindre de ses mouvements.

La vie des Sud-Africains moyens n'avait guère changé depuis l'entrée en fonction du président Mandela en 1994, même si soufflait un vent d'optimisme. Tout ce que l'on voyait du président à la télé, c'est qu'il traitait toujours les gens avec respect et une totale absence de préjugés. Ce que ceux-ci appréciaient. Notre économie se stabilisait et les investisseurs se mirent à avoir confiance en la nouvelle Afrique du Sud. De plus, un moment décisif de la présidence Mandela s'annonçait en 1995 ; l'occasion de montrer au monde que l'Afrique du Sud allait non seulement survivre, mais que jamais elle n'avait été en meilleure santé.

La Coupe du monde de rugby aurait lieu cette année-là en Afrique du Sud. Ce sport était toujours largement considéré comme une affaire de Blancs chez nous, même si je devais découvrir par la suite que les Noirs y jouaient depuis des décennies, en particulier dans la province du Cap-Oriental. Seulement, du fait de l'apartheid, ils n'avaient pas le droit de le pratiquer en public, ni même d'assister aux matches en tant que spectateurs. Le rugby est un sport que la plupart des Afrikaners blancs suivent et soutiennent religieusement, mais sous l'apartheid, les équipes et la présence de public étaient limitées aux seuls Blancs. Juste avant la Coupe du monde, les sélectionneurs inclurent dans l'équipe nationale (les Springboks) un jeune homme de couleur de langue afrikaans, du nom de Chester Williams.

Avant le début du tournoi, le président se rendit au camp d'entraînement des Springboks dans la province du Cap-Occidental pour leur rendre visite. Il fut également présent pour les acclamer le jour du match d'ouverture à Newlands. Quand Chester (ou Chessie, comme je l'appellerais affectueusement par la suite) entra sur le terrain, la foule l'ovationna. Chester marqua des points au fil des matches, de sorte que les Blancs commencèrent à approuver sa sélection.

Je ne savais pas que le président connaissait les règles du rugby, mais c'était apparemment le cas – il en connaissait en tout cas beaucoup plus que moi sur la question. Durant le match d'ouverture, opposant les Springboks aux Wallabies, l'équipe d'Australie, il suivit la partie, flanqué d'un côté du président de la fédération sud-africaine de rugby, le Dr Louis Luyt, du Premier ministre australien de l'autre. Le président était en pleine forme : il paria avec le Premier ministre que l'équipe qui l'emporterait ce jour-là gagnerait le tournoi ; le perdant enverrait à l'autre une caisse de bon vin, dont les deux pays étaient des producteurs réputés. L'Afrique du Sud remporta le match et ce fut ensuite une voie royale jusqu'au jour historique de la finale à Johannesburg. (Après notre victoire, la caisse de vin arriva d'Australie et fut donnée à un organisme de charité qui mit les bouteilles aux enchères.)

Quelques jours avant la finale, j'entendis Mary téléphoner pour demander un maillot des Springboks, sans savoir pour qui ni pourquoi. Puis, la veille du match, alors que nous nous quittions après la journée de travail, elle me confia que le président entrerait sur le terrain pour la finale avec le maillot springbok. Je me dis que c'était là une idée très originale, sans cependant y attacher plus d'importance que cela.

Mary me passa deux billets pour la fameuse finale, et j'invitai mon père à m'accompagner. Nous arrivâmes largement à temps au stade : la foule était tout excitée, et l'ambiance explosive. Peu avant le coup d'envoi, nous eûmes droit à l'annonce suivante : « Ladies and gentlemen, veuillez accueillir le président de la République d'Afrique du Sud, M. Nelson Mandela. » Le président rejoignit sa loge, entouré de gardes du corps et d'officiels du rugby. La foule l'acclama, mais lorsqu'ils le virent dans son maillot vert et or, les spectateurs se mirent à scander : « Nel-son, Nel-son, Nel-son… » Je me suis d'abord dit que l'appeler ainsi par son prénom n'était franchement pas respectueux, mais en regardant autour de moi je me suis rendu compte que la foule ne partageait pas ce sentiment : les spectateurs se levèrent comme un seul homme et se mirent à hurler, à siffler, à pousser des cris d'exaltation à la vue de ce président noir avec son maillot et sa casquette des Springboks. Quelles qu'aient été leurs idées politiques, ils ressentaient une immense fierté. Le président salua les deux équipes et l'on joua les hymnes nationaux.

Ce fut un match très serré, tendu. Mon père et moi sautâmes d'excitation sur nos sièges, comme des copains de longue date. C'est pendant le temps additionnel que Joel Stransky passa un drop qui donnait la victoire à l'Afrique du Sud. La foule explosa littéralement. Les spectateurs s'enlaçaient, embrassaient de parfaits étrangers, certains même pleuraient de joie. L'espace de quelques heures, notre passé n'eut plus aucune importance. La couleur de chacun était oubliée, et tout le monde profitait de l'occasion pour faire la fête en tant que Sud-Africains. À cause de l'apartheid, l'Afrique du Sud avait été exclue des deux premières Coupes du monde de rugby, organisées en 1987 et 1991, et elle n'avait été autorisée à participer à des compétitions internationales qu'après nos premières élections démocratiques. C'était donc notre première apparition en Coupe du monde, et nous avions gagné le tournoi.

Porter le maillot des Springboks ce jour-là fut sans doute l'un des plus brillants coups politiques jamais réalisés par Nelson Mandela pour unir le pays. Le monde entier avait vu en l'Afrique du Sud une nation unie. Il avait fait sien ce qui était considéré comme «le sport de l'homme blanc». En faisant irruption dans le domaine qui leur tenait le plus à cœur, il avait largement dépassé les frontières de la race pour toucher les gens dans ce qu'ils avaient de plus profond. Il était fier des Springboks, mais également de chaque citoyen du pays, fier pour eux et avec eux. Par la suite, il se référerait souvent à ce jour en disant que le sport avait la capacité d'unir les individus, bien au-delà des frontières qui les divisaient, et je crois bien que, avec l'humilité qui le caractérisait, il sous-estima le génie dont il fit preuve lors de cet événement.

Peu après la victoire, le président invita l'équipe des Springboks à déjeuner, prélude à des relations étroites avec le monde du rugby. Il appréciait beaucoup François Pienaar, le capitaine, mais était tout aussi fier des autres joueurs qui nous avaient permis d'être une équipe, mais aussi une nation victorieuse. Durant les années qui suivirent, le président continuerait d'être un grand supporter du rugby jusqu'au moment où on le critiqua pour le soutien un peu trop systématique qu'il accordait aux Springboks au détriment des autres sports. Il était important de tout mener de front : même si, au début, il lui avait été nécessaire de caresser les rugbymen dans le sens du poil, il devait désormais prendre un peu de distance.

En 1998, le Dr Louis Luyt, ex-président de la fédération sud-africaine de rugby, poursuivit le président Mandela en justice, afin de contester la commission chargée d'enquêter sur les affaires du rugby sud-africain. Prétextant que la fédération sud-africaine de rugby était un organisme indépendant, relevant donc du domaine privé, Luyt contestait le droit accordé par la Constitution au président pour créer une telle commission, chargée d'enquêter sur de prétendus actes de népotisme et de racisme. Le *Sunday Times* de Londres du 16 août 1998 devait décrire Luyt comme « ce qui se rapproche le plus d'un seigneur du rugby, un homme que les fans adorent détester ». Aujourd'hui décédé, Steve Tshwete, alors ministre des Sports et des Loisirs, était inquiet face à l'insistance du président à vouloir se défendre lui-même devant le tribunal. Les avocats et les conseillers du président proposèrent de le représenter, mais ce dernier refusa.

Le procès fut présidé par le juge William de Villiers. Le 10 mars 1998, dès qu'il fit son apparition dans la salle du tribunal, le président se dirigea vers les bancs de l'accusation et serra la main de chacun, y compris du Dr Luyt. Il salua ensuite sa propre équipe et alla prendre place sur le siège qui lui était réservé. Je lui en voulus beaucoup ce premier jour : pourquoi le président s'était-il senti obligé de prêter attention et, pis encore, de se montrer aimable avec ces gens qui avaient eu l'audace de l'attaquer ? Lorsque j'évoquai ce moment avec le président à l'heure du thé, il m'assena une leçon que je n'oublierais jamais par la suite : « Rappelez-vous que la façon dont vous vous adressez à une personne déterminera celle dont elle réagira envers vous. » Si l'on commence par désarmer son ennemi, la bataille est à moitié gagnée. Ce geste désarçonna indiscutablement l'accusation mais celle-ci reprit très vite le dessus pour lancer son offensive. Il m'apprit également une autre chose, à savoir qu'il ne fallait jamais laisser l'ennemi décider du lieu de l'affrontement. S'il choisissait le tribunal comme champ de bataille, nous devions le neutraliser en lui montrant qu'il ne s'agissait pas d'une affaire personnelle ; par ailleurs, en faisant preuve d'amabilité, nous nous étions dotés dans la bataille d'un avantage psychologique. J'entendis ces explications et les estimai justes, ce qui ne m'empêcha pas de voir dans cette affaire un affrontement personnel assez détestable.

On finit par l'appeler à la barre et il insista pour demeurer debout pendant qu'on le questionnait, même si le président du tribunal lui avait proposé de s'asseoir. L'avocat de Luyt lui posa des questions sous différentes formes, à quoi le président répondait en disant : « Monsieur le juge, je crois que M. Maritz a déjà posé cette question et que j'y ai répondu. » Le

président du tribunal demandait à l'avocat de poursuivre et, de nouveau, le président répondait qu'il
avait déjà répondu à la question et qu'il avait le sentiment que l'on mettait son intelligence en question
si le procureur posait la même question trois fois de
suite sous une forme différente. Le président devait
sentir la colère monter en lui et la tension ne faisait
que croître dans le tribunal.

Durant l'interruption pour le déjeuner, on apporta
quelques plats de Mahlamba Ndlopfu, et le président
mangea tranquillement dans une pièce à part. Il
songeait visiblement à la stratégie à adopter pour la
séance qui allait suivre. Dans l'après-midi, il revint à
la barre. Je dus me pincer plusieurs fois pour garder
mon calme tant j'étais dégoûtée par le camp adverse.
À plus d'une occasion, je dus me retenir pour ne pas
lancer à mon tour certaines remarques. La façon dont
on essayait de ridiculiser le président me donnait des
haut-le-cœur. Les temps avaient décidément bien
changé. Le Dr Luyt était un pur Afrikaner. Et maintenant, voilà que j'étais à fond derrière le président. Et
non parce que je travaillais pour lui, mais parce que je
croyais à la cause qu'il défendait et à son droit en tant
que président de demander la constitution de cette
commission d'enquête. À la clôture des débats, je ne
cachai pas mon sentiment et en fis part au président.
Il était calme et posé, comme toujours, las, mais certainement pas affecté psychologiquement par le tour
qu'avait pris le procès, contrairement à moi.

Le gouvernement, et donc le président Mandela
avec lui perdirent le procès, mais firent appel. Le
verdict fut annulé bien plus tard, mais à l'époque la

commission d'enquête n'avait plus lieu d'être et elle ne reprit jamais ses travaux.

Tout en continuant de récupérer de nos meurtrissures après notre défaite devant les tribunaux, nous nous préparâmes pour la visite d'État en Afrique du Sud du président Jacques Chirac. Un gigantesque banquet officiel était prévu à Johannesburg. Le président m'appela pour me demander de veiller *via* les services du protocole à ce que le Dr Luyt et son équipe juridique y soient invités. Je lui répondis que j'allais m'en charger, mais, en raccrochant, je me dis : plutôt mourir ! Je vais tout simplement oublier cette requête. Pourquoi diable inviter des gens qui avaient rabaissé le président comme ils l'avaient fait ? Il n'avait pas en lui une once d'amertume envers les Blancs en dépit de ce que ceux-ci lui avaient fait subir du temps de l'apartheid, et pourtant ils avaient voulu montrer qu'il avait tort, non pas en privé mais publiquement. Comment pouvais-je contribuer à inviter ces gens à un banquet auquel il était évident que tout le monde aurait souhaité assister ? Je négligeai donc la tâche qui m'avait été confiée et ne parlai pas aux services du protocole de la requête du président.

Le lendemain, il me téléphona pour me poser une unique question : « Avez-vous fait inviter le Dr Luyt et son équipe ? » À quoi je répondis : « Non, Khulu, pas encore. » Je ne lui fis pas part de mon projet d'oublier délibérément sa demande. Qu'il me rappela encore le lendemain, puis de nouveau le jour suivant. Je compris alors que je n'avais pas le choix et que, s'il les cherchait des yeux pendant le dîner – ce qu'il ferait d'ailleurs le jour venu –, j'aurais beaucoup de souci à me faire si je ne les avais pas fait inviter. Le soir du banquet, il tint à les saluer et j'en fus choquée. En dépit de tout ce qui s'était passé, il se montra charmant comme à son habitude et les salua comme de vieux amis. Ce fut la leçon dont souffrit le plus mon ego : voilà comment on traitait l'ennemi.

5

Voyager avec un président

En 1996, le président me demanda de l'accompagner de nouveau, cette fois pour une visite d'État en France. J'étais très excitée d'avoir l'occasion de me rendre dans ce pays, du fait de mon ascendance bien sûr. Mais la seule différence, c'est que cette fois je serais l'unique secrétaire à être du voyage; ce serait donc pour moi la première visite d'État entrant pleinement dans le cadre de mon travail. À Paris, une dame vint rendre visite au président, et sa présence éveilla mes soupçons. Elle arriva à la résidence mise à notre disposition, en compagnie de notre ambassadrice en France, Barbara Masekela. Celle-ci l'accompagna directement jusqu'à la suite du président, qui disposait d'une salle à manger, d'un salon et d'une vaste chambre convenant à un chef d'État. Mais Barbara s'éclipsa rapidement, sans la visiteuse, et la porte de la suite présidentielle se retrouva fermée. Je savais que cela – le fait qu'une porte soit fermée alors qu'il se trouvait seul avec une femme – était strictement interdit. J'allai donc retrouver en toute hâte Parks Mankahlana, le porte-parole du président, pour lui annoncer d'une voix affolée que la porte de la suite était close et qu'une dame se trouvait toujours à l'intérieur. Parks m'apprit alors qu'il s'agissait de Mme Graça Machel, la veuve du défunt président du Mozambique Samora Machel. Ma première pensée fut : Oh, bon sang, je ne sais rien de toute cette histoire ; la seconde : Bon, ils ont fermé la porte, j'espère que ça ne me vaudra pas d'ennuis.

Ce fut une des très rares occasions où Parks s'énerva contre moi. Il m'invita à « laisser tomber ». Ce que je fis.

Avant notre départ pour une réception officielle, le président me fit appeler et me présenta à Mme Machel, avec ce commentaire que je devais me rappeler et m'appliquer à respecter durant les années qui allaient suivre : « Je vous présente Tante Graça Machel. C'est mon amie. Nous allons maintenant nous rendre à cette réception ; je vous demande de ne pas la quitter d'une semelle. Vous n'aurez pas le droit de la perdre une seconde du regard, je veux que vous veilliez sur elle en toutes circonstances. » Ce qui me stressa, car j'ignorais comment j'étais censée faire pour veiller à la fois sur elle et sur lui au cours de cette réception. Je fis de mon mieux.

Après notre retour en Afrique du Sud, les médias apprirent par une fuite que Mme Machel et le président avaient une relation amoureuse. La première fois que je lus cette nouvelle dans les journaux du dimanche, je fus choquée, redoutant que l'on me soupçonne d'être à l'origine de cette indiscrétion. Mais Parks m'expliqua par la suite qu'elle avait été divulguée délibérément.

Le mercredi 12 février 1997, un débat au Parlement eut lieu, suite au discours sur l'état de la Nation prononcé par le président quelques jours plus tôt. Ce débat portait sur le racisme, dont le gouvernement était accusé par des groupes minoritaires. Le président déclara à cette occasion :

« Puis-je demander à tous et à chacun de vous, honorables membres de cette assemblée, de sortir maintenant avec moi, non pour nous battre [rires], mais pour leur fournir des preuves qui réfuteront toute leur propagande ? Toutefois, avant cela, je me suis vu poser la même question par mon ami F. W. de Klerk, ici présent, en ces termes : "Pourquoi faites-vous preuve de racisme à rebours et décevez-vous notre peuple en punissant les Afrikaners ?"

Je lui ai répondu : "Bien, pouvez-vous me fournir des statistiques ? Combien d'Afrikaners ont-ils été renvoyés ? Quand ? Et qui les a remplacés ?" Il m'a dit : "Je n'ai pas ces chiffres avec moi." À quoi je lui ai répliqué : "Je suis très surpris qu'un professeur puisse poser une question comme celle-là au président du pays sans se fonder sur des faits." Je lui ai ensuite dit que je lui accordais un délai, et lui ai demandé de combien de temps il souhaitait disposer afin de me fournir ces preuves. C'est la dernière fois que je l'ai vu [rires].

Je souhaite dire que, dans le même temps que nous accordons des responsabilités à ceux qui ont été victimes de discriminations, nous agissons raisonnablement à l'endroit de ceux qui exerçaient le pouvoir avant nous. Juste à l'extérieur de cette salle se trouve le superintendant de police Riaan Smuts, en poste du temps du régime de l'apartheid. Je l'y ai maintenu. J'ai deux secrétaires issues de l'ancien régime, deux *boere meisies* typiques [rires]. Il s'agit d'Elize Wessels, de Kakamas, et de Zelda la Grange, de George. Les honorables membres peuvent vérifier en passant au crible mon équipe. »

J'éclatai de rire en prenant connaissance de cette déclaration. Elize n'était nullement originaire de Kakamas, et je ne l'avais jamais été de George, même si, pendant des années, Madiba fut persuadé du contraire. Mes grands-parents paternels ainsi que mon père l'étaient, eux, bel et bien. Et comme je lui avais dit que nous nous rendions souvent dans cette ville, il en avait conclu que c'était mon lieu de naissance. Au bout d'un moment, je ne jugeai plus utile de le détromper. Un jour, bien des années plus tard, Mme Machel le corrigea sur ce point et l'on n'entendit plus parler de la ville de George.

À la suite de ce débat, je fus contactée par une journaliste d'un magazine féminin en langue afrikaans intitulé *Rooi Rose* (Roses rouges). La rédaction souhaitait consacrer un long article à une Blanche garde du corps et désirait m'y faire figurer en tant qu'une des femmes blanches qui entouraient le président. D'abord, je déclinai la proposition, mais le président en eut vent. Lorsqu'il apprit que l'on m'avait fait cette proposition et que je l'avais refusée, il me fit venir dans son bureau et m'ordonna d'accepter, ajoutant qu'il souhaitait que j'apporte ma pierre quand on m'y invitait. Je faisais partie de son gouvernement d'unité nationale, et il ne réussirait pas s'il prêchait au monde quelque chose qu'il négligeait de mettre en œuvre dans son proche environnement. Je compris dès lors ce que le président attendait de moi. Et cela dépassait le simple cadre du travail : sur le plan émotionnel, je devenais dépendante de lui qui, par ailleurs, m'offrait les opportunités d'une vie. Je n'avais pas forcément les compétences pour faire tout ce qu'il me demandait, mais il tenait à ce qu'une jeune Afrikaner blanche, représentante typique de sa communauté, demeure en permanence proche de lui.

J'attendais avec impatience chaque occasion de passer du temps avec le président. Il se montrait toujours très gentil et soucieux de mon bien-être. Ce qui m'incitait plus que jamais à soutenir ses efforts, les miens consistant à me montrer aussi empressée et efficace que possible. Mais le fait qu'il me contacte directement et m'implique dans ses affaires créait des tensions internes dans le bureau. Je m'efforçai de demeurer le plus longtemps possible au Cap, même durant les vacances du Parlement, afin de ne pas créer de conflit ouvert, même si je fus promue secrétaire particulière adjointe en mars 1997.

Mes parents étaient intrigués par mon engagement et mon changement d'attitude envers le président. Ils sentirent que j'adorais mon nouveau patron et lorsque je parlais de lui, c'était toujours avec tendresse. Papa semblait quelque peu sceptique, mais ma mère comprit et encouragea cette attitude de loyauté. Je ne parlais guère de mon travail à la maison mais ils se rendirent compte que j'étais totalement concentrée et dévouée à mon job. Ils ne me voyaient que très peu et lorsque j'étais là, je dormais l'essentiel du temps. Car quand je n'étais pas au bureau, ou avec le président, je dormais. Je ne sortais plus avec des amis, et ma vie sociale se résuma à peu de chose, ce qui était largement intentionnel, mais pas seulement. J'en avais assez d'être constamment interrogée sur mon travail. Je ne disposais que de peu de temps libre et, durant ces très courts laps de temps, j'avais plutôt envie de m'isoler afin de pouvoir assimiler ce qui se passait au bureau, d'intégrer, de traiter, de planifier, mais aussi de me laisser un peu d'espace pour m'adapter aux changements qui intervenaient en moi. Quand je me retourne aujourd'hui sur ces dix-neuf ans, je me rends compte que toutes ces journées s'agglomèrent en une épaisse tranche de vie. Le rythme était si intense que j'ai bien du mal à me souvenir d'incidents particuliers, ou isolés. Nous n'avions que très peu de temps pour les digérer et même si j'étais fière, reconnaissante et totalement impliquée, mon travail occupait toute ma vie.

Au service du président, c'est la nouvelle Afrique du Sud que je servais. Je changeais de l'intérieur et, en règle générale, me montrais plus tolérante et respectueuse envers autrui sans me soucier de nos différences de couleur de peau, d'opinions politiques ou culturelles, de texture de cheveux. C'était là quelque chose que mes amis et certains membres de ma famille avaient du mal à comprendre, car ils n'avaient pas été exposés à la même diversité que celle que je connaissais. Nous n'avions pas l'habitude des relations interraciales en Afrique du Sud, qu'elles fussent platoniques, amoureuses ou professionnelles. Nous continuions de fonctionner et de vivre séparément, dans nos bulles de confort.

À mesure que j'acceptais et embrassais la diversité des êtres, je commençais à avoir des problèmes pour discuter avec mes amis et ma famille. J'étais ainsi souvent amenée à couper court à une conversation avec des amis, par exemple quand j'évoquais le fait que j'estimais que certains des Noirs ou des métis avec qui je travaillais faisaient preuve d'une plus grande intelligence que la plupart des gens que moi et mes amis blancs fréquentions ; ce qui n'empêchait pas certains de ces amis de continuer à se juger supérieurs à ceux qui n'étaient pas blancs. Je tolérais de moins en moins les personnes qui refusaient de s'ouvrir au changement tout en réalisant dans le même temps que j'étais une privilégiée, du fait de ma proximité avec le président et avec la lutte contre le racisme.

On me demande souvent si j'ai pris des notes de ce que j'ai vécu. Et là, je me dis en moi-même : Comment aurais-je pu en trouver le temps et l'énergie ? On me dit aussi : « Vous avez dû voir des endroits extraordinaires », et je pense : Impossible de m'en souvenir. Autre remarque : « Vous n'êtes pas mariée et vous n'avez pas d'enfants. » À quoi je réponds sans perdre mon calme par un sourire et la réponse appropriée tout en songeant : Quand et comment pensez-vous que j'aurais pu le faire au cours des dix-neuf dernières années ? Vous êtes accaparée corps et âme par votre métier, vous vous réveillez tendue, stressée, vous demandant comment vous allez bien pouvoir arriver à boucler la journée de travail qui vous attend, sans même avoir l'espoir de connaître une période qui mérite le qualificatif de « normale ».

C'est vers cette époque que ma relation avec le président franchit une nouvelle étape. Même si j'étais au Cap l'essentiel du temps, je savais que celui-ci négociait avec Laurent Kabila et le président de ce qu'on appelait alors le Zaïre, aujourd'hui République démocratique du Congo (RDC). Non content de s'occuper des devoirs de sa charge – consistant, entre autres, à traiter des affaires intérieures, à croiser le fer avec les hommes politiques de l'opposition, à débattre des nouveaux projets de loi –, le président s'envolait souvent pour le Zaïre dans la matinée, revenait le soir et devait le lendemain s'occuper de recevoir un chef d'État étranger. Il remplissait ses obligations sans le moindre manquement, mais il était par ailleurs déterminé à ce que l'Afrique du Sud ne soit pas le seul pays à tirer bénéfice de notre démocratie : l'Afrique tout entière devait trouver le chemin de la réussite et il avait bien l'intention de contribuer également à régénérer le continent dans son entier.

La RDC est un pays d'Afrique occidentale aux ressources considérables. Mais le pays et son peuple étaient saignés à blanc par une corruption effroyable – singulièrement par la rapacité de celui qui depuis plus de vingt ans était son dictateur, le président Mobutu Sese Seko –, ainsi que par une interminable guerre civile qui ravageait la région tout entière. L'intention du président était de convaincre Laurent Kabila et Mobutu de se rencontrer en terrain neutre et de commencer à négocier dans le but de permettre à Mobutu de se retirer dans la dignité et de remettre le pouvoir à Kabila afin que celui-ci puisse diriger effectivement le pays au bénéfice du peuple tout entier. Avec également l'espoir que des élections libres, honnêtes et démocratiques s'ensuivraient. Kabila menaçait de renverser le gouvernement en place et de prendre le pouvoir par la violence et par la force ; or, pour assurer la stabilité dans la région, il était dans l'intérêt de toutes les parties concernées qu'une transition pacifique soit négociée. Le président Mobutu, qui avait alors soixante-six ans et souffrait d'un cancer de la prostate, déclara qu'il ne passerait jamais sous les fourches caudines de Kabila, mais la pression internationale s'intensifiait.

Pour préparer la rencontre, on envoya un navire de la marine de guerre sud-africaine, le *SAS Outeniqua,* jeter l'ancre dans les eaux internationales au large des côtes zaïroises afin de fournir le terrain neutre sur lequel devaient se retrouver les deux parties. Durant plusieurs jours, les médias titrèrent sur le refus de Mobutu de rencontrer Kabila sur le vaisseau. Une fois que les deux hommes eurent accepté de se rencontrer, le président s'envola pour Pointe-Noire, en République du Congo, où son Falcon 900 devait rester pour faciliter l'entrevue. Il était prévu que le président rentre au pays tard dans la soirée.

À ce stade, mes fonctions consistaient notamment à m'occuper de l'avion présidentiel : donner à l'équipage – pilotes et personnel de bord – le détail des horaires de départ et d'arrivée souhaités, indiquer le nombre de passagers qui se trouveraient à bord, la nourriture qui serait consommée durant les vols d'aller et de retour. Tout cela très méticuleusement. De leur côté, ils devaient me fournir les temps de vol ; à partir de là on pouvait donner une estimation des heures d'arrivée, ce qui permettait dès lors de négocier le programme de la journée. C'est à dessein que le président n'avait pas emmené de secrétaire avec lui cette fois-là. Deux raisons à cela : d'abord, les discussions étaient particulièrement sensibles, d'autre part l'équipage du *SAS Outeniqua* était exclusivement masculin. Sans doute pressentait-il par ailleurs que tout ne se passerait pas exactement selon le plan prévu. Arrivé à Pointe-Noire, un hélicoptère l'emmena à bord du navire, où il commença à se préparer pour l'entrevue.

J'étais généralement en liaison permanente avec les pilotes de l'avion afin d'établir l'horaire de départ, ce qui me permettrait de fournir aux parties concernées une estimation de l'heure d'arrivée en Afrique du Sud.

Mais ce soir-là, il ne se passa rien. Sans nouvelles de personne, je contactai les pilotes et leur demandai quel était leur plan de vol. Ils m'informèrent qu'ils attendaient toujours des nouvelles du président mais que, comme il était déjà 9 heures du soir, ils doutaient fort qu'il rentre au pays dans la nuit. Sur quoi, heureusement, le président m'appela pour me dire que ni Kabila ni Mobutu n'étaient arrivés pour les négociations ; il leur avait fait savoir par l'intermédiaire de notre ambassade qu'il les attendait. Le président savait trouver les mots pour conseiller à ses pairs de faire des choses auxquelles, dès lors, ils ne pouvaient pas se soustraire. Il attendait donc la réponse des deux Zaïrois. Il m'informa qu'il allait passer la nuit sur le bateau et les attendre le lendemain ; s'ils n'apparaissaient toujours pas, il rentrerait. Je me souviens de lui avoir demandé s'il ne souhaitait pas que je donne un coup de main en les appelant de mon côté, mais il se contenta de rire et de me dire que ce ne serait pas nécessaire.

Il me demanda ensuite de prévenir Mme Machel, ce que je fis. Chaque fois que je recevais des nouvelles fraîches, j'en informais Prof Gerwell, le directeur général de la présidence, puis les ministres des Affaires étrangères et de la Défense. J'estimai qu'ils devaient tous être mis au courant que notre président était coincé en pleine mer, sur l'un de nos navires de guerre. Pour moi, cela tombait sous le sens. Je n'avais aucune expérience pour traiter d'affaires aussi graves, mais je fis ce que j'estimais que l'on attendait de moi. Le président m'avait également demandé de le rappeler et de lui donner la réponse de Mme Machel. Je m'exécutais, en lui disant que celle-ci lui envoyait tout son amour ; elle espérait qu'il allait bien et qu'il passerait une bonne nuit. Lorsque j'appelai sur le seul téléphone satellitaire du navire, c'est un jeune homme qui répondit ; avec mon accent afrikaans à couper au couteau, j'eus toutes les peines du monde à le convaincre que je devais absolument parler au président. Il trouvait ça suspect.

Les pilotes passèrent la nuit à l'hôtel, ou bien dormirent dans l'avion, je ne sais pas trop, mais ils furent informés qu'il n'y aurait pas de vol de retour cette nuit-là. Je rappelai le lendemain matin, cette fois pour informer le président que, ignorant qu'ils allaient devoir passer la nuit loin de chez eux, les membres de l'équipage de son avion n'avaient pas emporté d'effets personnels et qu'ils devaient rentrer en Afrique du Sud pour récupérer ou pour faire envoyer un équipage de remplacement. Le temps était compté car les règles internationales de l'aviation leur interdisaient de demeurer en stand-by au-delà d'un certain laps de temps ; d'ici peu, ils seraient interdits de vol, et il n'y aurait pas sur place d'équipage de secours pour ramener le président dans son pays.

Je téléphonai de nouveau, et de nouveau le même jeune homme me répondit, de sorte que nous liâmes connaissance. Je lui demandai d'appeler le président, ce qu'il fit, et j'eus bientôt mon patron au bout du fil.

« Oui, chérie ? » me lança-t-il. En ce temps-là, j'avais déjà commencé à appeler le président « Khulu », abréviation du mot xhosa qui signifie « grand-père ». Ce n'est que dans les occasions où il fallait respecter le protocole que nous l'appelions « monsieur le président ». Sinon, tout le monde l'appelait soit « Madiba », soit « Tata » (Père) ou encore « président Mandela ». J'avais demandé à Parks de me trouver une appellation qui m'aiderait à être un peu plus à l'aise avec lui, et il m'avait suggéré « Khulu ».

Je lui expliquai la situation avant de lui poser une question stupide, une de plus : « Peut-on au moins vous envoyer des articles de toilette ou des vêtements ? » À quoi il répondit : « Ce serait très gentil à vous mais pensez également à m'envoyer les journaux. » Toujours les journaux… Chaque jour, il lisait les cinq quotidiens de sa région, y compris ceux en afrikaans. À l'entendre, les journaux en langue afrikaans étaient beaucoup plus précis que ceux écrit en langue anglaise ; sans doute voulait-il dire par là que l'afrikaans était une langue extrêmement descriptive et expressive.

Nous envoyâmes ses affaires de toilette et ses journaux avec l'avion qui repartit aussitôt après avoir déposé son équipage, avitaillé (fuel et nourriture) et embarqué un nouvel équipage. Ce dernier avait été avisé, j'ignore comment, que le vol de retour n'interviendrait pas avant un jour ou deux et ses membres s'étaient en conséquence également munis d'effets personnels.

Le président n'emportait jamais avec lui de répertoire téléphonique, mais comme il m'appelait sans cesse il connaissait désormais mon numéro par cœur (raison pour laquelle Vodacom, notre fournisseur d'accès pour téléphones portables, me procurait systématiquement des numéros très simples à retenir chaque fois que nous devions en changer, cela afin de faciliter la vie du président.)

Tout le temps qu'il resta à bord du *SAS Outeniqua*, il me passa coup de fil sur coup de fil, me demandant d'appeler telle ou telle personne et de le rappeler ensuite pour lui communiquer leur réponse. Mobutu n'arriva que quarante-huit heures plus tard. Il semblait qu'il s'était mis d'accord avec Kabila pour négocier un règlement pacifique ; deux semaines plus tard cependant, l'armée zaïroise avisa Mobutu qu'elle était désormais dans l'incapacité de le protéger. Il fut donc obligé de fuir le pays, tandis que Kabila s'autoproclamait chef de l'État et suspendait la Constitution.

À son retour au Cap, le président se fit un devoir de me convoquer dans son bureau pour me féliciter de mon aide pendant son séjour à bord du *SAS*

Outeniqua. Je me sentis fière d'avoir contribué à ce que tout se passe sans anicroche durant ces quelques jours, sous son égide bien entendu. Toutefois, je fus surprise qu'il ait pu penser qu'il pourrait en être autrement. Mais j'appréciai le geste. Ce fut peut-être l'instant où il apparut clairement qu'il comptait sur moi, et que je serais toujours à ses côtés.

Un jour, Mary me demanda d'aller chez le teinturier pour y récupérer des vêtements à elle. Je ne suis pas de ces gens qui renâclent à rendre des services pour peu que ceux-ci demeurent dans le cadre de la loi. Cela tient sans doute à mon éducation protestante, plus précisément calviniste : nous servons, nous obéissons et nous faisons preuve d'humilité envers nos supérieurs. Au fond, nous faisons ce qu'on nous dit.

J'étais en train de quitter le bureau quand le président y entrait, et nos chemins se croisèrent. Depuis un certain temps déjà, nous avions établi de bonnes relations de travail, et chacun se sentait à l'aise avec l'autre. Il me demanda où j'allais et je lui répondis que j'allais faire une course pour Mary. Cela le rendit furieux. « Mais comment pouvez-vous accepter cela ? » me demanda-t-il, à quoi je répondis que cela ne me dérangeait en rien. Il insista sur le fait que cela ne se faisait pas, et je finis par le supplier de ne pas donner suite, comme on peut le faire avec son père pour l'empêcher de punir un frère ou une sœur, comprenant que jamais je n'aurais dû lui dire la vérité. Sa colère me surprit vraiment. Le président appréciait les « fortes femmes, » mais Mary l'était sans doute un peu

trop. Il n'avait jamais aimé qu'on lui dise ce qu'il avait
à faire. Je découvrais à cette occasion qu'il appréciait
que chacun lui donne son point de vue, mais plutôt à
titre d'information que de recommandation. Ce qui
pouvait se comprendre chez quelqu'un qui avait passé
vingt-sept ans en prison, obligé de se conformer aux
ordres des autorités qui stipulaient à quelle heure il
devait manger, dormir, faire de l'exercice et éteindre
la lumière. C'était sa façon à lui de regagner le peu
de liberté qui lui était laissé, en gardant au moins le
contrôle de sa propre existence.

Il me convoqua à sa résidence peu après cet épisode. Depuis quelque temps déjà, j'allais seule
en voiture à Houghton – à partir du moment où
je n'avais pas à me rendre à un autre endroit dans
Johannesburg (car je ne connaissais pas bien la ville
et ses environs), je n'avais pas de problème pour
faire le trajet entre Pretoria et Houghton. Cette
fois, à mon arrivée, il me donna du courrier à taper,
puis il m'invita au salon où il me confia l'une de ses
réflexions qui devait compter pour moi parmi les
plus précieuses : «Il n'y a pas de place chez moi
pour les poltrons. Si vous faites partie de cette caté-
gorie, vous ne tiendrez pas ici bien longtemps. Je ne
pourrai pas toujours vous défendre, vous devrez par
conséquent vous en charger vous-même en faisant ce
qui est juste.» Ce n'est qu'en retournant chez moi,
dans la voiture, que je compris qu'il avait fait allusion à l'incident qui était intervenu au bureau dans
la semaine, et qu'il attendait de moi non seulement
que je suive les ordres, mais que je les remette parfois en question. Ces mots demeureront gravés en

moi jusqu'à la fin de mes jours et au cours de ces dernières années, à une période où il n'était plus en mesure de prendre ma défense, ils m'ont donné de la force dans les conflits que je dus affronter.

C'est ainsi que, sur l'insistance du président, il fallut compter avec moi lorsqu'il était question de voyages à l'étranger. Dans la mesure où les secrétaires se relayaient pour l'accompagner, je devais désormais être prise en compte. Je fus ainsi chargée de partir avec lui en Inde et au Bangladesh, puis en Angleterre à l'été 1997.

Le président se rendit à Oxford et je fus éblouie par la beauté de la ville et de la campagne anglaise. Le prince Charles assista à la réception organisée au Jesus College. Cela se passait peu après l'annonce de son divorce d'avec la princesse Diana et nous étions tous quelque peu sur la réserve. Le président fut toutefois aussi charmant qu'à son habitude et, sans tenir le moindre compte de la mauvaise presse qui accablait la famille royale, il se montra extrêmement courtois et respectueux à l'égard du prince de Galles. Le président ne jugeait pas les gens.

Quelques mois auparavant, la princesse Diana s'était rendue en Angola et en Afrique du Sud. À cette occasion, le président avait été très impressionné par l'initiative de Diana de rendre visite, en Angola, aux patients victimes du sida, s'asseyant sur leur lit d'hôpital pour converser avec eux. Elle contribuait ainsi à contrer la stigmatisation des personnes ayant contracté ce virus. «Le fait qu'une princesse puisse s'asseoir sur le lit de patients atteints du sida montre que l'on n'a rien à craindre mais qu'il faut prendre soin de ces gens.» Le jour où la princesse lui rendit visite à Genadendal, sa résidence officielle au Cap, le président arriva dans son salon avec ses pantoufles aux pieds. Il avait oublié de se chausser et il s'excusa platement auprès de la princesse une fois que l'assistance tout entière eut réalisé qu'il avait demandé qu'on lui apporte ses chaussures. La princesse ne s'offusqua absolument pas. Quant au président, il n'eut aucun mal à se moquer de lui-même et à partager avec tout le monde ce petit embarras momentané.

Pour ce qui me concerne, j'avais de plus en plus de mal à associer passé et présent. J'étais une fille de l'apartheid et voilà que je soutenais, que j'étais au service de cet homme contre qui mes compatriotes afrikaners m'avaient mise en garde. Je comptais de plus en plus, pour me servir de guides et de tuteurs, sur Parks Mankahlana, le porte-parole du président, et sur Tony Trew, son directeur de la communication. Un jour, prenant mon courage à deux mains, j'allai les voir pour leur dire que j'avais besoin de parler à quelqu'un pour essayer de faire la paix avec moi-même concernant la façon dont j'avais vécu sous le régime d'apartheid, et mon ignorance de toute cette période. Ils me suggérèrent d'aller en discuter avec le révérend Beyers Naudé. Je rencontrai également Ronnie Kasrils, qui travaillait au cabinet du président et était l'un des premiers leaders du MK, le groupe responsable de l'attentat à la bombe de Church Street en 1983, ce jour terrible où nous étions restés des heures sans savoir où était passé mon père. Je souffrais de ces violents conflits intérieurs, ne sachant plus faire la différence entre le Bien et le Mal. Le révérend Naudé avait commencé sa carrière comme prêtre de l'Église hollandaise réformée, mais il avait par la suite quitté l'Église lorsqu'il avait prêché publiquement contre l'apartheid. Ce qui lui avait valu d'être mis plusieurs années aux arrêts domiciliaires. Il n'en avait pas gardé d'amertume pour autant. J'avais vaguement entendu parler de lui, mais cela se limitait au fait qu'il était considéré comme un «vendu» par de nombreux Blancs. Parks et Tony s'arrangèrent pour m'organiser un thé avec «Oom Bey» (Oncle Bey), comme on le surnommait affectueusement.

Les nerfs en pelote, je me rendis en voiture à Johannesburg pour lui rendre visite. À mon arrivée, je fus reçue par sa femme, qui me conduisit dans son salon. C'était un peu comme si j'étais reçue par mes grands-parents – avec amour et hospitalité, alors que les Naudé ne m'avaient jamais rencontrée et ne savaient pas grand-chose de moi. Je leur racontai mon histoire et nous discutâmes durant quelque deux heures de la vie en général, de la religion aussi. Oom Bey m'invita avec force à ne pas me mettre outre mesure la pression en prenant sur moi la totalité de la responsabilité accumulée par mon entourage ainsi que les méfaits de l'apartheid. Je devais faire la paix avec moi-même en partant du principe que ce parcours faisait probablement partie de mon processus de réveil. Nous priâmes avant que je prenne congé, tout émue. Je rendais grâce à Dieu pour tous les bienfaits dont Il m'avait gratifiée, et pourtant c'était ce même Dieu qui, à mes yeux, avait laissé se perpétuer l'apartheid et enfermer Nelson Mandela en prison pendant vingt-sept années. Mon voyage initiatique comportait des questions sur le rôle de la religion, qui m'ont amenée à la conclusion que ma relation à Dieu est une affaire personnelle pour laquelle je n'ai de comptes à rendre à personne, sinon à moi-même, et à Lui le jour venu. De fait, ce voyage m'a conduite à développer certaines idées pas très orthodoxes. J'ai ainsi discuté avec ma mère de ces institutions créées par l'homme, mais attribuées par la suite à Dieu Lui-même.

Mme Machel nous accompagnait parfois lors des visites à l'étranger, mais elle était d'autres fois trop absorbée par son propre travail. Elle occupait désormais une place éminente dans la vie du président, qui vantait fréquemment l'importance de ses activités. Elle assistait souvent à des cérémonies officielles, mais passait également pas mal de temps avec lui en privé. Je savais que le président appréciait beaucoup sa présence, si bien que je veillais farouchement à protéger leur vie privée et leurs moments d'intimité.

Au début, ma relation avec Mme Machel fut marquée par une certaine retenue. Le président avait de nombreuses obligations à remplir, de nombreux objectifs à atteindre et, pour couronner le tout, le monde entier souhaitait le voir partout en même temps. Ses principaux objectifs se concentraient sur la réconciliation et sur l'instruction, mais aussi sur la stabilisation d'une Afrique du Sud unifiée, l'instauration d'un climat favorable à la croissance économique du pays. J'étais parfois obligée de jongler entre veiller à ce qu'il soit satisfait de son rythme de travail, mais aussi lui laisser assez de temps pour qu'il puisse jouer son rôle de mari.

Il me fallut plusieurs années pour établir une solide relation de travail avec Mme Machel. Je ne m'attendais pas à ce que celle-ci se prenne d'affection pour moi. C'était mon gouvernement et des représentants de ma communauté qui avaient abattu l'avion dans lequel son mari, Samora Machel, avait trouvé la mort en 1986. Dans les années qui allaient suivre, quand nous serions devenues beaucoup plus proches, je lui demanderais souvent, à elle et à ses enfants, des détails sur cet attentat qui avait entraîné la disparition de leur mari et père. Ce rappel était sans doute douloureux, mais le simple fait de discuter de cet événement leur permit sans doute de comprendre que j'avais conscience de leur chagrin, du malheur qu'ils avaient subi, ce qu'ils semblèrent apprécier. (Après la disparition de Madiba, j'eus l'occasion, pour la première fois en une dizaine d'années, de voir les deux fils de Samora junior, Samora III et Malick : la ressemblance avec leur grand-père était frappante.)

Les Machel sont des gens chaleureux, accueillants, généreux et, en dépit des quelques accrocs que nous avons pu connaître au début, nous sommes désormais très proches. J'ai toujours apprécié les enfants de Mme Machel. On dit que la vie est faite d'un peu de temps et de beaucoup de relations personnelles et, de fait, il nous a fallu beaucoup de temps à Mme Machel et à moi pour bâtir la relation qui est la nôtre aujourd'hui, mais chacune de nous a fait des efforts pour y parvenir et je ne puis imaginer ma vie sans l'influence qui a été la sienne et la stabilité qu'elle a introduite dans mon monde.

J'ai cru au début que Mme Machel voulait avant tout marquer son territoire en tant qu'épouse dans la vie du président et j'eus de prime abord le sentiment que ce qu'elle attendait de nous était pratiquement inaccessible. Jusqu'au moment où l'on vit qu'elle faisait sourire le président. Elle ranima ses sens. Elle redonna un sens à sa vie. Elle lui apprit à danser, à apprécier la beauté des fleurs, la bonne musique, à s'émerveiller devant chaque coucher, chaque lever de soleil. À l'occasion de nombre de nos voyages, elle insista pour que nous admirions tous le coucher de soleil, ce que Madiba n'avait pas pu apprécier durant toutes ces années où on l'enfermait avant que le soleil disparaisse à l'horizon. Elle lui apprit à apprécier la vie de manière différente, à l'aimer plus que je ne l'en aurais cru capable. Si vous aimez réellement quelqu'un, comme j'ai aimé Nelson Mandela, vous ne pouvez que lui souhaiter ce qu'il peut y avoir de meilleur, vous avez envie qu'il soit heureux. Et lorsqu'il était avec elle, il revivait ; en dépit des contraintes de leurs emplois du temps et des pressions qui pesaient sur eux, il était réellement heureux. Progressivement, j'en vins à comprendre qu'elle n'était pas là pour marquer son territoire : elle était là pour faire son bonheur. Et grâce à elle, notre patron était encore meilleur. Dans sa vie, Nelson Mandela n'a jamais reçu de plus beau cadeau que la présence de Graça Machel à ses côtés.

Le contraste avec la place de Winnie Madikizela-Mandela dans ma vie n'en est que plus frappant. Je n'eus que bien plus tard l'occasion de la rencontrer et ne la vis jamais durant la présidence de Madiba. Après leur séparation, il semble qu'elle ne fut guère présente dans son existence. Il ne parlait jamais d'elle et je ne lui posai jamais de question à son sujet. Personne ne m'avait fait la leçon mais il allait de soi que ce n'était pas le genre de chose que l'on évoquait. Avec le temps, la confiance venant, il n'hésiterait pas à aborder les événements qui avaient marqué cette période de sa vie. Parfois, cependant, il avait l'air triste et je m'interrogeais souvent sur la peine qu'il devait ressentir en silence.

Quand je venais le voir chez lui, je trouvais souvent le président assis seul à la table du petit déjeuner ou du dîner. D'ordinaire, il déjeunait à sa résidence officielle, que ce soit au Cap ou à Pretoria. On ne pouvait s'empêcher de ressentir sa solitude lorsqu'on entrait dans sa maison de Houghton et qu'on le trouvait tout seul devant son assiette. Ce n'est que lorsque Mme Machel fit partie de sa vie que tout changea. Ce fut comme si, soudain, la lumière avait inondé cette demeure jusqu'alors bien sombre ; les rideaux étaient désormais grands ouverts et la maison grouillait de vie.

Lorsqu'on prenait place en face de lui, il commençait à raconter ses histoires. Sur ses années de prison, et celles de son enfance, au Transkei. Les repas étaient pour lui des moments de détente et de « réflexion ». J'adorais l'écouter raconter. J'ai toujours aimé moi aussi exercer ma propre imagination et je n'avais aucun mal à me figurer ses récits et à être transportée virtuellement devant les scènes qu'il décrivait. Il me parla souvent de Justice, le garçon avec qui il avait grandi et qui était son meilleur ami. Justice était plus qu'un ami, c'était « le frère » que Madiba n'avait jamais eu. Les deux jeunes gens s'étaient enfuis ensemble quand ils avaient découvert que le régent qui les avait élevés leur avait organisé un mariage arrangé, comme c'était la pratique dans les régions rurales, et conformément aux traditions en vigueur à l'époque. Les deux garçons quittèrent le Transkei pour Johannesburg, où la politique commença à prendre de plus en plus de place dans la vie de Madiba. Il parlait toujours avec des mots gentils de Justice qui, hélas, était mort – d'excès de boisson, disait-il –, alors que lui-même était encore en prison.

Je pensais souvent à Justice. S'il y avait une personne dont j'aurais souhaité qu'elle fût encore en vie pour partager la nôtre, c'était bien Justice. J'aurais voulu qu'il sache ce qui était arrivé à son ami, ce que l'on pouvait devenir en dépit de toutes les difficultés.

J'aurais voulu pouvoir revenir en arrière et lui conseiller d'arrêter de boire, de lui dire que son ami et lui seraient un jour de nouveau réunis. J'aurais voulu qu'il soit le témoin, qu'il partage la vie de son meilleur ami. Je savais que s'il avait été encore vivant, il aurait participé à la cérémonie d'investiture du président Mandela, et j'imaginais sa joie et son excitation en voyant son meilleur ami prêter serment. Je pense parfois que, si Madiba n'avait pas été emprisonné, peut-être Justice aurait gardé espoir, aurait pu briser le cercle vicieux de la pauvreté et n'aurait pas sombré dans l'alcool.

Ces souvenirs nostalgiques de son enfance à Qunu et de son adolescence à Mqhekezweni avec Justice paraissaient occuper une bonne partie des périodes de tranquillité de Madiba. C'était comme s'il voyageait là-bas – revivant ces jours enfuis, si simples –, pour retrouver la paix et son moi profond. De plus en plus fréquemment, je le trouvai passant en revue certains épisodes de son enfance. Ces expériences semblaient non seulement l'avoir façonné en tant qu'homme, avoir déterminé ses valeurs, mais elles étaient devenues une forme d'évasion – un mécanisme de survie auquel il avait sans doute eu recours en prison. Ces souvenirs – de gardien de troupeaux, de combats au bâton, de vagabondage dans les collines du Cap-Oriental, d'anciens racontant leurs histoires dans des villages perdus, de vol de miel dans les ruches, de cueillette de groseilles sauvages – devenaient des sortes de films qu'il pouvait se passer dans sa tête lorsqu'il était derrière les barreaux ou quand le poids de sa fonction de président se faisait trop lourd. Il repassait ces images, ces scènes pastorales dans sa tête et racontait encore et encore ces histoires, si souvent que nombre de ceux (dont moi) qui l'entendaient les chuchoter sont encore capables aujourd'hui de les réciter mot pour mot. Mais ces histoires sont les siennes, pas les miennes...

Quand Madiba était sorti de prison, tout le monde avait vieilli, chacun avait suivi son propre chemin. La prison lui avait appris à dissimuler ses sentiments, et il avait du mal à trouver à qui se confier. Je l'ai vu s'y essayer avec ses petits-enfants, mais il était strict en matière de discipline, ce qui généralement ne passait pas bien avec les jeunes. Ses enfants lui avaient terriblement manqué durant sa longue incarcération et il aurait bien aimé s'épancher avec eux. Mais ce n'était pas commode.

Je me rendais fréquemment dans sa maison de Johannesburg, car il passait rarement la nuit dans sa résidence officielle de Mahlamba Ndlopfu, à Pretoria. Quatre de ses petits-enfants partageaient son toit à l'époque. Il s'agissait des quatre fils de Makgatho, le seul fils du président encore en vie, fruit de son mariage avec sa première femme, Evelyn. Mandla, l'aîné, était dans ses dernières années de lycée ; Ndaba, son cadet, était encore adolescent ; quant aux deux plus jeunes, Mbuso et Andile, c'étaient encore des bambins. Ils étaient adorables et aimaient beaucoup leur grand-père. Leur père vivait à Soweto, mais le président appréciait de les avoir avec lui. En fait, ils furent élevés par la gouvernante, Xoliswa, qu'ils appelaient Mama, puis par Rochelle, la nièce du président, jusqu'à son départ pour les États-Unis. Durant ces années, ils mirent une belle animation dans la maison de Houghton, que l'on pouvait alors qualifier de demeure familiale.

Les premières années, pendant que les autres membres du staff étaient à Pretoria, je me retrouvais souvent seule dans les bureaux du président, au Cap. Ce jour-là, je tenais le standard de son bureau personnel quand on m'appela depuis la réception, à l'entrée du bâtiment. Les policiers de garde m'informèrent que j'avais des visiteurs qui souhaitaient accéder au bureau du président. Comme personne n'en avait le droit, je me fis un devoir de me rendre à la réception, où l'on me présenta à deux hommes de la NI. Je trouvai bizarre que ceux-ci se présentent ainsi sans avoir été annoncés, pour me dire qu'ils étaient chargés de «passer un coup de balai» dans le bureau du président. Je n'avais aucune idée de ce dont ils me parlaient et leur fis savoir, en toute innocence, que, merci bien, mais nous avions des femmes de ménage qui passaient tous les jours l'aspirateur dans les bureaux.

J'attendis de longues minutes à la réception jusqu'à ce que les policiers de faction m'expliquent que ces deux hommes étaient des officiers de la National Intelligence, l'agence responsable des renseignements intérieurs, et que, pour eux, «passer un coup de balai» consistait à rechercher des dispositifs d'écoute qui auraient pu être dissimulés dans les bureaux par des intervenants extérieurs. Très gênée, je leur donnai alors accès auxdits bureaux. Durant des années, la sécurité ne cesserait de me taquiner en me rappelant cet épisode. Je ne leur en tiendrais pas rigueur : tout cela faisait partie d'un univers nouveau pour moi, totalement étranger à mon passé.

Durant l'été, on me demanda d'accompagner le président pour deux jours de vacances à Bali, qui seraient suivis de deux visites d'État, en Indonésie puis en Thaïlande, pour lesquelles Mme Machel nous rejoindrait. Il était désormais admis que, même si je n'avais encore que le titre de dactylo ministérielle senior, j'accompagnerais la suite présidentielle en qualité de secrétaire, avec tous les droits et devoirs y afférents. Durant ces années, j'étais trop peureuse pour profiter de quoi que ce soit, et je n'allai ni à la piscine ni à la mer, résolue à rester dans ma chambre pour le cas où le président aurait besoin de faire appel à moi. Ce qu'il faisait. Il s'était habitué au fait que j'étais toujours là, et c'est ainsi que je me mis à dormir lorsqu'il dormait, à manger lorsqu'il prenait ses repas et, plus généralement, à me caler sur sa routine quotidienne afin d'être en permanence disponible au cas où.

Une partie de notre travail consistait à nous assurer qu'on lui servait ses repas en temps et en heure, et que ses bagages étaient faits et défaits lorsque Mme Machel n'était pas du voyage. Dans son programme, figuraient également un massage tous les deux jours et, en l'absence des journaux du pays, la lecture d'extraits de presse qu'on lui envoyait chaque jour d'Afrique du Sud. Je veillai à ce que ceux-ci arrivent avant qu'on lui serve le petit déjeuner et, en règle générale, à ce que tout se passe exactement selon ses souhaits. Quel que soit le fuseau horaire dans lequel nous nous trouvions, nos pauvres collègues restés au bureau devaient faire des tours de garde pour collationner les extraits en question et les envoyer dans les temps. Même lorsque les ordinateurs et Internet commencèrent à dominer nos vies, il insista pour que les extraits soient exactement ceci : des articles de journaux découpés, photocopiés et faxés à notre attention, où que nous soyons dans le monde. Je fis de mon mieux pour lui proposer des solutions de remplacement, en partie pour alléger le travail des collègues, en Afrique du Sud, mais rien n'y fit : ce qu'il voulait, c'était les originaux tels qu'ils apparaissaient avec les polices de caractères propres à chaque quotidien.

Le président était toujours très mal à l'aise lorsqu'il se trouvait seul avec la personne chargée de le masser. Un membre de la sécurité ou sa fidèle secrétaire, moi donc, devait rester en permanence dans la pièce pendant qu'on s'occupait de lui. Ce qui était particulièrement horripilant pour moi, qui ne suis pas du genre à me tourner les pouces des heures entières. À cette époque, il n'y avait ni BlackBerry ni smartphones, et il n'existait littéralement aucun moyen de passer le temps intelligemment. En plusieurs occasions, j'essayai de me débrouiller pour que quelqu'un de la sécurité me remplace, mais chaque fois, remarquant que je n'étais pas là, il m'appelait ou allait me faire chercher quand je ne répondais pas. Ce que je fis une bonne centaine de fois. Mais il me rappela donc une bonne centaine de fois au fil des années, jusqu'au jour où je lui expliquai que je ne pouvais pas passer autant de temps à ne rien faire. Dès lors, il accepta que ce soit un membre du service de sécurité qui reste avec lui, ce qui était d'ailleurs beaucoup plus raisonnable sur un plan pratique. Pour moi, une heure ainsi perdue signifiait une heure de retard dans mon travail ou dans l'organisation des choses. Et puis, me disais-je, comment diable pourrais-je lui être utile en cas d'urgence ? Il valait beaucoup mieux que ce soit un garde du corps qui soit présent, ne serait-ce que pour des questions de sécurité. Cela me laissait par ailleurs une bonne heure pour faire autre chose : envoyer des e-mails au bureau, vérifier son planning ou rappeler telle ou telle personne.

Le président avait l'extraordinaire capacité de tout ramener au mode de raisonnement le plus simple possible. Il nous disait toujours qu'Oliver Tambo, autre héros de la lutte de libération et ancien président de l'ANC, n'avait jamais voulu se faire masser et que, s'il s'y était résolu, il serait toujours en vie. Il en était absolument persuadé. Il voulait dire par là que Oncle Oliver, qui n'avait pas survécu à une attaque, aurait mieux supporté le stress et la pression s'il avait appris à se détendre en s'occupant de sa santé physique grâce aux massages ou à la physiothérapie. Le président avait une manière unique de raconter les histoires, et il utilisait les mêmes mots, les mêmes phrases lorsqu'il y revenait. Et la force de conviction qu'il y mettait me conduisit plus tard à penser que je devrais peut-être moi aussi me faire masser quand j'étais vraiment trop stressée.

Après Bali, nous nous rendîmes à Djakarta, capitale de l'Indonésie, pour une visite d'État. Je n'eus guère l'occasion de voir la ville, je me rappelle seulement la chaleur et l'humidité extrêmes; pendant son séjour, le président eut un rendez-vous secret. Il n'avait accepté de se rendre en Indonésie pour une visite d'État qu'à la condition que les autorités du pays lui permettent de rencontrer Xanana Gusmão. Leader du mouvement pour l'indépendance du Timor-Oriental, l'homme était considéré comme l'équivalent de Madiba dans son pays, lorsque ce dernier était en prison. Les Indonésiens avaient tergiversé, pensant sans doute que le président n'insisterait pas. À tort... C'est ainsi que Gusmão fut nuitamment introduit par l'escalier de secours, dans les appartements du président. Il avait des menottes aux poignets. J'étais tout excitée par cette visite, et je me demandai comment le président allait la gérer. Il n'y avait après tout que sept ans qu'il ne partageait plus ce statut de prisonnier politique.

Étant donné les circonstances, Gusmão n'avait pas l'air d'aller trop mal et fut amical. Il demeura seul avec le président, Prof Gerwell et quelques autres pendant un bon moment avant d'être reconduit en prison. Un accord fut passé, selon lequel il recevrait l'autorisation de se rendre quelques semaines plus tard en Afrique du Sud, où il serait libre de s'exprimer. Le président Suharto tint parole et nous le reçûmes en effet en Afrique du Sud quelques semaines plus tard. Ce fut moins excitant, car il n'avait plus ses menottes et ne ressemblait plus à un prisonnier dans ses vêtements normaux. Bien des années plus tard, il vint à Johannesburg pour rendre visite à Madiba, alors en retraite, et le remercier d'avoir négocié cet accord. C'est alors seulement que je me rappelai les événements qui avaient marqué cette nuit-là. Depuis, il avait recouvré la liberté et était devenu le président légitime de l'État indépendant de Timor-Oriental. On estime généralement que l'intervention de Madiba avait mis Suharto sous pression, le conduisant à relâcher Gusmão.

Chaque fois qu'un conflit éclatait dans le monde, on réclamait l'intervention du président pour négocier un règlement pacifique. Il refusait souvent de se mêler des affaires intérieures d'autres pays, arguant qu'il ne disposait pas d'une connaissance suffisante des problèmes complexes auxquelles ceux-ci étaient confrontés. Mais la volonté politique d'aider chaque fois que cela était possible ou lorsqu'il estimait avoir une chance d'aboutir à un règlement pouvait le faire changer d'avis.

Après l'Indonésie, nous partîmes pour Bangkok. On nous installa dans un hôtel somptueux, et je me rendis compte que je devenais une experte en matière d'hôtels de luxe à travers le monde. Cela étant, même si j'étais capable de réciter par cœur le menu de chacun de leurs services en chambre, je ne voyais pas grand-chose des villes où ils se trouvaient. Mon expérience se limitait aux visites touristiques du président. Car nous n'étions pas là en vacances, mais pour travailler. Le président ne demandait que rarement à visiter tel ou tel site, s'en tenant pour l'essentiel aux plus célèbres ou à ceux qu'il connaissait par ses lectures, et qui présentaient pour lui un intérêt particulier. Mais en général il n'y avait pas de temps pour le tourisme, car son emploi du temps était surchargé, ses moments libres étant réservées à un repos absolument indispensable. Il était âgé de soixante-dix-neuf ans et il devait se reposer chaque fois que l'occasion s'en présentait.

Même si je consacrais chaque heure de chaque journée de travail à ce que celles du président se passent sans la moindre anicroche, je n'étais malheureusement pas un modèle de diplomatie. En Thaïlande, nous fûmes conviés à un banquet officiel donné par le Premier ministre, Chuan Leekpai; depuis un certain temps déjà, les équipes du protocole chargées en amont du planning de sa visite savaient que, à table, le président souhaitait rester en contact visuel avec ses secrétaires de sorte que, lorsqu'il avait besoin de nous, il suffisait d'un échange de regards pour que nous sachions ce que nous avions à faire. Le placement à table se faisait donc en tenant compte de ce facteur. Ce soir-là, je voyais son visage, mais heureusement pas de trop près, ce qui l'empêcha d'être témoin du petit incident que voici.

Je portais une blouse aux manches très larges. On servit les hors-d'œuvre et l'on déposa un petit pain sur la coupelle prévue à cet usage. Je tendais la main pour me servir du beurre qui se trouvait devant moi lorsque, ce faisant, ma manche accrocha sans que je m'en rende compte le petit pain placé à côté de mon assiette. Alors que je rapprochais le beurrier, le petit pain glissa dans ma manche. N'ayant pas conscience de ce qui venait de se passer, je crus qu'une bestiole était entrée dans ma manche, et ma réaction fut violente. Alors que j'étais déjà nerveuse du fait de ne pas savoir ce que je mangeais, l'incident ne fit qu'aggraver les choses. Je rejetai brusquement mon bras en arrière pour en éjecter ce corps étranger qui s'y était subrepticement introduit, et le petit pain vola jusqu'au beau milieu de la table. Un silence de mort s'abattit soudain autour de moi. Heureusement, les Thaïs sont des gens extrêmement sympathiques et bienveillants. Ils accueillirent avec des rires polis mon geste un peu trop brusque, et le monsieur qui était assis à côté de moi me rasséréna en me disant que cela allait me porter bonheur. Ma première pensée fut que pratiquement tout dans ce pays semblait porter bonheur, aussi calamiteux que cela puisse apparaître à nous autres étrangers. Je le remerciai pour ses bonnes paroles et tendis la main, plus calmement cette fois, pour m'emparer d'un second petit pain, avalant mon embarras avec chacune de ses miettes.

Le président voyageait sans cesse et travaillait sans relâche. Lorsqu'il était chez nous, il prenait le temps de s'adresser aux différents syndicats, comme celui des mineurs, des métallos ou des enseignants. Il savait en toutes circonstances respecter un certain équilibre, veillant à ce que l'on ne puisse en aucun cas l'accuser de la moindre discrimination, appliquant son sens de l'équité à chaque situation possible. Il consacrait toute son énergie à poser les fondements d'un avenir prospère pour l'Afrique du Sud, mais en juillet 1996, il annonça publiquement qu'il n'exercerait sa charge de président que pour un unique mandat de cinq ans. Il estimait en toute honnêteté que des gens plus jeunes seraient en mesure d'obtenir de meilleurs résultats que lui. En annonçant cette nouvelle, il espérait aussi que d'autres chefs d'État suivraient son exemple et ne seraient pas tentés de s'accrocher au pouvoir en le conservant mandat après mandat, jusqu'à devenir des dictateurs.

Après chaque soirée, gala ou réception, il faisait appeler les policiers de faction pour les remercier ; de même, si c'était une chorale qui venait de donner un spectacle, il tenait absolument à serrer la main de chacun de ses membres. Dans une foule, il repérait systématiquement des enfants qu'il faisait venir au premier rang afin de les saluer. Au début, je croyais qu'il s'agissait d'un engouement passager, mais quand je me fus rendu compte qu'il opérait systématiquement de cette manière, j'en tins le plus grand compte dans l'organisation de ses déplacements. C'était sa façon à lui de manifester sa gratitude aux simples gens.

Toutefois, il savait également se montrer très dur envers ceux qui, estimait-il, ne se montraient pas loyaux envers lui. Il était capable de donner, encore et encore, mais au moindre signe lui suggérant que quelqu'un n'était pas derrière lui à cent vingt pour cent, il coupait brutalement les ponts. Il inspirait la loyauté mais s'attendait en échange à ce qu'on lui soit fidèle. C'est ce qui se produisit avec Mary Mxadana. Les relations de travail entre Mary et le président devenaient de plus en plus tendues. Mary avait conservé des liens d'amitié avec son ex-femme, Winnie Madikizela-Mandela, ce qui le perturbait. Au point qu'il demanda qu'elle soit mutée à un poste diplomatique, au ministère des Affaires étrangères. Mary quitta avec dignité les bureaux de la présidence. Elle devait malheureusement disparaître quelques années plus tard après avoir été opérée d'une hernie. Je ne cachai pas ma tristesse quand j'allai la voir à l'hôpital, et je lui serai éternellement reconnaissance du rôle qu'elle aura joué dans ma vie.

Le président devait passer les fêtes de fin d'année avec ses petits-fils à Qunu, le village de son enfance. Qunu se trouve dans la province du Cap-Oriental, à environ 30 km d'une ville appelée Mthatha, dans cette région que l'on appelait jadis le Transkei. À cette époque, sa nièce Rochelle, qui s'était longtemps occupée de lui, l'avait quitté pour aller en Amérique poursuivre ses études, et le président comptait sur moi pour prendre en main certaines affaires dont Rochelle s'était chargée jusqu'alors. L'une d'elles consistait à organiser pour les enfants du village une fête de Noël dans sa ferme. C'était en tout cas l'idée de départ.

Il prépara une liste, assez courte, de personnes à appeler pour leur demander de faire des dons : bonbons, jouets et autres modestes cadeaux de Noël. La première année où je suivis l'affaire, il s'agissait d'en expédier deux mille de chaque. Je pris la responsabilité d'orchestrer cette collecte en veillant à ce que ces envois arrivent à Qunu quelques jours avant le 25 décembre. Me rendant compte que nous aurions besoin de sachets et de papier d'emballage, nous en fîmes l'acquisition, après quoi j'embauchai les enfants du village et jusqu'aux agents de sécurité afin d'aider à la préparation des paquets pour les deux mille enfants censés venir à la fête chez le président le jour J. J'organisai une véritable chaîne de production dans l'un des communs de la ferme et nous nous mîmes à l'œuvre plusieurs jours avant Noël, perdant parfois courage devant l'énormité de la tâche ; rendez-vous compte : deux mille paquets de bonbons, de jouets et autres petits cadeaux… Quand le président m'expliqua que, pour bon nombre d'enfants de la région, c'était le seul jour où ils auraient droit à un repas digne de ce nom et où on leur offrirait quelque chose, j'eus du mal à le croire de prime abord. Mais lorsque Noël arriva, je pus vérifier qu'il avait dit vrai : des milliers d'enfants débarquèrent à Qunu.

La majorité des Noirs en Afrique du Sud vivaient et continuent de vivre dans une extrême pauvreté.

Il faudrait du temps, beaucoup de temps pour que les transformations économiques commencent à être mises en œuvre et à produire leurs effets positifs sur l'existence de ces communautés rurales. La situation a bien évolué depuis, mais pas aussi vite que nous l'aurions souhaité, et les populations rurales d'Afrique du Sud sont furieuses et déçues de ne pas avoir encore touché les dividendes de la démocratie. Tandis que des foules considérables affluaient à Qunu, je pus constater que ces pauvres gens n'avaient pas eu la possibilité de goûter aux fruits de notre liberté nouvellement acquise. Lorsque je lui demandai d'où ils venaient, le président m'expliqua que nombre d'entre eux étaient partis à pied de chez eux la veille au soir afin d'arriver à temps. Quand, venant de la ville, j'arrivai à la ferme, le jour de Noël vers 7 heures du matin, une heure que j'estimais raisonnable, les enfants formaient déjà le long de la clôture une file qui remontait jusqu'en haut de la colline, à un kilomètre de là. Je n'en croyais pas mes yeux. Nous nous apprêtâmes à distribuer nos petits paquets, après quoi les enfants seraient conduits dans la grande cour sur l'arrière de la ferme où on leur donnerait un repas. Mister Bread, la boulangerie de Qunu, s'était très aimablement chargée de préparer ceux des anciens et des personnalités de la région, avec l'aide de Mandla, l'aîné des petits-fils de Madiba.

Bientôt les enfants commencèrent à franchir le portail et à se déverser à l'intérieur de la propriété. Le président resta assis dehors la majeure partie de la journée, saluant les enfants lorsqu'ils passaient devant lui après avoir reçu leur cadeau et avant d'aller manger. Il les salua tous, un par un, échangeant quelques mots avec chacun d'eux. Étant une personne d'ordre, n'aimant rien tant que l'organisation et la discipline, il apprécia visiblement la précision toute militaire avec laquelle j'avais préparé les choses. Les enfants passaient en file indienne devant les assistants qui leur remettaient leur paquet, après quoi on les dirigeait vers l'endroit où était servi le repas. Je veillai à ce que personne ne soit oublié et à ce que chacun ait l'occasion d'aller serrer la main du président.

Habitant des régions éloignées de tout, bon nombre de ces enfants ne connaissaient pas la légende du Père Noël et vivaient à cette occasion un véritable rêve éveillé. Dès lors, leur univers tournait autour de cette seule pensée : revenir voir le président Mandela et recevoir le cadeau qu'il leur offrait. Quand une firme fit don de frisbees, on vit ainsi des milliers de frisbees voler dans les airs, et partout des milliers de gens essayant de les éviter. L'année d'après, viendrait le tour des ballons qui, à leur tour, voleraient dans tous les sens, avec apparemment un objectif privilégié : votre tête. Nous partons du principe que tous les enfants du monde savent ce qu'est un ballon ou un frisbee, mais il suffisait de voir ces enfants des contrées reculées d'Afrique du Sud pour comprendre qu'ils n'avaient jamais vu ces objets, si banals pour nous. Une année, quelqu'un voulut faire don de faux pistolets en plastique, mais nous déclinâmes l'offre, ne souhaitant pas promouvoir la violence en même temps que notre message d'amitié.

Difficile de dire ce que les enfants appréciaient le plus : recevoir un cadeau ou serrer la main au président. Ce qui était aussi touchant à voir que cet unique vrai repas. Pour moi, plus besoin de discours, la preuve était là. Je voyais de mes yeux des enfants atteints de maladies innommables. Sous-alimentés, difformes, maltraités, négligés. Mais on oubliait bien vite l'apparence quand on lisait la gratitude dans les yeux de ces pauvres innocents.

Certains d'entre eux n'avaient jamais vu de Blancs auparavant, et un enfant vint frotter mon bras pour voir si le «blanc» de ma peau finissait par s'effacer. J'adorais prendre les plus petits dans mes bras, même si ma peau blanche les effrayait parfois. Quelle ironie quand on pense que, quelques années plus tôt, je me conformais à cette idée raciste selon laquelle il était déplacé de toucher une personne noire. Et cela parce que, sur le fond, nous avions peur d'eux. Certains enfants avaient donc peur de moi et des quelques gardes du corps blancs. Nous leur apparaissions sans doute comme des extraterrestres. Plus d'une fois, il me fallut porter sur ma hanche l'un de ces enfants pendant toute la journée : il voulait sans doute voir si, au coucher du soleil, j'allais m'envoler vers une autre planète.

Quand on passe le 25 décembre dans une région aussi misérable, on ne peut que prendre conscience des privilèges qui sont les nôtres, en être vraiment et profondément reconnaissant, et une journée comme celle-là donne à Noël un sens différent. C'était le premier Noël que je fêtais sans mes parents, sans cadeau, sans cette sempiternelle question : «Que va-t-on m'offrir pour Noël?» La préoccupation première devenait : «Que vais-je bien pouvoir offrir, pouvoir donner ? », et cela me procurait un sentiment de plénitude inconnu jusqu'alors. Après la fête des enfants, nous déjeunâmes avec Madiba, qui reçut la visite de certains de ses petits-enfants et des anciens de la région.

L'année suivante, nous nous rendîmes compte que faire des préparatifs pour deux mille enfants n'allait pas être suffisant. Nous augmentâmes donc nos demandes de dons, pour passer à cinq mille.

Cette fois, le président me laissa m'occuper de tout. Tout le monde était maintenant au courant de son initiative et il n'était pas difficile de trouver des partenaires. Donc, en décembre, quelques jours avant Noël, nous nous préparâmes à accueillir cinq mille enfants. Mais nous n'eûmes pas assez de cadeaux ni de nourriture. L'année d'après, nous passâmes à dix mille, et, pour finir, au double. Je puis vous dire que préparer vingt mille paquets n'est pas une partie de rigolade. Mais comme des enfants des alentours et plusieurs des petits-fils de Madiba nous prêtèrent main-forte pour les préparatifs, nous parvînmes à gagner ce pari. La dernière année où cette fête privée fut organisée, nous commençâmes à la préparer quinze jours pleins avant Noël. Et pour encourager les troupes, je ne cessais de répéter : « Rappelez-vous, pour certains enfants, c'est la seule occasion de l'année d'avoir un repas digne de ce nom et un cadeau… Ce sera l'*unique* cadeau qu'ils recevront pour Noël », reprenant ainsi les mots exacts du président. Cette harangue était en fait moins destinée aux enfants du village qui nous apportaient leur aide qu'aux gardes du corps qui participaient ainsi de moins mauvaise grâce à ma tâche du moment.

La dernière année, après notre visite à Chicago, Oprah Winfrey demanda à participer aux réjouissances. Madiba lui avait parlé de la fête de Noël que nous organisions à Qunu. Je crois que les préparatifs se firent cette fois pour vingt-cinq mille enfants à Qunu, ainsi que pour vingt-cinq mille écoliers d'autres régions rurales d'Afrique du Sud. Et Oprah fit bien les choses : outre les bonbons et un repas très nourrissant, les enfants se virent offrir des vêtements et des fournitures scolaires. Mais nous avions sous-estimé l'importance de la foule, et la publicité considérable qu'avait suscitée la double présence de la vedette de la télévision américaine et du président, de sorte que nous eûmes du mal à éviter une bousculade fatale. Certaines mamans voyagèrent avec leurs enfants depuis des endroits aussi éloignés que l'État libre, à des centaines de kilomètres de là. D'innombrables autocars déchargèrent plein d'enfants, et la sécurité se révéla vite insuffisante. Après qu'une tragédie eut été évitée de justesse, il fut alors décidé que cette fête de Noël serait prise en main par le Fonds Nelson-Mandela pour l'enfance et décentralisée dans les régions.

À l'époque où il instaura ces fêtes de Noël annuelles à Qunu, le président décida d'aller, en fin d'année, visiter des écoles maternelles, à Johannesburg et au Cap. Il adorait le contact avec les enfants. Là encore, c'est à sa nièce qu'il demanda de prendre les choses en mains la première année, puis j'héritai de la mission lorsqu'elle partit pour les États-Unis. Le président m'enseigna une chose très utile : comment trouver des sponsors afin d'obtenir des dons ou des aides pour des gens manquant désespérément de ressources quand vous-même ne disposez pas des fonds nécessaires. En échange des bonbons ou objets qu'ils lui donnaient pour qu'il les distribue lors de ses visites, les donateurs obtenaient du président de pouvoir rester la journée à ses côtés, ainsi qu'une bonne publicité pour eux-mêmes ou leur entreprise à la télévision et dans les journaux. Le plan était simple, mais d'une efficacité redoutable. Nous invitions les représentants des médias à nous accompagner pendant la visite des crèches ou des écoles, ce qui leur permettait de passer une journée entière avec leur cher président, tout en apportant aux sponsors la visibilité que ce dernier leur avait promise. À la fin de la journée, médias et sponsors étaient invités à déjeuner dans nos bureaux ou dans un hôtel tout proche, où le président les remerciait pour leur soutien. Ces initiatives connaissaient une large diffusion et d'autres contributeurs s'empressaient de proposer leur aide les années suivantes.

À de rares occasions, des hommes politiques essayèrent de récupérer ou de détourner ces initiatives, ce qui amena le président à préciser que celles-ci ne pouvaient être le fait d'un parti politique en particulier, et que les parents et les enseignants des enfants devaient être respectés pour leurs opinions politiques, quelles qu'elles fussent. Ma mission consistait entre autres à veiller à ce que notre sélection d'écoles soit à 100 % représentative. Si nous visitions cinq écoles, ce devait être deux noires, une indienne, une brune et une blanche. Les écoles étant de plus en plus intégrées après les transformations opérées en Afrique du Sud, cela devint une véritable gageure, et nous devions visiter les écoles largement à l'avance afin d'être sûrs de bien respecter le «cahier des charges» dans le domaine racial. Il nous fallait également veiller à ne pas visiter d'école comportant une majorité d'enfants xhosas, les Xhosas étant l'ethnie du président. Il était très pointilleux dans les affaires de cette nature et je notai de façon indélébile dans un coin de mon cerveau le fait que si nous faisions quelque chose pour tel groupe, nous devions également le faire pour tel autre. Il ne voulait surtout pas qu'on puisse l'accuser de favoritisme ou de partialité et veillait obstinément à demeurer la figure de proue de l'Afrique du Sud nouvelle, quelles que fussent les tentatives de ceux qui voulaient l'étiqueter selon un groupe, une race, une religion, une classe quelconque.

Je n'ai finalement jamais su ce qui l'amena à me confier la responsabilité de ces fêtes de Noël et de ces visites de crèches ou d'écoles maternelles, ni pourquoi il n'en chargea pas plutôt le Fonds pour l'enfance qu'il avait créé bien avant que je travaille pour lui. Même si cette tâche m'apporta beaucoup sur le plan personnel, affectif, en donnant pour moi un sens nouveau à ce jour de Noël, j'avais largement ma part de travail à assumer, de défis à relever, de pression à subir. Et je fus soulagée lorsqu'il fut décidé d'en charger le Fonds pour l'enfance.

Simultanément, le président lança son programme de construction d'écoles et de dispensaires. Il parvint à convaincre des acteurs du monde des affaires, national et international, de se lancer dans cette aventure jusque dans les campagnes les plus reculées d'Afrique du Sud. Grâce à ce projet, plus d'une centaine d'écoles virent le jour, ainsi que plus de cinquante dispensaires. Le président Mandela n'était sans doute pas le plus grand administrateur du monde, mais ses intentions et sa stratégie étaient irréprochables.

Au début, le gouvernement ne prêta guère attention à ces nouvelles constructions. Le processus était simple : le président s'entretenait avec le chef traditionnel de telle ou telle région rurale, et celui-ci réclamait la construction d'une école. Apprenant par les journaux les excellents résultats financiers de telle ou telle compagnie, il me chargeait de prendre contact avec le P-DG, le directeur général ou le propriétaire de la firme en question. Qu'il conviait alors à venir déjeuner ou petit-déjeuner avec lui. Qui aurait refusé une invitation par le président ? Vers la fin de cette période, c'était devenu un sujet de plaisanterie entre les dirigeants d'entreprises : si le président vous invitait à petit-déjeuner avec lui, cela risquait d'être le breakfast le plus onéreux de votre vie.

Il n'y eut que deux cas où l'engagement de construire telle école ou tel dispensaire n'eut jamais de suite. Il était impossible pour le gouvernement de fournir à la population les services qu'elle attendait de lui au rythme qu'elle exigeait, et le président faisait donc de son mieux pour accélérer le processus en amenant le secteur privé à soutenir ces efforts, l'éducation et la santé étant ses priorités. Il avait toujours affirmé que l'instruction était la seule arme qui permettait de combattre la pauvreté.

La première étape consistait à convaincre les représentants de la firme contactée de nous accompagner en avion dans des régions lointaines, afin que nous leur montrions l'endroit où il était prévu de construire l'école ou le dispensaire, puis à leur présenter les leaders de la communauté qui seraient chargés de superviser le projet. Nous passions des heures et des heures à atteindre ces zones reculées. Une fois le projet mené à bien, nous retournions sur les lieux en compagnie des mêmes hommes d'affaires, et le président inaugurait lui-même le bâtiment tout neuf.

Aux stades avancés du projet, au moment du changement de gouvernement en 1999, on découvrit que nombre de ces constructions avaient été laissées à l'abandon. Le gouvernement se révélait incapable de fournir les enseignants, les infirmières, l'équipement, les services et l'infrastructure pour appuyer l'initiative. S'il faut bien sûr prendre en compte l'étendue des défis auxquels il était confronté, c'était honteux de voir qu'il n'y avait pas eu la moindre coordination qui aurait permis de fournir le soutien nécessaire au fonctionnement efficace de ces établissements de soin ou d'éducation. Le président avait sa part de responsabilité dans ce fiasco : il cédait en effet trop facilement aux requêtes des chefs traditionnels, sans faire procéder à des enquêtes préalables sur l'opportunité de bâtir une école ou un centre de soins dans telle ou telle région. Dans les années qui suivraient, l'Institut Nelson-Mandela pour l'éducation en zones rurales établirait un partenariat avec l'université de Fort Hare, dans la province du Cap-Oriental, afin de soutenir certains de ces projets initiés par le président.

Il faut hélas constater que le système d'enseignement en Afrique du Sud n'est pas à la hauteur, en particulier dans les zones rurales. Il s'agit aujourd'hui d'un des défis majeurs qu'ait à relever l'Afrique du Sud. Le métier d'enseignant est l'un des moins bien payés dans notre pays, la conséquence étant qu'il a cessé d'attirer des gens pour qui c'était une passion. Instituteurs et professeurs ne gagnent plus assez pour nourrir leur famille et, dans les régions rurales, l'administration est incapable de les aider en leur fournissant le matériel et les livres qui leur sont indispensables. Du fait de leur éloignement, certains de ces établissements scolaires ne reçoivent qu'une aide minime de leur ministère de tutelle, qui dans le même temps a beaucoup de mal à faire appliquer le règlement.

Pour chaque inauguration d'un nouvel établissement de soins ou d'éducation, les médias étaient invités à accompagner le président. La publicité alors donnée à telle ou telle firme associée au projet (qui faisait souvent la une des journaux télévisés régionaux) valait largement les sommes qu'elles y avaient consacrées. Nombre d'entre elles continuent d'ailleurs de subventionner certaines des écoles et des dispensaires qu'elles ont permis de construire à l'origine, grâce à cette passion pour l'éducation de notre jeunesse qu'elles partageaient avec le président.

En 1998, le président Bill Clinton traversa la pire période de sa vie politique. Le scandale de sa relation avec Monica Lewinsky fit la une des journaux du monde entier et mit sa carrière en grand péril.

C'est au beau milieu de cette tourmente qu'il eut à son programme une visite d'État en Afrique du Sud. Quand vous aviez des problèmes, vous ne pouviez trouver meilleur soutien que Nelson Mandela. Il n'était pas question pour le président de fermer les yeux sur ce qui venait de se passer, mais il avait une façon bien à lui de remettre les choses en perspective, en plaçant l'humanité au premier plan. L'intéressé ne se sentait pas moins coupable, mais le président réussissait à lui donner un sentiment de sécurité et, tranquillement, sans forcer, à le convaincre d'assumer ses responsabilités sans en être humilié pour autant. En observant cette méthode au fil du temps, je me rendis compte que ma façon de penser avait évolué, et que je ne me permettais plus de juger certains comportements que j'aurais estimés inexcusables des années plus tôt. Le président Mandela n'avait jamais peur de reconnaître ses propres erreurs, sautant presque sur l'occasion pour s'en excuser avant de passer à autre chose. Il ne cessait de répéter à ceux qui chantaient ses louanges qu'«un saint est un pécheur qui ne cesse de faire des efforts».

Cela n'implique pas qu'il ait jamais justifié un comportement qui fût contraire à l'intégrité ou à l'honnêteté. Non, il était intimement persuadé que les gens sont toujours animés des meilleures intentions, mais que, comme à tous les êtres humains, il peut leur arriver de faire un faux pas. Ce qui était important pour lui, et devint clair pour moi, c'est que ceux qui faiblissaient, péchaient ou trébuchaient ne devaient surtout pas être rejetés sous prétexte qu'ils avaient commis une faute. Le président Mandela accueillit donc le président Clinton les bras grands ouverts, sans pour autant passer sous silence les difficultés personnelles auxquelles celui-ci faisait face à la suite de l'affaire Lewinsky, mais il rassura son homologue américain : il le respectait toujours et avait toujours foi en sa capacité à diriger son pays.

Le 27 mars 1998, un banquet fut donné en l'honneur du président américain et de sa visite en Afrique du Sud. À cette époque, les secrétaires se relayaient pour suivre ce genre d'événement et assister le président. J'eus la surprise d'être retenue pour le banquet d'État qui se tenait à Vergelegen, un domaine situé au milieu des prestigieux vignobles proches du Cap. Il s'agissait là d'un événement quasi historique, et tout le monde souhaitait en être. Vergelegen se trouve à trois quarts d'heure de voiture de Genadendal, la résidence officielle du président, de sorte que, pour éviter les embouteillages et pour faciliter le travail des services de sécurité, il fut décidé que pour rendre sur place, le mieux serait pour nous de prendre un hélicoptère.

Je n'ai jamais vraiment su (et je ne sais toujours pas) me mettre sur mon trente et un. Je ne suis jamais plus à l'aise qu'avec un jean, des tongs et une chemise ou un tee-shirt. J'étais bien consciente toutefois que, pour l'occasion, il me faudrait faire un effort. Il s'agissait après tout d'un banquet d'État en l'honneur de l'homme qui était à la tête de la plus puissante nation du monde. En conséquence, je me fis faire tout spécialement une robe longue, noire – rien d'extravagant – et portai mon choix sur des chaussures à talons, mais pas trop hauts, car durant ce genre de soirée, nous n'avions pratiquement pas l'occasion de nous asseoir.

Nos hélicoptères étaient plutôt bruts de fonderie, adaptés pour les transports de soldats. Chaque fois que je montais à bord de l'un de ces engins, j'avais l'impression que nous partions au combat. L'Oryx est un appareil militaire costaud, considéré comme l'un des meilleurs du monde, capable d'accueillir seize passagers avec tout leur équipement. J'avais appris à apprécier voler dans ces hélicoptères : j'adorais le bruit qu'ils faisaient, en particulier quand les pilotes étaient obligés de manœuvrer un peu. Mon petit côté aventurière…

Nous atterrîmes à Vergelegen. Le protocole veut que le président soit toujours le dernier à monter dans un appareil – avion ou hélicoptère – et qu'il soit le premier à en descendre. Puis venait Mme Machel, lorsqu'elle était du voyage, ou éventuellement la personnalité officielle qui accompagnait le président, et enfin suivaient les petits malins qui arrivaient à la porte avant les autres. Les officiers de sécurité sautaient d'ordinaire les premiers de l'hélicoptère. Le président débarqua donc de l'appareil, suivi de Mme Machel. Tout en descendant les quelques marches, il commença à s'adresser à moi et me posa une question – sans doute à propos du programme ou de l'heure d'arrivée du président Clinton – alors qu'il mettait le pied à terre. Il était sur le point de se retourner vers moi, attendant ma réponse, lorsque je m'envolai littéralement du haut du marchepied, pour atterrir juste derrière lui, sur les deux genoux : ma robe longue s'était coincée dans une rainure des marches métalliques, m'empêchant de descendre normalement. Tout le monde se mit à rire autour de moi, à l'exception du président et de Mme Machel. La scène devait être en effet du plus haut comique : on a tendance à rire à la vue de quelqu'un qui se casse la figure, surtout si la personne en question est en robe de soirée, et d'autant plus quand elle tombe d'un hélicoptère. Le président ordonna aussitôt : « Aidez-la à se relever, aidez-la ! », très inquiet que je me sois blessée. « Pas de problème avec votre robe ? » s'enquit-il. Je vérifiai, mais tout semblait en ordre. Comme il était prévu que le président Clinton arrive lui aussi en hélicoptère, le tarmac et ses alentours étaient bourrés d'agents des services secrets. Ils étaient cachés partout, jusque dans les buissons, et mon arrivée fut donc accueillie par un immense éclat de rire. Tous les témoins de l'incident eurent le plus grand mal à recouvrer leur sérieux. De mon côté, je repris mes esprits et nous nous dirigeâmes vers la maison où nous devions attendre l'arrivée du président Clinton.

Le président Mandela se vit offrir un siège dans la maison qui jouxtait la grande tente sous laquelle devait avoir lieu le banquet. Il y attendrait l'arrivée de son homologue de sorte qu'ils fassent leur entrée côte à côte dans la salle. Pour ma part, je restai à l'extérieur pour essayer d'obtenir des renseignements sur l'heure d'arrivée de Bill Clinton, afin de transmettre l'information au président.

Vergelegen est un domaine viticole privé. Le manoir est superbement décoré, dans le style hollandais du Cap. En attendant dehors, je fis la connaissance de Pieter-Dirk Uys, l'un des meilleurs comédiens sud-africains. Il se préparait pour le spectacle qu'il allait donner durant le banquet et me fit oublier le petit incident de l'atterrissage. Le président aimait beaucoup ses sketches satiriques, car il n'épargnait personne dans ses imitations comiques des hommes politiques sud-africains. En entrant dans la maison où attendait le président, je ne vis pas qu'une brique avait été placée devant la porte d'entrée pour l'empêcher de claquer brusquement sous l'effet du vent; je trébuchai dessus, sans tomber cette fois, mais pour me retrouver beaucoup plus vite que prévu devant le président. Qui me lança: «Oh non, chérie, prenez plutôt une chaise et venez-vous asseoir avec nous.» J'étais morte de honte, et plus stressée que jamais quand, plus tard dans la soirée, je dus lui tendre le texte du discours qu'il devait prononcer. En montant les marches qui menaient à l'estrade, je priai le ciel qu'un nouveau désastre ne vienne pas s'abattre sur moi. Je fus exaucée, et le reste de la soirée se passa sans le moindre accroc.

J'étais maintenant de plus en plus sollicitée et par le président et par Mme Machel. Nous avions un mal fou à faire coïncider leurs deux agendas. Il nous fallait trouver des plages leur permettant d'être ensemble, mais ce n'était pas commode. Mme Machel continuait d'avoir beaucoup d'activités au Mozambique et de par le monde, essentiellement dans le cadre de la défense des droits des enfants, et elle voyageait donc beaucoup. J'étais souvent ennuyée de ne pouvoir leur trouver des tranches de vie commune, mais c'était pratiquement mission impossible. Tous deux menaient une vraie course contre le temps. Le président voulait régler cent choses dans la semaine et lorsque nous arrivions à tout caser, l'emploi du temps de Mme Machel était très dense. Souvent, le président acceptait certains arrangements, et puis la veille, c'était soudain tout son agenda qui était bouleversé, non à cause de Mme Machel, mais parce qu'il avait des priorités plus pressantes, ou tout simplement parce qu'il avait changé d'avis sur tel ou tel sujet. Nous nous retrouvions à court d'excuses pour expliquer la raison d'une annulation si tardive et nous craignions toujours que les gens suspectent que des problèmes de santé en étaient la cause.

À cette époque, il suffisait que le président ait un vulgaire rhume pour que le rand, la devise sud-africaine, perde soudain de sa valeur. C'était le cas chaque fois qu'une rumeur courait sur son état de santé : le monde entier redoutait que les Sud-Africains sombrent dans le chaos et que le pays soit réduit en cendres. Le président symbolisait la stabilité pour tous les Sud-Africains, Noirs et Blancs, et le monde entier le savait. Utiliser son état de santé ou prétendre qu'il «ne se sentait pas très bien» était une excuse à laquelle il n'était pas question d'avoir recours, à moins que ce ne soit l'absolue vérité. Aux yeux de la population, il était quasiment devenu une sorte de surhomme, et il suffisait qu'il ait envie de prendre un peu de repos pour déclencher des spéculations sur son état de santé.

Début 1998, il était prévu que Madiba préside une soirée de collecte pour le Fonds Nelson-Mandela

pour l'enfance. Il avait créé cet organisme charitable
en 1995 pour venir en aide aux enfants, en particulier aux orphelins dont les parents avaient été victimes du sida. Outre la somme reçue pour son prix
Nobel de la paix, qui lui avait permis de lancer ce
Fonds, il lui consacrait un tiers de son salaire annuel
et participait à des collectes lorsque son emploi du
temps le lui permettait. Cette fois-là, il devait recevoir plusieurs hôtes de marque, top-modèles, célébrités internationales, tout ce petit monde devant
embarquer pour le voyage inaugural du nouveau
Train Bleu – le grand train de luxe sud-africain – qui
venait d'être rénové de fond en comble. Juste après,
il ferait une croisière sur le *Queen Elizabeth 2*. Si
elles souhaitaient se joindre à lui et à Mme Machel,
les personnes intéressées devraient payer des milliers
de dollars, les sommes ainsi récoltées étant versées
au Fonds pour l'enfance. Les organisateurs durent
refuser du monde…

C'est à l'occasion de cet événement qu'eut lieu la
fameuse «affaire des diamants» prétendument don-
nés en cadeau à Naomi Campbell par Charles Taylor,
alors président du Liberia. Le top-modèle était un
pilier du Fonds depuis sa création, et une donatrice
de la première heure.

Durant le procès de Charles Taylor devant la Cour
internationale de justice, pendant lequel on récapitula
la chronologie des faits, personne ne songea à demander aux responsables de la sécurité sud-africains de
l'époque l'identité des gardes du corps qui avaient
frappé à la porte de Naomi Campbell dans la résidence présidentielle où elle était hébergée, afin de

lui remettre le «sac de cailloux». S'ils avaient été sud-africains, ils auraient ouvert le sac avant de le lui donner. Personne, pas même un président, ne pouvait se voir offrir un présent dans des locaux officiels sans que le paquet soit ouvert et inspecté. Si quelqu'un avait sollicité un agent de sécurité, celui-ci n'aurait pas manqué de compter le nombre de diamants qui se trouvaient à l'intérieur du sac et le fait aurait été signalé, quelle qu'ait été la personne venue ce soir-là à la résidence. Tout officier de police sud-africain a l'obligation de tenir ce qu'on appelle un «livre de poche» dans lequel il doit consigner ses activités quotidiennes, heure par heure voire minute par minute, précisément afin que, pour le cas où il serait amené à témoigner dans le cadre d'un procès, il ait la possibilité de s'y référer. Je doute fort que la police sud-africaine aurait laissé deux gardes du corps libériens entrer sans escorte dans la résidence présidentielle. On peut donc conclure que la clef de l'énigme se trouve sans doute quelque part dans des archives en Afrique du Sud. Nous n'étions pas au courant de ce cadeau, mais Naomi affirma avoir remis le sac de diamants au directeur du Fonds, même si, par la suite, celui-ci fut déclaré non coupable d'avoir été en possession des diamants bruts.

Nous embarquâmes sur le *QE2*. Une belle expérience, même si le paquebot était à l'évidence essentiellement équipé pour recevoir des personnes âgées. Tout était grandiose et suranné. Tous les soirs, les passagers se mettaient sur leur trente et un pour aller dîner, mais personnellement ils me donnaient plutôt l'impression d'aller à l'église. Rien n'était prévu pour les jeunes, mais l'on dansait tous les soirs dans la grande salle de bal. C'était tout à fait touchant de voir ces vieux couples danser, avec l'air d'être encore si amoureux. Le président et Mme Machel ne fréquentèrent pas la salle de bal, mais ils se plurent beaucoup à bord du *QE2*. Ils n'assistèrent qu'à une brève cérémonie d'accueil puis à un dîner. Le reste du temps, ils purent enfin profiter de moments d'intimité, loin des pressions et tensions du « continent ».

Après la croisière, je tombai malade, pour la deuxième fois en quatre ans : je n'arrivais tout simplement pas à tenir la cadence. Le président était mû par un certain nombre de facteurs, l'un d'eux étant qu'il avait prévu de prendre sa retraite de toute fonction officielle moins d'un an plus tard ; il souhaitait donc profiter à plein de sa position pour accélérer au maximum les changements qu'il avait appelés de ses vœux. Les médecins me dirent que j'étais victime d'une rechute de la myocardite dont j'avais souffert après notre visite au Japon, en 1995, et que j'étais tout simplement épuisée. Ils me mirent en arrêt maladie pour quatre semaines. Au bout d'une semaine environ, je reçus un coup de fil de la sécurité m'annonçant que le président souhaitait me rendre visite dans mon petit studio d'Acasia Park, le village où était logé le personnel gouvernemental. Estimant qu'il était déplacé qu'un président vienne me voir dans mon modeste logement, je l'appelai pour tenter de le convaincre que j'allais bien, que j'avais l'intention de reprendre mon travail sous peu et que ce n'était vraiment pas la peine qu'il se dérange pour venir me voir. Mais il insista et débarqua bientôt, avec le plus beau bouquet de fleurs que j'aie jamais reçu.

Tout en m'encourageant à recouvrer mes forces, il me dit en toute innocence : « Vous savez qu'il n'y a que les gens faibles qui tombent malades. »

J'aurais pensé qu'il me manifesterait un peu plus de sympathie. Toute sa vie il s'était convaincu que chacun est en mesure de contrôler son corps et que, dans le processus de guérison, l'action de l'esprit est plus forte que les médicaments. Pour aller mieux, la détermination était un élément essentiel.

Quelles que fussent les difficultés que je rencontrerais par la suite, quelle que soit ma fatigue ou la pression à laquelle nous étions soumis, le fait de voir son visage et son sourire illuminer la pièce éclairerait jusqu'au bout chaque jour de ma vie. Impossible pour moi de ne pas sourire chaque fois que je le voyais. Lorsqu'on travaille étroitement avec quelqu'un, il est inévitable que l'on apprenne à détecter toutes ses émotions, toutes ses humeurs. C'est ainsi que, même dans les périodes les plus délicates, le sourire n'était jamais bien loin de mon visage. Et lorsqu'il n'y figurait pas, il était dans mon cœur.

Je continuai donc de travailler à un rythme frénétique, même si la fatigue et le stress me submergeaient parfois. Un jour, Madiba me lut un article de journal consacré à une étude sur les femmes qui accumulaient de la graisse aux hanches et aux fesses et qui, d'après ce que l'on avait découvert, supportaient mieux le stress que les autres. La première fois qu'il m'en fit lecture, je compris l'allusion et lui lançai : « Vous voyez, Khulu, c'est pour cette raison que je supporte tout ce stress, parce que j'ai un gros derrière et des hanches larges.» Il partit d'un grand rire et me relut l'article. Ce que je ne trouvai que moyennement drôle…

Il faisait toujours très attention au poids et à la santé des gens, et il lui arrivait ainsi souvent de demander à une dame si elle était enceinte alors même qu'elle n'avait grossi que de quelques kilos. Parfois, il demandait à tel ou tel de ses visiteurs un entretien en privé et le morigénait sur son poids. J'ai oublié le nombre de fois où il pointa la panse de quelqu'un en lui disant : «Il faut maigrir.» Certaines personnes ont horreur qu'on discute de leur embonpoint, mais c'est particulièrement gênant lorsque c'est quelqu'un comme Nelson Mandela qui vous dit que vous devez perdre du poids. Sous-entendu : vous mangez beaucoup trop. Nous essayions à tout prix d'éviter les discussions de cet ordre et chaque fois qu'il émettait le souhait d'avoir une discussion en tête à tête avec l'un de ses visiteurs, nous nous efforcions de le convaincre de n'en rien faire. Il se mettait alors à rire, trouvant visiblement très drôles nos efforts pour éviter aux intéressés d'avoir à subir ce genre de leçon. Mais parfois la personne en question insistait pour avoir cet aparté avec lui, pensant que le grand homme allait lui confier des secrets d'État. Lorsqu'il ressortait de l'entretien, quelques minutes plus tard, c'était en général avec une mine déconfite.

Une fois, j'attendais qu'il arrive pour une soirée officielle ; lorsqu'il sortit de voiture, il me demanda si cela faisait longtemps que je patientais et je lui répondis que c'était en effet le cas. À quoi il me lança d'une voix de stentor : «Je m'en rends compte, vous avez l'air d'avoir faim.» Il n'en était rien. Toujours à se préoccuper de ma santé, de savoir si j'avais mangé ou pas.

Une autre fois, je faisais un régime et je refusai les mets qu'on lui avait préparés, préférant m'en tenir à ma salade. Il m'interrogea et me dit que je ne mangeais pas assez. À quoi je répliquai que j'essayais tout simplement de perdre du poids. Il m'expliqua alors que mon poids n'avait aucune importance puisque je me déplaçais rapidement. Ce qu'il voulait dire par là, c'est que même si j'étais en surpoids, cela n'affectait en rien le rythme auquel je marchais ou me déplaçais. Son attitude par rapport à la nourriture et au poids était assez drôle : quand vous ne mangiez pas, il vous encourageait à le faire, mais lorsque vous vous resserviez d'un plat, il regardait votre assiette d'un air désapprobateur. J'ai toujours été très susceptible pour ce qui concerne mon poids, mais jamais avec lui. Lorsque je me plaignais de mes kilos en trop, il me disait gentiment : «Mais vous êtes majestueuse.»

Au mois de juin, cette année-là, le président déjeuna à Mahlamba Ndlopfu avec Wolfie Kodesh. Le président m'apprit qu'il avait logé chez M. Kodesh avant son incarcération, et je fus très impressionnée de découvrir que M. Kodesh avait en fait caché Madiba pendant un temps dans son appartement de Johannesburg, en 1961. Le président faisait à cette époque de l'exercice tôt le matin, courant sur place entre dix et vingt minutes, quotidiennement. Malgré la chaleureuse amitié qui liait les deux hommes, et qui sautait aux yeux lorsqu'on les voyait ensemble, je ne pouvais m'empêcher d'imaginer à quel point cela pouvait être irritant de voir quelqu'un trottiner sur place dans votre appartement à 5 heures du matin. Décidément, ces combattants de la libération étaient une race à part, et j'admirais leur patience et leur ténacité.

J'avais eu l'occasion d'être témoin du sérieux avec lequel le président faisait de l'exercice, tôt le matin, dans sa chambre d'hôtel. Il avait fallu que je me retienne pour ne pas lui crier : «Khulu, vous allez vous faire mal», en le voyant faire ses mouvements de gymnastique. Il était grand et svelte, mais on sous-estimait sa force avant de l'avoir vu s'activer, mettant conviction et détermination dans chacun de ses mouvements. Il me faisait penser à un boxeur à l'entraînement. Quand on lui demandait quels étaient les exercices qu'il pratiquait, il donnait volontiers des explications, voire des conseils. Plus d'une fois lors de voyages à l'étranger, il me demanda de lui trouver un médecine-ball, sur lequel il roulait. Excellent exercice pour garder un ventre plat, me confia-t-il en me poussant à essayer. Parfois, c'est avec une vraie frénésie qu'il pratiquait sa série d'exercices habituelle. Au point qu'avec Rory Steyn, son garde du corps, nous ne pouvions nous empêcher de trouver cela d'un comique irrésistible. Nous devions lutter contre la crise de fou rire tandis que Madiba s'agitait en tous sens dans son hôtel de luxe où que ce soit dans le monde. Je n'ai peut-être pas fait tout ce que font d'ordinaire les touristes dans toutes les villes du monde où je me suis rendue, mais je suis capable de donner des conseils avisés sur les hôtels offrant le meilleur service en chambre ou en mesure de trouver un médecine-ball à un client.

Mary partie, Virginia Engel était désormais la secrétaire en chef de notre bureau. Le président connaissait toujours par cœur mon numéro de portable et il n'arrêtait pas de m'appeler à tout propos, ce qui me mettait parfois dans une situation très délicate, étant donné que je devais rendre compte à Virginia de tous ses coups de téléphone. Il lui arrivait ainsi de m'appeler en pleine nuit pour me dire qu'il souhaitait qu'on lui livre tel ou tel médicament le lendemain ou que je pense à lui rappeler telle ou telle chose. Ce n'est jamais agréable de se sentir rabaissé par qui que ce soit et alors même que je faisais mon travail du mieux possible et que j'adorais le président, je pense que n'importe qui à ma place aurait eu du mal à ne pas éprouver ce sentiment de dévalorisation.

Durant ces années, je m'efforçai de le côtoyer le moins possible, en partant du principe que, plus on est loin de l'âtre, moins on a de chances de se brûler. Je ne voulais surtout pas m'imposer à lui et m'efforçais de créer une saine distance entre nous, d'éviter toute situation où il aurait pu se sentir entravé par ma présence. Dans les années qui allaient suivre, cela deviendrait plus difficile du fait qu'il se sentirait désorienté dès que je ne serais pas tout près de lui, lors de ses activités. Il savait que je savais très précisément ce qu'il souhaitait et comment il désirait que les choses s'organisent autour de lui. Il voulait savoir exactement ce qu'il devait attendre de chaque instant, de chaque réunion, et il comptait sur moi pour veiller à ce que ses ordres soient exécutés séance tenante, et que ses exigences soient le centre de mes préoccupations. C'était le cas. Mais officiellement, je n'étais guère que l'une des secrétaires personnelles adjointes du président.

Un autre de mes collègues était Morris Chabalala. Morris était l'un des êtres les plus exquis que j'aie jamais rencontrés. D'une grande gentillesse, il parlait d'une voix douce et ne se mettait jamais en avant. Par certains côtés, le président était de la vieille école, et il ne voyait pas d'un très bon œil qu'un homme figure dans son équipe de secrétaires. Morris faisait parfaitement son travail, mais le président avait son idée sur les métiers qui, à son sens, devaient être exercés par une femme plutôt que par un homme. Ce fut le cas avec les pilotes : dès que l'armée de l'Air délivra les premiers brevets de pilotes à des femmes, ce furent elles qui pilotèrent son avion ou son hélicoptère ; et s'il n'émit jamais la moindre réserve, il restait toujours un peu sur le qui-vive sachant qu'une femme était aux commandes. Pour le taquiner, nous l'accusions de pratiques discriminatoires, mais il admettait que c'était juste quelque chose à quoi il devait s'habituer. Il était tout à fait conscient de ces stéréotypes et il n'exprima jamais ses réserves publiquement, mais quand on le connaissait bien, on pouvait sentir son embarras. Tout en étant pour l'égalité des sexes, il admettait qu'il avait de gros efforts à faire pour modifier sa vision des choses.

Un jour, Morris eut à faire face à un incident diplomatique, impliquant les ambassades d'Espagne et du

Portugal. Morris était censé livrer en mains propres à l'ambassade d'Espagne une lettre contenant l'information selon laquelle l'Afrique du Sud s'apprêtait à reconnaître le Sahara occidental comme État indépendant. Hélas, tout à fait involontairement, il porta la lettre à l'ambassade du Portugal et non à celle d'Espagne. Au lieu de signaler la méprise, l'ambassadeur portugais ouvrit le courrier et conserva la note plusieurs jours avant que le président ne découvre que l'ambassade d'Espagne n'avait jamais reçu la missive. Morris en vint tout seul à la conclusion qu'il ne l'avait pas portée à la «bonne» ambassade et appela le professeur Gerwel, qui rapporta l'incident au président. Les Espagnols étaient furieux.

Cette erreur entraîna une crise diplomatique : le président fit expulser sur-le-champ l'ambassadeur du Portugal, pour avoir conservé la note sans signaler qu'il y avait eu une erreur de destinataire. Il était contraire à l'éthique de conserver par-devers soi une information d'une telle importance sans alerter le gouvernement sud-africain, au risque d'entraîner un très grave incident diplomatique. Puis le président estima qu'il devait également agir à l'intérieur de ses propres services, afin de démontrer à la fois son sérieux et son sens de l'équité dans sa façon de gérer l'affaire, et Morris fut muté – ironie de l'histoire – au ministère des Affaires étrangères. J'implorai Prof Gerwel et le président de donner une autre chance à Morris, mais Madiba fut inflexible : il devait absolument prendre des mesures. Et une fois qu'il avait décidé quelque chose, rien, pas même la menace d'une invasion militaire, n'aurait pu le faire revenir sur sa décision. Je pris des nouvelles de Morris à plusieurs reprises : il semblait se trouver bien dans son nouveau job, malgré l'émotion et la peine causées par son départ forcé.

Même si tout cela nous avait tous pas mal perturbés, cet incident (qui fut d'ailleurs oublié au bout de quelques jours) donnait une idée assez précise de la façon dont le président Mandela opérait dans le domaine de la diplomatie : une réaction rapide, tant publiquement qu'en privé, une intervention décisive ; résultat : une affaire réglée. Un contraste frappant avec la petite histoire suivante : récemment, en Afrique du Sud, l'on découvrit que des amis de notre actuel président, Jacob Zuma, avaient été autorisés à atterrir sans l'autorisation adéquate sur la base de l'armée de l'Air de Pretoria. L'appareil avait été affrété par une famille qui se rendait à un somptueux mariage organisé à Sun City, luxueux complexe touristique proche de la capitale. Malgré le grand nombre d'aéroports privés dans la région, et la possibilité d'avoir recours à toute sorte de vols commerciaux, intérieurs ou internationaux, ils atterrirent donc sur la base militaire et furent conduits au mariage dans des voitures de police officielles. Sur le plan politique, cette affaire eut très peu d'écho.

Les mois se succédaient, et avec eux les voyages du président. Il se donnait beaucoup de mal pour prouver au monde que l'Afrique du Sud était un pays en bonne santé. Il se rendit ainsi au Burkina Faso, où devait avoir lieu un sommet de l'Union africaine auquel assisteraient tous les chefs d'État du continent. Les premières années, il était intéressant de suivre et de participer à ces vastes rassemblements de chefs d'État, mais au bout d'un moment, ceux-ci deviennent votre pire cauchemar tant on perd de temps à cause des cérémonies protocolaires.

Côté hébergement, au Burkina Faso, les logements mis à disposition des participants étaient flambant neufs, mais question repas, à part les chefs d'État, qui étaient nourris, nous en étions réduits à nous débrouiller seuls pour trouver de quoi manger. Les sommets de ce genre étaient toujours chaotiques, et tout prenait des heures. Nombre de ses homologues demandèrent des entretiens en tête à tête avec le président Mandela. Parfois ce dernier acceptait, d'autres fois il manifestait le souhait de ne pas avoir trop d'entrevues en privé. Les chefs d'État étaient censés arriver aux séances plénières dans l'ordre alphabétique, en fonction de leur nom propre ou de celui de leur pays, car l'ancienneté était toujours une pierre d'achoppement : certains étaient au pouvoir depuis une éternité, et s'ils y avaient accédé par le biais d'élections, bien souvent ils s'y étaient maintenus par des moyens dictatoriaux. Pour une raison quelconque, mon père m'avait donné avant mon départ une quantité impressionnante de bœuf séché sud-africain, le *biltong*, qui était devenu notre ordinaire, avec du pain frais que nous achetions à un éventaire de bric et de broc au bord de la route. L'influence de la France était encore très forte au Burkina Faso, une de ses anciennes colonies ; nous achetions donc à cet étal des baguettes de pain toutes chaudes que nous garnissions de *biltong* ; et c'est ainsi que,

deux jours et demi durant, nous nous régalâmes de
ces réserves de bœuf séché.

En comparaison avec les autres, notre délégation
était toujours la moins nombreuse. Elle était en général constituée d'une secrétaire, d'un médecin, de deux
gardes du corps chargés de la protection rapprochée
du président, de cinq autres envoyés en avant-garde,
plus un maximum de deux personnes du protocole :
l'une de la présidence, l'autre des Affaires étrangères.
S'y ajoutaient des ministres lorsqu'on en avait besoin
pour des entretiens bilatéraux ; mais notre délégation
ne dépassa jamais quinze à vingt personnes, et ce dans
les cas exceptionnels, à savoir pour les sommets les
plus importants ou pour des visites dans des pays avec
lesquels l'Afrique du Sud avait des relations commer-
ciales particulièrement étroites. D'autres chefs d'État
se déplaçaient avec des délégations d'une trentaine
de personnes, voire plus. Les Américains présentaient toujours le contingent le plus important – deux
cents personnes au minimum –, mais leurs moyens
le leur permettaient. Cette modestie volontairement
imposée par notre président montrait que nous pla-
cions nos priorités ailleurs, et qu'il n'était pas question de tolérer le moindre gaspillage. D'un autre côté,
même si nous étions d'accord avec ces principes, cela
ne faisait qu'accentuer encore la pression sur nous
autres, employés multifonctionnels.

Du fait de son grand âge – il avait maintenant
soixante-dix-neuf ans –, le président appréciait la
continuité et n'aimait pas avoir autour de lui trop
de visages inconnus. Chaque fois qu'une nouvelle
tête apparaissait dans la délégation, il demandait

discrètement : «Qui est cette personne ? Qu'est-elle venue faire ?» Par ailleurs, il ne cachait pas sa préoccupation pour les dépenses et la productivité de ses équipes. Il posait souvent des questions sur le coût de nos déplacements, que ce soit à l'intérieur de l'Afrique du Sud ou à l'étranger. «Combien coûte l'hôtel où vous êtes descendu ? Et qui règle la note ?» demandait-il fréquemment.

À la suite de notre voyage au Burkina Faso, nous nous rendîmes au Royaume-Uni, où nous fûmes hébergés dans une demeure à la campagne appartenant à la famille Roode, propriétaire d'une importante firme agroalimentaire en Afrique du Sud. Après quelques jours de visite officielle à Londres, nous partîmes pour le pays de Galles.

Mais auparavant, nous rendîmes une visite de courtoisie à la reine d'Angleterre au palais de Buckingham, et je fus frappée par l'atmosphère de chaleureuse amitié qui semblait s'être forgée entre le président et la souveraine. «Oh, Elizabeth» lançait-il en guise de salut, à quoi elle répondait : «Hello, Nelson.»

L'amoureuse des chiens que j'étais fut intriguée de voir les écuelles des corgis à l'entrée de service que nous utilisions pour pénétrer dans le palais.

Après le pays de Galles, nous partîmes pour une visite d'État en Italie, ainsi qu'au Vatican. Le président eut un entretien en tête à tête avec le pape, après quoi tous deux demandèrent à notre délégation de les rejoindre. Le président insistait toujours pour que tous les membres de sa délégation soient présentés au chef d'État auquel nous rendions visite, et il en alla de même avec le pape. Chacun de nous fut donc présenté et le souverain pontife, déjà bien faible à l'époque, nous serra la main, nous bénit et nous offrit un rosaire. Je n'avais aucune idée de ce que pouvait bien être un rosaire, que je pris pour une espèce de collier catholique. J'appelai ma mère ce soir-là et lui dis que le pape m'avait donné l'impression de pouvoir lire mes pêchés dans mes yeux lorsqu'il m'avait regardée. Certains de mes collègues avaient ressenti la même chose, mais ma mère, elle, accueillit cette confidence par un éclat de rire.

Au cours d'un déjeuner officiel en Italie, l'un des ministres présents s'étouffa avec une crevette. Il se mit à tousser violemment, et le silence s'abattit soudain autour de la table lorsqu'il tomba de sa chaise. Par chance, le président Mandela insistait pour que son médecin soit présent en toutes circonstances durant les cérémonies officielles. D'ailleurs, dans la mesure où nous ne voyagions qu'avec une délégation très restreinte, toute son équipe pouvait y assister. Ce jour-là, notre médecin sauva littéralement la vie de ce pauvre ministre.

Par la suite, il insisterait pour que tous les membres de l'équipage de son avion présidentiel soient également invités aux banquets, même si cela impliquait qu'il en fasse personnellement la demande au chef d'État ou de gouvernement qui le recevait. Jamais il ne traita un membre de son staff comme un simple larbin à son service.

C'est aussi durant ce déplacement que je fus présentée à Yusuf Surtee, dont le père était le tailleur du président avant que ce dernier ne soit incarcéré. Leur maison continua à fournir au président ses costumes et ses célèbres chemises à motifs. Yusuf invita un gentleman italien du nom de Stefano Ricci, représentant la fameuse marque de vêtements Brioni, à venir saluer le président. Si j'étais la représentante typique de la *boere meisie* sud-africaine, Stefano, lui, était le prototype de l'Italien : jovial, gai et généreux. Il continuerait d'envoyer au président les plus beaux vêtements sortant de ses ateliers, qu'il sélectionnait à l'évidence avec soin et amour. Chaque fois qu'il en envoyait par l'intermédiaire de Yusuf, ce dernier faisait procéder dans ses ateliers aux ajustements nécessaires. Tous deux avaient un goût exceptionnel.

Le quatre-vingtième anniversaire du président approchait. Une énorme fête fut préparée par l'ANC, la famille Mandela et Suzanne Weil, associée en affaires des filles Mandela, pour la soirée du 18 juillet, jour de naissance de Madiba. Tous les membres du staff présidentiel furent invités à cet événement prestigieux, qui devait avoir lieu au centre de conférence Gallagher, à Johannesburg, et auquel étaient conviées la crème de la crème de la haute société sud-africaine ainsi que des personnalités comme Naomi Campbell, Michael Jackson, Quincy Jones et Stevie Wonder, pour ne citer qu'eux.

Un peu plus tôt dans la semaine, le bruit commença à courir que le président et Mme Machel allaient se marier le 18. En y réfléchissant, je me dis alors que cette rumeur était sans fondement : rien dans notre routine quotidienne ne permettait de supposer qu'elle allait se vérifier. Parks Mankahlana, le porte-parole

du président, se voyait systématiquement demander :
« Alors, est-ce qu'ils vont se marier ? » À quoi Parks
répondit tout d'abord qu'il n'avait aucune certitude,
avant de rejeter la rumeur, mais en restant évasif, et
enfin en la réfutant catégoriquement. Dans la semaine,
j'appelai Josina, la fille de Mme Machel, pour lui
demander si elle était au courant de quelque chose.
Ce n'était pas le cas, et nous nous contentâmes d'en
rire. Au début de sa présidence, Josina logeait chez
le président, dans sa résidence du Cap, lorsqu'elle
y faisait ses études à l'université. Nous passions par
conséquent pas mal de temps ensemble et nous étions
devenues des amies proches. « En tout cas, Zina, si
tu me mens, je te tue », lui lançai-je pour plaisanter.
Nous attendions cette fête d'anniversaire avec une
grande excitation, mais nous n'étions absolument au
courant de rien. Le matin du 18 juillet, je me réveillai pour voir les journaux annoncer en une : « ILS SE
MARIENT ! »

J'accueillis la nouvelle avec un sourire entendu.
Un peu plus tard dans la journée, on me demanda,
ainsi qu'à quelques autres, d'aller travailler à la résidence de Houghton. Je me dis que le président et
Mme Machel attendaient sans doute de la famille
pour la fête d'anniversaire et qu'ils avaient donc
besoin d'extras.

Le président et moi avions l'habitude de nous
entretenir par téléphone. Lui m'appelait pour me
confier certaines tâches, moi pour lui transmettre
des messages ou des questions. Nous étions toute
la journée pendus au téléphone, ce qui irritait pas
mal de gens. Il avait appris à reconnaître ma voix et

pouvait entendre sans difficulté ce que j'avais à lui dire, alors qu'il avait souvent du mal à comprendre d'autres interlocuteurs. C'est pourquoi le jour de ses quatre-vingts ans, je me permis de l'appeler dans la matinée pour lui souhaiter un joyeux anniversaire et beaucoup de bonheur. Jamais je n'avais l'audace de l'appeler ou de le déranger sans avoir une bonne raison pour le faire – autrement dit pour des questions professionnelles –, mais cette fois je m'étais dit que c'était un anniversaire si spécial que je devais absolument l'appeler, même si je savais que je le verrais plus tard, à sa résidence.

Le président et Mme Machel avaient passé la nuit du vendredi au samedi à Mahlamba Ndlopfu, ce qui n'était pas fréquent car ils préféraient rester à Johannesburg. Le personnel de maison me transféra sur sa ligne personnelle et je lui lançai : «Bonjour, Khulu !», avant d'entonner «Joyeux anniversaire.» Après la dernière note, j'ajoutai : «J'espère qu'aujourd'hui sera le plus beau jour de toute votre vie.»

Il savait que j'allais à la pêche aux informations, et je l'entendis rire sous cape à l'autre bout du fil. Il se contenta de me répondre : «Merci, chérie, ce sera certainement le cas», et c'est alors que je sus, que j'eus la certitude qu'*ils allaient bel et bien se marier.* J'eus du mal à cacher mon excitation, mais, ne voulant pas en souffler mot à quiconque, je passai ma journée à essayer de deviner : où, quand, comment ? C'est alors que cela me revint : plusieurs semaines auparavant, le président m'avait demandé d'appeler un bijoutier pour qu'il passe à Mahlamba Ndlopfu. Lors de sa visite, Madiba et lui étaient allés s'asseoir

sous un arbre pour discuter. Pensant que le bijoutier
était une vieille connaissance du président, je n'y avais
pas prêté attention. J'en conclus donc que le mariage
allait avoir lieu à l'occasion du banquet officiel dans
la mesure où tous leurs amis et leurs familles respectives seraient là.

Un grand déjeuner eut lieu à la résidence où
logeaient les invités, dont les membres des deux
familles, mais sans les personnes du staff. Quand nous
arrivâmes à la maison de Houghton, nous comprîmes
aussitôt que les médias n'étaient pas disposés à lâcher
l'affaire. Les journalistes et autres représentants des
médias étaient partout, certains essayaient d'escalader
les murs d'enceinte, d'autres de se percher dans les
arbres jouxtant la propriété. Les agents de sécurité
ne savaient plus où donner de la tête. Nous entrâmes
dans la maison, où tout était sombre et paisible, et
entreprîmes de sortir tasses, soucoupes, petites cuil-
lères, bref tout ce qu'il fallait pour un thé en bonne
et due forme. Bientôt, le président et Mme Machel
firent leur apparition, suivis de quelques invités. Cette
fois encore, ne souhaitant pas jouer les importunes,
je me tins autant que possible en retrait. Puis, tel un
incendie de forêt, la nouvelle se répandit à travers la
maison : « Il va y avoir un mariage ici dans quelques
minutes. »

Tout se passa très simplement, et à la perfection.
Seules quelques personnes, les plus proches des deux
mariés, assistèrent à l'événement, dont l'archevêque
Desmond Tutu, Thabo et Zanele Mbeki, le prince
Bandar ben Sultan d'Arabie Saoudite, Yusuf Surtee,
George Bizos, Ahmed Kathrada et les Sisulu. Fidèle

à son image, Madiba avait fait en sorte que toutes les confessions d'Afrique du Sud soient représentées, même s'ils furent mariés par l'évêque méthodiste Mvume Dandala. Tout cela fut fait avec style et déférence. Nous vîmes Mme Machel descendre seule les escaliers avec cette grâce qu'évoquait bien son prénom : Graça. La plupart d'entre nous eurent du mal à cacher leur émotion et, suivant discrètement la scène depuis une pièce voisine, nous ne pûmes nous empêcher de verser une larme. C'était absolument magnifique, et le président méritait bien de connaître enfin le bonheur.

La soirée fut à tous points de vue la grande fête qu'elle devait être. Quand Madiba monta enfin sur l'estrade pour dire quelques mots et qu'il commença par : «Ma femme et moi…», il fut accueilli par un tonnerre d'applaudissements. Et l'Afrique du Sud tout entière fêta l'événement avec eux et pour eux.

Durant tout le temps que dura la cérémonie, je dus presque me pincer en me demandant si tout cela était bien réel. Jamais je n'aurais imaginé participer au quatre-vingtième anniversaire et au mariage de Nelson Mandela. Le petit bout de chemin que j'avais parcouru avec lui m'avait déjà considérablement changée. Heureusement, nous étions trop occupés, soumis à une trop forte pression pour avoir le temps de sombrer dans la complaisance ou la vanité.

Du 10 au 12 septembre 1998, un sommet de la SADC (Southern African Development Community), Communauté de développement d'Afrique australe, se tint à Maurice. Cette structure regroupait les États du sud de l'Afrique, et le sommet était placé sous la présidence de l'Afrique du Sud, les différents chefs d'État assumant cette présidence en alternance. Lorsque le président et Mme Machel arrivèrent sur place, quelques jours avant l'ouverture du sommet, la rumeur courait déjà que le Lesotho, petit royaume enclavé à l'intérieur de l'Afrique du Sud, était au bord du coup d'État. Nous étions régulièrement en contact avec le Premier ministre Mosisili et le roi du Lesotho, Letsie III, et même si je n'en comprenais pas les raisons, je savais qu'ils étaient confrontés à de grandes difficultés. En l'absence et du président et du vice-président Mbeki, tous deux en voyage à l'étranger, c'était le ministre Mangosuthu Buthelezi qui jouait le rôle de président par intérim.

Après l'entrée en fonction du président Mandela, le Parti national avait rejoint le gouvernement nouvellement élu dominé par l'ANC, cette forme de cohabitation ayant été baptisée «gouvernement d'unité nationale». Mais au moment de ce sommet à Maurice, ce gouvernement avait été dissous à la suite du départ du Parti national. En conséquence de quoi l'Inkatha Freedom Party (IFP) était devenu le plus important groupe d'opposition au Parlement. La désignation du leader de l'Inkatha, le ministre Buthelezi, au poste de président par intérim lorsque le président en exercice et son vice-président se trouvaient à l'étranger était un geste de confiance de la part de l'ANC.

L'Afrique du Sud envahit le Lesotho, décision considérée aujourd'hui comme la plus grave erreur de la présidence Mandela, causant la mort de 134 personnes.

Je n'ai pas oublié l'épuisement teinté d'amertume du président cette nuit-là, qu'il passa quasiment pendu au téléphone, suivant les événements heure par heure et consultant en permanence le ministre Buthelezi et le gouvernement du Lesotho.

Ce premier déplacement à Maurice n'eut rien d'une partie de plaisir. Au lieu de nous baigner dans les eaux turquoise de l'océan Indien, nous passâmes notre temps à aller de banquet en réunion de travail, avec tout de même une visite au Jardin botanique, même si j'aurais largement préféré me rouler dans les vagues plutôt que d'admirer une plante qui ne donnait des fleurs qu'une fois tous les soixante-quinze ans. Et puis il est vrai que nous étions fatigués et perturbés par les événements qui affectaient notre pays.

Le lendemain matin, le plénum de la SADC commença. Il était prévu qu'il s'ouvre à 10 heures, mais Robert Mugabe, président du Zimbabwe, arriva avec une heure de retard. M. Mandela n'aimait pas présider ces réunions ; d'ordinaire, dans ces cas-là, il se contentait d'ouvrir la séance avant de passer la main à un autre, chargé de veiller à ce que le règlement soit respecté. Personne ne s'était jamais offusqué de ce petit arrangement. Le président se contentait dès lors de faire tel ou tel commentaire sur les débats en cours, ou de hocher la tête en signe d'approbation. Lorsque le président Mugabe fit son entrée, un autre chef d'État était en train de s'adresser à l'assemblée. Le président Mandela l'interrompit et, chose tout à fait inhabituelle pour lui, lui demanda d'arrêter son discours. On aurait soudain pu entendre voler une mouche dans la vaste salle de conférence.

Le président Mandela attendit que son homologue du Zimbabwe se soit installé, après quoi il se lança dans un discours improvisé d'une vingtaine de minutes, stigmatisant le manque de respect manifesté par certains, qui faisaient ainsi perdre leur temps aux autres. À l'entendre, « certains chefs d'État » se croyaient plus importants que d'autres et se jugeaient autorisés à arriver en retard. Pas une fois il ne mentionna le nom du président Mugabe, mais tout le monde savait de qui il parlait. Il prononça ensuite des mots que je ne devais jamais oublier : « Le fait d'occuper une position particulière n'implique pas que vous soyez plus important que quiconque. Votre temps n'a pas plus de valeur que celui des autres. Quand vous arrivez en retard, vous montrez que vous ne respectez pas le temps des autres, et que vous n'avez donc aucun respect pour eux parce que vous vous considérez comme plus important. »

Après que le président Mandela eut achevé son discours, le président Mugabe laissa le plénum se poursuivre pendant quelque temps avant de quitter les lieux le plus discrètement possible. C'est la dernière fois que je fus le témoin d'un contact entre eux ; il n'y en eut aucun autre à ma connaissance, si l'on excepte les échanges de politesse lorsqu'ils partageaient la tribune d'un sommet panafricain.

Le président Mandela aimait bien raconter que, avant que l'Afrique du Sud ne devienne une démocratie, le Zimbabwe était considéré comme l'étoile qui brillait sur le continent ; mais lorsque la démocratie avait été instaurée dans notre pays, le soleil s'était levé, et l'étoile avait disparu. À mon avis, c'était l'une des raisons qui expliquait la rancœur avec laquelle le président Mugabe accueillait les efforts que consentait l'Afrique du Sud pour le continent. Plus récemment, à l'occasion d'une interview, le président Mugabe rendit à son homologue sud-africain la monnaie de sa pièce en déclarant que le président Mandela était beaucoup trop saint et se montrait trop bienveillant à l'égard des Blancs au détriment des Noirs. À cette époque, le président Mandela n'était plus en état de répliquer vu son âge, et je soupçonnais Robert Mugabe d'avoir attendu très longtemps son heure pour pouvoir se venger en l'humiliant publiquement. Son commentaire montrait clairement son manque de compréhension de la situation en Afrique du Sud : si, à l'époque, le président Mandela n'avait pas mis l'accent sur la réconciliation, notre pays se serait aussitôt embrasé, pour finir dans l'état qui est aujourd'hui celui du Zimbabwe.

Lorsque le président dut se rendre en visite d'État en Arabie Saoudite, on me demanda de l'accompagner. John Reinders, chef du protocole de la présidence, et moi-même, plus quelques membres de la sécurité, partîmes pour Riyad avec quelques jours d'avance. J'avais reçu un courrier de notre ambassade en Arabie Saoudite, proposant de me louer une *abaya*, le long vêtement que les musulmanes portent par-dessus les autres dans ce pays. Ignorant de quoi il s'agissait, j'avais bien sûr accepté.

À mon arrivée sur place, je compris tout de suite que ce pays, sa culture et sa religion n'avaient strictement rien à voir avec tout ce que j'avais pu connaître ou même imaginer. En me tendant mon *abaya* dès ma descente de l'avion, on me demanda de m'en couvrir sur-le-champ et de la porter chaque fois que je me montrerais en public. En chemin pour la résidence où nous devions loger, j'eus droit à un cours intensif sur l'islam et la culture musulmane. Je fus stupéfaite d'apprendre que nombre de règles ne s'appliquaient qu'aux femmes. Je ne pris pas tout cela bien au sérieux jusqu'à ce que, plus tard dans la soirée, des responsables de l'ambassade m'apprennent qu'on pratiquait encore à Riyad des exécutions publiques pour punir les auteurs de « crimes religieux ».

Décidant de faire jouer mon petit côté rebelle, j'entrepris de tester les limites du système en tant qu'« Occidentale ».

Nous nous rendîmes tout d'abord dans un marché ouvert le soir. Alors que je sautai dans la première limousine disponible ayant une portière ouverte, j'entendis des tas de gens se mettre à palabrer en arabe autour du véhicule. Apparemment, il s'agissait de savoir qui était autorisé à monter avec moi et qui ne l'était pas. Une femme célibataire n'est en effet pas autorisée à se trouver dans une voiture avec un homme qui n'est pas un parent. *A fortiori* un homme marié. Dès lors, je décidai de me déplacer seule. La coutume veut que les boutiques ouvrent vers 10 heures du matin, mais que toutes ferment à midi, tout le monde allant prier à la mosquée. Elles rouvrent à 13 heures, après quoi elles ferment de nouveau environ une heure plus tard pour que chacun puisse une fois de plus aller prier. C'est ainsi qu'on peut se trouver en tête d'une file d'attente pour régler un achat et se faire chasser de la boutique quand la sirène appelant à la prière se met à retentir. Dans ces conditions, le mieux est de se rendre dans un marché ouvert le soir : les boutiques ferment tard et l'on peut faire ses courses sans être interrompu par les appels à la prière.

Lors de mon briefing à l'ambassade, il m'avait également été recommandé de prendre garde à la Mattawa, la police militaire religieuse, chargée de veiller à l'application par la population des règles et principes de la religion musulmane. Ses agents déambulaient dans des uniformes identiques à ceux des policiers ordinaires, à cela près, m'avait-on dit, qu'ils étaient munis de bâtons recouverts de peinture rouge. Si vous étiez surpris à enfreindre les règles, ils vous donnaient un coup de bâton sur les chevilles, dès lors tachées de cette peinture rouge. Et si vous étiez pris une deuxième fois, c'était l'arrestation. Suivie de tout ce qu'on peut imaginer. Je fus réprimandée une fois au marché par un « couvrez-vous, couvrez-vous », mais je pris aussitôt la fuite avant qu'ils ne puissent me marquer aux chevilles. Les marchés regorgeaient de tapis magnifiques et de jolies choses à acheter, au point qu'on en négligeait de prêter l'œil à l'environnement, mais, par contraste, j'en conclus que la liberté dont nous jouissions en Afrique du Sud était inestimable. J'appréciai néanmoins cette expérience, si différente de tout ce qui m'était familier. L'Arabie Saoudite était à l'époque interdite aux touristes, et les visas étaient soigneusement contrôlés et vérifiés par les autorités du pays. Je m'estimais par conséquent particulièrement privilégiée de pouvoir vivre cette expérience unique.

Notre première entrevue avec le chef du protocole était prévue la veille de l'arrivée du président Mandela. L'Arabie Saoudite n'est assurément pas le pays du monde où il est le plus facile de travailler, en particulier lorsqu'on est une femme. Nous dûmes attendre des jours pour obtenir confirmation de ce rendez-vous, afin de discuter d'un programme quelconque. La seule réponse que nous obtenions était : « Attendez. » Donc nous attendions. Nous ne pouvions aller nulle part, tout ce que nous avions à faire, c'était attendre des nouvelles des responsables saoudiens.

Cette entrevue tant attendue eut lieu au palais présidentiel, où allait résider le président Mandela. Au début, le monsieur en costume traditionnel qui nous reçut nous parut sympathique. Je m'efforçai durant toute la durée de la réunion d'éviter de croiser son regard, comme on me l'avait recommandé. Le chef du protocole saoudien commença par les formules de politesse d'usage, expliquant à quel point les Saoudiens étaient honorés de recevoir le président Mandela, etc. Nous nous sentîmes fort honorés, mais personnellement je n'avais qu'une envie : qu'il arrête son verbiage et qu'on en vienne aux détails du programme. Il était tard, et j'étais fatiguée. À minuit, nous n'avions toujours abordé la question du programme. Et ce, alors même que le président Mandela avait déjà quitté l'Afrique du Sud.

Lorsque John Reinders posait une question à son homologue saoudien, celui-ci décrochait son téléphone et conversait en arabe avec quelqu'un à l'autre bout du fil. Après quoi il raccrochait et passait à la question suivante. Au bout de deux heures de bavardage sans issue, j'en avais vraiment par-dessus la tête. John décida de sortir pour faire une pause cigarette, et je le suivis. Nous discutâmes de ce à quoi on assistait, et je lui dis qu'à notre retour dans le bureau il serait bien que je prenne le relais. Ce que je fis. John était capable de négocier sans moi, mais dans notre tentative d'obtenir des réponses, nous nous trouvions en quelque sorte dans une impasse. Au total mépris des traditions, je regardai notre interlocuteur droit dans les yeux et lui dis : « Monsieur, le président Mandela est en ce moment en route pour votre pays. En avion. C'est la première fois de ma vie que j'entends parler d'une visite officielle sans programme établi, alors que le chef d'État invité a déjà quitté son pays. Le président attend de nous que nous sachions ce que vous lui avez réservé à son arrivée, mais à ce stade vous ne nous êtes d'aucune aide. »

Le chef du protocole essaya de fuir mon regard et décrocha une fois de plus son téléphone. Puis il nous demanda de l'excuser, et nous éclatâmes de rire, John et moi. Tout cela était parfaitement ridicule. Lorsqu'il fut de retour, une demi-heure plus tard, je perdis patience. Il était plus d'une heure du matin. J'abattis mon poing sur la table et lui lançai : « Monsieur, si vous ne nous donnez pas de détails immédiatement, sur-le-champ, nous demanderons au pilote de l'avion présidentiel de faire demi-tour ; nous ne pouvons nous permettre de laisser notre président arriver dans un pays étranger sans le programme de sa visite. » À

mon avis, l'homme sous-estimait nos responsabilités
par rapport au président, et il ne voulait tout simplement pas nous fournir les informations demandées.
Ma sortie dut le révulser : dans son pays, les femmes
ne parlaient pas comme ça aux hommes. «Madame, je
vous demande de vous calmer», me dit-il. Ce n'était
pas loin d'être la pire chose que l'on pouvait me dire.
Je lui rétorquai donc : «Je ne me calmerai pas, à moins
que vous nous donniez immédiatement les précisions
que nous vous demandons. »

Il décrocha de nouveau son téléphone et, de toute
évidence, sans même que j'aie à comprendre un seul
mot de ce qu'il racontait, demanda à son interlocuteur de le rejoindre au plus vite dans le bureau. «Je
crois qu'ils ont compris», me dit calmement John en
afrikaans. Peu de temps après, deux autres messieurs
arrivèrent et nous allâmes nous installer dans une salle
plus vaste. Un programme nous fut soumis et, bien
que les horaires ne fussent pas tous confirmés, il nous
donnait au moins une indication sur ce que l'on attendait du président.

Le lendemain matin, je remarquai qu'aucun membre
du personnel du palais ne m'adressait plus la parole.
Je supposai que ma conduite de la veille y était pour
quelque chose. Mais je m'en moquais royalement.
Trois heures environ avant l'arrivée du président,
et une heure avant notre départ pour l'aéroport, le
palais tout entier se figea : on annonçait l'arrivée d'un
prince. Tout le monde se précipita au portail d'entrée
pour former une haie d'honneur. Nous ignorions qui
était attendu, et l'on me dit que ce pouvait être un des
deux mille princes que comptait le pays. À ma grande

surprise, le visiteur se révéla être nul autre que le prince Bandar, le proche ami du président Mandela, qui était à cette époque ambassadeur de son pays aux États-Unis. À l'évidence, tout le monde le révérait au palais.

En entrant, il salua tout le monde d'un signe de tête, marcha droit sur moi et m'embrassa en me disant : «Hello, Zelda.» Je remarquai du coin de l'œil le visage soudain déconfit de tous les hommes présents. J'étais la seule femme du comité d'accueil, célibataire qui plus est, et voilà qu'un prince venait m'embrasser. «Comment allez-vous, Zelda ? poursuivit-il. Soyez la bienvenue.» Nous échangeâmes quelques plaisanteries, après quoi il me posa des questions sur l'heure d'arrivée du président, son programme, etc. Après son départ, je fus traitée comme une princesse. Les Saoudiens sont des gens extrêmement accueillants. Ils se donnent un mal fou pour que vous vous sentiez à votre aise, à la seule condition que vous sachiez bien vous tenir. Ils se montrent généralement amicaux pour peu que vous vous pliiez à leurs règles et que vous respectiez leurs croyances. Madiba était accompagné par plusieurs femmes ministres, mais même elles n'étaient pas autorisées à assister au banquet d'État ni à être présentées au roi. Toutes les femmes furent donc conviées à un dîner privé organisé dans la demeure d'un homme d'affaires. Le banquet d'État auquel assistèrent le président et ses accompagnateurs de sexe masculin ne commença qu'à minuit, et les invités sud-africains ne réintégrèrent leur résidence que deux bonnes heures plus tard. Le lendemain matin, tout le monde était fatigué, ce qui n'empêcha pas le président de prendre son petit déjeuner à 7 heures tapantes, comme à son habitude. Tout octogénaire qu'il était, il avait toujours l'enthousiasme et l'énergie d'un jeune homme.

Nous repartîmes le lendemain. Personnellement, j'en avais par-dessus la tête des règles et prescriptions, et tout ce que je souhaitais, c'était être chez moi, dans mon environnement. Lorsque nous nous présentâmes à l'aéroport pour prendre l'avion du retour – il s'agissait d'un vol commercial régulier –, nos agents de sécurité eurent droit à une fouille en règle de leurs bagages. Ils étaient comme d'habitude équipés d'armes à feu, pour lesquelles les autorités du pays hôte leur avaient fourni les autorisations nécessaires, ainsi que des équipements de sécurité – radios, détecteurs de métaux – indispensables à l'exercice de leur métier. Ce qui ne les empêcha pas d'être arrêtés, fouillés, invités à tout déballer, pièce par pièce. Je ne cachai pas mon dégoût devant cette bureaucratie. Nous n'entrions pas en Arabie Saoudite, nous quittions le pays, bon sang ! Pourquoi fichtre s'intéressaient-ils à ce que nous rapportions chez nous ?

Étrangement pourtant, je me prendrais d'affection pour Riyad dans les années qui allaient suivre. Nous y retournâmes plusieurs fois. Il est vrai que, une fois que l'on connaît un endroit, que l'on sait à quoi s'y attendre et à quoi il ne faut pas essayer de s'opposer, tout devient plus facile. J'appréciais beaucoup la nourriture, je savais comment il fallait aborder telle ou telle situation… avec calme et beaucoup, beaucoup de patience. J'imagine qu'avec l'âge on gagne en maturité et en endurance. Dans tous les pays arabes où nous nous sommes rendus, j'ai pu constater que les gouvernements ne fournissaient que rarement beaucoup de détails à l'avance. Il fallait simplement savoir se dépêcher d'attendre...

6

Courir pour suivre le rythme

Le 19 février 1999, le président visita un projet « école/dispensaire » dans la province du Cap-du-Nord. Cette fois, c'est Virginia qui l'accompagnait. C'était un vendredi après-midi et je travaillais au Cap. Je m'étais liée d'amitié avec le commandant de l'unité de protection présidentielle, Hein Bezuidenhout, et nous avions décidé d'aller boire un verre à la cantine de son unité, histoire de bien terminer la semaine et d'éviter les embouteillages du départ en week-end avant de rentrer chez nous. À cette époque, les nouvelles se répandaient beaucoup moins vite qu'aujourd'hui : les téléphones portables étaient encore rares, et tout le monde n'était pas connecté à Internet pour avoir les dernières nouvelles.

J'étais sur le point de rejoindre Hein à la cantine quand je reçus sur mon portable un appel de l'ex-président P. W. Botha ; celui-ci désirait parler au président pour l'informer que Schalk Visagie avait été blessé par balle. « Madame, je souhaite parler immédiatement à M. Mandela », me dit-il en afrikaans, visiblement furieux et très remonté. Il ne l'appelait jamais président, mais toujours monsieur, comme s'il n'avait jamais pu se résigner à traiter avec le respect dû à son rang cet homme démocratiquement élu par le peuple sud-africain. Je lui répondis que le président était dans l'avion et je compris à son ton qu'il avait du mal à me croire. Il raccrocha sans dire au revoir. Schalk Visagie était le gendre de M. Botha. Il était policier, et le président l'appréciait, car il avait des idées plutôt progressistes et une certaine influence sur sa femme, Rozanne, qui n'en demeurait pas moins farouchement conservatrice. Peu avant, le président avait essayé de les convaincre tous les deux d'inciter leurs père et beau-père à témoigner devant la Commission de la Vérité et de la Réconciliation, créée en 1995.

Le 11 février 1998, huit ans après sa remise en liberté, le président invita chez lui Rozanne et Schalk Visagie, ainsi qu'Elsa, sœur de Rozanne, et son mari. Le président me demanda d'organiser le dîner, et j'éprouvai une certaine gêne à appeler Rozanne ex-Botha, connaissant fort bien les sentiments de la famille envers Nelson Mandela. Il me fallut donc quelques heures pour me décider à exécuter la requête du président. Une invitation du président à partager son repas était en général grandement appréciée et acceptée avec plaisir, mais je savais que, dans le cas précis, les choses risquaient d'être différentes. Rozanne ne se sentirait pas flattée d'être invitée par le président, elle et sa sœur étant toujours pleines d'aigreur et de regrets que, le dos au mur, leur père se soit trouvé contraint de céder le pouvoir à la fin de l'apartheid et de le remettre au président F. W. de Klerk, qui organiserait par la suite les premières élections démocratiques en Afrique du Sud.

Le président rencontra donc les deux femmes lors de ce dîner et s'efforça dès lors de les convaincre de persuader leur père de témoigner devant la Commission de la Vérité et de la Réconciliation, un organisme créé par l'administration du président Mandela, et qui avait pour objet de permettre à certaines personnes de demander à être amnistiées pour les crimes et délits qu'elles auraient pu commettre du temps de l'apartheid. Si les auteurs de ces actes acceptaient de se confesser et de dire la vérité sur les injustices qu'ils avaient commises, ils se voyaient offrir la possibilité de demander à être amnistiées. Ceci afin de permettre à ceux qui avaient soutenu l'apartheid de faire la paix avec eux-mêmes, et aux milliers de familles qui en avaient été victimes, qui avaient par exemple perdu un être aimé et ne savaient toujours pas ce qu'il était devenu, de pouvoir enfin tourner définitivement la page. La nation sud-africaine avait besoin de cicatriser ses blessures, ce qui ne serait possible que si toutes les parties en cause acceptaient de participer aux audiences de la Commission. Il était pratiquement impossible que la famille Botha y consente unanimement : Rozanne y était en particulier farouchement opposée, car elle craignait que son père ne soit humilié et fasse l'objet de poursuites pénales ; quant à l'ex-président Botha, il disparut quelques années plus tard, emmenant dans sa tombe quantité de réponses qui auraient pu adoucir le chagrin de nombreuses familles.

Sachant que le président s'inquiéterait pour Schalk Visagie, je tentai de le joindre, mais on me répondit que, la visite étant terminée, lui et sa suite venaient tout juste de décoller, et qu'ils étaient en route pour Pretoria. La nouvelle de l'incident se répandit comme une traînée de poudre et, sentant la tension monter, je me dis qu'il me fallait absolument informer le président, sachant que ce genre d'affaire pouvait prendre des proportions considérables sur le plan politique si l'on perdait trop de temps. J'appelai donc la tour de contrôle de l'armée de l'Air à Pretoria et demandai que l'on contacte les pilotes afin que ceux-ci informent le président que Schalk Visagie avait été blessé par balle. Mon idée était de lui dire, dès qu'il atterrirait à Pretoria, que M. Botha était furieux et insistait pour lui parler.

Je bus un premier verre avec Hein, à qui j'expliquai ce qui se passait. Il appela certains de ses collègues de la police pour essayer d'en savoir un peu plus. Schalk avait fait partie d'une brigade antigang et, d'après les renseignements dont ils disposaient, il n'était pas impossible qu'il ait été victime d'un acte de vengeance de la part d'un gang dont il avait envoyé certains membres devant la justice.

Je reçus alors un coup de fil de l'armée de l'Air m'informant que le président avait décidé de changer de destination et demandé à ses pilotes d'aller se poser au Cap. Il avait chargé ses interlocuteurs de me transmettre l'information, expliquant que je saurais quoi faire. Hein et moi-même passâmes alors à l'action, enclenchant sans grincement une vitesse après l'autre, chacun appelant toutes les personnes devant être informées que le président était désormais attendu au Cap. Cela fait, nous décidâmes d'aller l'attendre nous-mêmes à l'aéroport. Un vendredi, en fin de journée, les voitures avançaient à une allure d'escargots. Hein s'arrangea pour que soit mis à disposition un mini-convoi avec escorte pour frayer la route, afin de conduire immédiatement le président à l'hôpital, qui se trouvait non loin de l'aéroport. Nous étions tous deux extrêmement tendus. Chacun prenait son travail très au sérieux, ce qui revêtait une importance toute particulière dans des occasions comme celle-là. Le président atterrit, et je le mis au courant dans la voiture qui fonçait vers l'hôpital.

À notre arrivée, Rozanne vint nous trouver, visiblement très choquée. Son mari était encore en salle d'opération. Le président la convoqua ainsi que plusieurs autres membres de sa famille pour un entretien en privé dans une salle mise à leur disposition par l'hôpital. M. Botha n'était pas là : il demeurait à l'époque dans une ville appelée Wilderness, à environ cinq heures de voiture du Cap. Le président fit part de sa compassion aux membres de la famille, à qui il promit obligeamment son soutien. Nous appelâmes ensuite M. Botha, à qui il exprima toute sa sympathie. L'ex-président coupa vite court à leur échange, prenant toutefois le temps de rappeler au président qu'il l'avait bien mis en garde : le crime dans le pays prenait des proportions échappant à tout contrôle, et le président devait en conséquence prendre d'urgence les mesures qui s'imposaient. Je ne pus capter la totalité de leurs échanges, mais alors que le président s'exprimait d'une voix calme et posée, à l'autre bout du fil, j'entendais M. Botha élever la voix avec véhémence. Quand nous quittâmes l'hôpital,

Rozanne nous accompagna à la sortie et là, pointant son doigt sur le président comme son père avait l'habitude de le faire, elle lui lança : « Mandela, s'il arrive quelque chose à Schalk cette nuit, vous l'aurez sur la conscience. Et cela vous hantera jusqu'à la fin de vos jours. » Elle était certes sous le choc, et il m'était difficile d'imaginer les craintes qu'elle devait éprouver à ce moment-là, mais je pense néanmoins que cette accusation et ce manque de respect étaient complètement hors de propos.

J'étais toujours indignée lorsque quelqu'un ne disait pas monsieur, ou monsieur le président, et l'appelait par son prénom ou son seul nom de famille. J'estimais cela parfaitement désobligeant. Et j'étais bien placée pour savoir que les Afrikaners avaient la réputation de parler respectueusement aux gens, sauf, justement, lorsqu'ils ne les respectaient pas. Je me tournai donc vers elle et lui dis : « Ça suffit, Rozanne. Nous devons partir… » Et nous nous éloignâmes. Dehors, le président prit ma main. Il était tout à fait calme, alors que je devais avoir l'air complètement bouleversée. Quand je revois ces moments, je me rends compte à quel point le monde avait changé pour moi : ce président, noir, me prenait la main pour me réconforter, tandis que nous laissions derrière nous des gens de ma communauté plongés dans le malheur. Il était sincèrement préoccupé par l'état de Schalk Visagie, mais avait du mal à mon sens à prendre en compte les sentiments extrêmes qui nous agitaient, tant moi que ceux que nous venions de quitter. Schalk s'en sortit et nous n'entendîmes plus parler de lui.

À l'instar du pays tout entier, j'avais considérablement évolué depuis l'époque de l'apartheid et de P. W. Botha. Beaucoup de gens en Afrique du Sud, singulièrement la jeunesse noire, considèrent aujourd'hui que les tentatives de Madiba de réconcilier et d'unifier notre pays ont été surévaluées. À les en croire, les moments d'unité qu'a connus l'Afrique du Sud se sont limités à des rencontres sportives durant lesquelles le pays semblait se mettre en mode festif.

Selon eux, il s'agissait de moments fugaces, superficiels, qui ne pouvaient pas durer. Si je comprends leur sentiment, je ne le partage pas, estimant ces idées excessives. En ce qui concerne les transformations économiques, nous n'avons pas réalisé les progrès que nous escomptions ; en règle générale, les gens sont déçus et mécontents. Certains jeunes en viennent même à dire que Madiba s'est vendu aux Blancs, parce qu'il n'a pas poussé à des transformations assez rapides. Ils oublient qu'à l'époque l'Afrique du Sud avait d'abord besoin de panser ses plaies et de présenter au monde un front solide pour gagner la confiance des investisseurs internationaux. Madiba était en quelque sorte l'aiguille qui indique le nord sur un compas : nous savions tous où nous étions censés aller, mais lui savait que, pour parvenir au but, nous devions légèrement modifier notre parcours, afin d'atteindre en priorité la stabilité.

Ces «jeunes gens en colère» estiment que les choses n'ont pas changé, mais les personnes de ma génération ont un avantage : elles peuvent témoigner des changements qu'elles ont vus et expérimentés. Je suis personnellement un produit de ces changements.

La fin d'une ère approchait en Afrique du Sud. De nouvelles élections démocratiques, les secondes du genre, devaient avoir lieu en mai 1999. Depuis son élection, le président Mandela avait dit et répété qu'il n'exercerait qu'un seul mandat, au terme duquel il transmettrait les rênes à son successeur. Il avait pris cette décision avant tout dans l'espoir que d'autres suivraient sa voie, mais aussi, je pense, parce qu'il avait le vif désir de s'accorder enfin un peu de liberté. En 1997, le vice-président Mbeki fut élu président de l'ANC et désigné à la majorité comme candidat à la présidence pour les élections de 1999. Symboliquement, le président Mandela céda le pouvoir à son vice-président deux ans avant le terme de son mandat. Il maintint catégoriquement que c'était le vice-président Mbeki qui était à la barre et que son rôle à lui était désormais purement représentatif. Mais ce n'était pas si simple. Si la gestion quotidienne du pays était largement laissée aux mains du vice-président, le président Mandela était toujours légalement à la tête de l'exécutif, avec un certain nombre d'obligations auxquelles il ne pouvait se soustraire.

Nous n'eûmes que très peu de rapports personnels avec le vice-président Mbeki et ne le croisâmes que très rarement dans les bâtiments que nous partagions avec lui. Le président Mandela l'appelait souvent pour lui faire part de telle ou telle affaire, ou même pour lui demander son avis. Conformément à l'homme qu'il était, plein de considération pour autrui, il n'aurait jamais voulu être vu traitant qui que ce soit comme un inférieur. Chaque fois que nous les vîmes ensemble, le contact entre les deux hommes se limita à des échanges formels, et je pense pour ma part que le vice-président considérait que le président ne prenait pas toujours la bonne décision. Il est vrai que je voyais les choses de loin. J'appris également que le père du vice-président Mbeki, qui avait été emprisonné avec le président Mandela, aurait souhaité qu'on lui attribue un rôle plus important après sa libération ; il n'avait été qu'un simple député, ce qui, apparemment, n'avait pas été sans créer un certain malaise. Mais inutile de s'attarder sur ce point. Mme Zanele Mbeki, elle, se montrait toujours avenante, digne et discrète.

Quant à moi, j'essayais de survivre au jour le jour. Le président comptait plus que jamais sur moi et même si une nouvelle secrétaire personnelle avait été embauchée, cela ne l'empêchait pas de m'appeler en permanence. Il n'hésitait pas à me téléphoner à 2 heures du matin, en pleine nuit, pour me demander de lui rappeler telle ou telle chose le lendemain matin. Cela ne veut pas dire qu'il se montrait plus prévenant envers ses collaborateurs ayant des charges de famille, mais il savait tout simplement que je ne lui tiendrais pas rigueur de m'appeler ainsi à n'importe quelle heure du jour et de la nuit.

Ce n'est pas trahir un secret que de dire que des différends agitaient l'ANC à propos de la succession du président Mandela. Les deux candidats étaient Cyril Ramaphosa et Thabo Mbeki, et les dirigeants de l'ANC étaient divisés à leur sujet. J'appréciais beaucoup M. Ramaphosa depuis notre première rencontre.

M. Mbeki, lui, était distant et me considérait apparemment comme quantité négligeable. Malgré mes grosses lacunes concernant l'ANC, je m'efforçais toujours de mettre en avant les bonnes intentions de ce parti quand j'étais en public. Je me suis souvent demandé si le président avait regretté d'avoir soutenu la nomination de M. Mbeki à la tête de l'ANC, puis au poste de président lorsque, après qu'il eut pris sa retraite, le gouvernement se mit à le traiter de manière indigne. Mais je compris vite que le président considérait le regret comme le sentiment le plus inutile qui fût et qu'il ne servait à rien de se demander « et si ? ».

Le président Mandela ne songea jamais à cacher qu'il ne dirigeait pas le pays, et que c'était le vice-président qui faisait presque tout le travail. Le rôle du président Mandela fut celui de bâtisseur de la nation, et il le remplit à la perfection. Aujourd'hui encore, j'estime que l'Histoire nous a fourni au moment propice le leader dont nous avions besoin, sans qui l'Afrique du Sud aurait pu aisément s'embraser. Je compare souvent notre démocratie à la façon dont un enfant grandit : jusqu'à l'âge de cinq ans, il suffit de le nourrir, de veiller sur lui et de l'aimer. C'est ce que le président Mandela fit le mieux. Entre cinq et quinze ans, il faut commencer à l'éduquer, à façonner sa personnalité, et c'est exactement ce que fit le président Mbeki. Avec brio. Nous sommes maintenant en pleine période d'adolescence, autrement dit les problèmes croissants que connaît notre pays ressemblent à ceux de n'importe quel adolescent. Et comme tel, nous ne pouvons plus invoquer notre jeunesse pour justifier nos erreurs et devons commencer à agir de façon responsable.

Durant les premiers mois de 1999, le président travailla à un rythme qui aurait mis sur le flanc n'importe

quel autre chef d'État plus jeune que lui. Il faisait
campagne pour l'ANC, s'occupait de faire construire
écoles et dispensaires, remplissait ses obligations officielles et, dans l'intervalle – il y insistait –, trouvait
le temps d'aller chercher ou reconduire sa femme à
l'aéroport, de s'occuper des problèmes de ses enfants
et petits-enfants. Il commençait également à dire « au
revoir », ou à prendre congé des structures, des gens,
des entreprises, des institutions et même des pays
étrangers, avant de prendre sa retraite. Ou plus exactement, je dois le dire tout de suite, avant d'essayer
pour la première fois de la prendre. La secrétaire
personnelle du président, Virginia Engel, souffrit
de problèmes de santé qui l'obligèrent à prendre un
long congé de maladie, de sorte que presque tous
les déplacements et l'essentiel de la charge de travail
retombèrent sur moi. Mais j'étais prête à assumer tout
ce qui était nécessaire pour accompagner le président
durant les deux derniers mois de son mandat. Le
changement est inévitable, et j'étais prête à franchir
la ligne d'arrivée, pour la première fois de ma vie, à
toute allure. Souvent, lorsque je me retrouvais dans un
avion ou un hélicoptère, je m'efforçais de comprendre
ce qui m'était arrivé, et un certain sentiment de tristesse me submergeait soudain : je n'avais pas vraiment
apprécié à leur juste valeur toutes les expériences que
j'avais vécues, car j'étais tellement obsédée par l'idée
de faire plus encore que ce que l'on attendait de moi,
de toujours me surpasser, que j'avais sans doute laissé
filer de précieuses occasions de mieux comprendre
certains événements historiques qui se déroulaient
autour de moi.

Le 1er avril 1999, le président emmena les représentants de McDonald's, Datatec et Nokia dans la province du Cap-Oriental, afin de leur faire visiter Bizana, Mbongweni et Baziya, trois villages perdus au fin fond des campagnes du Transkei où il souhaitait que ces firmes prennent respectivement en charge la construction d'écoles et de dispensaires. Le président n'avait jamais mangé un McDo de sa vie. Jamais il n'était entré dans un fast-food et il ignorait ce qu'était un hamburger. Il n'avait pas grandi avec ça, et le fait d'être resté si longtemps à l'écart de la société lui avait fait louper un tas de choses qui avaient fait irruption dans notre environnement. Nous tenons pour acquis que tout le monde sait ce qu'est un hamburger. Au cours de son discours dans le village où il présenta l'envoyé de McDonald's, le nom de la firme lui échappa et il parla des «gens qui fabriquent ces sandwiches». Cette présentation m'amusa beaucoup, et il en alla de même pour le représentant de la compagnie, ainsi que pour les membres de l'assistance, qui accueillirent cette présentation par un grand éclat de rire. Il y avait des moments, dont certains me paraissent aujourd'hui si lointains, où l'on oubliait complètement que l'on était en présence de Nelson Mandela.

Le président n'hésitait pas à appeler deux concurrents à collaborer, comme ce fut le cas, dans le cadre de l'opération écoles/dispensaires, avec les deux opérateurs de téléphones portables, ou avec Mercedes Benz et BMW. Quand je l'interrogeai un jour à ce propos, il m'expliqua que, lorsque des gens sont en concurrence pour faire bien, cela les incite à faire encore mieux. Ce qui était parfaitement sensé, même si, à mon avis, seul Nelson Mandela était en mesure de convaincre deux rivaux à travailler ensemble. En tout cas, c'était très amusant de voir deux grandes firmes jouer des coudes pour montrer ce dont elles étaient capables et ce qu'elles étaient disposées à faire dans le cadre d'opérations de pur prestige.

Le président Mandela veilla à garder sinon le meilleur, du moins le plus gros morceau pour la fin. Son dernier voyage d'État, programmé pour le mois d'avril 1999, comprenait, dans l'ordre chronologique, la Russie, la Hongrie, le Pakistan et enfin la Chine. Son espoir était de renforcer les liens avec ces pays avant de quitter ses responsabilités officielles et d'ouvrir la voie à de solides relations, profitables dans l'avenir. En les honorant d'une visite d'État, il souhaitait enfin remercier tant la Chine que la Russie pour leur soutien durant les années de l'apartheid.

Le 28 avril 1999, nous arrivâmes donc à Moscou avec toutes les sonneries de cloches, fanfares, tambours et trompettes auxquelles on pouvait s'attendre. C'est le président Boris Eltsine qui nous accueillit. Nous résidions au Kremlin, et ce fut là sans doute l'une de mes expériences les plus déplaisantes : j'avais toujours l'impression d'être observée, même lorsque j'étais seule dans ma chambre, mais peut-être était-ce seulement le fruit de mon imagination. Les couloirs étaient aussi larges que des autoroutes et les membres du personnel se déplaçaient et se comportaient avec des gestes mécaniques, tels des robots. Les émotions étaient rarement exprimées, et chaque chose semblait avoir fait l'objet d'un bon millier de répétitions. Tout cela me troublait, mais, comme j'étais moi-même plutôt stricte sur le plan de la discipline, je ne peux pas dire que cela me dérangeait vraiment. La langue était en revanche un réel problème. Ce n'était déjà pas facile de réclamer une nourriture qui soit au goût du président, mais pour nous autres, c'était encore pire : aliments trop riches et vodka au petit déjeuner. Pour obtenir un œuf, je n'avais qu'un moyen : imiter une poule. Répéter «cot, cot, codec» en plein Kremlin tout en faisant mine de battre des ailes n'est pas franchement du plus gracieux effet.

Nous nous rendîmes au cimetière où avaient été enterrés J. B. Marks et Moses Kotane, deux militants communistes et ex-leaders de l'ANC qui avaient profondément marqué la vie du président. Nous déposâmes une gerbe et observâmes quelques minutes de silence devant leurs pierres tombales.

Nous visitâmes ensuite le mausolée où était exposé le corps de Lénine, sur la place Rouge. Il y a quelques menus avantages à voyager avec le président, comme cette fois-là, où les autorités nous organisèrent une visite privée du mausolée, évitant ainsi les touristes massés autour du site. Durant les rares occasions où nous visitâmes des lieux touristiques, nous n'eûmes jamais à faire la queue pour acheter des billets ou pour avoir accès à tel ou tel endroit. Avant la visite du mausolée, les responsables du protocole nous briefèrent soigneusement : on ne parle pas, on ne mange pas, on ne boit pas, et en aucun cas on ne prend de photos. Nous descendîmes en silence les marches jusqu'à nous trouver devant la momie de Lénine. Toujours bouche cousue.

Mais nous avions oublié une chose : l'ouïe du président était déjà défaillante ; et lorsque le responsable du protocole russe nous avait donné ses instructions, le président ne les avait à l'évidence pas entendues... Nous étions donc tous silencieux, les yeux fixés sur le corps du leader communiste, un spectacle assez impressionnant. Et c'est alors que, brusquement, le président lança, de sa voix de stentor : «Bon, dites-moi, cela fait longtemps qu'il est exposé là ? » N'en croyant pas ses oreilles, le responsable du protocole, affreusement choqué, se tourna vers nous, attendant à l'évidence une explication ou un ordre quelconque. Dans le silence accablé qui s'ensuivit, le président répéta alors sa question, sur le même ton. Sa fille Zenani, qui faisait partie du voyage, se pencha alors vers lui pour lui dire : «Papa, on n'a pas le droit de parler», à quoi il lui répondit en murmurant, mais assez fort pour que tout le monde entende : «Bon, OK, je suis désolé.»

Nous allâmes également au Bolchoï voir *Le Lac des cygnes*, le fameux ballet. Je fus très impressionnée à l'idée que, de retour au pays, je pourrais dire à mes amis que j'avais couché au Kremlin, vu la momie de Lénine et assisté à une représentation du *Lac des cygnes* au Bolchoï. Et tout cela en compagnie de qui ? De Nelson Mandela lui-même, ce qui était encore mieux. Et même assez extraordinaire pour une Afrikaner qui, durant toute son enfance, avait longuement prié pour la chute du communisme dans ce pays. Les temps avaient décidément bien changé...

Le ballet était en tout point comme je me l'étais imaginé : la danse, les décors, la musique, tout était formidable. J'étais assise juste derrière le président. Avant le début du spectacle, je lui touchai l'épaule pour lui faire savoir que, s'il souhaitait boire un peu d'eau par exemple, il me trouverait juste derrière lui.

Dans la langue russe, on ajoute « a » au nom de l'homme pour composer celui de l'épouse C'est ainsi que le nom de l'épouse du président Eltsine était en russe « Eltsina ». On me raconta que, juste avant cette visite, un débat avait eu lieu à Maputo, concernant mon prénom. Ceux des femmes de la famille Machel se terminent presque toujours par « ina », comme Gracina, Joselina, etc., ce qui avait déclenché la discussion. C'est là, semble-t-il, que le président avait décidé que mon prénom devait être changé en « Zeldina ». En Russie, la fréquence des noms en « ina » lui rappela cette discussion, et il se mit à m'appeler Zeldina. Tout le monde trouva cela très amusant. Inutile de dire que ce prénom me resta. Madiba m'appela ainsi jusqu'au bout, et tout le monde continue, ce qui, chaque fois, me fait penser à lui.

Le président ne se rendit jamais vraiment compte que sa voix était non seulement très forte, mais également parfaitement reconnaissable. Entre deux tableaux du ballet, dans le silence qui suivit la fin des applaudissements, il se tourna vers moi et me dit : « Zeldina, nous devrions faire ça, vous et moi » en désignant la scène et les ballerines. Toutes les personnes présentes éclatèrent de rire. Notre hilarité se prolongea durant de longues minutes. Heureusement nos rires furent couverts par la musique, mais le président, ravi de sa bonne blague, conserva longtemps son sourire.

C'est durant ce voyage que je le vis pour la première fois boire un alcool fort, de la vodka en l'occurrence. Le président avait un principe très strict, qui consistait autant que possible à ne rien faire qui pût offenser son hôte, et donc très exactement ce que l'on attendait de lui. Le soir du banquet d'État, il était en grande conversation avec le président Eltsine. Ce dernier parlait toujours avec force gestes, très théâtraux, et, ignorant de quoi ils discutaient, on aurait pu croire qu'ils avaient de graves désaccords. Entre leurs échanges, ils buvaient de la vodka – même si le président Mandela se contentait de siroter lentement son verre. Et c'est alors que, sans crier gare, le président Eltsine bondit littéralement de son siège et quitta la salle. Il laissa donc seul son homologue sud-africain, ce qui me fit craindre qu'ils se soient vraiment disputés et que le président russe soit parti pour de bon. Mais il réapparut un quart d'heure plus tard, expliquant qu'il avait dû prendre un coup de fil du président Clinton, ce dont il s'excusa ensuite pendant son discours. De retour au Kremlin, je fis part au président des craintes que j'avais eues et il se moqua de ce que j'aie pu m'imaginer qu'il avait eu une altercation avec le président Eltsine. Cela ne l'empêcha pas de discuter avec son homologue russe du problème de l'enterrement de Lénine. Lui pensait qu'il était vraiment temps que le leader communiste soit enfin mis en terre alors que, pour le président Eltsine, il ne pouvait pas en être question : Lénine devait absolument demeurer dans son mausolée, sur la place Rouge. Cette fois donc, le désaccord entre eux était réel, ce qui ne les empêcha nullement de demeurer en bons termes.

Après la Russie, vint le tour de la Hongrie. Je crois que le président n'était pas mécontent que son mandat arrive à son terme, et la visite se fit donc dans une atmosphère détendue et agréable. Le responsable du protocole hongrois nous répéta une bonne vingtaine de fois que Budapest, la capitale, était en fait constituée de deux villes, Buda et Pest, divisées par un fleuve, le Danube. Nous finîmes par nous taquiner à ce propos, demandant autour de nous à tout bout de champ : « Vous saviez que Budapest est en fait constitué de deux villes ? » Jusqu'au président qui nous posa la question à plusieurs reprises, participant ainsi à nos plaisanteries de potaches. Il ne perdrait d'ailleurs jamais son sens de l'humour jusqu'au terme de son existence.

De Budapest, nous allâmes au Pakistan, pour une visite d'État de deux jours, après quoi nous nous envolâmes pour Pékin. Si nous avions connu quelques problèmes en Russie avec la langue et la nourriture, cela n'était rien à côté de la Chine. On nous raconta que, deux jours avant notre arrivée, toutes les usines avaient été arrêtées pour que l'air soit moins pollué. Vrai ? Pas vrai ? En toute honnêteté je ne sais pas trop, mais j'avais sans doute envie de le croire. À Pékin, là encore, j'eus l'impression que tout fonctionnait de façon mécanique. Personne n'exprimait ses émotions, et les gens semblaient donner des réponses apprises par cœur. Certains membres de la délégation allèrent voir la Grande Muraille de Chine, mais je ne jugeai pas raisonnable de laisser le président seul pendant si longtemps, en particulier dans un pays où presque personne ne parlait anglais (inutile de préciser qu'il ne connaissait pas un traître mot de mandarin.) Nos collègues rentrèrent, morts de fatigue, et si je regrettai un peu de ne pas avoir vu la Grande Muraille, je me dis que Madiba méritait bien ce petit sacrifice.

De retour en Afrique du Sud, nous nous préparâmes à prendre congé de la présidence après les élections. Luciano Pavarotti donnait à Pretoria un récital auquel le président assista en compagnie de Mme Machel. Nous étions tous très émus, car leur présence à cette représentation annonçait presque – et de quelle manière ! – le début de la fin du mandat du président. Celui-ci semblait attendre impatiemment le jour de sa retraite. Jamais je n'aurais pu me douter que ce qu'il attendait avec impatience en réalité, c'était de faire moins de ce qu'il était *obligé* de faire et plus de ce qu'il avait *envie* de faire.

Le 14 mai, la présidence organisa une soirée d'adieu pour tous les membres du staff. Le président y assista. Ce fut pour nous tous une fête inoubliable. Lorsque le président quitta les lieux, nous dansâmes jusque tard dans la nuit et nous nous fîmes nos adieux. De solides amitiés s'étaient forgées, et nous célébrions un mandat réussi jalonné de grandes réalisations. Dans tout environnement de travail classique, il est normal de se lier d'amitié avec certains collègues, mais dans le cas d'une présidence, ces amitiés sont d'autant plus fortes que l'on connaît le côté éphémère de la structure où l'on opère ; et lorsque la date de péremption approche, on ne peut empêcher les sentiments et les émotions de prendre le dessus, même si l'on a l'impression que ce mandat n'a été pratiquement qu'une suite de défis.

On n'apprécie pas nécessairement tous ses collègues, mais l'on crée des liens avec ceux en compagnie desquels on a connu des situations extrêmes, dans cet environnement où le stress est quasi permanent, où l'on a appris à coexister et à se battre pour que ce mandat soit couronné de succès et passe à la postérité. Les effectifs de notre staff étaient relativement limités par rapport à ceux des équipes qui prendraient la suite. Nous nous étions montrés efficaces, même si nous avions commis notre lot d'erreurs, et l'un dans l'autre nous avions fait du bon travail en apportant notre pierre à la réalisation des grands objectifs du président : la réconciliation et la construction de l'unité nationale.

Dans les semaines précédant l'élection, nous nous démenâmes jour et nuit, sillonnant non-stop le pays. J'étais fatiguée, épuisée au point d'être incapable d'éprouver la moindre émotion. Jour après jour, soir après soir, le président répétait sans arrêt le même discours, sans notes, encore et encore, au point que je pouvais prévoir très exactement quelle phrase suivrait l'autre. C'était la dernière ligne droite, celle où l'on voit l'arrivée et où il faut tout donner jusqu'à ce qu'on ait franchi la ligne. Lui l'avait en vue. Quant à moi, j'avais à peu près deux tours de retard. On me demandait souvent : « Si le président peut fonctionner à ce rythme, pourquoi êtes-vous épuisée, vous ? » Ceux qui me posaient cette question oubliaient un détail : son équipe de soutien ne bénéficiait pas d'une équipe de soutien. Personne n'allait m'acheter mon pain, ne s'occupait de mon linge, ne me conduisait du point A au point B. Il fallait inventer des solutions permettant de gérer le cours normal de notre existence tout en nous chargeant de gérer une bonne partie de celle du président. Je n'irai pas jusqu'à dire que c'était plus facile pour lui, d'autant qu'il avait plus du double de mon âge, mais on sous-estime le stress que les choses les plus banales peuvent provoquer dans votre existence lorsqu'on travaille au rythme qui était le nôtre.

Le 19 mai, Son Altesse royale le prince Abdallah ben Abdelaziz al-Saoud d'Arabie Saoudite arriva en Afrique du Sud pour une visite d'adieu. Son avion devait atterrir le soir, vers 19 heures. Le président m'avait demandé d'aller à l'aéroport afin de veiller à ce que tout se passe bien. Quatre heures plus tard, j'y étais toujours, attendant l'arrivée du prince héritier. Nous attendîmes, attendîmes encore et encore. J'étais au bord de la crise de nerfs quand l'avion atterrit enfin. Il y avait encore un dîner au programme, et je n'avais pas cessé de passer coup de fil sur coup de fil au président pour le tenir au courant. Il était lui aussi épuisé, mais ne voulait pas aller se coucher sans avoir vu le prince et dîné avec lui, quelle que soit l'heure. Le prince arriva donc à minuit à la présidence, à Pretoria, avec une suite d'une bonne cinquantaine de personnes, et le dîner put commencer. L'une de mes collègues, Lizanne van Oudshoorn, du protocole, était de service cette nuit-là. Quand, au dîner, le président se leva pour prononcer son discours, je demandai à Lizanne de me remplacer car j'avais atteint le point de rupture. Il n'était pas tout à fait 2 heures du matin, j'avais entendu le discours de campagne du président quatre fois dans la journée et j'étais trop épuisée pour l'écouter une cinquième. Il devait être à bout de forces lui aussi, mais il ne s'en déclara pas moins optimiste quant aux élections et à l'avenir de l'Afrique du Sud. Jamais il ne s'exprimait avec autant d'énergie que lorsqu'il évoquait les perspectives qui s'offraient à la nouvelle Afrique du Sud. Indifférent à l'heure tardive, le président sembla grandement apprécier la visite du prince héritier saoudien.

Le 2 juin 1999, eurent lieu les deuxièmes élections démocratiques de l'histoire de l'Afrique du Sud. Le président Mandela alla au bureau de vote proche de son domicile pour déposer son bulletin dans l'urne. C'était toujours une scène intéressante à suivre. Quand le président ne faisait rien de spectaculaire ou d'impressionnant, dans les activités de tous les jours, il n'intéressait personne, ou peu s'en faut. Mais le jour du vote, les gens les plus bizarres se manifestèrent, désireux de l'accompagner jusqu'au bureau de vote. Rares étaient ceux qui prenaient le temps et la peine de s'intéresser aux problèmes qui le préoccupaient. Il était clair que l'intérêt personnel commençait à devenir une priorité pour bon nombre de gens, cela bien avant qu'il ne prenne sa retraite. Après qu'il eut fait son devoir, les journalistes lui demandèrent : «Pour qui avez-vous voté, monsieur le président ? » À quoi il répondit : «Pour moi. » Je trouvai cela très drôle, mais certains auraient pu mal l'interpréter…

Peu avant les élections, le président m'appela un jour dans son bureau. Quand il m'invita à m'asseoir, je compris tout de suite que quelque chose de grave allait suivre. Jamais il n'avait pris un ton aussi sérieux et officiel pour me demander de m'asseoir. «Zeldina, je souhaite que vous preniez votre retraite avec moi.» À quoi je répondis : «Je dois vous dire, Khulu, que je suis encore un peu jeune pour prendre ma retraite, mais si vous voulez dire que vous souhaitez que je continue à travailler pour vous, je vous réponds que j'y consens.» Il se contenta d'éclater de rire. Au bout de cinq années, il me connaissait mieux que personne. D'une certaine façon, il m'avait vue grandir et, en réfléchissant à ce qu'avaient été mes débuts, je me disais qu'il avait dû bien rire de mon ignorance et de ma stupidité. Mais il avait su reconnaître ma ténacité et mon engagement.

Même si nos existences étaient très différentes, je savais qu'il y avait une bonne chance pour que cet homme ne m'abandonne pas. Nelson Mandela ne me passa pas par perte et profit, il décida de m'emmener avec lui. Incontestablement, le fait d'être choisie par Madiba pour le servir après qu'il eut pris sa retraite fut l'un des plus grands, sinon *le* plus grand honneur de ma vie.

Tous les présidents sud-africains partant à la retraite se voient accorder certains privilèges, comme de conserver un ou une secrétaire à plein temps rémunéré(e) par la présidence. Il a également droit à une ligne de téléphone, certains services administratifs (fax, etc.), outre une équipe de sécurité et une voiture pour se déplacer à l'intérieur du territoire sud-africain. Quelques jours avant la date officielle de son départ à la retraite, nous commençâmes à emballer nos affaires personnelles dans nos bureaux des Bâtiments de l'Union.

Le 11 juin, le président reçut les dernières lettres de créance des ambassadeurs nouvellement nommés en Afrique du Sud. Il eut l'air d'apprécier vraiment cette cérémonie. Je ne manquais jamais de m'étonner de sa mémoire des noms, s'agissant des chefs d'État étrangers.

Quarante-huit heures plus tard, le 13 juin donc, le «Frère Leader», le colonel Kadhafi, chef de l'État libyen, vint rendre visite au président pour lui faire ses adieux. Depuis le début des années 1990, le président était impliqué dans la polémique relative au procès des auteurs supposés de l'attentat de Lockerbie, qui avait causé la mort de 270 personnes. Le président avait d'abord demandé au président George Bush Sr de donner son accord pour que le procès se tienne dans un pays neutre. Le président américain avait accepté la proposition de M. Mandela, mais John Major, le Premier ministre britannique, l'avait refusée. Lorsque, quelques années plus tard, Tony Blair était arrivé au pouvoir, le président lui avait soumis sa requête et les deux hommes s'étaient mis d'accord pour que l'affaire se juge à La Haye, aux Pays-Bas, selon la législation écossaise. S'ensuivirent de longs palabres, durant lesquels le président négocia avec Kadhafi pour que les deux suspects soient livrés à La Haye. En fin de compte, le prince Bandar d'Arabie Saoudite et le professeur Jakes Gerwel parvinrent à convaincre le Frère Leader de livrer les deux hommes à La Haye.

Bien des années plus tard, en 2002, nous visitâmes la prison de Barlinnie, en Écosse, où, à la suite du procès, le Libyen Abdel Basset Ali Al-Megrahi purgeait une peine minimum de vingt-sept ans d'emprisonnement. Al-Megrahi se plaignait de ses conditions d'incarcération et il avait fait savoir, *via* Kadhafi, qu'il souhaitait s'entretenir avec Madiba. Le colonel avait des moyens d'action limités, car il était toujours considéré comme un ennemi par l'Occident, même s'il avait tenu sa promesse de livrer les suspects de l'attentat de Lockerbie et de dédommager les familles des victimes du crash. Certes, des indemnités ne pouvaient en aucun cas ramener quiconque à la vie, mais il n'empêche : Kadhafi avait tenu sa promesse, à la différence des Occidentaux, qui n'avaient pas suspendu leurs sanctions, contrairement à leurs engagements. Malgré ses démarches insistantes, Madiba n'avait pas obtenu qu'ils reviennent sur ces sanctions ; il avait accueilli avec grande satisfaction le geste auquel Kadhafi s'était engagé et avait accepté de s'occuper de la situation d'Al-Megrahi lorsqu'on lui en avait fait la demande.

L'ambiance était lugubre lorsque nous pénétrâmes dans la prison, encadrés par les autorités pénitentiaires écossaises. Nous entrâmes dans la cellule du prisonnier, qui comprenait une pièce à vivre, une salle de bains et une cuisine. Une vraie suite, me dis-je, quand on la comparait avec la cellule de Madiba à Robben Island. Le Libyen fut visiblement touché de recevoir Madiba, et nous eûmes une longue conversation avec lui. Il nous montra des témoignages qui, selon lui, n'avaient pas été pris en compte lors du procès, et se plaignit que les autorités de la prison rendent très difficile sa pratique de la foi musulmane : il était à l'isolement et n'avait donc pas la possibilité de prier avec ses coreligionnaires. Madiba l'écouta attentivement et avec sympathie, mais manifestement sans avoir l'intention de s'engager en faveur d'une réouverture du procès. Plus tard, prenant la parole à l'occasion d'une énorme conférence de presse, il plaida pour qu'Al-Megrahi soit transféré dans une autre prison, dans un pays musulman. (Le Libyen fut de fait transféré dans la prison de Greenock, au régime général, puis libéré pour raisons de santé en 2009. Il mourut en 2012 à Tripoli, à l'âge de soixante ans.)

Le prince Bandar et Prof Gerwell furent tous les deux décorés de l'ordre de Bonne Espérance, la plus haute distinction sud-africaine, pour avoir réussi à obtenir que le procès se tienne à La Haye. À la suite de ces négociations, le président entretint des relations étroites avec Kadhafi, qui avait dû s'assurer qu'il pouvait faire confiance à Madiba avant d'accepter de collaborer. Je soupçonne en outre Madiba de n'avoir pas été indifférent à l'audace dont le Frère Leader faisait publiquement preuve à l'égard de l'Occident. Les Occidentaux n'avaient pas soutenu le président Mandela du temps de l'apartheid ; ils avaient pour la plupart maintenu des liens avec le régime de l'apartheid, considéré comme un rempart contre le communisme. Ce fut donc un jour émouvant pour Kadhafi lorsqu'il vint faire ses adieux au président Mandela avant que ce dernier se retire.

Nous ne le revîmes qu'à de rares occasions après la retraite du président Mandela, et la dernière fois, lors de la prise de fonctions du président Zuma, je tins à lui demander s'il ne souhaitait pas rendre à Madiba une visite de courtoisie. Je n'obtins jamais de réponse, et Madiba fut choqué lorsqu'il fut tué, en

2011. Personne ne mérite de mourir de façon indigne. Je ne lui pardonnerai jamais le traitement qu'il réserva à son propre peuple mais, pour ce qui nous concerne, j'estime qu'il se montra toujours bon envers nous et envers Madiba ; pour cela, il mérite notre respect, ainsi que pour avoir tenu ses promesses lors de ces négociations. Madiba se montrait loyal envers ceux à qui il accordait son amitié, et le Frère Leader fut l'un de ceux-là. M. Mandela n'omit jamais de pointer ce qu'il considérait comme des erreurs de la part de Kadhafi, mais, en dépit de certains désaccords, les deux hommes se manifestèrent toujours un grand respect mutuel. Encore une grande leçon de Madiba : on peut avoir de profondes divergences d'opinion avec quelqu'un, cela ne justifie jamais qu'on lui manque de respect.

Nous nous rendîmes au Cap pour la prestation de serment du nouveau président et l'ouverture du Parlement, avant de nous préparer pour l'entrée en fonction du président Mbeki à Pretoria, le 16 juin. J'assistai à la cérémonie dans les Bâtiments de l'Union, et c'est la première fois que je fus témoin d'une rencontre entre Mme Machel et Mme Winnie Madikizela-Mandela.

Je n'avais jusqu'alors approché Mme Madikizela-Mandela que de loin, et à de rares occasions. Nous n'avions avec elle aucun contact d'aucune sorte. C'était d'ailleurs une règle non écrite : lorsqu'on travaillait pour le président, on ne posait pas de questions sur ses relations avec les membres de sa famille ou ses ex-épouses. À part les quatre petits-enfants qui vivaient sous son toit, nous ne vîmes qu'occasionnellement Zindzi et

Zenani, les deux filles issues de son deuxième mariage. Quand je vis le regard que Mme Machel et Mme Winnie Madikizela-Mandela échangèrent lorsqu'elles se croisèrent dans la foule qui assistait à la cérémonie, j'en eus littéralement froid dans le dos. Voilà deux femmes que je n'aurais pas imaginées partageant ne serait-ce qu'un petit déjeuner.

J'ai appris au fil des années à apprécier Mme Winnie Madikizela-Mandela. Je lui en avais voulu quand j'avais appris qu'elle avait gardé ses distances avec Madiba après sa libération, alors que sa liaison avec Dali Mpofu faisait l'objet de rumeurs persistantes. Celle-ci avait dû beaucoup blesser Madiba. Curieusement, c'est Mme Machel qui m'amena à accepter cette situation et à apprécier le fait que, sans Mme Madikizela-Mandela, Madiba aurait peut-être perdu espoir au cours de ces longues années passées derrière les barreaux. Outre le fait qu'elle était la mère de deux de ses enfants, pour lui elle représentait l'espoir, et c'était sans doute à elle qu'il rêvait la nuit, elle qu'il désirait toucher et auprès de qui il voulait être. J'en vins donc à la comprendre, à saisir à quel point elle avait dû se sentir seule sans sa présence. Il faut avoir fait soi-même l'expérience de la solitude pour pouvoir pleinement appréhender à quel point celle-ci peut être sinistre; et c'est à mesure que je gagnais en maturité que ces choses de la vie devinrent souvent pour moi des sujets de préoccupation.

Le jour de l'entrée en fonction du président Mbeki, nous nous levâmes comme d'habitude pour nous préparer en vue de la cérémonie. Une fois celle-ci terminée, le président Mandela retourna à son bureau des Bâtiments de l'Union pour récupérer ses affaires personnelles. Les bureaux étaient déserts car la journée était fériée.

Quand je poussai la porte vitrée que j'avais franchie pour la première fois cinq ans auparavant, je ne pus m'empêcher de me mettre à pleurer en silence. Madiba tenait la main de Mme Machel lorsqu'il apparut dans le couloir qui menait à son bureau. Je marchais à quelques pas devant eux, et le seul bruit annonçant leur présence fut le déclic, si familier, de la porte de sécurité s'ouvrant à leur approche et se refermant automatiquement derrière eux. Nos bureaux, qui donnaient sur le sien, étaient déjà vides. Je les laissai seuls dans son bureau personnel, tandis qu'ils récupéraient dans les tiroirs et la salle de bains les rares objets qu'il y avait laissés. Puis je leur apportai une petite boîte pour y mettre toutes leurs affaires, et il remarqua que j'étais en pleurs. Il me regarda alors et me dit : « Zeldina, vous en faites trop. » C'étaient avec ces mêmes mots qu'il m'avait accueillie lors de notre première rencontre, en 1994 ; les circonstances étaient alors bien différentes, et je pleurais à cette époque très exactement pour des raisons inverses : en 1994, c'était par sentiment de culpabilité et par crainte de ce qui m'attendait ; et maintenant, je pleurais parce que tout était terminé.

Si j'avais pu deviner ce qui m'attendait…

III
TROISIÈME PARTIE

De gardien à homme le plus célèbre du monde

1999-2008

7

Voyages et conflits

Nous avions décidé d'installer nos bureaux à Houghton, dans l'ancienne demeure du président. Entre-temps, il avait déménagé, après son mariage avec Mme Machel en 1998. Son ancienne maison à deux étages était très vaste, et bien qu'il y vécût pendant plus de cinq ans, elle était délabrée et mal décorée. Mais elle était vide et je savais que ce serait l'endroit idéal parce qu'elle se trouvait aussi tout près de son nouveau domicile. Je demandai également à Madiba si je pouvais y séjourner, le temps de trouver un logement à Johannesburg.

Au début, il voulut que je vienne habiter chez lui, mais je déclinai sa proposition, sachant pertinemment que j'avais besoin de distance et que toute sa famille le prendrait mal. Je fis donc en sorte que mes meubles en provenance de Cape Town soient livrés dans la vieille maison de Houghton.

Je nettoyai la seule chambre à l'étage qui était vivable – celle de Madiba, peinte dans le bleu le plus horrible que l'on puisse imaginer. Mais je crois que ce genre de détail était le cadet de ses soucis. Tout était bleu, et j'ai beau adorer cette couleur, c'était trop bleu. La pièce, sans prétention, ne seyait absolument pas à un président, et je me réjouissais que la présence de Mme Machel dans sa vie ait à la fois illuminé son existence, mais lui ait également offert quelques plaisirs plus terre à terre, comme une chambre plus vaste ou un espace digne où habiter, où il pouvait apprécier le soleil qui entrait à grands rayons par la fenêtre de sa chambre ; une pièce qui lui faisait du bien au lieu de le déprimer. Toutefois, par rapport aux petits plaisirs dont d'autres bénéficiaient dans la même situation, les siens restaient modestes.

J'appelai le ministère des Travaux publics pour lui demander d'envoyer un employé afin de meubler le bureau de Madiba, comme nous l'autorisait le gouvernement. Il accepta. Il consentit par ailleurs à accélérer l'installation d'un téléphone et d'un fax dès que possible.

Les jours suivants, je m'installai et m'attelai à ce qui deviendrait notre mission postprésidentielle : la Fondation Nelson-Mandela, d'où M. Mandela poursuivrait sa mission d'intérêt général. Le professeur Gerwel nous expliqua dans les grandes lignes sur quoi le bureau devrait se concentrer : les objectifs de la Fondation étaient de continuer la construction d'écoles et d'hôpitaux, de combattre l'épidémie du sida, d'offrir un espace pour le dialogue et un bâtiment qui hébergerait les œuvres et souvenirs de Madiba. Ce fut bien vite le chaos, car le monde entier se mit à chercher le président Mandela pour essayer de le rallier à sa cause. J'ignorais comment nous allions le payer, mais je devais embaucher du personnel, car je n'y arrivais pas toute seule. Le professeur Gerwel nous rendait régulièrement visite et il demanda à Loïs Dipenaar, l'un de nos anciens collègues, de venir mettre de l'ordre. L'une après l'autre, je persuadai Lydia Baylis, Maretha Slabbert et Jackie Maggot de rejoindre temporairement notre bureau. Et cet arrangement, au final, se poursuivit de nombreuses années.

Il leur arrivait parfois de me laisser derrière mon bureau quand elles rentraient chez elles le soir et de m'y retrouver le lendemain matin, quand elles revenaient. Certaines nuits, je ne dormais pas du tout, je lisais des courriers et en tapais les réponses, qui étaient faxées le matin suivant. Mon argument était que, plus vite on répondait, moins on risquait de nous appeler pour nous relancer ; de fait, je diminuais ainsi le nombre de coups de fil pour faire descendre la pression. Plusieurs fois, j'eus envie de laisser tomber, mais je ne m'y résolus jamais. À plusieurs reprises, je me suis demandé ce qui poussait quelqu'un à décrocher son téléphone ou à prendre un stylo pour contacter Nelson Mandela ; c'était trop et j'étais en permanence au bord de l'explosion.

Je ne pouvais monter prendre une douche que vers 7 heures du matin, lorsque l'autre équipe arrivait pour prendre le relais, puis j'enchaînais sur une nouvelle journée sans dormir. Après trois jours d'affilée, je dormais une journée entière et c'était reparti.

Bien vite, Madiba se mit à passer plus régulièrement au bureau. Et les premiers jours de rendez-vous dans son bureau postprésidentiel, il ne manquait pas de rappeler aux visiteurs qui l'appelaient « président » qu'il avait pris sa retraite et qu'il ne voulait plus qu'on l'appelle ainsi. Mais simplement Madiba ou M. Mandela.

Comme je l'appelais déjà Khulu, je n'eus qu'à modifier légèrement ma façon de parler de lui, et non de lui parler. J'avais désormais appris à parler de Madiba ou de M. Mandela et non du président quand je l'évoquais. Il rétorquait souvent, à ceux qui l'appelaient M. le président : « Où étiez-vous donc quand j'ai pris ma retraite ? » Peu à peu, tout le monde fut mis au courant et on ne l'appela plus M. le président. Il ne voulait pas non plus qu'on lui attribue des titres tels que « L'Honorable… », etc. Il se contentait de Madiba ou M. Mandela et répétait inlassablement à tous : « Appelez-moi Madiba, tout simplement. » Il affirmait qu'un titre ne change en rien la personne que vous êtes ; c'était sa façon de nous dire qu'il n'avait pas besoin qu'on lui octroie des titres. Même si, au dernier recensement, il s'était vu décerner 1 177 hommages, dont 697 étaient des sortes de prix et plus de 120 des doctorats à titre honorifique. Lorsque l'on voulait s'adresser à lui en lui disant « docteur », il s'empressait de répondre qu'il n'avait pas de doctorat et que ce n'étaient que de simples titres honorifiques.

Fin 1999, je reçus une lettre de la présidence qui m'offrait une promotion : le poste de première assistante au bureau du président. Bien que je fusse toujours l'assistante de Madiba, je pus décrocher cette promotion en raison de la disponibilité des places au sein des structures de la présidence.

Pour mener sa mission à bien, la Fondation aurait besoin de fonds. Pour faire tourner le bureau, nous commençâmes par emprunter de l'argent avec, pour seule garantie, les promesses de Madiba et du professeur Gerwel : « Nous rembourserons le plus vite possible, veuillez ne pas nous facturer d'intérêts. » Madiba était encore une icône aux yeux du monde, mais contrairement aux autres pays, les anciens présidents d'Afrique du Sud ne reçoivent pas d'argent de la part du gouvernement pour leur permettre de poursuivre leur action publique. Pourtant, le monde attendait les mêmes choses de lui, peu importait qu'il fût encore président ou non.

Naturellement, Madiba espérait lui aussi que tout continuerait comme avant. Il se réveilla le matin de sa retraite comme si de rien n'était. Il était toujours aussi déterminé à initier le changement en Afrique du Sud, à réformer la société jusqu'à ce qu'elle soit libérée de toute discrimination. Il appela pour me donner quelques ordres et quand je raccrochai, je paniquai, ignorant comment je ferai pour organiser tout ce qu'il attendait de moi. Il fit de même avec le professeur Gerwel qui, pour plaisanter, lui rétorqua qu'il ne travaillait plus pour lui. Le professeur Gerwel serait président du conseil d'administration de la Fondation Nelson-Mandela, et même si j'étais encore employée par l'État, j'ignorais comment nous pourrions travailler correctement sans les infrastructures dont nous jouissions du temps de la présidence. Mais Madiba savait me faire dépasser mes limites. Je n'admettais pas de pouvoir continuer comme si de rien n'était alors que toute notre infrastructure se désintégrait ; lui si. Il me guida patiemment et j'ai de la chance d'avoir appris auprès d'un si grand professeur.

Tout de même, en août 1999, Madiba déclara qu'il était fatigué et qu'il avait besoin de vacances. C'était un défi. Où irions-nous ? Comment ? Je réalisai par exemple brusquement que nous ne bénéficiions plus du luxe du jet privé pour nous déplacer, et que cela nous coûterait plus d'un million de rands – soit environ 100 000 dollars US – pour nous rendre aux États-Unis en avion privé. Nous ne disposions pas d'une telle somme et Madiba n'accepterait jamais de dépenser autant pour des vacances. Tony O'Reilly, ancien propriétaire de Heinz et, à l'époque, de l'Independent News and Media, et son épouse Chryss avaient invité Madiba et Mme Machel à séjourner dans leur maison de Nassau aux Bahamas. Ils s'occuperaient de tout une fois sur place, mais je me demandais bien comment nous y rendre. Je sentais la panique monter.

Madiba ne pouvait pas prendre d'avion trop petit, car il avait besoin de bien dormir, de pouvoir se mettre debout sans avoir à plier son genou blessé, et de se servir des lavabos à bord. Il avait un problème au genou suite à une blessure à Robben Island et elle empirait avec l'âge. Il avait du mal à monter les étages et ne pouvait pas gravir plus que quelques marches de suite.

J'appelai alors Tokyo Sexwale, l'un des hommes d'affaires les plus riches d'Afrique du Sud et ancien camarade de Madiba, qui, je le savais, connaissait du monde susceptible de posséder des jets privés. Il usa de ses contacts, mais aucun ne put nous aider.

Je demandai ensuite à toutes les grandes fortunes d'Afrique du Sud détentrices de jets privés : les Oppenheimer, les Rupert, et j'appelai même Michael Jackson pour savoir si nous pouvions emprunter son avion. Aucun engin n'était disponible ; ils étaient tous affrétés ou utilisés par leur propriétaire. La seule solution, en fin de compte, était de prendre un vol commercial régulier.

Je ne sais pas comment nous avons fait, mais nous avons réussi. À mesure que le temps passait, nous devînmes des professionnels du vol commercial avec Madiba. Tant que la première classe offrait un vrai lit dans lequel il pouvait dormir, et que l'aéroport disposait d'aménagements spéciaux pour le faire monter jusqu'au niveau de l'avion, et lui éviter ainsi de gravir des marches, nous pouvions emprunter des vols commerciaux. Il nous fallait juste tenir à distance les passagers et l'équipage, et lui éviter de signer des autographes durant l'intégralité du vol.

Nous décollâmes donc pour les Bahamas, mes premières vacances en cinq ans, les premières pour lui aussi. Madiba, Mme Machel, Josina Machel – la fille de cette dernière –, la sécurité, un médecin et moi. Nous étions tous nerveux, mais tout se passa bien. Après une escale à Atlanta, nous continuâmes sur Nassau. Il fallait à la fois trouver le moyen de satisfaire les besoins de Madiba, mais aussi s'accommoder des équipements des aéroports et tenir compte des aptitudes du personnel de soutien. Tout n'était que négociation et compromis, à chaque aéroport, quand nous débarquions après de longs vols : les gens voulaient se faire photographier avec lui ou lui demandaient des autographes. Après un vol de seize heures, on ne pouvait décemment pas demander des photos ou des dédicaces à un octogénaire. Il avait besoin d'air et de reprendre des forces au plus vite, et bien que l'on ne veuille pas être désagréable avec les gens, je me donnai beaucoup de mal pour leur expliquer qu'il était âgé, qu'il avait besoin de calme et qu'on ne pouvait pas l'ennuyer avec des autographes. La grande majorité comprenait, même si les irréductibles insistaient toujours.

Après notre voyage aux Bahamas, nous parcourûmes le monde afin de récolter des fonds pour la toute nouvelle Fondation Nelson-Mandela. En Allemagne, Madiba rencontra Gerhard Schröder, alors chancelier, pour lui demander de l'aide. D'Allemagne, nous nous rendîmes à Tunis pour voir le président Ben Ali et lui demander de soutenir notre Fondation. Il possédait un magnifique palais orné des plus belles mosaïques.

De Tunis, nous allâmes à Tripoli rendre visite au Frère Leader Kadhafi, toujours dans le but d'obtenir des fonds. Les dirigeants occidentaux fermèrent les yeux sur l'association de Madiba et de Kadhafi. C'était toujours étonnant de rencontrer le Frère Leader. On attendait plusieurs jours de ses nouvelles, quand, soudain, tout le monde devait se mettre au garde à vous et se rendre là où il se cachait, parfois dans le désert, car il redoutait toujours des attaques surprises de l'Occident en représailles contre l'attentat de Lockerbie. Au cours de cette visite particulière, il nous invita à dîner, et durant notre audience, dans l'après-midi, il nous demanda ce qu'il pouvait nous préparer pour dîner. Comme j'avais toujours accompagné Madiba auprès du Frère Leader, mon visage lui disait désormais quelque chose. Il me traita avec beaucoup de respect et me mit à l'aise.

Plus tôt dans l'après-midi, Madiba et moi eûmes une discussion sur la viande de chameau, quand nous en croisâmes un. Quand le Frère Leader nous demanda ce qui nous ferait plaisir pour dîner, Madiba trouva logique de rétorquer : «Du chameau.» «Bien sûr», répondit le Frère Leader (Il ne voulait pas qu'on l'appelle «président» comme s'il estimait que c'était une invention des Occidentaux qu'il refusait d'accepter ; en fin de compte, nous l'appelâmes «Frère Leader».) La viande de chameau a exactement le même goût que l'agneau ; j'appris plus tard que, la chair la plus tendre étant celle des plus jeunes, c'était eux qu'on abattait et leur viande que l'on consommait. Je ne tins pas à encourager l'abattage de jeunes animaux et je refusai donc d'en manger ; mais il était rare qu'un chef d'État demande à Madiba ce qu'il souhaitait pour dîner et j'appréciai vraiment que Kadhafi se montrât aussi prévenant. Les conversations entre Madiba et Khadafi se cantonnaient à des propos aimables et à un avis général sur ce qui se passait dans le monde. Ils revenaient sans cesse sur Lockerbie et sur le mécontentement du Frère Leader vis-à-vis de l'Occident qui ne respectait pas sa promesse de lever toutes les sanctions. Et quand Madiba se rendait aux États-Unis, c'était toujours un point de discussion avec les dirigeants américains.

De retour, nous nous retrouvâmes rapidement pris dans le tourbillon du quotidien. Un jour, nous assistions à un dîner de la Chambre de commerce sud-africaine et le lendemain, c'était une visite à l'Institut d'affaires afrikaner pour reconstruire une école à Qunu. Le professeur Gerwel restait notre point d'ancrage et nous conseillait sur tous les sujets à aborder. Il était capital à notre processus de prise de décision. Nous assistions également à des cérémonies d'adieux, bien que nous ne sachions pas très bien où nous allions, parce que nous n'arrêtions jamais. Il y eut aussi la cérémonie d'accueil organisée par la communauté de Qunu et le roi Dalindyebo, le roi des Thembus, clan dont Madiba faisait partie. Ils espéraient que ce dernier reviendrait à Qunu à sa retraite. Mais nous comprîmes que, même là-bas, ce ne serait jamais une véritable retraite, car les gens l'aborderaient sans cesse avec leurs problèmes, le considérant comme *la* solution à leurs tourments, tous très ordinaires, allant du vol d'un poulet à des différends entre clans.

Madiba ne s'était jamais montré très ancré dans la tradition, mais il la respectait, tout comme il respectait la culture de son clan. Il accueillait volontiers les groupes d'enfants de l'organisation Reach for a Dream, lorsque certains petits malades en phase terminale exprimaient le souhait de le rencontrer ; déjeunait et dînait avec de vieux amis et camarades ; collectait des fonds pour les écoles et les cliniques, et même pour l'équipe de foot du Bush Bucks, l'équipe régionale qui représentait la région de laquelle Madiba était originaire. Ils n'étaient pas très bien classés en championnat, mais il se sentait tout de même obligé de les aider, parce que c'était « son » équipe. Il rendait visite aux familles des gardiens de prison décédés, assistait aux cérémonies de remise de diplômes de ses petits-enfants et, entre deux obligations, essayait de passer du temps avec Mme Machel. Il pouvait s'envoler pour le Botswana pour recevoir un titre honorifique et rentrer dîner chez lui le soir même avec Helen Suzman, son amie et soutien de longue date du Parti libéral, qui, depuis, a malheureusement quitté ce monde. Il voulait continuer à en faire le plus possible et à caser un programme de trente-six heures dans une journée de vingt-quatre.

Un mois plus tard, nous reprenions la route. Si auparavant nous bénéficiions du soutien entier du ministère des Affaires étrangères et de l'aide des services diplomatiques, je devais à présent me débrouiller seule pour avoir accès aux salons VIP aux aéroports, aux voitures de courtoisie des gouvernements étrangers, etc., en plus de demander des rendez-vous avec les présidents, les chefs d'État et les personnalités importantes. À peine revenue à Johannesburg, je commençais déjà à préparer le prochain voyage à l'étranger. Je pense que Madiba adorait voyager et qu'il acceptait les invitations sans aucune hésitation ; il inventait même des visites tant il était déterminé à collecter des fonds pour la Fondation. Il sautait sur la moindre occasion.

Si jamais j'envisageais de lui dire : « J'envoie quelqu'un d'autre avec vous », ma proposition était toujours mal accueillie. Non par favoritisme, mais parce qu'il savait que je saurais comment réagir dans n'importe quelle situation à laquelle il serait confronté. Je n'avais pas peur de dire à un ministre ou à un haut fonctionnaire de s'arrêter; je lisais désormais sur le visage de Madiba, et les gestes tacites étaient devenus faciles à déchiffrer. Mais je devais en permanence repousser les demandes des médias étrangers, et mes mécanismes de défense étaient en surchauffe. Je jouais le rôle de cette actrice que j'avais voulu devenir : faire des choses que je n'aurais pas faites pour quelqu'un d'autre, et que je ne faisais que parce que la situation et la personne en question le nécessitaient.

Madiba appela le professeur Gerwel pour lui faire part de ses intentions de visiter le Moyen-Orient. Ils discutaient de cela depuis un moment et avaient mis en place une stratégie concernant les pays à visiter et l'ordre du jour à imposer. Autant Madiba était notre boussole, autant le Professeur était politiquement celle de Madiba. Il savait toujours quelle stratégie adopter. Madiba admirait l'esprit et la perspicacité du Professeur, bien qu'il le traitât et le considérât comme un fils.

Notre première destination fut l'Iran. Je portai le voile, par respect pour la culture musulmane, et je restais le plus possible en retrait. Nous fûmes invités à dîner dans la résidence du président Khatami. Quand nous entrâmes – un véritable palais, comme il fallait s'y attendre –, je chassai les photographes qui utilisèrent leur flash pour photographier Madiba. Tout le monde savait dans le monde entier que les yeux de Madiba étaient sensibles à la suite de l'éblouissement qu'il a subi pendant ses dix-huit années d'emprisonnement sur Robben Island dans la carrière où il avait dû extraire du calcaire. Quand ses yeux étaient trop exposés aux flashs, ceux-ci devenaient rouges et larmoyants au point qu'il devait porter des lunettes de soleil, à l'intérieur comme de nuit. Nous y faisions tous très attention, et, de fait, savions comment éconduire les photographes. J'assumai donc ce rôle, même si j'étais la seule femme parmi tous les gens présents.

Le président Khatami me vit les repousser. Quand Madiba pénétra dans la résidence, je restai à l'arrière de la délégation pour ne blesser quiconque sensible à la présence des femmes, et je les laissai monter dîner seuls. Il n'y avait pas d'autres femmes que moi dans la résidence du président Khatami. Après une dizaine de minutes passées à table et notre repas déjà servi, un majordome paniqué vint me chercher et me demanda de le suivre à l'étage, où étaient installés Madiba et le président Khatami. Je pensai que Madiba m'avait simplement fait venir pour me présenter comme il en avait l'habitude, ce qu'il fit mais il m'expliqua ensuite que le président Khatami avait insisté pour que je m'assoie à leur table. J'étais extrêmement mal à l'aise et je ne savais pas comment me comporter. J'avais ressenti la même chose quand je m'étais retrouvée à côté de la reine Noor en 1995. La seule différence, c'est que, cette fois, nous n'étions que trois dans la pièce, et que je me retrouvai jaugée par deux hommes politiques : un ancien président et un président en exercice.

Le président Khatami ne cessait de m'interroger sur mon éducation et sur la culture afrikaner, presque comme si Madiba n'était pas là. Je renvoyais sans cesse les questions à Madiba, mais celui-ci était bien déterminé à me laisser répondre et savourait paisiblement son repas, hochant de temps en temps la tête en signe d'approbation à ce que je disais, ou lançant : « Zeldina, qu'en pensez-vous ? » Pour essayer de mettre un terme à l'interrogatoire dont j'étais la cible, j'ai pensé dire : « Eh bien, en fait, je n'en pense rien du tout ! », mais c'était inconcevable. Ce dîner dut être celui où Madiba parla le moins.

Je me souvins de notre dernière visite d'État en France en 1995 : j'étais intriguée du fait que les discussions entre les deux présidents aient pu tourner autour des tarifs des articles importés et exportés, soit les oranges et les bananes, et au nombre d'Airbus que l'Afrique du Sud était prête à commander à la France, alors qu'ici, en Iran, toute la conversation se limitait à la culture afrikaner. Tout au long du dîner, Madiba savoura la façon dont je me fis cuisiner et ne vint à ma rescousse qu'à de rares occasions, avec un sourire encourageant. Ensuite, pendant des années, il rappellerait mon importance aux gens, me taquinerait en racontant cette histoire et comment le président d'Iran avait insisté pour m'inviter à sa table, et je rétorquerais que Madiba désirait simplement apprécier son repas ce soir et, de fait, m'avait mise sous les projecteurs pour être tranquille. Ainsi plaisantait-on avec Madiba : toujours une anecdote ou un moment à se remémorer.

Je devais m'assurer, lorsque j'ébauchais les programmes de ce genre de visite, que la délégation se comporte de façon politiquement correcte. Il nous faudrait ainsi penser à une cérémonie de dépôt de couronnes de fleurs au mémorial de feu l'ayatollah

Khomeiny. Je me souvins alors d'une prière adressée aux gens « derrière le rideau de fer », dans laquelle le rideau de fer faisait référence aux peuples qui vivaient sous l'oppression de l'ayatollah Khomeiny ou des régimes communistes. Voilà donc que j'organisais une cérémonie commémorative sur la tombe de l'ayatollah. Ensuite, nous rendrions visite à l'ancien président, l'ayatollah Rafsandjani, ainsi qu'à Son Éminence l'ayatollah Ali Khamenei, chef suprême de l'Iran. Comme j'étais la seule femme présente lors de toutes ces manifestations, le Leader suprême me remarqua au milieu d'une salle remplie de photographes qui immortalisaient les deux éminents personnages assis côte à côte. L'ayatollah demanda à voix haute : « Qui est cette jeune femme au fond ? » Madiba, voyant que j'étais la seule dans la pièce, répondit avec enthousiasme, sachant que cela me gênerait et sans me regarder : « Oh, c'est Zeldina, mon assistante ! »

Je voulais que Madiba pose les yeux sur moi pour que je puisse lui faire comprendre d'un regard : « Ne m'appelez pas, je vous en prie ! » Or il savait quand m'ignorer, pour éviter que je lui fisse signe de ne pas me mettre dans l'embarras. Il évita donc de croiser mon regard. Je ne me sentais pas à ma place, mais je suivis les instructions de l'ayatollah et m'assis plus près, à côté de Madiba, où il pourrait me voir. Quelque part, ma présence les amusait et ils ne savaient probablement pas comment gérer la femme blanche que j'étais aux côtés du célèbre guérillero noir.

Peu importait qui, selon moi, avait politiquement tort ou raison, ou qui semblait avoir des idéaux progressistes ou non. J'étais seulement préoccupée, obsédée par les cinq prochaines minutes, puis par les vingt-quatre prochaines heures de la vie de Madiba, à m'assurer que tout ce qui était organisé autour de lui lui simplifierait la vie. Bien que ma compréhension générale du monde s'améliorât, je n'avais pas la place pour assimiler ni comprendre toutes les subtilités de ces pays que nous visitions.

D'Iran, nous nous rendîmes à Damas, en Syrie, où nous rencontrâmes le président Assad, qui avait déjà un certain âge. Quelques années plus tard, il disparut. Nous rencontrâmes aussi son fils, un jeune homme alors impressionnant. Le jeune président Assad abusa aussi de l'hospitalité de son pays et, aujourd'hui, des rebelles le défient dans son propre pays en le forçant à démissionner. Madiba disait souvent, en faisant référence à ceux qui ont occupé de tels postes trop longtemps, que les « dirigeants se sont saoulés du pouvoir », et souvent, quand un chef d'État se fait défier de la sorte, je pense à ces mots.

De Syrie, nous partîmes en Israël *via* la Jordanie. En raison des tensions entre la Syrie et Israël, nous ne fûmes pas autorisés à quitter la Syrie pour prendre un vol direct vers Israël. Chaque fois que je confiais à Madiba mes frustrations vis-à-vis des difficultés politiques que nous rencontrions, il me répondait toujours : « Non, Zeldina, vous voyez, elles rendent simplement la vie intéressante, voilà tout. » Et il m'encourageait à tenir le coup ; mais, à cet instant je ne les trouvais pas du tout intéressantes.

Quand nous atterrîmes en Israël, la police israélienne nous poussa dans nos voitures comme des moutons vers leur enclos. Elle faillit même nous oublier, Charles, le médecin, et moi-même. La façon dont elle nous traita me mit en colère. Je dus, une fois n'est pas coutume, justifier de ma position et de la raison pour laquelle le médecin et moi devions être si proches de Madiba, pour qu'elle ne pense pas que c'était uniquement parce que nous cherchions juste à être à son côté. C'était un défi de voyager sans délégation, juste le médecin, la sécurité et moi. Il fallait jouer des coudes, il n'y avait jamais de plan de secours, et Madiba était notre seule préoccupation. On pensait à soi et aux autres après. Dans ma vie privée, je ne suis pas du genre à aimer les conflits, mais, dans ce genre de situation, je forçais ma nature, je devenais l'actrice que j'aurais voulu être pour essayer de tous nous défendre.

Nous séjournâmes au King David Hotel, et le premier soir je commandai au room service de la viande pour le dîner de Madiba, et de la salade avec du fromage pour moi. Peu après avoir passé commande, un majordome vint sonner à ma chambre. « Madame, me dit-il, cet hôtel est kasher et par conséquent vous ne pouvez pas avoir du fromage et de la viande dans la même pièce. C'est interdit. » Je n'avais vraiment pas le courage de débattre de nourriture. Je perdis la bataille et m'installai avec Madiba pendant qu'il dînait, puis je regagnai ma chambre pour avaler ma salade au fromage. Le lendemain matin, nous nous recueillîmes sur la tombe d'Yitzhak Rabin, celui qui, pensait-on, aurait pu négocier un accord de paix entre Israël et Palestine s'il ne s'était pas fait assassiner. De là, nous rendîmes visite au président Weizman, puis au Premier ministre Ehud Barak. J'appréciais le président Weizman. Quant au Premier ministre, il ne supportait pas du tout Madiba et ce qui se passait entre eux ne me plaisait pas.

Nous nous promenâmes sur la *Via* Dolorosa dans la vieille ville de Jérusalem. On fit toute une histoire parce que Madiba arpentait la *Via* Dolorosa et on lui laissa tout juste la place de marcher sur les pavés. Nous étions tous nerveux à l'idée qu'il puisse trébucher avec son genou malade et qu'il se blesse grièvement. Il ne marchait déjà pas très bien. Je fus touchée, en tant que chrétienne, quand on m'expliqua que Jésus avait porté la croix le long de cette route. Je touchai les vieilles pierres et demandai à notre guide : « Pensez-vous que Jésus a arpenté ces mêmes pavés ? » « Non, répondit-il. Il y a apparemment près de dix-sept étages d'immeubles entre la route originale et celle-ci, mais c'est plus ou moins la route qu'il a suivie. » Je fus très déçue.

Nous nous rendîmes ensuite au musée de l'Holocauste, dont on sort extrêmement traumatisé et perturbé. Quand nous fûmes dehors, quelqu'un poussa un micro devant le visage de Madiba et on lui demanda ses impressions, bien que j'aie expliqué aux journalistes à l'extérieur qu'il n'était pas prêt à répondre aux questions. Il n'avait jamais aimé les surprises ni être acculé. Sa réponse fut simple : « C'est une tragédie qui est arrivée à la nation juive, mais il ne faudrait jamais perdre de vue le fait que le peuple allemand porte aussi cette charge. La génération actuelle d'Allemands souffre pour se débarrasser de la honte qu'ils ont dû endurer à la suite de ces événements pour lesquels eux-mêmes ne peuvent être tenus responsables aujourd'hui. »

Les Israéliens n'apprécièrent pas ces commentaires. Je ressentis une hostilité qui me mit mal à l'aise. (Une fois rentré, Madiba reçut plusieurs lettres de plainte d'amis juifs, même d'Amérique, au sujet de ces réflexions.)

Nous avions un rendez-vous le lendemain avec le président et le Premier ministre. Ils discutèrent politique, et Madiba ne céda pas quant à la résolution du conflit au Moyen-Orient. Les deux parties devaient se conformer aux conditions suivantes avant qu'un accord puisse être trouvé : 1/ Israël devait reconnaître la Palestine comme un pays indépendant ; 2/ la Palestine devait reconnaître Israël au sein de ses frontières clairement définies ; 3/ Les parties devaient identifier un médiateur en qui les deux auraient confiance. Madiba répéta encore et encore, mais ses paroles tombèrent dans les oreilles d'un sourd. Le courant ne passait pas entre Madiba et Ehud Barak ou David Levy, le ministre des Affaires étrangères. Le président Weizman, plus âgé, était en revanche un peu plus indulgent et moins agressif par rapport à ces suggestions.

D'Israël nous passâmes en Palestine où nous rencontrâmes Yasser Arafat, que Madiba avait déjà vu à de nombreuses reprises. Il se montrait très respectueux envers M. Mandela. J'étais de plus en plus agacée par l'impression de victimisation générale qui se dégageait de cette région. Tout le monde était une victime, et cette attitude m'apparut la moitié du problème. Les gens devraient être fiers, dignes, et ne plus se soucier du passé. Les Palestiniens étaient aussi déraisonnables que les Israéliens dans leur approche du conflit au Moyen-Orient.

Pendant que Madiba m'expliquait que le conflit actuel remontait à 1967 et à la guerre des Six-Jours – quand Israël envahit le plateau du Golan, la rive occidentale et la bande de Gaza –, je compris que l'opposition entre les deux peuples s'était aggravée pour atteindre un point tel que nous ne trouverions pas de solution au cours de cette génération. Pour moi, la situation me renvoyait une image pire que l'apartheid : deux familles qui vivent à cinq cents mètres l'une de l'autre et qui, séparées par des barbe- lés, n'ont pas pu se rendre visite en plus de trente ans ! Dès que poussait un brin d'herbe verte, il était déclaré terre israélienne et protégé par des gardes lourdement armés. J'avais du mal à le comprendre, mais je reconnais aux Israéliens que la dispute n'avait plus rien de raisonnable. Il manquait aux Palestiniens le leadership pour trouver une solution. Ils essayèrent de comparer leur situation à celle de l'Afrique du Sud, mais les gens se montrent généralement très excessifs dans leur raisonnement.

Madiba était censé s'adresser au parlement palesti- nien la veille de notre départ. Le professeur Gerwel modifia le discours depuis l'Afrique du Sud et m'en- voya la nouvelle version par e-mail. Je n'eus pas le temps de la lire qu'un virus touchait mon ordinateur. La dernière phrase du discours s'achevait maintenant par des mathématiques ! Madiba n'avait pas lu les der- nières corrections et, de ce fait, prononça la formule à la fin du discours. C'était en toutes lettres, et bien que je ne me souvienne pas des mots exacts, cela donnait quelque chose du genre : « Pour deux fois deux égale quatre moins sept fois huit… je vous remercie. » Nous restâmes tous médusés, mais dès la fin du discours, tout le parlement palestinien se leva dans un tonnerre d'applaudissements. Le discours était traduit en simultané, donc soit le traducteur n'a pas traduit la formule mathématique, soit il la traduisit par quelque chose de plus profond. Le professeur et moi-même rîmes beaucoup de cet incident pendant des années. Il nous aurait fallu bien sûr corriger le discours avant que Mandela le lise, mais c'est l'un des inconvénients de voyager avec une délégation restreinte et de travailler au rythme et à la pression auxquels nous étions soumis.

Du Moyen-Orient, nous nous dirigeâmes vers Washington pour rencontrer le président Clinton. Il était encore en fonction et c'était la première fois que j'allais à la Maison-Blanche. Le président Clinton était toujours aussi charmant, respectueux et détendu envers Mandela. Il écouta le compte rendu de notre Moyen-Orient que lui fit Madiba et fut d'accord avec la plupart de ses suggestions. Il était déterminé à essayer de trouver une solution au conflit israélo-palestinien. Pour nous, le président Clinton était le fer de lance idéal pour un processus de paix, car il avait la confiance des deux parties. Ou du moins, le pensions-nous.

À Washington, nous séjournâmes au Watergate Hotel. Je n'étais pas très à l'aise : non seulement c'était le scandale du Watergate qui avait mis un terme à l'ère Nixon, mais je croyais également que Monica Lewinsky résidait dans les suites du Watergate...

Nous dînâmes avec Morgan Freeman, le vieil ami de Madiba, et le lendemain nous partîmes pour Dallas au Texas avec le prince Bandar. Celui-ci avait acheté l'équipe de football des Cowboys de Dallas et nous assistâmes à un véritable match de foot américain. Quel souvenir ! Mais la journée fut chaotique, c'est le moins que l'on puisse dire : on aurait dit que chaque Américain dans le stade voulait serrer la main de Madiba. Le lendemain, le prince Bandar nous emmena dans un vrai café texan où nous mangeâmes des tacos et des tortillas, une grande première pour Madiba, et je suis sûre que si on l'avait interrogé à ce sujet après coup, il ne se serait pas souvenu de ce que c'était. Il a trouvé ça très étrange. La nourriture, les traditions de ce genre, que nous découvrions lors de nos déplacements, ne le séduisaient jamais comme elles me séduisaient moi. Il aimait ses plats xhosas maison, simples. Ce qui l'intéressait plus, c'était la compagnie du prince Bandar, discuter avec lui, évoquer les problèmes du monde, et probablement, à quelques occasions, conclure sur la façon d'apporter la paix dans le monde.

De là, nous voyageâmes jusqu'à Atlanta pour réaliser une interview pour CNN et d'Atlanta, nous nous rendîmes à Houston où il fit un discours à l'université. Notre planning était serré, mais Madiba en adora chaque minute. Il n'acceptait jamais de faire ce dont il n'avait pas envie, et s'il y avait un trou dans son agenda, il devait le remplir. Les mesures de sécurité étaient maximales, en raison de la participation du prince Bandar, et je n'ai sûrement jamais été aussi près d'agresser un garde du corps. Quand nous arrivâmes à l'université, la voiture dans laquelle le médecin et moi voyageâmes se fit barrer le passage par celle de la sécurité. Nous insistâmes auprès de notre chauffeur pour emprunter la même entrée que la voiture de Madiba, mais il respectait à la lettre les instructions de la police de la route. En fin de compte, Charles et moi dûmes descendre du véhicule et rejoindre Madiba à pied. Une balade de six cents mètres environ. Si la distance nous importait peu, nous étions inquiets que Mandela ait disparu de notre champ de vision et que nous ne le retrouvions plus.

Charles avait ses valises lourdes de médecin à porter, moi, mon humeur massacrante, et nous avançâmes d'un bon pas. Quand nous approchâmes de l'immeuble, nous constatâmes que Madiba était déjà entré avec le prince Bandar. Un garde du corps américain, imposant et chauve, nous arrêta : nous lui expliquâmes qu'il nous fallait entrer, car nous faisions partie de la délégation de Mandela. Il refusa catégoriquement, sans donner la moindre explication ; il n'était pas non plus prêt à affronter une dispute, donc il dit tout simplement non. Charles me fit me calmer et me dit judicieusement que Madiba finirait bien par nous réclamer. Et justement, Madiba réapparut sur le pas de la porte. Il était sorti nous chercher – ce qui était très inhabituel pour une personne de sa stature. Ironie du sort, le Noir venait chercher ses deux domestiques blancs, venait les sauver. Nous pouvions le voir, debout sur les marches, et lui aussi pouvait nous voir, mais le garde du corps, face à nous, refusa de se retourner pour constater par lui-même que Nelson Mandela nous appelait depuis les marches de l'immeuble.

Je fus tentée de flanquer ma main sur son crâne chauve quand Neigf'h, le garde du corps du prince Bandar, se rua vers nous pour nous « sauver ». Grâce aux précédentes rencontres avec le prince Bandar, nous connaissions Neigf'h, un homme très aimable. Je me retournai vers le garde du corps et déclarai : « Et voilà, vous êtes content ? Fallait-il vraiment que Nelson Mandela sorte pour venir nous chercher ? Vous pouvez très bien entendre que je n'ai pas l'accent américain ! Vous pouvez voir que le médecin a un équipement médical… »

Aujourd'hui, avec du recul, j'imagine qu'il faisait juste son boulot et que j'ai exagéré, mais parfois les gens sont bornés ou n'essaient même pas de découvrir si ce qu'on leur raconte peut détenir une parcelle de vérité.

Les gens ne pouvaient s'empêcher de faire des commentaires sur le fait, improbable, que Madiba nomme une Afrikaner blanche et passionnée comme assistante. Le Professeur disait : « Elle a un esprit sain. » Et Madiba d'ajouter : « Et simple et logique. »

Je me sentais responsable du bien-être de Madiba et j'avais l'impression qu'il le savait, à toujours demander où nous nous trouvions et à nous chercher. Notre présence le rassurait, parce qu'il savait que nous lui éviterions toute mauvaise surprise ou relèverions tous les défis. C'était une dépendance professionnelle mutuelle. De la même façon, nous-mêmes n'étions pas rassurés si l'on ne savait pas où se trouvait l'autre.

Grâce à tous les voyages effectués ensemble, Charles et moi étions devenus des amis proches, et comme nous avions le même âge, nous nous comprenions bien au cours de nos expériences en ce monde connu de nous seuls. Comme de nombreux autres médecins, Charles se souciait beaucoup de Madiba ; pour plaisanter, les gens disaient qu'il était mon esclave. Madiba n'était tombé malade qu'une ou deux fois au cours de nos voyages à l'étranger et de ce fait Charles était d'astreinte la plupart du temps, n'ayant pas grand-chose à faire. Nous travaillions en équipe tous les deux, et je lui demandais souvent de petites choses comme aller chercher le linge, ou un journal ou passer une commande au room service pour Madiba, ou encore emballer un cadeau, trouver une imprimante, etc. Et de tout cela était né son titre d'esclave. On nous taquinait beaucoup à ce sujet.

Je n'avais parfois pas le temps de défaire mes bagages entre deux voyages, et dès que je m'asseyais pour passer un coup de fil chez moi, un membre du protocole étranger ou du personnel hôtelier venait frapper à ma porte : « président Mandela par-ci », ou « président Mandela par-là »… J'étais le seul référent de notre délégation pour les demandes de toute sorte, et Charles devait de temps en temps bloquer ma porte pour me permettre de ne faire qu'une chose à la fois. La pression était incessante. J'avais parfois l'impression que j'allais devenir folle, mais des personnes comme Charles faisaient retomber la tension en prenant en charge à ma place des problèmes ordinaires ; il était le seul autre membre semi-permanent de notre équipe. D'autres médecins voyageaient également avec nous par roulement, mais à cause de notre planning de voyages mouvementé, tous ne tenaient pas à sacrifier leurs consultations quotidiennes pour nous accompagner. Nos équipes de sécurité fonctionnaient elles aussi par roulement, et il était rare que la même nous accompagne sur plusieurs voyages consécutifs. Et quand on passe tant de temps avec les mêmes personnes, elles deviennent un peu comme votre famille.

Nous étions très fatigués quand nous rentrâmes en Afrique du Sud, mais nous avons eu la chance de profiter du luxe de l'avion du prince Bandar dans lequel nous avions chacun un lit. Cela avait toujours été un grand plaisir d'être son invité, car il ne lésinait pas sur les moyens pour que nous ne manquions de rien, que nous mangions du mieux possible et que nous bénéficiions du meilleur service.

C'était un hôte gracieux, très tolérant envers l'âge de Madiba pour lequel il éprouvait un grand respect en tant que personne ce que, à mon tour, j'appréciais et estimais.

Quand il rentra chez lui, Madiba appela quelques personnalités juives influentes aux États-Unis, telles qu'Elie Wiesel, et les mit en garde contre les risques qu'ils couraient dans la mesure où les dirigeants juifs américains influents faisaient clairement campagne pour que l'Amérique prenne parti pour Israël. Espérer faire naître la paix dans la région ne risquait pas d'arriver tant que le médiateur prenait ouvertement parti.

Nous apprîmes que le président Mbeki était contrarié par la visite de Madiba au Moyen-Orient, laquelle interférait avec l'agenda diplomatique du gouvernement sud-africain. Il s'agissait de l'une de ces situations où vous êtes condamné quelle que soit la décision que vous preniez. Madiba voulait essayer de faire avancer le processus de paix au Moyen-Orient et il était sollicité en permanence pour apporter son aide. En fin de compte, les sensibilités envers le gouvernement sud-africain semblèrent l'emporter. Avec du recul, qu'il saute dans un avion n'était sans doute pas non la meilleure chose à faire pour tenter de stopper la guerre au Moyen-Orient. Le professeur Gerwel dut intervenir, comme à de nombreuses autres reprises, pour apaiser la situation. Il était évident que les pressions extérieures nous avaient causé beaucoup de problèmes en Afrique du Sud, mais finalement, ce fut la loyauté de Madiba envers ses amis qui nous mit dans de telles situations.

Le 6 novembre 1999, Nelson Mandela faillit mourir. Et son équipe aussi.

Nous nous trouvions à Postmasburg, une petite ville du Cap-du-Nord; c'était le milieu de l'été et il faisait extrêmement chaud. Le Gauteng, où sont Johannesburg et Pretoria, connaît des pluies estivales, et la région est célèbre, en été, pour ses orages violents. Nous eûmes beau essayer de terminer tôt notre travail sur place, nous décollâmes plus tard que nous l'aurions voulu. Nous nous rendions à

Waterkloof, la base militaire aérienne à Pretoria,
à bord du King Air, un avion léger à deux hélices.
Je bataillais dur pour essayer de persuader le gouvernement de laisser Madiba utiliser son jet, et, en
raison des emplois du temps chargés du président
Mbeki et de son vice-président, beaucoup d'avions
étaient utilisés.

Madiba n'était plus une priorité, mais ce jour-là,
on ne pouvait pas utiliser un plus gros avion à cause
de la longueur de la piste d'atterrissage de Postmasburg.

Environ une demi-heure avant de nous poser à Pretoria, le pilote se retourna et m'appela dans le cock-
pit. Il m'apprit que les aéroports internationaux de
Waterkloof et Johannesburg avaient tous deux été
fermés à cause des orages et que nous pourrions être
détournés pour atterrir ailleurs. Je transmis le message
à Madiba : assis calmement, il était bien attaché dans
son siège et observait les moindres faits et gestes du
pilote. Nous ne tardâmes pas à entrer dans une zone
de turbulence et l'atmosphère se tendit dans l'avion.
De ma place, je pouvais aussi bien voir le visage de
Madiba qu'entendre les communications des pilotes.
Le pilote informait la tour de contrôle que nous ne
pourrions plus longtemps décrire des cercles dans l'attente d'une autorisation d'atterrir car nous n'avions
plus de carburant. Tous les aéroports voisins étaient
fermés. Alors que nous plongions à travers les nuages,
la turbulence empira et, à certains intervalles, le pilote
dut lâcher complètement la colonne de direction de
son avion pour que celui-ci se laisse porter par la turbulence. C'était terrifiant.

Madiba, le front plissé, était tendu, et Wayne Hendricks, l'un des gardes du corps, blaguait pour faire retomber la pression. Au début, je le trouvais drôle puis, la panique me gagnant, je commençais à lui en vouloir. Wayne, drôle et charmant, avait toujours eu le don de détendre l'atmosphère avec son sens de l'humour et, dans ses circonstances, même s'il y échouait lamentablement, c'était gentil de sa part d'essayer.

Madiba ne dit pas un seul mot. L'un de ses petits-fils à bord avait l'air à moitié malade, quand nous heurtâmes une poche d'air qui projeta l'avion quelques mètres plus bas. Le contenu de mon sac à main vola à travers l'avion et nous retînmes notre souffle. Le portable du petit-fils fut propulsé de sa poche de chemise dans tout l'avion et Wayne l'attrapa au vol comme savent le faire les gardes du corps. J'entendais les pilotes paniquer, mais ils restaient déterminés à faire atterrir l'avion à Waterkloof. Les services d'urgence attendaient à l'aéroport et à présent des larmes ruisselaient sur mon visage. Wayne tâchait de me rassurer, mais je nous voyais mal nous en sortir vivants. Enfin, nous atterrîmes. Les pilotes transpiraient quand ils parvinrent à immobiliser l'avion au sol. Madiba posa sa main sur mon épaule et dit : « Ne vous inquiétez pas, Zeldina, nous sommes sains et saufs à présent. » Nous débarquâmes et montâmes en voiture, direction Houghton.

Je rentrai aussitôt chez moi, mais quand je tournai au coin de la rue, je reçus un coup de fil de Xoliswa, le majordome de longue date de Madiba, qui m'apprit que celui-ci voulait que je rentre prendre un café avec

lui. Il me fit venir dans son salon. Son petit-fils était
toujours à ses côtés. Madiba me fit asseoir et il comprit que j'étais toujours, à l'évidence, sous le choc. Il
dit : « Zeldina, aujourd'hui a été une horrible expérience. Mais nous devons l'oublier au plus vite, et la
meilleure des choses à faire serait de reprendre l'avion
dès que possible. »

Il comparait cela à une chute de vélo. Remonter en
selle le plus vite possible. Il poursuivit : « Je ne veux
plus jamais reprendre un petit avion comme cela
et je ne veux plus jamais voyager avec mes petits-
enfants. »

Il insinuait que prendre un avion à hélice était
trop risqué pour lui, et que s'il lui arrivait quoi que
ce soit, il ne voulait pas risquer aussi la vie de ses
petits-enfants. À partir de ce jour, nous refusâmes
qu'il voyage de nouveau dans un avion à hélice. Ce
qui nous causa beaucoup de problèmes avec l'armée
de l'air, car celle-ci ne possédait pas une grande flotte
d'avions à moteur à réaction et il fallait souvent affré-
ter, et créa une tension entre la présidence et nous.
Mais, après cette expérience, je ne souhaitais pas
faire de compromis.

Des années plus tard, nous eûmes aussi un problème d'hélicoptère. Madiba voyageait vers une zone
rurale dans le Transkei pour visiter un chantier de clinique et d'école ; en vol, les pilotes m'avertirent qu'ils
avaient détecté une surchauffe dans le moteur. Ils
étaient toutefois convaincus qu'ils pourraient le répa-
rer une fois qu'ils auraient atterri et n'étaient donc
pas plus inquiets que cela. Ils crurent qu'ils avaient
réussi à régler le problème, mais nous étions nerveux

avant de rentrer. Nous confiâmes notre inquiétude à la sécurité au sol et dès que nous redécollâmes après l'incident, elle prit la route en direction de Mthatha, notre destination. Au bout d'un quart d'heure de vol, du kérosène gicla partout sur l'extérieur des vitres. Nous ne voyions plus rien : une véritable marée noire menaçait de mettre le feu à l'appareil. Les pilotes nous expliquèrent qu'il fallait atterrir et firent lentement se poser l'Oryx.

Ils atterrirent sur une parcelle du veld ouverte et, la région étant entièrement rurale, il n'y avait ni maison ni personne en vue. Pendant la descente, j'appelai la sécurité en route pour l'aéroport pour lui annoncer que nous devions nous poser en urgence. Nous n'atterrîmes près de la route, donc si elle approchait, elle nous verrait dans le veld. Elle arriva une vingtaine de minutes plus tard ; en les attendant, je m'inquiétais de notre présence dans la région, puisque la communauté ignorait pourquoi un hélicoptère militaire entouré de gardes du corps armés jusqu'aux dents était posé au milieu de nulle part. Et j'avais peur de sa réaction. Les pilotes essayèrent de localiser le problème dans le moteur, mais furent incapables de le résoudre. Nous montâmes par la suite dans nos voitures et nous rendîmes à Mthatha d'où décollait notre avion pour Johannesburg. Madiba crut un moment qu'il y avait peut-être eu sabotage, mais je parvins à le convaincre du contraire.

D'immenses fêtes étaient prévues dans le monde entier pour le passage à l'an 2000 et l'Afrique du Sud préparait, elle aussi, des célébrations. Entre-temps, la tension s'intensifia entre Madiba et le président Mbeki. Nous entendîmes des rumeurs comme quoi ce dernier semblait croire que Madiba se prenait pour un chef d'État. Madiba faisait comme d'habitude : il répondait aux requêtes *ad hoc* et essayait de plaire à un maximum de personnes. Même s'il nous arrivait de ne pas être d'accord avec ses décisions, il était le « capitaine de son destin ; le maître de son âme » – il citait le poème *Invictus* de ses années de prison – et il désirait poursuivre ce qui plaisait à son âme… Il nous était très difficile de nous concentrer sur les espoirs que nous avions placés dans son mandat postprésidentiel et sur ce qui devait en être le but. Perdurait cette sensation que le monde entier lui donnait le droit, voire le devoir, de continuer son œuvre. Certains de ceux qui soutenaient la lutte contre l'apartheid espéraient beaucoup de sa part, et il rendait volontiers service, car il ressentait de son côté le besoin de travailler dur. Au fond de moi, je pense qu'il adorait simplement voyager ; après avoir été incarcéré si longtemps, il est normal qu'il ait envie de rattraper le temps perdu. Le résultat de ces différentes influences, quel que fût son objectif, guida constamment ses actes et lui attira aussi des problèmes de temps en temps.

Je ne connaissais pas la gravité des prétendus désaccords entre Madiba et le président, ni dans quelle mesure ils étaient le fruit de l'imagination des autres. Par exemple, en novembre 1999, Madiba reçut un coup de fil du président Mbeki lui demandant de conduire les négociations au Burundi, alors en pleine guerre. Personnellement, je pensais que Madiba ne pouvait pas accepter plus de travail, mais il accepta. En raison de l'intervention de Madiba au Zaïre, le président Mbeki pensait qu'il serait plus facile pour Madiba d'essayer de négocier un accord de paix. Le programme du président Mbeki consistait également à tenter de faire régner la paix en Afrique, facilitant ainsi les échanges économiques favorables à l'Afrique du Sud. Je me disais aussi que c'était peut-être une tactique du gouvernement pour que Madiba soit occupé ailleurs que dans le pays, et que lui confier une telle tâche l'empêcherait d'interférer au niveau international, comme il l'avait fait au Moyen-Orient, ou en Afrique du Sud même.

Quelque part, j'avais de la peine pour le président Mbeki. Il était censé prendre la place d'une icône dans l'histoire. Pourtant, je croyais aussi que l'ANC était à l'origine de l'érection de Madiba en tant icône, en l'identifiant comme le symbole de la liberté pour les opprimés, et il ne fallait pas que les membres de l'ANC croient à présent qu'il s'écartait du droit chemin. En public, Madiba restait ferme et affirmait que l'Afrique du Sud n'avait jamais eu de meilleur président dans l'histoire que Mbeki. Parfois, je me disais que ce dernier pensait probablement que Madiba le traitait avec condescendance, mais Madiba croyait en ce qu'il disait. Et des années plus tard, sa conception s'avéra : notre pays ne fut jamais aussi économiquement stable qu'après la présidence de Mbeki, et par conséquent nous fûmes complètement protégés de la désintégration économique mondiale de la fin 2000.

Il n'y avait jamais eu de mauvaise intention ni d'intention marquée dans ce que faisait Madiba et, de ce fait, aucune raison, à mon avis, pour que l'on pense que celui-ci volait la vedette au président. Ce n'était que les propres angoisses de ces funestes prophètes qui transparaissaient. Que le président en personne soit responsable de cette perception ou que ce soit son équipe, je ne le saurai jamais. Madiba demandait souvent à parler au président et on lui répondait qu'il le rappellerait, et il ne le rappelait jamais. Comme si les gens ne supportaient plus le vieux Madiba. Nous demandions des rendez-vous; on nous répondait que le président était trop occupé. L'ANC aurait dû établir un planning pour Madiba; mais je comprends que cela ait été difficile, Madiba ayant une telle détermination et une telle volonté de faire ce qui lui plaisait.

Alan Pillay, agent administratif dans notre bureau au cours de la présidence de Madiba, fut l'un des secrétaires particuliers du président Mbeki et à moins qu'Alan ne joue les intermédiaires, la communication était extrêmement difficile entre les deux. Quelque part, quand Alan donnait un coup de main, tout se passait bien, sans politique politicienne.

Mais la situation était difficile à gérer en public. Madiba faisait de gros efforts pour s'assurer qu'il ne disait pas de mal du président. Chaque fois que le président et lui étaient ensemble, j'étais chargée de m'assurer que Madiba fît preuve du respect nécessaire en suivant le protocole. La tâche était difficile, ne serait-ce qu'à cause des *standing ovations* que le public réservait à Madiba, et de l'accueil des plus chaleureux dont il était toujours l'objet. Tous étaient aux petits soins pour lui.

Quand nous apprîmes que le président et Madiba étaient censés être ensemble sur Robben Island pour le passage à l'an 2000, nous refusâmes l'invitation, précisément parce que nous redoutions que la présence de Madiba ne mette le président dans l'embarras. Nous reçûmes ensuite un appel de la présidence qui confirmait que le président voulait que Madiba soit là. Ce dernier refusa de nouveau. Nous dûmes le convaincre en lui expliquant que tous ses anciens camarades seraient présents et que la cérémonie serait retransmise en direct dans le monde entier. Il finit par accepter.

Ce fut une soirée magnifique sur Robben Island ; je me souviens d'avoir été chercher des gens dans leur tente pour les forcer à montrer un peu de respect au président et à ne pas nous suivre dehors alors que nous nous préparions à partir tandis que le président Mbeki se trouvait encore à l'intérieur. Je devenais extrêmement impopulaire, quoi que je fisse. Si j'essayais d'être loyale envers Madiba, j'assumais le fait que lui aussi dût se montrer respectueux envers le président. Mais le public compliquait les choses. Je devais aussi faire en sorte que Madiba ne se sente pas impuissant, mais qu'il ait toujours le respect qu'il méritait. Ainsi, chaque geste se transformait en situation complexe où il fallait envisager tous les scénarios et analyser tout ce qui se présentait. Plaire à tout le monde et agir conformément à ce que l'on attendait de nous demandait beaucoup d'énergie et qualités émotionnelles. Mais on devait rester ferme, se moquer des critiques et des politiques. Je dus apprendre à ne pas être lâche.

Les gens écrivaient souvent à Madiba pour lui demander d'intervenir dans des affaires qui tombaient clairement sous la juridiction du président. Et quand je les renvoyais dans le bureau du président, on me reprochait souvent de surprotéger Madiba et de le contrôler. On me surnommait son «gorille», et je répondais sur le ton de la plaisanterie que cela m'était égal. Pourtant, c'est Madiba lui-même qui ne tenait pas à être mêlé à toutes ces affaires. Il voulait continuer à collecter des fonds pour ses œuvres de charité, à construire ses écoles et ses cliniques, mais aussi à garder la liberté de s'exprimer haut et fort sur des questions pour lesquelles il était connu et reconnu – la moralité et les droits de l'homme. Les gens insistaient pour attirer son attention et pour qu'il intervienne personnellement, mais c'était peine perdue.

Madiba était connu pour être un collecteur de fonds hors pair. Il collecta des millions de dollars pour l'ANC après la réhabilitation du parti dans les années 1990. Désormais, il se concentrait sur des causes charitables. Le dirigeant de Dubaï avait accepté de soutenir sa Fondation, mais à cause de l'intervention d'un diplomate sud-africain à Dubaï, cet effort fut vain. Nous ne pûmes que spéculer sur la raison pour laquelle cet homme était intervenu et sur ordre de qui.

Madiba se vantait souvent de ses dons de collecteur de fonds. Il prétendait que tant que c'était pour une bonne cause, c'était facile. Impitoyable dans son approche, et parce qu'il ne demandait jamais d'argent lui-même, il n'avait aucun mal à mettre la pression sur quelqu'un en insistant bien sur l'importance de la cause. Au début, je n'arrivais pas à comprendre que ce soit si simple pour lui, mais après l'avoir vu en action, je compris que si l'on croyait à la cause pour laquelle on collectait des fonds, cela venait tout naturellement.

Une chose m'avait rendue perplexe au cours des années, c'était une histoire que Madiba avait souvent racontée et qu'il rapporta non sans effort au président Mbeki ou à d'autres officiels de l'ANC. Madiba n'avait jamais été un grand administrateur, et il faisait sincèrement confiance aux autres. Cela me stupéfiait quand il évoquait les collectes de fonds et la simplicité avec laquelle il appréhendait ce processus. Au cours de ses journées de collecte pour l'ANC, l'argent passait simplement d'un officiel à un autre, et il ne mit jamais l'intégrité de quiconque en doute.

C'était un arrangement qui, pour moi, était pratique et logique. Madiba recevait l'argent et le donnait à Tom Nkobi, le trésorier général de l'ANC à l'époque. (Il refusait de recevoir de l'argent en main propre, et insistait pour qu'on le dépose ou qu'on le donne directement à la Fondation ou au Fonds pour l'enfance, selon celui ou celle qu'il voulait aider.) Madiba avait été isolé de la société pendant vingt-sept ans et il ne connaissait pas grand-chose aux banques et aux investissements. Je lui demandais ensuite, pendant qu'il racontait l'histoire, si quelqu'un avait gardé une trace des fonds. Je ne me méfiais de personne, mais je trouvais étonnant que Madiba ignore lui-même le montant de la somme qu'il avait collectée.

Il n'y avait pas le moindre doute dans son esprit : l'argent était arrivé à bon port, mais il ajouta que Tom Nkobi était décédé peu de temps après dans des circonstances mal connues. J'ignore quel est le rapport avec la collecte de fonds, mais cela me rendit perplexe, et je restai éveillée de nombreuses nuits à essayer d'imaginer ce qui avait pu se passer. Madiba nous expliqua qu'on l'avait envoyé balader quand il avait essayé de trouver une raison à la maladie qu'on avait soudain diagnostiquée à Tom, et quand il avait réussi à lui rendre visite à Durban, on ne l'avait pas laissé une seule minute avec lui. Madiba déclara que l'infirmier indien qui s'occupait de Tom était un « type bizarre ». De plus, Tom vivait à Johannesburg ; pourtant, quand il tomba malade, on le transféra à Durban, alors que Johannesburg est connue dans le monde entier pour la qualité exceptionnelle des soins qui y sont pratiqués.

Récemment, quand Schabir Shaik, l'homme d'affaires sud-africain, fut accusé de corruption et de fraude, je notai simplement la coïncidence : sa société s'appelait Nkobi Holdings. Madiba, en revanche, se préoccupa plutôt de l'amitié entre le vice-président Jacob Zuma et Schabir Shaik. Appelez cela un sixième sens, je ne sais pas. Une partie des accusations de fraude contre Shaik portait sur le fait qu'il avait passé en profits et pertes plus de cent cinquante mille dollars américains des prêts consentis à Jacob Zuma. En Afrique du Sud, si vous donnez à un individu privé une somme d'argent dépassant dix mille dollars américains par an, vous devez payer des taxes. On affirma que ces sommes avaient été versées à Jacob Zuma pour influencer le résultat des appels d'offres autour d'un contrat d'armes sud-africain controversé pour offrir une artillerie de classe mondiale au gouvernement.

Shaik fut déclaré coupable de corruption et dans le procès-verbal du tribunal, le juge déclara que l'on avait trouvé des relations corrompues entre Jacob Zuma et Schabir Shaik.

Madiba fit de son mieux pour essayer d'en discuter avec les fonctionnaires de l'ANC et à plus de trois ou quatre occasions nous dûmes leur courir après pour qu'ils nous accordent un peu de temps afin que Madiba aborde cette question et demande à ce qu'elle soit examinée. Personne n'est jamais revenu vers lui et je fis lentement connaissance avec l'hypocrisie des hommes politiques. Ils s'asseyaient devant lui, l'écoutaient et parfois même étaient d'accord ; mais ensuite, à peine étions-nous partis que l'affaire disparaissait. À des dizaines de centaines d'occasions, je l'entendis dire à la foule, dans ses discours, qu'il fallait défendre uniquement ce qui servait leurs meilleurs intérêts, mais toujours rester loyaux à leur cause et à leur conscience. De plus en plus, même aujourd'hui, on voit apparaître l'hypocrisie contre laquelle il avait mis en garde. Comme s'il avait pu la voir arriver. Certains avaient perdu leur passion pour le parti, l'objectif à atteindre : représenter le peuple. C'était devenu une guerre égoïste et hypocrite au sein de la classe politique sud-africaine, où l'intérêt personnel est le seul ordre du jour, et qui a donné naissance au cancer de la corruption.

Nous visitâmes Arusha en Tanzanie pour la première fois dans le cadre des négociations que mena Madiba dans le processus de paix du Burundi. Après Arusha, nous nous rendîmes à New York. C'était mon premier voyage là-bas. Nous séjournâmes au Waldorf Astoria Hotel et je me souviens avoir été impressionnée par la taille de la chambre, bien que nous ayons été les invités de Richard Holbrooke, défunt ambassadeur américain aux Nations unies et que nous ne séjournions pas dans la partie ordinaire de l'hôtel. Mon expérience de New York se limita à la salade Waldorf du Waldorf Hotel et à visiter les Nations unies. Comme nous n'avions aucun protocole ni agent de liaison médias autour de nous – il n'y avait que moi –, il était pour moi hors de question de quitter l'hôtel au cas où il arriverait quelque chose ou que Madiba ait besoin de moi en mon absence.

Ce qui intéressait Madiba, c'était discuter avec l'ambassadeur Holbrooke pour qu'il nous aide à collecter des fonds, mais aussi à aborder des questions soulevées lors de sa visite en Israël et en Palestine l'année précédente, ou l'informer sur le Burundi. Au cours de notre visite, l'ambassadeur Holbrooke organisa une réception dans son appartement. C'était la première fois que je rencontrai Whoopi Goldberg ; laquelle, m'apprit Madiba, s'était démenée pour s'opposer à l'apartheid durant son incarcération. Elle fit un puissant discours au cours du concert «Libérez Mandela» extrêmement médiatisé à Wembley en Angleterre en 1988.

Je me souviens avec émotion d'avoir rencontré Robert De Niro pour la première fois. Il avait amené Grace, son épouse, et ses adorables fils pour rencontrer Madiba. Ce dernier était parfaitement à l'aise, mais l'un des garçons ne voulait rien avoir à faire avec lui. Au fil des années, j'en arrivai à la conclusion que Madiba s'était presque transformé en personnage imaginaire à force d'être exposé dans les médias. Les enfants ne savent pas comment réagir avec lui, puis, en général, ils ne réagissent pas comme les parents le voudraient. C'est comme quand les enfants sont confrontés au Père Noël, ou à quelqu'un déguisé en personnage de Disney. Robert prit son fils à part et lui dit : « Tu le regretteras toute ta vie. Maintenant tiens-toi bien. » Le petit garçon âgé de sept ans environ ne comprit pas très bien ce que son père venait de lui dire, et Madiba et moi fûmes tous les deux amusés par les efforts que Robert déploya. Mais l'enfant refusa de coopérer.

C'était impressionnant de visiter les Nations unies, un organisme pour lequel Madiba avait beaucoup de respect. Nous rencontrâmes Kofi Annan, alors secrétaire général, et je ressentis très fortement de la considération entre les deux hommes.

Madiba était censé se faire interviewer par Larry King sur CNN. Au cours de mes négociations avec les producteurs, je leur demandai à plusieurs reprises de nous fournir un ensemble de questions ou de sujets qui seraient abordés car Madiba voulait être fin prêt pour l'interview. Ils refusèrent au prétexte que Larry ne fournissait jamais ce genre d'information avant. Je capitulai. Ce ne fut pas l'une des meilleures interviews de Madiba, et ce au détriment de Larry. Madiba se ferma, et ses réponses furent brèves et laconiques, ce qui lui ressemblait si peu : l'enthousiasme du personnage avait disparu. Il répondait aux questions qu'on lui posait, mais il n'était pas vraiment dans la conversation. Il était évident que ce qui intéressait les producteurs c'était d'ajouter l'interview de Madiba au CV de Larry King, plutôt que d'en réaliser une bonne, ce qui aurait été le cas s'il y avait été préparé. L'expérience fut tout autre quand Madiba apparut avec Oprah. Elle se montra chaleureuse, amicale, d'un grand soutien envers son travail, et son équipe ne vit aucun inconvénient à fournir les questions ; résultat : les réponses de Madiba n'en furent que meilleures.

Les gens posaient toujours le même genre de questions à Madiba, que ce soit au cours d'interviews ou lors de manifestations. Ses réponses étaient standards, parfois adaptées aux circonstances de l'interview, mais en général plus ou moins les mêmes. À : « Quelles sont pour vous les caractéristiques d'un bon dirigeant ? » Il répondait : « Une personne qui sert son peuple. » Et il développait. À : « N'avez-vous aucune amertume ou regret après avoir passé tout ce temps en prison ? » Il répondait : « Le regret est la plus inutile des émotions parce qu'on ne peut rien changer. J'ai fait les choix que j'ai faits parce qu'ils plurent à mon âme à cette époque. » Puis on lui demandait souvent : « Comment souhaiteriez-vous que l'on se souvienne de vous ? » Et il répondait sans hésiter : « Quelqu'un qui laisserait aux autres décider comment ils voudraient que l'on se souvienne de vous. » Je trouvais cela drôle. Il aurait pu répondre : « Un humanitaire », ou autre chose, mais il voulait simplement laisser les autres décider et ne pas dicter l'Histoire.

Quand il disparut en 2013, je constatai que beaucoup de monde avait des tas d'histoires à raconter sur Madiba. Certaines tellement incroyables et qui parfois lui ressemblaient si peu qu'elles étaient difficiles à croire pour ceux qui le connaissaient bien. On me rappela alors son souhait que les gens devraient avoir la liberté de se souvenir de lui comme ils le voulaient. Et dans une interview, quand on m'interrogea, je déclarai que les gens devraient avoir ce choix. Que leurs souvenirs soient bons ou mauvais, ce qui comptait, c'était vraiment ce qui se passait dans leur cœur quand ils entendaient son nom, et que ce genre d'histoires ne devait en aucun cas mettre en doute la portée de son héritage.

Nous visitâmes également la propriété de George Soros, car Madiba lui demanda un don pour la Fondation. Malheureusement, il ne donna rien et nous rentrâmes à New York les mains vides. J'appris plus tard que M. Soros n'avait pas très bien compris la direction stratégique de la Fondation, d'où son hésitation à la soutenir financièrement, ce qui à mon avis était juste. La Fondation tâchait de répondre au programme de Madiba qui changeait en permanence. D'abord, ce fut la construction d'écoles, de cliniques, ensuite ses fonctions postprésidentielles, puis il se concentra sur le sida et l'éducation, et plus tard, on ajouta également le dialogue. Tout cela était perturbant pour le public.

Nous nous retrouvâmes souvent, le médecin, la sécurité et moi, à attendre Madiba dans ces palais, grands hôtels et maisons que nous n'avions vus que dans des films. Au tout début, on admire la réussite des autres dans la vie, puis on les envie, mais plus tard, une maison devient une maison, et on ne s'en rend même plus compte. La splendeur perd de son charme. Mes seules préoccupations étaient qu'il ne fallait pas qu'il y ait d'escalier là où Madiba devait se rendre, car il avait du mal à les monter, et qu'on ne devrait jamais le laisser seul au cas où il se faisait prendre dans une situation où il se sentait compromis. En général, je l'installais en meeting et je commençais à surveiller ma montre. Il ne voulait jamais rester plus de trente ou quarante minutes où que ce soit, et il comprenait très vite l'objet de la discussion. Au bout d'une demi-heure, si je ne me trouvais pas à l'intérieur de la salle de réunion, ce qu'en général j'essayais d'éviter afin de faire d'autres choses tout en attendant à l'extérieur, j'entrais pour lui rappeler de regarder l'heure. Il lançait ensuite sur le ton de la plaisanterie à ses hôtes : « Non, vous voyez, c'est elle le boss, et il faut que je l'écoute, sinon je vais perdre mon boulot ! » Et on me regardait d'un air étrange, du genre : « Oh, comme c'est drôle » à « Oh oui, les Blancs ont connu l'apartheid donc je suis sûre qu'ils font encore cela ». D'abord totalement désorientée par ces remarques, j'avais pris le parti d'en rire pour essayer de faire retomber la tension que l'on ressentait dans la pièce, car tout le monde ne percevait pas immédiatement son sens de l'humour. Donc drôle ou non, je me forçai à rire pour montrer aux gens que ce n'était qu'une plaisanterie. S'il se trouvait encore à l'intérieur vingt minutes après ma première annonce je lui rappelai de nouveau l'heure et il se levait en annonçant qu'il était temps pour lui de partir.

Il s'attendait aussi à ce qu'on le sauve, parfois. Dans certains meetings, il m'appelait pour demander : «Combien de temps avons-nous ?» et cela me donnait une indication : il fallait que je regarde l'heure et que je ne laisse pas les choses s'éterniser. Le temps avait donc toujours été un sujet de discorde entre les autres et moi : cela donnait l'impression à certains qu'il devrait ou pourrait rester plus longtemps ou qu'il se montrait irrespectueux. Pour plaire à tout le monde, il aurait fallu que les journées fassent trente-six heures, c'était tout simplement impossible. Il n'était en revanche jamais du genre à faire quelque chose contre son gré. Il était un leader-né, qui voulait continuer à avoir des responsabilités tout en faisant ressentir aux autres que leur contribution était d'une importance vitale pour son processus de prise de décision. Il avait un besoin excessif de discipline, mais aussi une très forte détermination qui parfois frôlait l'entêtement.

Le 28 avril 2000, nous visitâmes Bujumbura au Burundi. C'est l'une des plus belles villes d'Afrique, entourée d'arbres et de magnifiques paysages. Malheureusement, les routes et les infrastructures furent endommagées par la guerre civile ; il y avait beaucoup à faire pour rétablir non seulement les infrastructures, mais aussi la confiance par le biais d'éventuels investisseurs étrangers. Le climat dans la région était très tendu, et si le peuple burundais était ravi de recevoir Madiba, il fallait être vigilant à ne s'aligner sur aucun parti impliqué dans les négociations. Nous voyageâmes jusqu'à la zone de guerre où Madiba s'adressa aux réfugiés et leur donna la seule chose dont ces gens avaient besoin : l'espoir.

Le 3 mai, nous passâmes une journée à Londres pour faire une apparition à la cour royale suite à la nomination de Madiba au Conseil de la Reine, par son amie la reine Elizabeth. Nous essayâmes vraiment de le convaincre de ne pas voyager à Londres pour une seule journée, mais il insista. Il voulait honorer sa grande amitié avec la reine. Je crois qu'il était l'une des très rares personnes à l'appeler par son prénom et cela semblait l'amuser ; et moi aussi. Lorsqu'un jour Mme Machel lui expliqua que ce n'était pas correct d'appeler la reine par son prénom, il répondit : « Mais elle m'appelle Nelson ! » Une fois, en la voyant, il lui lança : « Oh, Elizabeth, vous avez perdu du poids ! » Ce n'était pas le genre de réflexion que n'importe qui pouvait faire à la reine d'Angleterre.

Nous voyageâmes tels des hommes d'affaires qui se rendent souvent en Europe pour une seule journée. C'était tout de même difficile, car Madiba vieillissait, et sauter dans un avion pour une visite d'un jour à l'étranger n'était pas simple d'un point de vue logistique. Nous ne pouvions rester qu'une journée parce que nous étions censés assister à un dîner d'adieu en l'honneur du docteur Mamphela Ramphele, l'amie proche de Madiba, à l'université de Cape Town le lendemain soir. Elle avait été nommée à la Banque mondiale et quittait Cape Town. Elle fut le premier médecin à le soigner quand il avait été libéré de prison et elle l'adressa à l'un des meilleurs cardiologues d'Afrique du Sud à l'époque.

La vie continue même quand on est aussi occupé. Le docteur Ismael Meer, le bon ami et collègue de Madiba, disparut, et nous prîmes l'avion pour Durban où nous présentâmes nos condoléances à la famille Meer. Je constatai que de plus en plus d'amis à lui disparaissaient et il le remarquait lui aussi, ce qui doit être perturbant pour une personne âgée. Il connaissait tant de monde que nous nous retrouvions fréquemment à assister à des funérailles, parfois plusieurs week-ends de suite. C'était quelque chose que l'on attendait de lui et on ne faisait pas cas de l'impact que cela pouvait avoir sur une personne de son âge d'assister à des funérailles presque chaque semaine.

En mai 2000, nous nous rendîmes à Monaco à la demande de Johann Rupert, le milliardaire africain. Johann offrit un petit avion privé pour que Madiba aille à Monaco où il assista aux tout premiers Laureus Sports Awards. Nous rencontrâmes aussi feu le prince Rainier et le jeune prince Albert. C'était la première fois que nous vîmes le chanteur Bono que Naomi Campbell nous présenta. Je dus prendre du temps pour expliquer à Madiba qui était Bono, qu'il avait boycotté l'Afrique du Sud au cours de l'apartheid et qu'il était une légende musicale pour ma génération. J'étais triste de quitter Monaco juste avant les éliminatoires du Grand Prix, étant fan de formule 1. Nous pouvions entendre les voitures faire des tests dans les rues et nous partîmes déçus d'avoir été si près d'assister à un Grand Prix, mais nous ne pouvions simplement pas rester.

Puis, fin 2000, Madiba fut invité à visiter l'Australie pour assister à la conférence «Qu'est-ce qui fait un champion ? ». Il devait également recevoir à titre honorifique des doctorats de l'université de Sydney et de celle de technologie. Chaque fois que nous devions nous préparer à ce genre de diplôme, nous devions envoyer ses mensurations en avance pour que l'université en question prépare sa toge, y compris son tour de tête. Dès que je lui demandais de prendre ses mensurations, il acceptait, mais il avait hâte d'en finir. Quand il s'agissait de le mesurer, il n'était pas très patient. Il me pressait de faire vite.

J'avais beaucoup évolué et j'étais désormais à l'aise à ses côtés. Il avait réussi à détruire tous mes préjugés sur les Noirs. J'avais très envie de m'occuper de lui comme on s'occuperait de ses grands-parents plus très jeunes. Dès que je ne le voyais pas pendant une journée ou deux, je l'embrassais quand je le revoyais pour lui dire bonjour. Plus tard, cela devint quotidien. Comme j'avais changé ! Il commença à me manquer chaque fois qu'un jour passait sans travailler. Il se tenait souvent à moi quand il marchait ou me prenait la main en montant ou descendant l'escalier. Je m'autorisais à recoiffer ses cheveux en désordre dès lors que le vent ou un chapeau les avait décoiffés. J'avais parcouru un si long chemin que j'étais à présent furieuse à cause des préjugés que nous rencontrions.

Madiba était toujours soigné et s'assurait toujours que sa peau soit bien hydratée. Je me souviens des efforts que je devais faire de temps en temps au cours de sa présidence pour trouver la lotion particulière qu'il utilisait qui n'était pas disponible sur le marché sud-africain – une simple Palmer's Body Lotion dont il se servait quand il était en prison. Je crois que la société cessa même de la fabriquer en Afrique du Sud pendant un moment et que nous dûmes demander à des Américains de nous en acheter en grosses quantités et de nous en envoyer. *Idem* concernant ses gouttes pour les yeux préférées : Refresh Plus, la boîte bleu et blanc. Il était tellement méticuleux dans certains domaines !

En Australie, il était prévu que Madiba rencontre John Howard, le Premier ministre, ainsi que la riche et célèbre famille Packer, pour évoquer un portail Internet de donateurs pour récolter de l'argent pour la Fondation et le Fonds Nelson-Mandela pour l'enfance. Sa rencontre avec le Premier ministre se résuma à un simple coup de fil. La tentative de persuader la famille Packer de faire un don à ses œuvres de bienfaisance tomba à l'eau ; et j'ignore encore pourquoi aujourd'hui.

Le vol pour l'Australie était fatigant, mais le commandant de bord de notre vol commercial offrit à Madiba la salle de repos de l'équipage afin qu'il puisse dormir sur un lit dur. Je trouvai cela très gentil et nous lui fûmes extrêmement reconnaissants.

Une fois installés à Sydney, le temps de nous habituer au décalage horaire et nous emmenâmes Madiba au célèbre zoo. Nous eûmes l'autorisation de donner à manger aux girafes, de tenir des bébés kangourous et koalas dans nos bras et de regarder les dingos se faire nourrir. Nous n'aurions pas eu de tels privilèges si nous n'avions pas été en compagnie de Nelson Mandela. Nous passâmes en bateau devant l'Opéra et allâmes déjeuner chez le Premier ministre

Howard. Je l'aimais bien. C'était vraiment un homme gentil et sans aucune prétention. Ils discutèrent des problèmes des Aborigènes et Madiba se retint pour ne pas s'élever franchement contre le gouvernement et sa façon de traiter ces populations. Madiba appliqua ce qu'il avait déclaré pendant longtemps : qu'il écouterait les griefs du peuple, mais qu'il n'interférait pas dans les affaires intérieures d'un autre pays. S'il les reconnaissait et les respectait, il refusait d'être attiré dans une quelconque controverse. Comme nous étions de passage juste avant les Jeux olympiques de Sydney, nous allâmes voir l'équipe sud-africaine au village olympique, où Madiba leur souhaita bonne chance.

De Sydney, nous nous rendîmes à Canberra et fûmes accueillis par le gouverneur général, l'équivalent d'un chef d'État. Nous séjournâmes dans sa magnifique maison d'invités par la fenêtre de laquelle nous pouvions voir les kangourous tout en prenant le petit déjeuner dans la salle à manger. À ces occasions et tout en partageant notre repas, Madiba récitait tout ce qu'il savait sur un sujet particulier. Il me fit un long discours sur les poches des kangourous et me fit profiter de sa culture jusqu'à ce que je lui pose une question à laquelle il ne connaissait pas la réponse. Cela marquait en général la fin de la conversation : il n'aimait pas que je lui pose des questions difficiles.

Nous visitâmes aussi Melbourne, et je compris qu'à moins de me déplacer avec des gens ordinaires, il me serait toujours difficile de comprendre pourquoi tant de Sud-Africains étaient partis en Australie pour y démarrer une nouvelle vie. Séjourner dans les maisons d'invités du gouvernement ne vous donnait jamais la véritable mesure de la vie dans un autre pays.

De retour chez nous, la pression alla crescendo. Madiba était toujours plus demandé. Il devenait le sauveur de tout et tout le monde. Dès lors que les gens n'obtenaient pas de réponses satisfaisantes du gouvernement, ils se tournaient vers lui. On le prenait pour celui qui pourrait intervenir sur tout et résoudre tous les problèmes de n'importe qui. Les gens l'élevaient au statut de saint et il leur rappelait : « Un saint est un pécheur qui cherche à s'améliorer. » J'adorais ce proverbe.

Souvent, on lui écrivait par pure frustration de ne pas obtenir de solution du gouvernement. On ne pouvait jamais intervenir pour une prestation de services ni marcher sur les plates-bandes du gouvernement. Nous n'en avions ni le désir ni le temps et parfois c'était vraiment une chance de pouvoir dire : « Non, nous ne pouvons pas. » Mais il fallait comprendre que, lorsque l'on se tournait vers Nelson Mandela, c'était presque dans une dernière tentative désespérée – quelle que soit notre frustration à nous autres, administrateurs, à cause de la paperasse interminable. Même ceux qui lui écrivaient depuis leur prison devaient se voir offrir la dignité et les égards qu'ils méritaient sous la forme d'une réponse, comme une reconnaissance de leur existence. Je refusais d'avoir sur la conscience un suicide ou autre chose qui arriverait à quelqu'un à la suite de notre indifférence.

En faisant le choix d'être un personnage public, comme Madiba, nous avions une obligation vis-à-vis de ce public. Cela rendait mes collègues fous que j'insiste pour répondre aux nombreux courriers, même si nous ne pouvions rien faire ou si cela ne nous intéressait pas. Nous recevions des tonnes de lettres de la part de personnes qui avaient besoin d'écoles, de cliniques, de médicaments, d'une aide financière, de bourses et de toutes sortes d'aides possibles. Parfois cela se résumait à : « Cher M. Mandela, pourriez-vous m'acheter un vélo ? » Madiba était leur seul espoir, pour régler des problèmes de pauvreté, d'éducation, sociaux ; il demeurait leur président et le président du monde.

Accepter revenait, en fin de compte, à faire ce que lui avait envie de faire. Il n'était pas capable de refuser personnellement des propositions, car il ne voulait pas décevoir les autres, et si quelqu'un devait le faire, c'était moi. Je me reposais souvent sur le professeur Gerwel pour qu'il nous donne des conseils et de l'énergie, mais c'était surtout à Madiba en personne de décider. Or celui-ci se laissait souvent convaincre par quelqu'un qu'il avait vu à un meeting et qui le persuaderait d'entreprendre un autre voyage. Madiba ne savait pas dire non, mais encore une fois, secrètement, je pense qu'il adorait voyager. Cependant, cela frisait le ridicule. Nous étions tous épuisés. Personne de l'âge de Madiba n'avait un planning de voyage aussi éreintant que lui. Pourtant, il ne se plaignait jamais d'être fatigué et cherchait toujours une autre opportunité de voyager ou de faire plus. Ses devoirs ne s'arrêtaient jamais.

En plus du processus de paix au Burundi et le projet des écoles et des cliniques – tout comme celui de faire plaisir au monde entier –, Madiba fut appelé à la rescousse par les dirigeants de la région agricole d'où il était originaire. Un jour, il reçut donc un coup de fil du roi Thandizulu Sigcau, dirigeant du Pondos. Cet appel fut bref et concis : « Je veux que vous trouviez deux bourses d'études pour que mes filles puissent étudier aux États-Unis. » Et ce fut la fin de la conversation. Il n'y eut pas un seul autre mot et Madiba sut quoi faire. Il mit en place les deux bourses d'études grâce à Coca-Cola. Ses relations avec le roi du Pondos étaient étranges et j'avais beaucoup de mal à comprendre leurs traditions. Par exemple, chaque fois que nous nous rendions à Qunu pour Noël, le roi Thandizulu apparaissait avec un mouton en guise de cadeau pour Madiba. Ce geste signifiait beaucoup pour ce dernier.

Les filles du roi réussirent leurs études aux États-Unis, ce qui nous rendit tous très fiers. Elles étaient devenues des modèles par leur seul talent et ne gâchaient aucune des occasions qu'elles avaient, bien au contraire, elles les saisissaient et travaillaient dur. Malheureusement le roi décéda en 2013 pendant que Madiba était hospitalisé et nous ne pûmes les joindre à temps pour leur présenter nos condoléances. Je restai tout de même en contact avec elles.

En 2000, j'eus trente ans. C'était une année chargée sur le plan émotionnel pour moi, j'avais l'impression que ma jeunesse était terminée. Ce que l'on peut être idiot à cet âge-là ! Madiba se moqua de moi, ce qui est logique, et me taquina. Il me demandait sans cesse quel âge j'étais censée avoir en octobre, tout sourire, et je répondais à chaque fois la même chose : « Trente ans ! » Alors il riait et me disait : « Oh non, vous êtes encore jeune ! » Il faisait délibérément semblant d'oublier rien que pour m'asticoter. Je ne me sentais pas jeune et chaque fois qu'il me posait la question, je m'énervais. Il le savait, mais il adorait me chercher sur le sujet, même s'il n'y avait aucune cruauté de sa part. Il me demandait aussi : « Combien de petits copains avez-vous en ce moment ? » Et je lui donnais un chiffre au hasard. Parfois il me demandait quand j'arrivais au bureau si j'avais appelé mes petits copains et je jouais le jeu en lui répondant que je n'avais pas pu en contacter qu'un ou deux mais que, pour les autres, c'était tout bon. Que je joue le jeu nous faisait mourir de rire tous les deux. Il avait des questions standards pour toutes les femmes de l'équipe et il taquinait les gens différemment. Son humour ne lui faisait jamais défaut.

J'ai énormément réfléchi au fil des années, et j'en ai conclu que même aujourd'hui, à quarante ans, j'étais émotionnellement immature à cause du stress et de la pression des années passées aux côtés de Madiba. C'était un jeune âge pour avoir vécu tout ce que j'avais vécu et absorber la pression comme je l'avais fait. Je n'ai jamais connu de relations normales à partir du moment où j'ai commencé à travailler pour Madiba – je travaillais tout le temps et, le reste du temps, je me reposais. Je n'ai jamais été en contact avec les jeunes de mon âge, à part mes collègues, mais je ne suis non plus jamais stabilisée au même endroit assez longtemps pour ne serait-ce que pour développer des amitiés platoniques stables. Résultat : il me manque encore l'aptitude affective de gérer l'ordinaire. Mais je devins douée pour comprendre la politique et le fonctionnement du monde en prenant soin de Madiba, et en perfectionnant l'art de m'occuper de la logistique autour de la personne la plus célèbre au monde ; et c'était mon unique préoccupation à l'époque. Et je n'échangerai jamais l'expérience et l'honneur de travailler pour Nelson Mandela contre n'importe quel autre privilège.

Une fois de plus, le président P. W. Botha nous appela. Il semblait tenir Nelson Mandela personnellement responsable de ses rancunes et griefs contre l'Afrique du Sud moderne. De nombreuses personnes qui n'avaient pas accepté la nouvelle Afrique du Sud réagissaient de même. Chaque fois que quelque chose se passait mal, c'était la faute de Madiba. Les gens voulaient par nature un bouc émissaire ou quelqu'un à qui dire : « Je te l'avais dit », quand les choses n'allaient pas comme ils le souhaitaient. Les Blancs qui avaient dû abandonner le pouvoir se montreraient toujours très critiques envers un gouvernement noir ; quand les choses ne leur plaisaient pas, la faute reviendrait aux Noirs, inefficaces, incapables de diriger le pays, alors qu'ils avaient insisté pour le faire. D'autres aimaient simplement se plaindre ; c'était leur vie. Il y a une différence entre se préoccuper réellement de la prestation de services, l'incompétence et se plaindre juste pour se plaindre. Cela fait simplement partie de la nature humaine, mais le problème racial compliquait tout.

Un jour, je reçus ce genre de coup de fil de la résidence de M. Botha : l'ancien président voulait parler à Madiba. Je rappelai et les mis en relation. Je n'ai jamais été une grande admiratrice de M. Botha et comme, selon moi, il ne s'adressait pas à Madiba de manière respectueuse, j'étais toujours sur la défensive quand il téléphonait. Dès lors que l'on appelait Madiba « Mandela » ou « Nelson », je me hérissais. Pourtant, Madiba se montrait toujours très aimable et courtois envers M. Botha. Cela me faisait penser à une déclaration bien connue de Madiba : « Le plus difficile est de se changer soi. » Il fallait que je travaille sur l'image que j'avais de M. Botha. Madiba ne gardait honnêtement aucune rancune. Il n'avait donc aucune raison de se montrer désagréable envers ses anciens ennemis.

Ils parlèrent brièvement, après quoi Madiba me demanda de lui passer le ministre de la Police. Il m'apprit que M. Botha s'était plaint du nombre restreint de gardes du corps qu'on lui avait attribués alors que lui, Madiba, et l'ancien président de Klerk, disposaient de tout un contingent de vigiles. Pour moi, plus vous vieillissiez, moins la menace contre vous était élevée, et moins vous vous déplaciez, moins vous aviez besoin de sécurité. Je ne voyais pas non plus en quoi cela était le problème de Madiba. Je fis malgré tout ce que l'on me demanda.

Nous appelâmes le ministre et Madiba lui demanda de s'occuper de cette histoire. Madiba avait également promis à M. Botha que je le rappellerais dans quelques jours pour lui faire un compte rendu sur l'avancement de l'affaire. Deux jours plus tard, M. Botha rappela : «*Juffrou* [mademoiselle] quand suis-je censé recevoir un rapport de Mandela ?» Pas «Comment allez-vous ?» ni rien, juste cela. Délibérément, j'insistai bien sur les titres dans ma réponse : «*Monsieur* Botha, monsieur Mandela a parlé au ministre et nous attendons des retours. Je suis sûre que *monsieur* Mandela vous répondra dès que nous aurons une réponse du ministère.» Il insista pour que je rappelle à Madiba de «leur» parler, faisant allusion au gouvernement. Cela revenait souvent chez les Sud-africains, de dire «eux» et «nous». «Nous» faisait référence aux Sud-Africains et «eux», ou «leur», aux Noirs. Plus je devenais tolérante sur certaines choses, comme de laisser croire aux gens ce qu'ils veulent sans avoir le besoin impérieux d'imposer à tout prix mon opinion sur divers sujets, plus je devenais intolérante à l'utilisation d'un langage irrespectueux de la part de mon propre peuple.

Dans l'ancienne Afrique du Sud, on employait l'insulte *kaffir* pour parler des Noirs. C'est un terme injurieux, aujourd'hui considéré comme haineux dans notre nouvelle Constitution. Étrangement, dans mon environnement immédiat ou chaque fois que je me trouvais en leur présence, la famille et les amis qui parfois employaient cette injure cessaient de le faire ou l'évitaient quand j'étais dans les parages. Si jamais ils l'employaient, je les réprimandais et j'évitais si possible de les revoir. L'entendre m'était devenu insupportable. Et non seulement l'emploi de ce terme, mais aussi les généralisations et les jugements sur les Noirs.

Ceux-ci étaient sans fondement, inexcusables, et je me retrouvai souvent au cœur de débats animés avec des Blancs autour du respect. Je faisais les mêmes remarques aux Noirs chaque fois qu'ils employaient des termes injurieux envers les Blancs, mais cela pouvait vite dégénérer, car étant blanche, cela provoquait vite un scandale si j'essayais de réprimander les Noirs, ce qui nous détournait de l'argument initial.

J'expliquai à M. Botha que Madiba avait parlé au ministre, mais il mit un terme à la conversation d'un «Dites-lui que j'attends». En reposant le combiné, je songeai : «Non, je ne crois pas.» Inutile de reporter cela à Madiba et de l'énerver. Je savais qu'il avait hâte d'avoir des nouvelles du ministre et que celui-ci en profiterait. Deux jours plus tard, M. Botha appela avec les mêmes questions et les mêmes ordres. J'en parlai cette fois à Madiba et demandai s'il pouvait lui parler pour le calmer. Peut-être alors cesserait-il de me téléphoner. Madiba refusa. Je ne parvenais pas à croire ce que j'entendais, et sa réponse me fit rire. Au début, je crus qu'il plaisantait. Non pas qu'il ne voulût pas aider M. Botha ou moi-même, mais il ne désirait pas lui parler. Fin de l'histoire. Et je savais que quand Madiba ressentait cela pour quelque chose ou quelqu'un, cela ne servait à rien d'essayer de le convaincre du contraire. Il ne réagissait pas souvent ainsi, donc, quand il le faisait, c'était sans appel. Je ne sais pas si cette histoire a été résolue, mais nous n'avons plus jamais entendu parler de M. Botha. Je laissai tomber et me moquai éperdument du nombre de vigiles qu'il avait. Comme s'il avait voulu dire à Madiba : «J'ai commencé les négociations pour que vous soyez libéré et que l'ANC ne soit plus interdit. Et voilà que je n'ai plus assez de vigiles. » M. Botha voulait lui aussi que Madiba endosse la responsabilité. Disons que l'approche détermine l'attitude.

Nous travaillions de plus en plus sur des missions de paix dans le monde entier. En mars 2001, nous évoquâmes à Séoul, avec le Premier ministre de la Corée du Sud, l'idée d'un parc de la paix qui relierait la Corée du Nord et du Sud. La Peace Park Foundation négocie et établit des zones de conservation qui s'étendent jusqu'aux frontières nationales et créent un espace pour restaurer des communautés écologiques. Madiba était le mécène cette fondation, dirigée par le prince Bernhard des Pays-Bas et le docteur Anton Rupert. Ces derniers étaient amis depuis des siècles et ensemble ils établirent le WWF pour la conservation de la nature avec un grand succès, puis la Peace Park Foundation. Au cours de notre visite en Corée du Sud, le président Kim Daejung se montra ouvert à cette idée, mais exprima clairement son incrédulité quant au fait que la Corée du Nord soit des leurs. Nos demandes de rencontrer le président de la Commission de Défense nationale de Corée du Nord, le poste du pouvoir suprême occupé par Kim Jong-il à l'époque, restèrent lettre morte.

Le public pensait probablement que Madiba serait accueilli à bras ouverts n'importe où dans le monde. Eh bien non. Pas en Corée du Nord. Pas le moindre intérêt. Nous tâchâmes d'éviter les pays où nous sentions qu'il y avait un risque d'échec, mais en raison de l'investissement du prince Bernahrd et du docteur Rupert, Madiba voulut au moins essayer. Nous nous installâmes en Corée du Sud pour quelques jours et quand nous comprîmes que les Nord-Coréens nous ignoraient, nous rentrâmes simplement chez nous. Étrangement, être si loin de chez soi et ne pas assister aux affaires officielles nous permit de faire un break avec la folie qu'il y avait chez nous. Au cours de cette visite particulière, on me demanda de nouveau d'être dans la chambre de Madiba quand la masseuse viendrait pour les soins. Comme d'habitude, j'essayai de confier cette tâche à l'un des vigiles ; jusqu'à ce que je remarque que la masseuse était aveugle. Même si j'avais expliqué à Madiba en afrikaans qu'elle était aveugle, il resta sur le qui-vive pendant tout le massage au lieu de se détendre. Je redoutai qu'à un moment donné il lui demande d'arrêter et je ne parvenais simplement pas à m'empêcher de rire haut et fort. Non pas que je manquais de respect pour elle ou son handicap, mais plus pour Madiba, qui semblait gêné par cette situation. Elle était, contrairement à ce que je pensais, d'un professionnalisme exceptionnel. On dit que si vous êtes né sans l'un de vos sens, certains autres se surdéveloppent, et c'était ce que je constatai. Elle était une excellente masseuse et avait des « mains de guérisseuse ».

Madiba avait cette étrange habitude de garder sa montre réglée sur l'heure locale d'Afrique du Sud quel que soit le pays où nous voyagions dans le monde. Nous devions nous réveiller aux heures les plus étranges afin que son horloge interne ne soit pas trop calée sur le décalage horaire et qu'il n'en souffre pas trop quand il rentrerait. Puis, où que nous soyons dans le monde, quel que soit le fuseau horaire, nous devions appeler Mme Machel où qu'elle se trouve, matin et soir. Je me souviens, nous étions à Séoul et je ne la trouvais pas immédiatement. Et Madiba insista pour rester éveillé jusqu'à ce que nous la contactions. C'était l'une de ces choses précises auxquelles il tenait : être un mari. Il fallait qu'il l'appelle le matin avant de prendre son petit déjeuner et le soir avant qu'elle aille se coucher. « Comment allez-vous, Mum ? Comment s'est passée votre journée ? » lui demandait-il.

Sur quoi je quittai la pièce pour leur laisser quelques minutes d'intimité avant de revenir sur notre programme ou de nous remettre au travail. Cela me donnait aussi l'occasion de raconter à Mum ce que nous avions fait de la journée.

Nous fûmes ensuite invités à Baden-Baden où Madiba devait recevoir le Prix des médias allemands et notre vol pour l'Allemagne nous fut offert par Mercedes Benz. Entre-temps, j'avais choisi une assistante, Marianne Mudziwa, et Maretha continuait à boucher les trous si nécessaire. Elles nous soulageaient tellement de la pression administrative ! L'équipe au bureau comptait toujours sur moi pour la conseiller sur les réponses qu'il fallait donner aux personnes qui écrivaient à Madiba. Comme nous n'avions ni protocole ni section « média », tout ce qui concernait personnellement Madiba était pratiquement de mon ressort. Et les demandes des médias aussi. Madiba et le professeur Gerwel étaient mes seuls guides.

J'appelai parfois Madiba vingt fois par jour pour lui demander conseil quand il ne venait pas au bureau. Il me répondait patiemment et m'expliquait comment faire, comment réagir et où trouver les réponses s'il ne pouvait pas me les fournir, et consultait toujours le professeur Gerwel.

Il m'exposait sa stratégie, m'expliquait quel problème aborder en particulier ou quels étaient, dans les détails, ses plans pour atteindre son objectif final, et j'étais censée m'assurer que nous respections à la lettre ce qu'il avait décidé. Et quand il parlait, vous écoutiez. Je prenais toujours des notes de ce qu'il disait, de mots-clés cruciaux. Je lui répétais souvent quelque chose après qu'il me l'eut dit, mais il me corrigeait ensuite ou entrait dans le détail si nécessaire ou s'il pensait que je n'avais pas bien compris. La sémantique devint par conséquent une passion pour moi. Ce n'est pas facile pour quelqu'un de parler couramment l'anglais si ce n'était pas sa première langue, et je compris que je devais faire extrêmement attention à ce que je disais et à comment je le disais. Parfois, j'avais raison et parfois non ; Madiba était patient, il ne pointait jamais mes erreurs, mais trouvait toujours une façon subtile de m'expliquer différemment les choses. « Non… vous voyez ? » suivi de l'explication. La plupart du temps, en revanche, je comprenais. Je ne pouvais pas être une gêne pour lui.

En mars 2001, le voyage à Baden-Baden approchait et, avec le planning de voyages qui m'attendait, je dus concentrer mon attention sur l'organisation de celui à venir, assurer son bon déroulement concernant le logement, les avions, les trains et les voitures, tout organiser non seulement pour convenir à Nelson Mandela mais surtout pour son meilleur confort. La pression augmentait et les deux nuits avant le départ je travaillai sans relâche, préparai la visite et me mettais à jour pour éviter de quitter le bureau avec du courrier en retard.

Comme les vols d'Afrique du Sud partaient pour l'Europe en début de soirée, nous partîmes pour l'Allemagne un jeudi soir. En général, je m'asseyais à côté de Madiba, si l'on ne pouvait pas laisser libre le siège à côté de lui afin qu'il ait plus de place dans l'avion ou si Mme Machel ne nous accompagnait pas. Et cette nuit-là, le vol de la Lufthansa était complet, de fait je me retrouvai à côté de lui. J'avais l'habitude de l'installer une fois que nous étions à bord de l'avion, de m'assurer qu'il ne voulait rien boire ni manger, puis je préparai son lit pour la nuit et veillai à ce qu'il ait assez d'oreillers et de couvertures pour voyager à l'aise. Après l'avoir aidé à s'installer, j'attachai ma ceinture au décollage et je m'endormis presque immédiatement, uniquement pour me réveiller le lendemain matin quand nous atterrîmes. J'avais dormi toute la nuit et délaissé Madiba. Je ne m'étais même pas brossé les dents ni débarbouillée, ce que je ne négligeais jamais, quoi qu'il se passe.

J'étais furieuse contre moi et j'interrogeais la sécurité sur son confort durant la nuit. L'équipage avait pris soin de lui avec la sécurité et il allait bien, mais mon attitude était inexcusable, je n'avais pas été à la hauteur. Je culpabilisai ensuite pendant des jours.

Je constatai à mon réveil que j'étais recouverte d'une couverture et que j'avais un oreiller derrière la tête. Quand je demandais à la sécurité qui avait fait cela, on me répondit que c'était Madiba. Le pauvre ! Dire que j'étais censée prendre soin de *lui* mais que c'était lui avait pris soin de *moi* ! Madiba était inquiet que je n'aie pas assez de sommeil et il se plaignait souvent au professeur Gerwel que je travaillais trop dur. Toutefois, ce n'est pas pour autant qu'il arrêta de m'appeler ou diminua ma charge de travail.

Je me souviens d'une autre occasion sur un vol de la British Airways où je me réveillai en pleine nuit à cause du mouvement tout autour. Madiba alla aux toilettes sous l'œil vigilant de la sécurité. Je restai éveillée à attendre qu'il revienne s'asseoir à sa place pour voir s'il avait besoin de quelque chose et quand il me croisa en regagnant son siège, il s'arrêta et recouvrit mes pieds d'une couverture. Ces moments touchèrent la partie la plus intime de mon cœur. Je ne me souvenais pas, enfant, avoir été bordée par mes parents, et voilà que l'homme que nous avions tous redouté à la fin des années quatre-vingt – quand nous prîmes conscience de son existence – recouvrait mes pieds, soucieux de mon bien-être ! Parfois, quand j'étais fatiguée, je pleurais en silence et j'appréciais combien cet homme se souciait de moi. Comme si personne d'autre au monde ne m'aimait autant que Madiba. Il me traitait comme si je faisais partie des siens, se souciait de moi comme de sa progéniture. Et mon histoire faisait qu'il était presque impossible d'accepter toute cette attention et cet amour.

Il n'y avait en réalité aucun moment creux et nous passions des heures ensemble chaque jour. Quand nous voyagions sans Mme Machel ou l'une de ses

Mon frère Anton et moi.

Voilà pourquoi j'ai la moto dans le sang : ma grand-mère Betty la Grange
(à droite) sur sa moto, dans les années 1940.

Moi petite fille (début des années 1970), rêvant de devenir actrice.

J'accueille Madiba à son arrivée à l'aéroport militaire de Pretoria, après ses vacances en Arabie Saoudite (1994). Derrière lui sur sa gauche, Mary Mxadana, sa secrétaire particulière de l'époque.

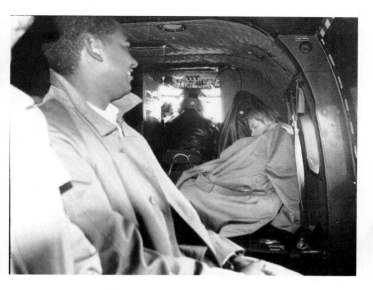

À la guerre comme à la guerre…
Je maîtrise l'art de dormir n'importe où : ici, couverte de l'imperméable
de Madiba, à bord d'un hélicoptère militaire Oryx, en route
pour un projet de construction d'école dans l'Afrique du Sud profonde.
À gauche, Linga Moonsamy, un des gardes du corps du président.

Silhouette de Madiba à bord du Falcon 900 présidentiel (1998-1999).

J'apprends à m'habiller, vêtue de mon *abaya* de marque dans la résidence de Riyad (Arabie Saoudite, fin des années 1990).

J'apprends à m'habiller, en Iran, au début des années 2000, en compagnie d'Anton Calitz, l'un des gardes du corps de Madiba.

Lors de la dernière visite d'État de Madiba à l'étranger, au théâtre Bolchoï de Moscou, avec ma collègue Priscilla Naidoo (1999).

À la fin d'une entrevue entre Madiba et son proche ami le président Bill Clinton, au Waldorf Astoria de New York.

Lors de la visite d'État de Madiba, ma rencontre avec
le pape Jean-Paul II.

Au cours du lancement de la campagne 46 664, Bono et The Edge
rendent visite à Madiba dans sa résidence du Cap (2003).

Je raccompagne Madiba
à la sortie de son bureau,
au terme d'une journée
de travail.

J'ajuste l'appareil auditif
de Madiba lors d'une soirée
à la Fondation Nelson-Mandela.

Noël à Qunu,
avec Madiba et Mum
(Mme Machel),
au début
des années 2000.

Au bureau. Je tiens compagnie à Madiba en attendant que le moule de sa main durcisse. Celui-ci fut vendu aux enchères lors de la célébration à Londres de son quatre-vingt-dixième anniversaire.

Photo prise en 2008, alors que j'expliquais à Madiba comment on allait procéder au moulage de sa main. Cette main qui a bouleversé mon être.

filles, il ne voulait pas prendre ses repas seul, et je devais donc souvent m'asseoir avec lui. Je voulais lui laisser de l'air, mais il insistait pour que je revienne rapidement auprès de lui.

J'aimais être assise à ses côtés pendant les repas quand nous voyagions, à écouter ses histoires, mais aussi son point de vue sur tant de choses. Il affirmait, sans en démordre, que le plus gros défi auquel était confronté notre «peuple», c'était l'éducation, et son raisonnement se tenait parfaitement. Je comprenais tous les défis que le gouvernement devait relever, ne jamais avoir été au pouvoir auparavant et être confronté aux bouleversements liés au remaniement du système financier et au réapprovisionnement des fonds utilisés pour soutenir l'apartheid. Et maintenant qu'un nouveau gouvernement était au pouvoir, nul ne savait d'où proviendrait l'argent pour reconstruire ces fonds de pension. Ceci n'avait pas été révélé à l'ANC avant qu'il arrive au pouvoir et voilà qu'il devait tenir ses promesses faites au peuple, mais aussi trouver l'argent pour réapprovisionner ces fonds de retraite.

J'appréciai ces explications de Madiba. Simples, allant toujours à l'essentiel et dans des termes que je pouvais comprendre. Cela changeait ma façon de penser et je ne tardai pas à défendre l'ANC dans des débats avec mes amis. Je commençai à m'éloigner de mes amis afrikaans plus conservateurs, car ils étaient peu à comprendre le nouveau raisonnement politique.

Madiba était le héros de tous. Les Noirs l'acclamaient pour leur avoir apporté la liberté et les Blancs, simplement parce qu'il portait une chemise Spring-boks lors de la Coupe du monde de rugby en 1995. Il atteignit son objectif d'unifier le pays, mais cela ne soulagea pas les plus pauvres. Si la plupart des Blancs l'appréciaient, il restait des «poches de racisme», comme il disait. Et malheureusement l'Afrique du Sud néglige encore lamentablement ses jeunes. Par exemple, en 2012, certaines écoles dans la province pauvre de Limpopo au nord du pays ne reçurent pas de livres pour leurs élèves de la part du gouvernement pendant toute une année scolaire, alors que les tribunaux l'avaient ordonné, à la suite d'une action entreprise par une organisation non gouvernementale. Ils ne les remirent tout simplement pas aux écoles et on retrouva les manuels dans un entrepôt. Ce fut précisément au cours de nos voyages et nos conversations que je compris peu à peu la politique, ses mécanismes et le fonctionnement de l'ANC.

De Baden-Baden, nous nous rendîmes en Inde, où Madiba reçut le prix Gandhi pour la paix. Nous visitâmes également le Kerala, une province indienne. Un hélicoptère nous amena de Delhi au Kerala, et bien que celui-ci nous offrît une vue magnifique et pittoresque de l'Inde, je ne demeurai pas complètement convaincue que nous soyons en sécurité à bord du grand engin qui nous transportait. (J'inventais souvent des scénarios catastrophes chaque fois que je me sentais en danger. C'était idiot mais on ne pouvait s'empêcher d'avoir ce genre d'idées, quand on voyageait dans tous ces pays étrangers, et que l'on se retrouvait parfois confronté à des situations aussi difficiles. On ne pouvait jamais dire à son hôte que l'on ne se sentait pas en sécurité.) Il était visiblement vieux et plus gros que certains avions dans lesquels nous avions déjà volé, pourtant dans ma tête je savais que le gouvernement indien ne ferait pas courir de risques à Madiba dans son pays, et cela me rassurait.

Le peuple indien était accueillant et adorait Madiba. S'il y a bien une chose que lui et moi aimions tous les deux, c'était manger un *biryani*, un plat indien à base de riz, d'épices, de viande, de poulet ou de poisson. Madiba en savourait avec ses amis indiens avant d'être emprisonné. Ce fut l'une des choses qui lui manqua le plus quand il était enfermé, de ne pas déguster les plats qu'il aimait, et en Inde, nous avions hâte de manger indien, des *biryani* ou des samoussas à chaque occasion. Je ne savais pas ce qu'était un *biryani* jusqu'à ce qu'il me suggère d'y goûter. Après cela, je pus comprendre son penchant pour ce plat.

Au cours d'une visite en Irlande en avril 2001, alors que nous étions accueillis par Tony et Chryss O'Reilly qui nous avaient invités à une manifestation pour le groupe Independent News and Media, on apprit alors que Hansie Cronje, le capitaine de l'équipe de cricket sud-africaine, avait été accusé d'avoir truqué un match. Le docteur O'Reilly discuta de cette affaire avec nous. Madiba et moi fûmes tous les deux convaincus que ce n'étaient qu'allégations dépourvues de vérité. Le docteur O'Reilly doutait de l'innocence de Hansie. Nous appelâmes celui-ci pour lui souhaiter du courage. Les jours qui suivirent, Hansie Cronje, héros national en Afrique du Sud, fut disgracié quand il reconnut le trucage du match.

L'année suivante, le 1er juin 2002, je me trouvais avec Madiba à Shambala, la maison construite par l'homme d'affaires Douw Steyn sur une réserve d'animaux sauvages au nord, où Madiba avait l'intention d'écrire ses mémoires, quand je reçus un coup de fil des médias tôt le matin qui me demandaient des commentaires sur la rumeur selon laquelle Hansie avait été tué dans un accident d'avion. Je paniquai. J'avais reçu un message de Hansie sur ma messagerie la semaine précédente qui me souhaitait un bon anniversaire, et je voulais tout de même le rappeler pour lui dire qu'il était à des années-lumière de mon véritable anniversaire que je ne fêterai que fin octobre. Mais je ne l'avais pas fait. Nous étions des amis et je ne pouvais pas croire ce que j'entendais.

Quelques heures plus tard, j'eus confirmation de la nouvelle. J'allais l'apprendre à Madiba, triste de la lui annoncer. Hansie était un être humain doux et gentil ; d'accord, il avait fait des erreurs, mais qui n'en faisait pas ? La dernière fois que Madiba avait vu Hansie, c'était quelques mois auparavant, après que Hansie eut reconnu avoir truqué des matchs et avait été interdit de la vie sportive pour toujours. C'était un homme brisé. À l'époque, nous allâmes à Fancourt, un complexe hôtelier avec une propriété adjacente pour quelques jours de repos, et Madiba demanda à Hansie de lui rendre visite, ce dernier ayant également une maison sur la propriété. Il le fit asseoir et lui dit : « Mon garçon, tu as fait une grosse erreur. Maintenant, tu en assumes les conséquences. Cela ne veut pas dire que nous ne te pardonnerons pas. Tu as reconnu ton erreur, maintenant passons à autre chose. »

Hansie venait de retomber sur ses pieds quand il mourut en cette froide matinée d'hiver. J'appris également que quelles que soient les erreurs que l'on fait on ne peut pas espérer se faire pardonner si l'on n'est pas prêt à pardonner. Cela me rappela un article que Madiba écrivit en prison et qui fut ultérieurement publié dans le livre *Conversations avec moi-même*. Il écrivit : « Ne fuyez pas vos problèmes, affrontez-les. Parce que si vous ne les affrontez pas, ils seront toujours là. »

C'était une matinée d'hiver bien triste lorsque je reçus également un coup de fil de mon père qui m'informait que son neveu Ettienne que j'aimais beaucoup avait eu un accident de moto à Cape Town. Il rapportait des DVD que ses enfants avaient loués et avait fait un rapide aller-retour en moto. Il avait heurté une voiture qui approchait. Une semaine plus tard, Ettienne mourut à l'hôpital. Ce fut pour moi une période très triste ; je ne comprenais pas comment deux vies si jeunes devaient se terminer aussi tragiquement. Je réagis très vivement à ces disparitions et me sentis extrêmement seule cette nuit-là dans cette grande maison. Madiba n'avait jamais été du genre à trop montrer ses sentiments, et ce fut donc difficile d'étaler ma tristesse. Il se taisait et c'était sa façon de gérer les choses. J'aurais voulu laisser libre cours à mes émotions, mais j'avais parfois l'impression que cela était répréhensible. Je me sentais très seule.

De retour chez moi, une journée d'activité normale impliquait passer du temps avec famille et collègues.

Madiba avait toujours une cause pour laquelle collecter des fonds. Si ce n'était pas un jeune malade atteint du sida, c'en était un qui avait de bons résultats scolaires, mais qui n'arrivait pas à trouver de bourse, voire des aides pour les régions touchées par de graves inondations. Madiba avait également insisté pour rester en contact avec les gens ordinaires et il alla donc déjeuner chez la famille qui possède et dirige une grosse teinturerie à Johannesburg. Elle gérait cette affaire depuis des années et bien qu'il insistât pour payer il se sentait obligé de déjeuner avec la famille qui s'était si bien occupée de ses vêtements.

Pour moi, c'est encore l'une des grandes vertus de Madiba : son attention envers ceux qui ne sont pas de sa stature et auxquels personne de son rang ne prêterait attention. Il respectait vraiment les petites gens. Personne n'était traité en domestique.

Il ne voulait pas non plus être éloigné de ses anciens collègues ni de sa tranche d'âge. Il demanda à déjeuner avec les musiciens et stars de sa génération, comme Ken Gampu, Miriam Makeba, Hugh Masekela, Dorothy Masuka et Dolly Rathebe, et après le déjeuner il décida de collecter des voitures pour les femmes qui avaient du mal à joindre les deux bouts, à vivre de leur chant. Celles-ci se servirent toutes de leur musique pour faire passer des messages politiques pendant les années de lutte et Madiba estimait qu'il devait faire un geste envers elles pour leur montrer sa reconnaissance. Il se sentait responsable de tous ceux qui l'entouraient. Sa famille, ses collègues, son équipe et dans ce cas, même ceux qui avaient soutenu le mouvement anti-apartheid quand il était en prison.

Il avait trouvé l'inspiration à travers leur art quand il était enfermé, et il leur en était fort reconnaissant. Nous appelâmes alors toutes les grosses entreprises automobiles d'Afrique du Sud pour les convaincre d'offrir des voitures à ces héroïnes de la lutte pour la paix.

Un petit garçon de huit ans environ écrivit un jour à Madiba sur un ton très sérieux pour lui demander un rendez-vous. Sa seule raison de vouloir rencontrer Madiba était de discuter de l'Afrique du Sud. La lettre était formelle et elle nous amusa, car il déclara aussi que ses parents pensaient qu'il n'avait pas la moindre chance de décrocher un rendez-vous avec Nelson Mandela. Je montrai le courrier à Madiba, et nous fûmes d'accord pour lui octroyer ce rendez-vous. Il rendit visite à Madiba et il fut aussi formel dans sa rencontre avec lui qu'il l'avait été dans sa lettre. « Non, il n'y avait aucune raison particulière de vous demander un rendez-vous, monsieur. Je voulais simplement vous rencontrer. » L'honnêteté du jeune homme amusa Madiba, et vivre ce genre de moments qui lui faisaient vraiment plaisir nous procura beaucoup de joie : nous retrouver avec des gens ordinaires sans ordre du jour, qui désiraient simplement le rencontrer parce qu'il les intriguait.

Madiba devait aussi subvenir aux besoins de ses petits-enfants. Chaque fois que nous partions à l'étranger, les garçons, les trois plus jeunes de son fils aîné, Ndaba, Mbuso et Andile, me donnaient une liste de courses à transmettre à leur grand-père, comme tous les enfants quand leurs parents partent en voyage. Il m'envoyait donc parfois dans les rues de là où nous nous trouvions pour bien souvent essayer de trouver des choses dont je n'avais encore jamais entendu parler. Comme je n'avais pas d'enfant, j'avais bien du mal à faire la différence entre les personnages de dessin animé. Quant aux jeux vidéo, n'en parlons pas. Lorsque Sony lança la PlayStation, nous dûmes appeler l'ambassadeur japonais pour lui demander de faire livrer une PS en Afrique du Sud, car les enfants ne pouvaient pas attendre qu'elle arrive ici. L'un des rares privilèges d'être les petits-enfants de Nelson Mandela, c'était qu'ils seraient toujours les premiers à se procurer les derniers jeux vidéo et gadgets sortis, bien avant leurs amis.

Au cours d'une visite à Cape Town, on l'envoya encore à droite à gauche pour répondre aux attentes des uns et des autres, et après avoir enregistré une interview télévisée, il fut pris de vertiges et faillit s'évanouir. Comme il avait l'habitude de bien se porter, ces vertiges, chaque fois qu'il ne se sentait pas bien, généraient toujours une grosse inquiétude. Malgré cela, il continua, et le lendemain seulement, après avoir visité une région du Klein Karoo où l'on devait construire une école, il accepta de voir un médecin à son retour à Cape Town. Il était têtu et insista pour aller d'abord à l'école et ensuite consulter. Le cardiologue l'examina sans rien trouver d'alarmant. C'était juste de l'épuisement.

Madiba devait partir pour Londres ce soir-là. Nous protestâmes et l'implorâmes de rester, mais il insista. Il décréta qu'il allait bien et il ne voulait inquiéter personne en annulant la visite. Nous partîmes donc pour Londres puis enchaînâmes avec une visite du Maroc ; où nous vîmes le roi à qui nous avions demandé un don pour la Fondation, puis Sharjah, un émirat au sein des Émirats arabes unis, capitale culturelle des EAU. Là-bas, nous trouvâmes le diplomate rencontré lors de notre précédente visite à Dubaï – quand nous n'avions pas réussi à assurer un don promis par le chef de l'État. Avant d'atterrir, je veillai à ce que l'ambassade reçoive notre message : que nous n'aurions pas besoin d'aide diplomatique et qu'il était inutile que les diplomates nous accompagnent durant la visite. Pourtant, quand nous atterrîmes, ce même homme était présent.

Madiba était furieux contre lui, et je ne sais pas pourquoi, mais il me laissa m'en occuper. Entre-temps, j'avais appris à lire sur son visage. Il était direct et inamical. Le diplomate était installé dans le salon particulier de Madiba quand nous arrivâmes à l'hôtel. J'entrai et annonçai à Madiba qu'il était l'heure pour lui d'aller se reposer. J'expliquai au diplomate qu'il était libre de s'en aller et celui-ci me rétorqua qu'il comptait bien rester un moment. Il demanda également le programme des jours suivants. Je m'énervai et devant Madiba je lui lançai que nous l'appellerions si nous avions besoin d'aide. Les yeux de Madiba s'écarquillèrent et des années plus tard, il me taquinait encore à ce sujet et avertissait les gens que s'ils ne m'écoutaient pas, je leur réglerai leur compte. Je n'étais pas dure à ce point, mais il appréciait que j'aie eu le courage de remettre quelqu'un à sa place de la sorte. Toutefois, je pense aussi qu'il a été on ne peut plus reconnaissant que ce soit moi qui l'aie fait et non lui.

En mai, Madiba alla consulter un urologue, le docteur Gus Gecelter, accompagné de Mme Machel. On l'emmena à Park Lane Clinic le lendemain, à Johannesburg, où il passa une batterie d'examens, mais il ne dit rien, et je ne tenais pas à interférer dans le domaine privé ni à l'interroger. Je savais d'expérience que s'il avait quelque chose à partager, il le ferait.

En juin 2001, le P-DG de Coca-Cola en Afrique du Sud invita Madiba à s'adresser au groupe au cours d'une croisière que la société entreprenait sur la Méditerranée. Entre-temps la société avait construit une école en Afrique du Sud rurale et fait d'autres dons chaque fois qu'il le lui avait demandé. Madiba se sentit donc obligé d'accepter. Je ne me plaignis pas de passer cinq jours sur un yacht de luxe et cela signifiait aussi que nous serions loin des pressions de Johannesburg et des interminables requêtes quotidiennes. Au moins, nous dormirions cinq nuits d'affilée au même endroit et sur un bateau, personne ne pourrait nous trouver.

Quand je lus les noms des invités à Madiba, dont Sugar Ray Leonard, le boxeur mondialement célèbre, il fut tout excité. Il faisait de la boxe quand il était jeune, il aimait encore ce sport et citait souvent Mohammed Ali ou Sonny Liston. Sa citation préférée d'Ali était : «Je vole comme un papillon et je pique comme l'abeille.» Je lui demandais ce qu'il entendait par là et Madiba m'expliquait en détail combien il était important d'être léger sur ses jambes sur le ring et que le coup de poing d'Ali piquait comme une abeille. «Douloureux», disait-il, en faisant la grimace pour me faire comprendre que cela avait dû vraiment faire mal quand Ali frappait. Il adorait parler de tous les boxeurs, dont certains ne me disaient absolument rien.

La croisière fut un pur bonheur. L'hospitalité, exceptionnelle. Le capitaine me lança : « Buvez autant de champagne que vous voulez, en fait, baignez-vous dedans, car vous ne retrouverez jamais d'autre bateau avec autant de champagne à bord. » Mais nous ne pouvions pas trop boire car nous devions être d'astreinte pour Madiba vingt-quatre heures sur vingt-quatre. Madiba était censé assister à deux événements sur le bateau et faire un discours au cours de l'un d'entre eux, encourageant la loyauté et le dévouement des employés et les félicitant des exploits de la société en Afrique, tout en les poussant à avoir de la bienveillance pour ceux qui étaient alors défavorisés et que cela soit leur priorité.

Toutefois, Charles, le médecin qui voyageait et moi-même, décidâmes de nous joindre aux festivités. Quand Madiba alla se coucher, nous nous esquivâmes pour rejoindre la fête sur le pont. Nous ne pouvions pas aller bien loin car nous étions coincés sur un bateau et la sécurité savait où nous trouver à toute heure ; de fait nous avions un peu de liberté pour nous déplacer sur le navire. Contrairement à tous les voyages que nous avions effectués auparavant. Un matin, nous étions les derniers à danser et à regagner nos cabines juste à temps pour préparer Madiba pour le petit déjeuner. Charles n'avait aucune obligation à être avec Madiba pour le petit déjeuner, mais moi si. J'avais bien du mal à garder les yeux ouverts et je souffris toute la journée. Nous étions en croisière et j'emmenai Madiba à l'extérieur pour savourer le spectacle magnifique du littoral pendant qu'il lisait la presse tout en regardant parfois l'océan et l'horizon à perte de vue. Je m'assis à côté de lui et piquai du nez de temps en temps. Après cinq jours sur le bateau, Madiba commença à angoisser et nous tous à déprimer à force d'être isolés. Le temps était venu de retourner à la vie trépidante !

Nous avions prévu de nous arrêter à Barcelone en rentrant en Afrique du Sud, afin d'aider une initiative pour le Fonds Nelson-Mandela pour l'enfance, appelée « Frock and Roll » (Robe and Roll). Il s'agissait d'un concert et d'un défilé de mode organisé par Naomi Campbell et Bono. Les autres membres du groupe U2 étaient présents eux aussi et pendant qu'ils chantaient leur tube *One*, il était prévu que Madiba fasse son entrée. Je fus alors si fière que Nelson Mandela appartienne à notre pays ! La foule entra en transe lorsque Bono arriva sur scène, et nous pûmes voir et entendre le déchaînement des spectateurs depuis les coulisses jusqu'à ce que l'on demande à Madiba d'entrer. La foule hurla de joie. Sa présence n'avait pas été annoncée et il prit donc le public par surprise. Bono présenta Madiba et il fallut plusieurs minutes pour que la foule se calme et qu'il puisse parler.

Quand il monta dans l'avion pour rentrer en Afrique du Sud, Madiba regarda droit devant lui pendant un moment. Puis il se pencha vers moi et dit : « Zeldina, ce Bono-là, il m'a l'air très populaire, non ? » Je ne pus m'empêcher d'éclater de rire et lui expliquai que Bono était l'une des plus grandes icônes du monde de la musique, et qu'il avait un public très fidèle que très peu d'artistes pourraient espérer avoir. «Ce Bono-là» avait l'air d'intéresser Madiba, impressionné qu'un jeune homme soit si populaire parmi des jeunes gens. Ce fut la première fois qu'il remarqua ses fans.

8

Travailler avec des dirigeants mondiaux

Bien que Madiba semblât robuste et en pleine santé, il ne l'était pas. En juillet 2001, on diagnostiqua chez lui un cancer de la prostate. Un après-midi après avoir déjeuné chez lui, il me fit venir et je pus déceler de la gravité dans sa voix. J'avais oublié les examens médicaux qu'il avait passés quelques semaines auparavant. Je me ruai chez lui et le trouvai dans son fauteuil habituel en train de lire le journal et il se fendit de son sourire accueillant, comme d'habitude. Il me dit : « Zeldina, asseyez-vous. (Ce que je fis. Puis il ajouta :) Vous savez que nous sommes allés passer des examens il y a quelques semaines. Je ne veux pas vous inquiéter, mais nous avons un cancer de la prostate. »

Sa façon de m'annoncer la nouvelle me donna envie de pleurer et de rire en même temps. Depuis le temps il me connaissait si bien et il savait que je ne dirais jamais rien d'irrespectueux envers lui, mais il connaissait aussi mon sens de l'humour. Je répondis : « Khulu, oh non ! Je suis vraiment désolée de l'apprendre mais je suis sûre que vous bénéficierez du meilleur traitement du monde… (Il sourit, reconnaissant, puis ajouta :)… Mais je dois vous dire que *nous* ne pouvons pas avoir de cancer de la prostate. »

Il rit, puis expliqua le traitement à suivre. C'était tellement gentil de sa part de me parler de son état de santé avant de l'annoncer publiquement, cela me prouvait vraiment qu'il savait que je me souciais de lui.

Il ne savait pas parler au singulier ni à la première personne. Il ne savait pas dire « je » ni « moi. » Cela faisait partie de l'homme humble qu'il était et qui incluait tout le monde autour de lui. Cela faisait aussi partie du côté communautaire de l'ANC qui avait été implanté en lui au cours de son incarcération. Il était bien déterminé à ce que le cancer ne soit qu'une petite pierre d'achoppement dont nous saurions triompher en un rien de temps. Il m'ordonna d'organiser une conférence de presse où le docteur Mike Plit, son médecin, et lui-même expliqueraient la situation et le traitement à suivre. Il avait toujours insisté pour ne rien cacher sur son état de santé. Le lendemain il commença la radiothérapie qui se poursuivit quotidiennement pendant six semaines. D'ici la deuxième ou troisième semaine, il perdit des forces et je me fis beaucoup de souci pour lui. Je cessai d'aller au centre d'oncologie avec Mme Machel et lui, car c'était très dur pour moi. Mme Machel fut présente tout du long et ils s'installèrent à Johannesburg pour ralentir le rythme et lui donner le temps de récupérer du traitement. Il allait bien, mais était stressé à force de se rendre tous les jours à la clinique.

Les gens priaient et lui envoyaient leurs vœux de bon rétablissement tous les jours. Nous en étions submergés ; un nouveau défi à relever. Le quotidien *The Star*, à Johannesburg, titra le 24 juillet 2001 : *Mandela a un cancer. Une tumeur maligne de la prostate ne devrait pas raccourcir son espérance de vie.* Et ce fut le cas.

Je reste aujourd'hui convaincue que l'effet papillon a beaucoup joué sur sa guérison. Toutes les prières et souhaits de prompt rétablissement, les pensées positives du public et le déluge d'amour, en plus de la grâce de Dieu, voilà ce qui l'a guéri. Bien que nous ne voyagions pas, il insista pour que son planning ne change pas pour ses six semaines de radiothérapie. Il aurait des rendez-vous le matin et n'irait à la clinique qu'en début d'après-midi. À l'issue de quatre semaines, nous dûmes simplement alléger sa charge de travail, car il s'épuisait, bien qu'il décidât de persévérer. Il n'avait pas de dossiers brûlants au travail et ses rendez-vous ne servaient en réalité qu'à veiller à ce qu'il ne se sente pas mis à l'écart pendant son traitement.

Madiba et Mme Machel auraient besoin de vacances une fois que le traitement serait terminé. La question était : où l'emmènerions-nous ? Apparemment, il n'y avait aucun endroit en Afrique du Sud et en fait nulle part au monde – hormis la Corée du Nord – où ils puissent trouver paix et tranquillité. Mais nous trouvâmes une solution. Madiba et Mme Machel avaient été invités par Elitalia, le réseau de communication italien, pour visiter Rome et Venise pour les vacances l'année précédente, et nous décidâmes d'accepter la proposition. Ils n'attendaient rien d'eux, mais leur proposaient simplement de venir profiter de l'Italie.

Cela se passa parfaitement. Madiba parvint à voir le Colisée, car le site fut fermé afin que le couple profite d'une visite privée. Je leur en fus reconnaissante, car entre-temps j'avais compris qu'il était redevenu un prisonnier, mais dans une autre vie. Il ne parvenait pas à faire les choses ordinaires parce qu'il attirait bien trop l'attention en public. C'était logistiquement impossible pour lui de se déplacer sans être poursuivi et sans que l'on veuille l'approcher, le photographier, le toucher et lui parler. Si cela ne le dérangeait pas d'attirer les foules, parfois cela devenait insupportable.

Il ne pouvait pas faire comme tout le monde, et pour lui, les plaisirs ordinaires étaient limités. Il avait passé tant d'années presque enchaîné à la réussite de sa propre cause et à œuvrer pour une vie meilleure pour les autres, que je me demandais à quel moment il s'arrêterait pour faire quelque chose pour lui. Son existence était en effet une vie au service des autres. Il faisait toujours tout ce qu'il pouvait pour satisfaire les autres. Il était pourtant ravi quand Mme Machel était avec lui, et cela, parfois, lui suffisait. Avec elle, nous fîmes beaucoup de choses que Madiba n'aurait jamais acceptées si nous avions été tout seuls. Elle le convainquit de goûter à la cuisine locale, ou de s'adonner à des activités touristiques normales, comme visiter Venise sur l'eau. C'était mignon de les voir jouer les touristes. Nos hôtes étaient gracieux et très respectueux de la vie privée de Madiba.

Peu après, nous visitâmes Los Angeles, où Madiba avait espéré collecter des fonds pour la Fondation. Il s'avéra que Hollywood ne fut pas aussi généreux cette fois-là, ni préparé à notre visite. Le seul soutien que nous obtînmes vint des personnes qui, tout le monde le savait, avaient soutenu la lutte anti-apartheid. Une fois de plus, je ne quittai pas l'hôtel de peur que Madiba ait besoin de moi, et cela me manqua de ne pas vraiment pouvoir visiter Los Angeles. Mais nos chambres étaient magnifiques. Malheureusement, des personnes qui avaient fait de belles promesses à Madiba ne les tinrent jamais.

Le 11 septembre 2001, j'assistai à un cours à Cape Town. Il dura plus longtemps que prévu et quand j'arrivai chez mes parents, mon père m'annonça que deux avions s'étaient écrasés sur le World Trade Center à New York. Je visionnai le reportage sur CNN et appelai immédiatement Madiba, car celui-ci n'avait pas l'habitude de regarder les infos en journée et à moins qu'il ne soit en voiture, il n'écoutait plus les nouvelles à la radio au déjeuner. Il fut choqué et j'en profitai pour lui demander de rédiger un message car je savais que les médias appelleraient pour glaner des commentaires. (Chaque fois qu'il se passait quelque chose d'important dans le monde, les médias nous appelaient immédiatement, voulaient un commentaire, des conseils ou son avis sur l'événement.) En effet ils ne tardèrent pas, et je transmis ses condoléances au peuple américain. Nous apprîmes par l'état-major que cela avait mis le président Mbeki en colère : il trouvait que Madiba avait été bien trop rapide pour faire sa déclaration. La présidence pensait que nous aurions dû attendre que le président fasse la sienne avant d'intervenir.

Si je comprenais leurs préoccupations, j'estimais que Madiba n'avait pas fait de déclaration ni parlé au nom du pays, mais en tant qu'humanitaire. Pourquoi ne pourrait-il pas exprimer sa tristesse et sa compassion ? Une fois de plus, je ne saurai jamais si c'était réellement l'inquiétude du président Mbeki ou celle de son état-major.

L'avantage d'être une petite équipe, c'était que nous pouvions réagir immédiatement aux situations. Je n'étais pas mieux payée pour m'occuper des médias à toute heure du jour ou de la nuit, mais cela faisait partie de mon travail d'être la porte-parole de Madiba en plus de sa secrétaire particulière et de gérer son bureau. L'avantage, c'était que j'avais deux coups de fil à passer pour réagir à quoi que ce soit. D'abord à Madiba pour lui demander ce qu'il voulait dire, puis au professeur Gerwel pour avoir son avis sur l'affaire en question. Nous n'étions pas une bureaucratie, mais bien une toute petite équipe, et cela fonctionnait bien.

Les médias avaient beau savoir que j'étais une bleue, ils me supportaient et me respectaient. Mais Madiba leur disait parfois en plaisantant quand ils voulaient encore poser une question après le débriefing de presse : « Vous feriez mieux de l'écouter, c'est elle, mon boss. » Une fois, j'appelai un professeur de communication d'une université locale. Je lui demandai des conseils pour savoir gérer les médias et il passa un peu de temps avec moi à me donner les règles à suivre et les protocoles à appliquer. Les plus importantes étaient : « Ne laisse pas les médias te posséder ni contrôler le territoire dont tu es responsable. Assure-toi toujours que ton territoire est clairement défini de sorte à pouvoir les contrôler. »

Je pris ces leçons à cœur. Toutefois, pour beaucoup, j'étais une garce : on m'avait décrite comme une lionne, une sorcière et un rottweiler. Comme j'étais la gardienne de l'homme le plus célèbre au monde, cela signifiait que je devais parfois être dure et brusque. Peu comprenaient les défis que représentait d'avoir à faire aux médias du monde entier, en plus de mes autres tâches ordinaires. Toutefois, je sympathisais avec beaucoup de monde dans ce milieu et nous bâtîmes une confiance réciproque. J'appris des erreurs que les autres commettaient autour de moi et je tâchai d'éviter les pièges. Les efforts et le stress qu'impliquait de soupeser chaque mot que vous disiez avaient un prix : c'était épuisant. Mais le conseil le plus important que tout le monde me donnait était de ne jamais mentir aux médias. Il existe un million de façons de gérer une situation, et Madiba fut le meilleur professeur qui soit, mais mentir n'a jamais été une option.

Nous étions censés nous rendre aux États-Unis pour assister à une séance spéciale aux Nations unies, fin septembre 2001. Au début, nous pensions que ce serait annulé suite au 11-Septembre, mais ils insistèrent. Les opérations de nettoyage étaient toujours en cours quand nous visitâmes Ground Zero. C'était très touchant et très émouvant. Ce n'était que quelques semaines après l'accident et une brume flottait encore au-dessus de la zone. C'était comme si je pouvais sentir les âmes de ces milliers de personnes qui continuaient à dériver dans l'air. Tous les ouvriers s'arrêtèrent quand ils virent Madiba et ils se mirent à l'applaudir. Ce ne fut que lorsque nous nous tînmes sur Ground Zero que nous comprîmes l'ampleur de la tragédie. Madiba fut visiblement choqué et perturbé par ce qu'il vit. Nous discutâmes un moment avec le maire Giuliani qui nous expliqua les opérations de nettoyage.

Suite à notre visite à New York nous essayâmes de contacter le président George Bush, mais celui-ci ne nous rappela jamais. Nous comprîmes que d'énormes défis l'attendaient. J'appelai la salle de crise de la Maison-Blanche pour trouver un moment afin que M. Mandela s'entretienne avec le président. On me demanda à quel sujet. J'expliquai que nous nous trouvions aux États-Unis et que Madiba souhaitait simplement offrir son soutien au président pour les défis qui l'attendaient. Que ce dernier ne veuille pas lui parler ou que la personne de la salle de crise décidât pour lui, nous ne le saurons jamais.

Nous participions toujours aux négociations à Arusha en Tanzanie pour le Burundi. Le juge Bomani, chef administratif du processus de négociations, emmena ensuite certains groupes rivaux en Afrique du Sud et Madiba les rencontra à Johannesburg pour écouter leur version du conflit. De nombreux rebelles n'étaient jamais allés en Afrique du Sud et ils furent visiblement impressionnés et excités de se trouver à Johannesburg. Mais il était évident qu'ils étaient loin d'aboutir à un accord de paix. Les négociations se poursuivirent deux ans encore. Durant ces deux années, nous nous rendîmes à Arusha, une ville proche du Kilimandjaro en Tanzanie où avaient lieu les pourparlers de paix. Il fallait que les parties se rencontrent en terrain neutre. Madiba fut extrêmement dur envers toutes les parties au cours des négociations. Nos visites furent brèves, car les équipements étaient limités à Arusha. Il pouvait assister pendant des heures aux réunions et négocier, mais réprimandait aussi toutes les parties avec virulence. Parfois le professeur Gerwel et moi-même étions nerveux et gênés quand Madiba se montrait très dur envers certains. Il ne manquait en revanche jamais de respect, et en dépit de sa ténacité et de sa détermination, les diverses parties ne cédèrent pas de terrain.

Nous visitâmes Bujumbura au Burundi plusieurs fois, mais nous pûmes entendre les coups de feu des combats en cours au loin dans les montagnes. Dans le livre *Conversations avec moi-même,* Madiba écrivit : « Il existe deux types de dirigeants : A/ Ceux qui sont incohérents et dont on ne peut prédire les actions, qui sont d'accord sur un sujet un jour et le renient le lendemain. B/ Ceux qui sont cohérents, qui ont un sens de l'honneur, une vision. »

J'avais bien compris que si ces dirigeants étaient cohérents dans leur recherche d'une solution de paix dans leur pays, s'ils montraient en permanence leur engagement à pousser les discussions vers un règlement du conflit, il aurait eu plus de patience envers eux, car c'était là un style de leadership qu'il aurait alors pu respecter.

Souvent, le président Mkapa de Tanzanie et les présidents Museveni d'Uganda et Moi du Kenya, les États voisins, assistaient avec nous à des réunions conjointes à Arusha. Ils surnommaient tous Madiba « Mzi », ce qui, j'en déduisis, signifie « le grand ». Les gens étaient aimables et accueillants, mais c'était un processus qui pompait beaucoup trop d'énergie à Madiba ; quant à moi, je pensais qu'il aurait pu changer bien plus les choses en dépensant cette énergie dans notre propre pays en aidant le gouvernement dans la mise en place rapide des équipements nécessaires à la population, ce qui devenait essentiel pour ceux qui avaient voté pour l'ANC. Mais visiblement le gouvernement Mbeki ne voulait pas de son aide : il la considérait comme une ingérence.

Au bout de deux ans de négociations en Tanzanie, Madiba appela l'ancien président Clinton, le président français Jacques Chirac, et d'autres personnalités internationales pour soutenir la signature d'un accord de paix par intérim par toutes les parties impliquées au Burundi, avec le président Buyoya en tant que chef d'État par intérim. Personnellement je ne pensais pas qu'ils allaient signer l'accord de paix mais Madiba veillait nuit après nuit, parfois jusqu'à 3 heures du matin, parlait aux parties engagées et tâchait de les convaincre qu'ils manqueraient de respect au président des États-Unis en refusant de signer l'accord. Il déclara que cela leur ferait du tort à tous en tant que dirigeants et que cela montrerait qu'ils n'envisageaient pas la paix sérieusement.

Avec du recul, c'était en réalité drôle qu'il se serve de l'image du président des États-Unis pour les convaincre. Leurs arguments pour ne pas signer n'étaient pas raisonnables et il avait épuisé toutes les autres possibilités, essayant de les convaincre que la paix était la seule solution. Un budget était alloué au processus de paix et chaque participant recevait une indemnité journalière, était nourri et logé pendant son séjour à Arusha. Pour de nombreux rebelles qui vivaient et se battaient dans la brousse du Burundi, participer à ce genre de pourparlers pour la paix leur permettait de récolter de l'argent pour soutenir leurs combats. Ils firent donc durer les pourparlers le plus longtemps possible et restèrent parfois deux ou trois semaines, alors que nous ne restions que trois jours maximum. Les personnes qui participaient aux négociations, chefs des groupes rivaux, étaient toutes très instruites et la plupart avaient suivi des études en Europe, et il était clair qu'elles pouvaient parfaitement comprendre les avantages d'un accord de paix. En revanche, elles n'étaient pas forcément prêtes à abandonner leur assise politique personnelle pour assurer l'avenir de leur pays. Madiba leur rappellerait en permanence que c'était le signe d'un manque de qualités des dirigeants et, même si cela donnait parfois l'impression qu'il ne cessait de les insulter, on n'avançait pas.

Le président Buyoya était un monsieur charmant, intelligent et impressionnant, en dépit de ses chaussettes blanches. Le 18 avril 2001, des rebelles envahirent une station radio au Bujumbura et la nouvelle se répandit dans le monde entier : c'était le début d'un coup d'État. Madiba était injoignable pour plusieurs heures. Je ne parvins pas à joindre le professeur Gerwel et le portable du juge Bomani était coupé lui aussi. Les médias se mirent à appeler notre bureau pour obtenir confirmation du coup d'État. Au début, je fus sarcastique et demandai au premier appelant si elle ou il pensait que je pourrais être au courant d'un coup d'État depuis mon bureau de Johannesburg. Je décidai ensuite d'appeler le président Buyoya, car il était le seul dont je possédais le numéro, et qui serait en mesure de confirmer ce genre de rumeur. Je lui parlai et il se montra toujours aussi aimable et heureux d'avoir des nouvelles du bureau de Mandela. «Oh miss Zelda, je suis ravi de vous entendre! Comment va M. Mandela?» demanda-t-il. Il expliqua que ce n'étaient que des rebelles qui avaient pris d'assaut une station radio et je lui reportai ce que racontaient les bulletins d'informations internationaux. Je le pressai de faire une déclaration pour chasser les rumeurs et de notre côté, nous fûmes en mesure de confirmer qu'il n'y avait pas de coup d'État. Je me rappelle clairement que j'avais eu des projets pour sortir ce soir-là, mais je passai toute la soirée à répondre aux coups de fil des médias. Dès que Madiba devint disponible, je lui expliquai. Toute cette agitation superflue dont il n'était absolument pas au courant le fit rire.

Un jour, le docteur Percy Yutar demanda à voir Madiba. Percy Yutar était le procureur qui avait envoyé Madiba en prison à vie. Il avait des difficultés financières et voulait que Madiba l'aide à vendre les documents du procès de Rivonia. Ils s'étaient vus une fois depuis, quand Madiba était président, quand il avait invité le docteur Yutar à déjeuner à la résidence présidentielle officielle de Pretoria. Il expliqua qu'il avait essayé de convaincre le gouvernement de lui acheter les documents mais nous refusâmes de l'aider. Je n'arrivais pas à comprendre comment il avait fini par avoir ces documents en sa possession mais je me dis qu'il les possédait probablement parce qu'il apparaissait dans cette affaire. Ceux-ci furent achetés plus tard, à son insu, par Douw Steyn et les Oppen-heimer, et nombre d'entre eux sont aujourd'hui aux Archives nationales.

Lorsque Madiba demanda à voir Yutar pour la pre-mière fois après sa libération dans les années quatre-vingt-dix, je me sentis mal pour ce dernier, sachant qu'il devrait vivre avec cela, mais quelque part le fait que cet homme qui avait envoyé Madiba en prison à vie ait vécu une vie merveilleuse et voulût tout de même que Madiba l'aide à vendre les documents mêmes qui l'avaient envoyé en prison me dégoûtait. Ces papiers appartenaient au gouvernement; com-ment était-il parvenu à les récupérer dans ses archives personnelles après sa retraite? Cela m'interloquait et je décidai, avant même que Madiba refuse d'aider à vendre ces documents, que je ne serais pas, par prin-cipe, mêlée à cette transaction.

Le 2 novembre 2001, Douw inaugura la maison sur sa réserve d'animaux sauvages dans la province de Limopopo, appelée Shambala, qu'il avait construite pour que Madiba y prenne sa retraite. Shambala signi-fiait «paradis sur terre» en tibétain. La générosité de Douw Steyn ne cessa pas pendant les six mois où il hébergea Madiba, après qu'il a eu quitté Soweto au début des années 1990 à la suite de sa séparation avec Mme Winnie Madikizela-Mandela. Une fois, Douw invita Madiba et Mme Machel dans sa ferme Sham-bala dans le Waterberg. C'était un déjeuner informel, prévu uniquement avec Douw, sa femme Carolyn et son personnel. Quand Madiba et Mme Machel se retirèrent, ils m'apprirent que Douw avait proposé de construire une maison pour Madiba et Mme Machel où ils pourraient se détendre sans que personne ne vienne les y déranger. Madiba et Mum, comme nous appelions Mme Machel en imitant Madiba, ne surent pas refuser cette proposition, car Douw ne supportait pas qu'on lui refuse quoi que ce soit. En un rien de temps, il construisit la plus belle maison de l'exploitation, avant même d'avoir achevé la sienne.

À bien des égards, Douw Steyn me faisait penser à Jay Gatsby. Il organisait toujours des fêtes luxueuses et un peu exagérées à la dernière minute dans l'une de ses propriétés. Madiba ne participa qu'à quelques-unes, mais il aimait toujours passer du temps avec Douw et le mode de vie somptueux des riches et célèbres le divertissait. Douw parlait à Madiba de ses transactions extravagantes et Madiba était intrigué qu'une seule personne puisse détenir une telle richesse. Après sa libération, des membres de l'ANC présentèrent Douw à Madiba. Lorsque ce dernier quitta Soweto au milieu des années 1990, se séparant de son épouse, Mme Winnie Madikizela-Mandela, Douw hébergea Madiba pendant six mois ; et c'est là qu'il acheva ses mémoires *Un long chemin vers la liberté*, et qu'il rencontre régulièrement des officiels de l'ANC pour travailler sur la Constitution provisoire de l'Afrique du Sud. Cette résidence qui appartenait à Douw fut ultérieurement transformée en Saxon Hotel.

Enfin, nous trouvâmes une cachette. Même si Madiba aimait les gens et être avec eux, il était difficile dans la ville de trouver la paix et le calme, le temps de réfléchir. Il se retrouvait face à des demandes de la part de nombreuses personnes auxquelles il désirait vraiment faire plaisir, mais s'il existait un endroit où les gens auraient du mal à le trouver, il pourrait y créer un lieu pour réfléchir et peut-être écrire. Shambala se trouvait à bonne distance de Johannesburg, nous convînmes tous que peu de monde se donnerait le mal de voyager jusque-là pour rendre visite à Madiba. Il se rendrait dans cette maison de temps en temps et nous ordonnerait de ne prendre aucun rendez-vous pendant quelques semaines afin de passer du temps là-bas.

Le lancement de la propriété de Shambala coïncida avec la visite des candidates de miss Univers en Afrique du Sud, que Douw hébergea en même temps sur l'exploitation. Chaque année, Madiba mettait un point d'honneur à rencontrer la miss Afrique du Sud après son sacre, puis une fois il indiqua qu'il voulait rencontrer la miss Univers de passage en Afrique du Sud, mais il n'avait pas encore rencontré la miss Afrique du Sud en titre. Je le mis en garde : il ne pouvait pas rencontrer miss Univers sans rencontrer miss Afrique du Sud, parce que ne pas nous occuper d'abord de notre propre peuple nous attirerait des problèmes, et il accepta de rencontrer d'abord miss Afrique du Sud. Puis il raconta cette histoire partout, que je l'avais bien conseillé. J'aurais préféré être connue comme celle qui l'avait bien conseillé pour éviter une grande guerre mondiale, mais il avait été très impressionné par mes bons conseils sur miss Univers *vs* miss Afrique du Sud. Des amis et associés de Madiba se plaignirent qu'il passait trop de temps avec les reines de beauté et que cela avait un impact négatif sur son image. Précisément l'une des batailles que nous devions affronter. Il admirait la beauté et ces activités en apparence frivoles s'expliquaient simplement parce qu'il adorait se trouver en compagnie de ces femmes magnifiques, qui bien sûr adoraient toutes Nelson Mandela.

Début novembre 2001, nous visitâmes Bruxelles où nous évoquâmes avec le Premier ministre Verhofstadt l'accord en voie d'être signé au Burundi et le soutien que l'Union européenne pourrait apporter au pays. Le 1er novembre, nous nous étions rendus à Bujumbura à la cérémonie de prestation de serment du nouveau gouvernement par intérim. Je sentais que l'accord de paix était quelque part forcé, mais si Madiba n'avait pas insisté, ils seraient toujours en train de négocier. Il était soulagé que cela soit terminé. À ce jour, une force pour le maintien de la paix est présente au Burundi.

En décembre, nous nous rendîmes à Tripoli pour rendre visite au Frère Leader, après quoi nous nous mîmes en route pour les États-Unis où nous assistâmes à une collecte de fonds pour la Mosaic Foundation, une fondation dirigée par l'épouse du prince Bandar. Nous visitâmes également le Maryland et remîmes un rapport aux Nations unies sur le Burundi. Nous partîmes ensuite pour Toronto et Ottawa où le Premier ministre Jean Chrétien accorda à Madiba le plus grand honneur du Canada. Nous étions fatigués après une très longue année et l'âge de Madiba n'arrangeait pas les choses. Pourtant, son envie impérieuse de tout révolutionner ne diminua pas. Il voulait continuer à propager la bonne parole d'une toute nouvelle Afrique du Sud dans le monde entier. Il désirait encourager les étrangers à conserver la confiance dans notre pays et à investir. Et entre-temps, il désirait conserver des liens avec ses amis.

Avant notre voyage à Tripoli, nous nous rendîmes de nouveau en Arabie Saoudite, à Oman, Bahreïn, et au Koweït pour récolter des fonds pour la Fondation. J'aimais bien Oman et Bahreïn, où le roi se montra très accueillant, tout comme le sultan d'Oman. Au Koweït il se produisit quelque chose d'étrange. Il nous est arrivé à tous de prendre des savons ou des articles de toilette de nos salles de bains quand nous séjournons dans des hôtels de luxe. Dans cette pension de famille, la salle de bains de Madiba était achalandée en marques hors de prix de savon, après-rasage, gel douche, etc. Pendant que nous nous trouvions à un rendez-vous à l'extérieur, quelqu'un, probablement un garde du corps, car c'étaient les seuls qui restaient sur place, décida de se servir dans la salle de bains de Madiba. Il était loin de se douter que ce dernier avait noté chaque article présent avant de partir. À notre retour, il constata qu'il manquait quelque chose et convoqua tous ses gardes du corps. Il m'appela aussi et me dit de venir en guise de témoin. L'avocat en Madiba entrait dans le prétoire. J'aurais voulu cacher mon visage tellement j'étais embarrassée pour les gardes du corps.

Il les interrogea tour à tour et donna au « méchant » la possibilité de rendre l'article ; dans le cas contraire, il le dénoncerait au ministre de la Police quand nous rentrerions. Si le « méchant » ne se dénonçait pas, il les licencierait tous. Il voulait que j'appelle le ministre sur-le-champ depuis le Koweït pour évoquer l'affaire, mais je me dis qu'il vaudrait mieux que nous en restions là jusqu'à notre retour en Afrique du Sud – et faire comme si je n'avais pas réussi à joindre le ministre pour commencer. Madiba ne plaisantait pas. Le lendemain matin, l'article retrouva sa place et Madiba n'en parla plus, comme il l'avait promis. Il se moquait bien que l'on prenne des produits de toilette dans sa propre salle de bains, mais pas dans la sienne. Et quand nous partîmes il refusa de prendre ses produits, auxquels il n'avait pas touché. Il ne voulait pas profiter de nos hôtes et il espérait que tout le monde se comporte de la sorte.

Une autre fois, ailleurs, quelqu'un faucha des couverts à notre hôte et quand on le coinça, je compris que je devrais gérer cette affaire avec la plus grande discrétion, car Madiba ne supporterait pas ce genre de choses. Je décidai que nous devions nous en occuper en interne plutôt que de faire appel à l'avocat qui deviendrait le plaignant. Comme les équipes tournaient, on ne savait jamais ce qui arrivait aux autres quand nous étions en voyage à l'étranger et de ce fait, cette équipe-là ne connaissait pas le « plaignant ». J'insistai, dans ce cas, pour que le type soit puni au sein de sa propre structure quand nous rentrerions, même si nous avions rendu les couverts à son propriétaire avant notre départ. La seule chose que Madiba ne supportait absolument pas, c'était la malhonnêteté. En matière de savonnette ou de programme politique.

Pour moi, Madiba était un homme gentil et généreux, mais bourré de principes et discipliné, dans tous les sens du terme. J'ignore si c'est à cause de mon éducation calviniste ou parce que je suis très sensible, mais pour avoir grandi dans une maison où la seule violence était celle de la voix élevée de mon père, je prenais peur dès que quelqu'un élevait le ton. J'évite les conflits personnels et je préfère me taire et me retirer complètement. Non pas que je redoute les conflits en soi, mais je deviens nerveuse dès lors que l'on élève la voix. C'était pareil avec Madiba. Il avait une grosse voix par nature, mais qu'il élève un minimum me rendait immédiatement nerveuse. Ce n'était pas comme s'il avait des accès de colère et je ne l'entendis parler plus fort qu'à de rares occasions au cours des années pendant lesquelles je travaillais avec lui. Ce n'était en général que dans des situations qui le mettaient vraiment en colère, quand quelqu'un le trahissait, ou se montrait malhonnête, ou pour un sujet personnel. J'avais envie de rentrer sous terre pour l'autre, puis dès que la personne s'en allait, j'essayais de faire retomber la tension. Les proches de Madiba savaient quand il se mettait en colère. Mais il ne la passait jamais sur les autres. Il se taisait et cela le perturbait.

Au cours de la dernière partie de sa présidence, alors que je me retrouvais souvent à « gérer » le bureau de Pretoria seule, j'appelai Rory Steyn, son garde du corps, quand il était en service, pour qu'il m'avertisse de l'humeur globale du président avant qu'il n'arrive au bureau. C'étaient les gardes du corps qui conduisaient le président de sa résidence de Houghton au bureau de Pretoria, et Rory saurait si le président était sérieux, d'humeur joyeuse ou préoccupé. Les estimations de Rory me permettaient d'aborder la journée avec le président sans faire de remarque maladroite ni l'accueillir trop amicalement alors qu'il n'en avait pas envie.

Tous nos voyages pouvaient laisser penser que la Fondation Nelson-Mandela semblait récolter des millions, mais en réalité ce n'était pas le cas. Il était plus facile pour Madiba de collecter des fonds pour l'ANC, un mouvement de libération, que pour une fondation. Celle-ci n'était pas bien établie, ou plutôt sa direction changeait constamment et je crois que les gens hésitaient à faire des dons, ne sachant pas trop si c'était surtout une fondation familiale ou si elle visait à mettre une ONG en place.

Début 2002, je tombai sur quelqu'un du protocole au bureau du président. Cette personne m'apprit que les tableaux et photos où Mandela apparaissait avaient été enlevés de la zone d'exposition de la propriété viticole de Spier dans le Cap-Occidental, en vue de la visite du président Mbeki. Je n'avais aucune raison de ne pas la croire, et j'en eus confirmation quand on en parla dans le *Mail* et le *Guardian* local, une semaine plus tard. Cela ajouta de la crédibilité à mon point de vue : que ce n'était pas nécessairement le président Mbeki qui entretenait des sentiments particuliers envers Madiba, mais ils étaient aggravés par ce genre d'initiative de son équipe. Le président Mbeki avait sûrement dû être mort de honte en lisant l'information dans la presse. C'est tellement mesquin et en aucun cas je ne pouvais croire qu'un président ordonne à son équipe d'enlever tout ce qui pouvait avoir un rapport avec Nelson Mandela.

En mars 2002, Madiba me confia une tâche. Il voulait que j'organise un dîner de gala pour les combattants pour la paix, comme ce qu'il avait fait au cours de sa présidence quand il invitait les épouses d'anciens combattants à prendre un thé à Mahlamba Ndlopfu. Même s'ils ne partageaient plus cet objectif commun qu'était la lutte pour la libération, il trouvait nécessaire qu'ils soient honorés et que l'on ne pense pas qu'il les ait oubliés même si sa vie avait continué. Sauf que cette fois-là, il devait y avoir près de mille cinq cents invités. Nous récoltâmes rapidement des fonds et mîmes en place un groupe de travail pour l'événement.

Les souvenirs de cet événement et les difficultés que nous rencontrâmes pour l'organiser resteront en moi pour le restant de mes jours. Cela valut vraiment tous les efforts que nous fîmes, quand on voyait le visage des personnes âgées s'illuminer dès qu'elles retrouvaient des amis ou des collègues qu'elles n'avaient pas vus depuis de nombreuses années, souvent sans savoir si ces personnes, dont elles étaient si proches dans la bataille, étaient encore en vie. La plupart vivaient encore, dans la pauvreté et souvent le dénuement, malgré leur participation à la lutte pour la libération. Ce constat me mit en colère, et je fis ce que je pus pour m'assurer qu'au moins une fois dans leur vie, on leur rende hommage de façon festive.

Il était impossible de faire plaisir à tout le monde. Simplement Madiba n'avait jamais tenu à rester trop longtemps au même endroit. Il désirait bouger en permanence, et je pense qu'un sentiment d'urgence le poussait à en faire le plus possible avant qu'il ne soit trop vieux pour se déplacer. Il assistait à cinq voire sept manifestations publiques par semaine, à cette époque, et chacune se déroulait de la même façon. Il était impossible qu'il reste assis pendant deux heures à écouter des discours interminables. Je le revois une fois interrompre grossièrement la prière d'un prêtre en demandant au maître de cérémonie d'arrêter le prêtre pour qu'il cesse de prier. Quand je l'interrogerais après coup, il m'expliqua que ce n'était pas prier qui lui posait problème, mais que le prêtre n'était pas obligé d'essayer de tous nous convertir avec une prière si longue. Il avait raison. La prière ne se limitait pas à la bénédiction ni à l'ouverture de la cérémonie, mais elle était plus longue qu'un sermon !

La frontière était ténue entre avoir l'air irrespectueux et s'en tenir au programme établi. En février 2003, Mathatha Tsedu rédigea un éditorial dans le *Sunday Times* qui nous critiquait pour ne pas avoir autorisé Madiba à assister plus longtemps à l'inauguration d'une école. Mathatha écrivit : « C'était très gênant et beaucoup disent ici que comme la vie de Mandela est dirigée par une Blanche, quand il assiste à des manifestations noires, c'est toujours en coup de vent. » « Nous comprenons que quand il assiste à des manifestations de Blancs, il reste plus longtemps », me confia un organisateur. Il poursuivit : « Je connais Zelda la Grange, l'assistante de Mandela, et je crois qu'elle ne snoberait pas des occasions uniquement parce qu'elles sont entre Noirs. Il faut plutôt se demander si le bureau de Mandela gère correctement son emploi du temps pour veiller à ce qu'il ne passe pas en coup de vent mais qu'il reste assez longtemps pour que l'on ne croie pas qu'il soit juste de passage. »

Plus facile à dire qu'à faire. Madiba mettait justement un point d'honneur à regarder l'ébauche du programme de la manifestation du jour avant d'assister à l'événement en question, et il me disait quoi modifier, puis c'était à moi de m'arranger pour qu'il sorte en général une demi-heure après son arrivée. Oui, c'était un passage en coup de vent, mais il y tenait, sans discrimination de race et indépendamment de la nature ou du lieu de l'événement.

La réalité, c'était que beaucoup ne fermeraient jamais les yeux sur le fait que je sois blanche. La race était toujours un problème, et beaucoup ne s'étaient pas habitués au fait que nous soyons tous sud-africains, sans discrimination de couleur. Les dégâts causés par l'apartheid étaient sous-estimés et ils se manifestaient de la façon suivante : dès que l'on ne trouvait pas d'excuse à un problème, c'était sur la race qu'il était le plus facile de rejeter la responsabilité. J'avais appris par Madiba que deux choses détruiraient immédiatement la solidité de votre argument si vous vous en serviez : la race et les insultes. Quand votre argument repose sur un principe, il n'y a aucune raison pour que vous vous débattiez avec des problèmes de race ou pour que vous essayiez d'insulter votre adversaire. Restez fidèles à vos principes et si vous n'y arrivez pas, cela signifiait que vous n'aviez pas d'argument.

(En 2008, je reçus le prix de l'une des Dix Femmes de l'année, prix décerné par *City Press* et *Rapport*, deux journaux du dimanche en Afrique du Sud. Mathatha était le rédacteur en chef de *City Press* à l'époque et j'appréciai son geste sans penser à nos différends du passé. Je suis sûre qu'il ne s'était pas battu lui-même pour que je reçoive ce prix, mais cela avait dû passer devant son bureau et il aurait pu s'y opposer s'il l'avait voulu.)

Il y avait deux choses que Madiba ne supportait pas : une salle d'attente et une salle de réunion. Il affirmait que si nous pouvions être à l'heure alors tout le monde le pouvait, et il refusa à maintes occasions de patienter dans des salles d'attente. Il entrait directement dans la manifestation et par la force de sa présence les débats pouvaient commencer, que les gens soient prêts ou non.

En avril 2002, l'Afrique du Sud eut son premier astronaute : Mark Shuttleworth. Celui-ci était célèbre dans le pays pour avoir inventé un logiciel de sécurité d'opérations bancaires par Internet, qu'il vendit à l'étranger pour plusieurs milliards. C'était le plus jeune milliardaire d'Afrique du Sud, et naturellement il fut chargé de construire une école lui aussi. Mark nous rendit visite à plusieurs reprises et il fut convenu qu'il appellerait Madiba sur mon portable une fois dans l'espace. C'était très excitant. Nous le regardâmes tous décoller dans l'espace mais le lendemain la vie reprenait son cours pour nous, même si son voyage continuait de faire la une.

L'accord, c'était que Mark appelle un jour précis et naturellement j'oubliai de le noter. Mon portable sonna ; le numéro était masqué. En général, je ne réponds pas à ce genre d'appel, mais cette fois je le fis, car Madiba se trouvait dans le bureau à côté et il entendit le téléphone sonner. Au bout du fil, la personne dit : « Allô ? C'est Zelda ? » On aurait dit un appel d'Amérique, et cela m'irrita car je détestais les gens qui m'appelaient toute la journée sur mon portable pour m'exposer leurs longues propositions ou pour avoir d'interminables discussions pendant que je m'occupais de Madiba. Je répondis : « Oui, que puis-je faire pour vous ? » La personne rétorqua : « J'appelle d'ISS. » Je songeai : « Qu'est-ce que l'ISS ? » Une fois de plus, maintenant passablement irritée, je demandai à l'homme ce que je pouvais faire pour lui. Il répéta : « C'est Mark, de l'ISS. » Je pensais que ce devait être une organisation et je tâchai de réfléchir rapidement pour ne pas avoir l'air bête. Sa dernière tentative fut : « Zelda, c'est moi, c'est Mark, j'appelle de *l'espace* ! » Oh là là ! Je compris subitement et je dis : « Oh Mark, comment allez-vous ? Attendez, je vous passe Madiba. »

Je me ruai dans le bureau de ce dernier et lui non plus ne comprit pas tout de suite ce que je tâchai de lui expliquer : « C'est Mark, Mark Shuttleworth, il appelle de l'espace. » Quand Mark revint, il passa nous voir pour nous faire partager son expérience et il adora notre histoire. Nous étions très fiers de lui.

Ce fut à peu près à cette époque que Madiba annonça à l'occasion de l'une de ses visites à Qunu qu'il désirait que l'on plante des arbres sur son exploitation. De gros arbres adultes pour cacher sa maison de la route, l'autoroute N2. Il me chargea de cette tâche et je ne savais pas du tout comment m'y prendre. J'appelai mon père et lui demandai s'il savait qui contacter pour ce genre de travaux, et il me répondit qu'il passerait des coups de fil et reviendrait vers moi ensuite. Sachant que pour moi, dans la vie, tout était une urgence, il me rappela aussitôt pour me dire qu'il m'aiderait à trouver quelqu'un. Puis un jour plus tard, il avait réussi à obtenir un devis et il me le fit suivre. C'était beaucoup trop cher et il m'assura qu'il trouverait une solution. En tant que fille à papa, je comptais toujours sur lui pour résoudre tous mes problèmes. Et c'est qu'il fit. Il me rappela pour me proposer de venir faire le boulot lui-même !

Je fus à la fois hésitante et sceptique. Je lui demandai de mettre sa proposition par écrit et la soumis à Madiba. Celui-ci se montra enthousiaste et demanda à parler à mon père. Ils s'étaient déjà rencontrés et Madiba aimait la simplicité de mon père. L'influence de Madiba dans ma vie avait changé le comportement de mon père envers lui. J'expliquai alors clairement à Madiba que je ne souhaitais pas être mêlée à ces transactions et que mon père devait s'en référer à Ismail Ayob, son avocat, responsable de sa comptabilité. Madiba comprit bien que je ne souhaite pas être accusée de népotisme.

Comme je m'y attendais, mon père mit tout son cœur et toute son âme dans ce projet, et bien vite les arbres furent plantés. À la fin, Madiba demandait toujours des nouvelles de mes parents et plus particulièrement de mon père. Celui-ci ne factura pas à Madiba le travail effectué, mais uniquement l'achat des arbres, le travail préparatoire et la main-d'œuvre qu'il avait dû amener. Madiba lui en fut très reconnaissant. Nous taquinâmes mon père : « Vous voyez, les temps ont changé… Vous voilà, vous, le vieux conservateur en

train de planter des arbres dans le jardin d'un Noir ! »
Et qu'est-ce que nous pûmes en rire ! Mon père était
extrêmement fier de son boulot et me demandait toujours des nouvelles des arbres dès lors que j'allais à
Qunu. Mes parents étaient tellement reconnaissants
des chances que m'avait offertes Madiba que cela
leur avait aussi adouci le cœur. La gratitude sincère
de Madiba et le respect avec lequel il traita mon père,
tout cela changea mon père à jamais.

Nous rentrâmes à New York en février 2002 pour
assister au lancement du festival du film de TriBeCa
créé par Jane Rosenthal et Robert De Niro. Suite aux
attaques des tours jumelles de Manhattan, Wall Street
voulait à tout prix reconstruire sa réputation de lieu
sûr. Nous fûmes aussi invités à un cocktail à la mai-
rie par Michael Bloomberg, le maire. Nous détestions
les cocktails et les manifestations informelles debout,
avec Madiba. Les gens le submergeaient totalement
et, en plus, cela ne servait à rien de lui parler dans de
telles circonstances. Son appareil acoustique arrêtait
immédiatement tous les bruits si trop de monde parlait autour de lui ou que l'environnement était trop
bruyant.

Nous entrâmes dans la pièce où deux cents personnes étaient réunies. Il n'y avait personne pour
nous accueillir à notre arrivée et nous nous frayâmes
directement un chemin à travers la foule jusqu'à ce
que nous rencontrions des enfants dans la pièce.
Madiba se mit à discuter immédiatement avec eux
car les enfants l'attiraient tous comme un aimant. Il
dut se pencher pour bien les entendre et je fis de mon

mieux pour répéter ce qu'ils disaient afin qu'il puisse leur répondre correctement. Quand il se pencha, un homme s'approcha de lui par-derrière et tira sur sa chemise pour essayer d'attirer son attention. Je songeai : «Mais que fabrique-t-il... ?» Comme il continuait, je me tournai vers lui et dis : «Excusez-moi, monsieur, mais pourquoi tirez-vous donc la chemise de M. Mandela ? Il est occupé avec les enfants.» Il regarda autour de lui comme pour chercher de l'aide, puis me répondit : «J'aimerais que M. Mandela salue ces personnes, ce sont mes amis.» Mon sang ne fit qu'un tour et j'ajoutai : «Eh bien, pouvez-vous au moins le laisser terminer avec les enfants, s'il vous plaît ?» Il rétorqua alors, presque ironiquement : «Savez-vous qui je suis ?» Et je répondis sèchement : «Non, mais s'il vous plaît, arrêtez !» Une troisième personne apparut et me murmura à l'oreille : «C'est le maire Bloomberg, c'est lui l'organisateur de la soirée.» Je fus sidérée. Je lui présentai mes excuses, mais lui demandai tout de même de ne pas tirer sur la chemise de M. Mandela; car il était déjà instable sur ses jambes et qu'il se retournerait une fois qu'il aurait fini avec les enfants. Le maire ne m'aima pas, mais je n'avais pas le choix.

Quand nous traversâmes la salle un peu plus tard, je reconnus un autre visage familier, celui de Hugh Grant, l'acteur britannique. Tout le monde voulait être photographié avec Madiba et ce fut vite le chaos. Hugh Grant ne demanda pas à rencontrer M. Mandela, mais il sourit et à l'expression sur son visage, il était manifestement ravi de le voir. Hugh vint se poster à côté de Madiba et tout en tenant son propre appareil à la main, il le retourna et se photographia à côté de lui. Un *selfie*, comme on dit aujourd'hui. Je lançai alors : « Excusez-moi, M. Grant ? Je suis l'assistante de M. Mandela. Voulez-vous que je vous prenne en photo ? »

J'étais devenue la photographe officielle, car je devais souvent prendre en photo les gens avec Madiba. Je devins une experte *ès* fonctionnement de tous les appareils. Je me moquai bien que ce ne soit ni l'heure ni l'endroit. Il m'en fut reconnaissant. Je n'expliquai pas à Madiba qui il était au juste.

Le 16 février 2003, Mathatha Tsedu rédigea un autre éditorial qui attaquait cette fois le Treatment Action Campaign qui se servait du visage de Madiba sur un T-shirt. Le TAC était au premier rang pour pousser le gouvernement à donner aux pauvres l'accès aux médicaments antirétroviraux contre le sida, ce que Madiba soutenait et pour quoi il était prêt à se battre publiquement. À cette époque, l'Afrique du Sud devint vite le pays au taux de sida le plus élevé au monde. Le gouvernement ne donnait pas libre accès aux médicaments contre le sida. Madiba tâcha de rencontrer feu la ministre de la Santé d'alors, le docteur Manto Tshabalala-Msimang à plusieurs reprises pour discuter de ce problème et il fut bouleversé et dégoûté qu'elle ait accordé si peu d'importance à ce problème. L'Afrique du Sud devenait la risée du monde entier en raison de sa politique contre le sida et en coulisses, Madiba essayait de mener la bataille au nom de ces anonymes. Il se moquait bien que le TAC utilise son visage et une fois de plus Mathatha attaqua le bureau

de Madiba qui ne se comportait pas comme il fallait
en ne protégeant pas l'image de Madiba d'« abus de
la sorte », comme il dit. Je commençai à me rebeller
contre des tas de questions, dont celle-ci. Pour moi,
les abus, c'était des gens sans voix ni moyen de reven-
dication qui n'avaient pas accès aux médicaments et
mouraient par millions. Sans offrir de traitement, le
gouvernement les privait de leurs droits.

Nous fûmes extrêmement frustrés par le manque
de réaction de la part du gouvernement suite aux
demandes de Madiba de le rencontrer pour discuter
du problème des médicaments anti-HIV. Une fois, la
ministre Msimang reçut Madiba durant une demi-
heure seulement : elle dut partir car elle avait un rendez-vous pour un essayage de robe !

Le déni atteignit son apogée. Le président Mbeki
déclara qu'il n'avait jamais vu de malade du sida ;
pourtant Madiba aida d'innombrables personnes à
accéder aux médicaments anti-HIV – des gens qui
récupérèrent ensuite et vécurent une vie de qualité.
Le président nia également le rapport entre le HIV
et le sida. Nous aidâmes une jeune fille qui était au
bout du rouleau quand elle vint voir Madiba pour lui
demander de l'aide. Elle ne pouvait plus manger toute
seule. Il la fit admettre à l'hôpital ; elle suivit un premier traitement dont elle ne supporta pas les effets
secondaires, on lui prescrivit donc un autre. Plus
tard, on la renvoya chez elle et aujourd'hui elle est
mariée, mère de famille et vit une vie normale. Grâce
à la pression tant locale qu'internationale ainsi que
de personnes comme Bill Clinton, le gouvernement
offre désormais des médicaments antirétroviraux et

le nombre de malades du sida en Afrique du Sud a baissé.

Le soir du 5 mai 2003, je reçus un coup de fil qui m'apprit que Walter Sisulu, le meilleur ami de Madiba, venait de mourir. Ils étaient en prison ensemble, mais étaient amis depuis qu'ils étaient jeunes. J'appelai aussitôt Kgalema Motlanthe que j'aimais et respectais, pour lui demander de le confirmer.

Kgalema était le secrétaire général de l'ANC à cette époque. Il n'était pas au courant non plus, mais une seconde source ne tarda pas à confirmer l'information. Il était déjà tard ce soir-là et Madiba dormait, mais je savais qu'il voudrait être immédiatement informé s'il arrivait quelque chose à oncle Walter. Mme Machel se trouvait dans son village natal en Mozambique et elle était injoignable ; alors je me rendis chez Madiba en voiture. J'entrai et expliquai au personnel ce que je faisais là. Je savais que ce n'était pas le genre de chose que l'on annonçait par téléphone, car la nouvelle serait un gros choc pour lui. Je montai dans sa chambre et pour la première fois, j'eus peur de le réveiller. Je le réveillais souvent quand nous étions en voyage, mais là c'était différent.

Je touchai d'abord la couette sur ses pieds et dis : « Khulu, Khulu, il faut que je vous parle, réveillez-vous ! » La deuxième fois je touchai la couette sur son épaule et il se réveilla. Tout ce qu'il dit fut : « Oui, Zeldina ? » comme s'il s'attendait à ce que je lui demande quelque chose. Je répondis : « Je regrette vraiment d'être celle qui doive vous l'annoncer, mais oncle Walter est décédé. » Soit il ne m'entendit pas tout de suite, soit il fut sous le choc. Je me répétai. D'une main, il toucha la naissance de ses cheveux sur son front et s'exclama : « Bon Dieu ! » Il lui fallut du temps pour s'asseoir bien droit. Je décidai de m'installer au pied de son lit un moment pour m'assurer qu'il allait bien, et lui répéter que j'étais vraiment désolée d'être la porteuse d'une si mauvaise nouvelle. Et je lui répétai ce que j'avais entendu. Je lui dis également que je pensais qu'il aurait voulu le savoir immédiatement et il répondit : « Oui, oui, bien sûr. »

Nous convînmes qu'il se rendrait dans la résidence de Sisulu très tôt le lendemain matin et il me demanda de le réveiller à la première heure. Ce fut très dur pour Madiba de voir la tristesse de Tante Albertina, l'épouse d'oncle Walter. Il avait connu ces gens toute sa vie et ils étaient une partie de lui. Il avait tant de respect pour oncle Walter, pour son humilité et sa simplicité. Et aussi pour ses qualités de dirigeant exceptionnelles et sa détermination à toujours diriger dans l'ombre et à pousser les autres en avant. En silence je pensais exactement la même chose. Oncle Walter avait dû pousser Madiba sur le devant toutes ces années où ils étaient emprisonnés. Madiba racontait souvent des histoires sur leur relation et sur la fréquence de leurs conversations. C'était en effet une triste journée pour tout le monde. L'Afrique du Sud perdait l'un de ses plus grands héros.

Il était temps que Madiba ralentisse. Il ne pouvait simplement pas garder ce rythme et continuer à répondre à toutes les demandes de ses amis, collègues et associés. Il partagerait son temps entre Johannesburg, Qunu et Maputo puis resterait un peu au calme à Shambala chaque fois qu'il voudrait écrire. La résidence de Shambala lui offrait également l'opportunité de divertir des personnalités influentes, qui ne pouvaient pas aller dans une réserve normale, car Shambala était complètement privée.

Quelques artistes célèbres suggérèrent que l'on utilise son matricule de prisonnier dans une campagne contre le sida. Elle s'appellerait 46 664. Madiba avait toujours été contre le fait que son visage, image ou nom soit commercialisé, dans un but caritatif ou commercial. Les artistes lancèrent donc l'idée de se servir de son matricule pour permettre de collecter des fonds pour la campagne contre le sida. Ils proposèrent de lancer la marque lors d'un grand concert qui aurait lieu à Cape Town et bien sûr de jouer gratuitement. Si certains chanteurs répétèrent à Cape Town, le directeur de la Fondation décida que Madiba devrait remercier les artistes pour leur dévouement sans relâche et pour soutenir une cause qui lui tenait à cœur.

Nous nous trouvions à Shambala à ce moment-là. Un coup de fil était prévu quand tous les chanteurs seraient tous réunis pour que Madiba puisse leur parler. Je tapai leur nom, par exemple Brian May – Queen. Et Dave Stewart – Eurythmics après avoir briefé Mandela. Je tâchai de lui expliquer qui était qui et lui donnai le papier afin qu'il se rappelle les noms. Brian May fut le premier en ligne. Je restai à son côté pour lui montrer à qui il parlait. Quand Brian répondit « Allô Madiba, comment allez-vous ? » et Madiba lui rétorqua poliment : « Bonjour Brian, bien merci et vous ? » Brian répondit qu'il allait bien et qu'il était très content de participer à cet événement. Madiba le remercia puis demanda : « Comment va la reine ? » Il parla ensuite à Dave Stewart et demanda : « Comment va l'Eurythmics ? » Il n'avait aucune idée que c'étaient des groupes de rock. Il avait perdu toute notion de la technologie au cours de son emprisonnement et c'était difficile de lui expliquer ce qu'était même un CD, et encore moins des musiciens et des groupes célèbres. Je l'avais surchargé de mauvaises informations. C'était précieux d'assister à une telle innocence : l'intention derrière était si pure !

Plus tôt cette année-là, Madiba eut quatre-vingt-cinq ans. Je fus chargée par le directeur de la Fondation d'organiser une fête pour son anniversaire. Je collectai des fonds pour la soirée où plus de mille deux cents invités étaient conviés : des associés de Madiba du monde entier – supporters, amis, hommes politiques, membres de la royauté, etc. Je supposai que je serais en plein dans la ligne de tir quand on critiquerait la liste des invités. Mes convives étaient aussi bien des jardiniers que des membres de la royauté pour être sûre que le groupe était pleinement représentatif. Je travaillai jour et nuit, et ma tâche était simple : nous devions nous assurer que Madiba soit fêté de son vivant. Quand nous nous rendîmes jusqu'à l'ascenseur la nuit de l'événement, pour que Madiba s'en aille, vers minuit, Mme Machel me dit : « Bien joué, Zeldina, Madiba a vraiment été honoré ce soir ! » Ces paroles me marquèrent en dépit de toutes les critiques que je dus supporter. Les gens se plaignirent que Madiba était « *poppifié* » – que l'on en faisait une pop star –, parce que de nombreuses célébrités assistaient à l'événement. Mais personne ne prêta attention aux jardiniers, chauffeurs et gardes du corps qui furent invités eux aussi, parce qu'on ne les considérait pas comme assez célèbres ni importants pour recevoir l'attention des médias. De plus, quand nous voulions l'aide de la communauté internationale, on faisait toujours appel aux célébrités pour donner leur temps gratuitement.

Madiba aimait les soirées. Il avait parcouru la liste d'invités plusieurs fois et avait avalisé chaque convive. Certains membres de sa famille étaient en colère car ils n'étaient pas assis à la table d'honneur, contrairement à certains membres de famille royale et aux chefs d'État. Par conséquent, je ne fus pas invitée au quatre-vingt-dixième anniversaire de Madiba à Qunu, et quand Mme Machel insista pour que je sois là, on m'installa délibérément à la table au fond de la salle. Non pas que j'avais espéré être à la table d'honneur, mais c'était clairement un signe de la valeur que j'avais pour certains membres de la famille dans la vie de leur aîné, et une indication de ce qu'il fallait espérer. Je ne discutais jamais de mes problèmes avec Madiba parce que j'estimais qu'il avait déjà assez de préoccupations comme cela. Ce jour-là, peut-être, j'aurais dû lui parler.

Le 7 novembre, Mandela partit pour Shambala où nous nous étions arrangés pour qu'il passe le week-end avec les anciens détenus de Robben Island. Un plus petit groupe cette fois et des proches des années de lutte. Cela reste l'un de mes meilleurs souvenirs, les voir tous ensemble se rappeler le bon vieux temps. Ils apprécièrent tous de visiter Shambala et nous fîmes en sorte qu'ils soient chouchoutés. J'adorais écouter leurs histoires et les entendre se taquiner. C'étaient les hommes qui menèrent la lutte, planifièrent le sabotage et les actions pour essayer de faire entendre raison au gouvernement de l'apartheid. Ils avaient passé toute une vie en prison et voilà qu'ils étaient tous des vieillards qui savouraient leur troisième âge, enfin libres. C'étaient de véritables retrouvailles et chacun essayait de l'emporter sur les histoires de l'autre. L'une de ces occasions aussi exceptionnelles que précieuses.

Quel chemin parcouru, en Afrique du Sud ! Voilà que je passais du bon temps avec les ex-prisonniers de Robben Island tout en me disant que, pendant que je grandissais, je pensais que c'était une bonne chose qu'ils soient emprisonnés. Je me pris d'affection pour beaucoup d'entre eux, tels qu'Ahmed Kathrada, Eddie Daniels, Mac Maharaj et Andrew Mlangeni. Voilà les personnes que nous devions remercier, car elles avaient maintenu en vie l'esprit de Madiba en prison. Et je me demandais souvent s'ils n'avaient jamais perdu espoir au cours de leur séjour en prison ou s'ils n'avaient jamais imaginé qu'ils seraient là un jour, sur une réserve privée, à évoquer le passé avec Madiba.

9

Vacances et amis

Depuis, nous passions des semaines sans fin à Shambala. Madiba invitait souvent du monde à venir lui rendre visite à la réserve et nous devions être attentifs à ce que Shambala ne devienne pas juste un autre lieu de rendez-vous où les gens afflueraient en masse et où il serait bien vite submergé par les visiteurs. Pour ce genre d'occasion, il invita Zwelinzima Vavi et Blade Nzimande, respectivement secrétaire général du Conseil des syndicats sud-africains, et secrétaire général du Parti communiste sud-africain. Madiba déjeuna avec eux, après quoi il me demanda de les accompagner faire le tour de la réserve en voiture, ce que je fis. Shambala accueille les cinq plus gros animaux sauvages et on peut facilement en voir quatre sur cinq, dont le lion et l'éléphant, lors d'une courte visite. J'aimais bien Blade et Zweli car ils m'avaient toujours traitée avec respect et dignité en dépit de toutes les rumeurs sur ma présence de Blanche dans la vie de Madiba. Ils ne me considérèrent jamais comme l'aide-ménagère. À cette époque, le Parti communiste sud-africain et le syndicat de la COSATU formaient une alliance tripartite avec l'ANC. Zweli et Blade apprécièrent la petite visite et à un moment donné, je me tournai vers eux et dis : « Vous n'avez pas le droit d'apprécier cela, si ? » Ils rirent tous et je poursuivis : « Les communistes et les socialistes n'ont pas le droit d'apprécier le capitalisme, alors si cela vous plaît, ne le montrez pas tout simplement. »

Vers la fin 2003, Madiba reçut une visite de Sol Kerzner, le magnat de l'hôtellerie en Afrique du Sud. Dans le passé, on connaissait généralement l'Afrique du Sud pour deux choses : Nelson Mandela et Sun City, le complexe de loisirs de luxe. Sol construisit Sun City, ce qui provoqua de nombreuses controverses au milieu des années quatre-vingt, car le complexe est situé dans ce qui était alors le Bophuthatswana, l'un des « homelands » d'Afrique du Sud, dirigé par le président Lucas Mangope. Celui-ci était perçu comme un grand partisan du gouvernement de l'apartheid dans les années quatre-vingt. Après sa libération, Madiba appela Sol et le convainquit d'apporter son soutien à la reconstruction de l'Afrique du Sud, ce que Sol fut ravi de faire. En fin de compte, Sol vendit sa participation dans Sun City et lança Kerzner International à l'étranger. Sol parla à Madiba de leur complexe sur l'île Maurice et l'y invita à y passer des vacances. Nous nous arrangeâmes pour que Madiba, Mme Machel et certains petits-enfants y passent un moment.

C'était comme arriver au paradis. Sol avait réservé une villa privée pour Madiba et Mme Machel au St Geran Hotel sur l'île Maurice, et nous autres étions logés dans l'hôtel adjacent à la villa. Bien sûr, Sol savait que Madiba et Mum arrivaient avec toute une suite, aucun président ou ancien président ne voyageait sans. Il fallait également faire attention à ne pas faire ressentir aux gens, quelle que soit leur richesse, qu'ils étaient exploités. Ils proposèrent de nous inviter le docteur et moi en plus des petits-enfants que Madiba avait choisis pour nous accompagner. Ce que j'ai toujours grandement apprécié, de la part de mon chef, c'était qu'il veillait bien à ne pas abuser de l'hospitalité des autres. Ainsi, même s'ils nous invitèrent, nous ne vidâmes pas le minibar et ne passâmes pas non plus d'appels internationaux, mais acceptâmes leur hospitalité avec le plus grand respect.

Je travaillais désormais pour Madiba depuis dix ans et je ne l'avais jamais vu apprécier autant ses vacances. Il passait du temps en privé avec son épouse et ses petits-enfants, et nous partagions tous de bons repas comme une grande famille. Pour la première fois, rien ne pressait. Et c'était difficile de s'y réhabituer. Mum devait en permanence nous rappeler de nous détendre, que nous étions en vacances. Nous regardâmes les numéros des danseurs mauriciens et ce fut l'une des deux rares occasions où je revois Madiba danser avec Mme Machel. Il insistait aussi en plaisantant pour que nous dansions le *pata pata*. «Pata pata» est une chanson de Miriam Makeba la légendaire chanteuse sud-africaine, coécrite par Dorothy Masuka, une autre légende. La chanson sortit en 1957 avant l'emprisonnement de Madiba et elle fut classée parmi les cent meilleures ventes aux États-Unis en 1967, à une époque où Madiba était déjà en prison. La chanson xhosa signifie «touchez touchez» et en

la chantant vous êtes censés montrer comment vous
« touchez touchez » votre partenaire. L'un des gardes
du corps, Sydney Nkonoane, m'apprit à danser le *pata
pata*, au grand amusement de Madiba. Il aimait tellement cette chanson que je l'imaginais très bien danser
dessus dans les années cinquante.

La sécurité et moi faisions du sport le matin pendant que Mum se baladait, prenions un petit déjeuner tardif puis nagions et nous installions au soleil le
reste de la journée autour de Madiba. Il restait assis à
l'ombre sur la pelouse qui surplombait la mer et faisait des signes de la main aux touristes qui passaient
devant lui à « moitié nus », comme il disait – des gens
en maillots de bain. Il aimait nous avoir à ses côtés,
tout le temps. Nous étions tellement débordés d'habitude que nous prenions rarement le temps d'apprécier les moments passés ensemble et ici nous avions
hâte de partager nos repas.

La seule connexion avec Johannesburg, c'étaient
les coupures de presse. Tous les matins avant qu'il
ne se réveille, je devais m'assurer que le personnel au
bureau de Johannesburg ait sélectionné des articles
et nous les ait faxés. Il ne s'intéressait pas plus que
cela aux publications internationales que l'on trouvait dans un complexe hôtelier de cette nature, mais
il insistait pour avoir des nouvelles de chez lui. Quant
à nous, nous avions hâte qu'il ait terminé sa lecture
pour rattraper notre retard en informations. L'équipe
qui souffrait dans les locaux de la Fondation devait
être au bureau à toute heure pour préparer les coupures de presse à nous envoyer, où que nous fûmes et
quelle que soit l'heure.

Après quelques jours, Madiba annonça qu'il voulait aller se baigner. Nous hésitâmes car nous ne savions pas trop s'il pourrait tenir debout dans l'eau. Il avait du mal à marcher et s'aidait d'une canne. La sécurité le fit descendre de la terrasse et il s'assit sur une chaise dans l'eau laissant les vagues se briser sur ses pieds. La joie absolue sur son visage toucha mon cœur à tel point que c'était difficilement descriptible. Comment quelque chose de si ordinaire, quelque chose qui pour nous était presque naturel, pouvait-il apporter tant de plaisir à un être humain ?

Nous découvrîmes ensuite que Madiba n'avait pas nagé dans la mer depuis plus de quarante ans. La dernière fois qu'il s'était baigné dans l'océan, c'était quand il avait ramassé des algues dans l'eau sur Robben Island. C'était un travail manuel harassant, sous l'œil vigilant des gardiens de prison et dans l'Atlantique froid, et c'est là qu'il avait glissé sur les rochers et s'était blessé au genou pour toujours. C'était donc tellement différent ! Mme Machel l'aida à apprécier de nouveau des choses simples comme les repas de famille, le soleil, la beauté de la vie dans les fleurs, les paysages et la musique – des choses dont il n'avait pas semblé profiter après sa libération.

Madiba en avait assez de son emploi du temps surchargé et désirait passer plus de temps à écrire à Shambala. Il commença à dire qu'il voulait prendre sa retraite, et je lui rappelai que c'était déjà le cas. Nous en parlâmes avec le professeur Gerwel. Et nous organisâmes une conférence de presse pour annoncer qu'il se retirait. Madiba déclara le 1er juin 2004 : « Ne m'appelez pas, je vous appellerai. » Eh bien, tout le

monde continua de l'appeler. La pression du public
ne retomba pas, soit pour qu'il honore leurs soirées,
inaugure leurs projets ou intervienne dans des situations où l'on pensait avoir atteint un point de non-
retour. Chacun se considérait comme l'exception,
celle pour laquelle Madiba sortirait de sa retraite.
Madiba donnait à tous l'impression d'être exceptionnel et, de ce fait, les gens pensaient toujours entretenir
une relation exceptionnelle avec lui. Les personnes
qui se plaignaient qu'il était trop occupé ou qu'on le
voyait trop faire ceci ou trop cela étaient justement
celles pour lesquelles il devait parfois faire une exception. On avait l'impression de devenir fou. La plupart
des gens qui prétendaient avoir des liens particuliers
avec lui en avaient, mais ce fut précisément cela qui
lui compliqua les choses au moment de prendre sa
retraite à l'âge où il n'était simplement plus en mesure
de faire quoi que ce soit physiquement.

L'ANC appela à son tour. Les prochaines élections
approchaient et l'ANC vint annoncer à Madiba qu'il
rencontrait des problèmes financiers. Les grandes
entreprises rechignaient à ce qu'on les voie soutenir
un parti politique. Madiba enrôla l'ancien président
F. W. de Klerk, et les deux ennemis d'antan arpentèrent
conjointement les rues pour collecter des fonds tant
pour le Nouveau Parti national – ex-Parti national – que
pour l'ANC. Je dus prendre des rendez-vous pour eux
avec différents P-DG et, main dans la main, ils allèrent
demander une aide financière pour les partis qu'ils
avaient jadis dirigés. Bien sûr, n'importe quelle société
aimait avoir Madiba et M. de Klerk dans ses locaux, et
la tentative de collecte de fonds fut fructueuse.

En mars 2004, Charlize Theron fut la première Sud-Africaine à être oscarisée à Los Angeles, pour son rôle dans le film *Monster*, et bien vite elle revint dans son pays d'origine. Madiba se trouvait à Maputo, mais il accepta de retourner à Johannesburg pour rencontrer Charlize Theron. Les médias étaient surexcités. Nous commandâmes des *koeksisters*, un mets afrikaner très fin que Charlize espérait déguster lors de son séjour en Afrique du Sud. Madiba lui en offrit et, bien qu'elle en prît un, elle ne le mangea jamais. Elle annonça son intention de lancer une œuvre caritative pour la recherche contre le sida, mais je ne savais pas trop dans quelle mesure elle était au courant des complexités de la maladie. Ils firent une apparition en public après s'être rencontrés, puis elle confia à Madiba devant les médias du monde entier combien elle l'aimait. Les femmes aimaient toujours Madiba, car il était charmant et généreux dans ses compliments. Un véritable séducteur.

Cela aurait pu être désagréable pour Mme Machel d'entendre les gens déclarer leur flamme éternelle à Madiba et de le voir, lui, les charmer, mais elle ne se plaignit jamais. Je me souviens d'un incident durant la présidence où les limites furent franchies quand toutes les femmes de son équipe l'embrassaient pour le saluer. On demanda alors à celles-ci de ne pas embrasser le président en public. C'était drôle. Tout le monde adorait Madiba, mais cela devenait un handicap pour lui, que les femmes l'embrassent systématiquement, où qu'il aille.

Environ un an plus tard, nous recherchâmes Charlize pour lui demander d'enregistrer un message pour soutenir 46 664, la campagne de sensibilisation de Madiba contre le virus du sida. Au début, nous eûmes du mal à lui mettre la main dessus et quand enfin nous y parvînmes, son agent nous annonça qu'elle était bien trop occupée à tourner et qu'elle ne pourrait pas enregistrer une pub de vingt-deux secondes. J'insistais, arguant qu'elle pouvait bien prendre cinq minutes pour le faire, mais on me répondit que c'était impossible. Nous fûmes froissés, car lorsqu'elle était venue en Afrique du Sud, Madiba avait fait l'effort de prendre l'avion pour la rejoindre à Johannesburg. C'est seulement lorsqu'on était en contact direct avec elle qu'elle nous aidait. Parfois votre entourage peut entacher votre réputation et compliquer vos relations, comme nous l'avions appris à nos dépens.

L'un des ministres que Madiba avait nommés à son cabinet, le ministre de l'Intelligence, Joe Nhlanhla, avait eu deux accidents vasculaires cérébraux et était cloué au lit. Kgalema Motlanthe, le secrétaire général de l'ANC de l'époque, annonça à Madiba que Joe n'allait pas bien. Nous lui rendîmes visite à l'hôpital où l'on nous annonça qu'il n'avait pas les moyens financiers d'être admis à l'hospice. Madiba collecta alors des fonds pour Joe Nhlanhla et, bien vite, il put entrer dans un bon centre de soins. J'appris sa mort avec une grande tristesse, mais je fus encore plus attristée que Madiba endosse sans cesse la responsabilité de ces choses-là, comme s'il devait rembourser systématiquement ce que les gens avaient fait pour lui dans le passé. Par moments, les demandes étaient incessantes, comme si les gens voulaient qu'il paye en personne pour le pétrin dans lequel ils se trouvaient.

Le 24 mars 2004, nous retournâmes en Arabie Saoudite. Parfois, c'était pour collecter des fonds, d'autres fois, juste pour honorer une requête des Saoudiens. Je possédais désormais ma propre *abaya*, plutôt agréable à porter dans Riyad. Avec l'expérience, j'avais appris à ravaler les frustrations que m'inspiraient les Saoudiens. Je me mis à apprécier nos escapades saoudiennes, car je savais parfaitement à quoi m'attendre, je savais quoi faire ou ne pas faire, et j'étais ravie de suivre leurs règles, parce que je n'avais plus d'attentes irréalistes. J'avais toujours du mal à communiquer avec certains officiels, car ils n'acceptaient pas aisément d'ordres de la part des femmes, mais quand j'étais avec Madiba, ils y consentaient.

Nous étions censés rencontrer le roi et, comme à l'accoutumée, on m'annonça que je n'avais pas le droit d'accompagner Madiba – les femmes n'ont pas l'autorisation de rencontrer le roi. Madiba insista et étonnamment le messager revint pour dire que j'aurais le droit de l'accompagner. L'heure du rendez-vous arriva et nous nous mîmes en route pour le palais du roi. En arrivant, Madiba fit ce qu'il faisait chaque fois qu'il avait peur que je m'égare. Dès que je sortis de la voiture, il demanda : «Où est passée ma secrétaire ? » Les hommes couraient dans les tous sens à la recherche de sa secrétaire, puis me poussaient vers lui. Je restais parfois délibérément dans la voiture quelques secondes, parce que je savais que je serais bien incapable de me frayer un chemin toute seule à travers la sécurité et, sauf si Madiba m'appelait, je me retrouverais coincée. Quand nous entrâmes au palais, entourés de monde, il me prit la main. J'étais mal à l'aise, car c'était la première fois pour moi que je me trouvais dans cette situation, et qu'il n'était pas convenable pour une femme célibataire d'avoir un contact physique avec un homme. Mais il ne me lâcha pas, alors qu'il connaissait très bien les règles.

Nous fûmes escortés dans la salle d'attente où nous nous installâmes jusqu'à ce que le roi fasse venir Madiba. Une fois de plus, celui-ci me prit la main et nous entrâmes dans ses appartements. Il salua le roi et me laissa debout derrière lui. Je voulais m'enfuir en courant, mais n'en fis rien. J'étais tellement mal à l'aise ! Madiba se retourna alors et dit : « Votre Majesté, voici Zelda la Grange, ma secrétaire, et petite-fille. » Je savais que je n'étais pas censée croiser le regard du roi et je m'en abstins. J'inclinai la tête et je souris, bien que je ne sache pas faire la révérence. Madiba ne supportait pas les personnes soumises dans ce genre de situation. Mais j'avais vraiment très peur. La seule chose qui me traversa l'esprit était : le roi va bien voir que je ne suis pas noire. *Je ne peux pas être votre petite-fille.* Le roi tendit la main pour serrer la mienne et je vis Madiba approuver d'un signe de la tête. Alors je m'exécutai. Le roi me serra la main et je sentis la sueur ruisseler dans mon dos.

Le roi était visiblement âgé, mais il avait l'air aimable. Il communiquait avec nous *via* un interprète et me souhaita la bienvenue. Je voulais qu'il lâche ma main mais il n'en fit rien. Il me demanda comment j'allais ; Madiba l'interrompit et lui expliqua que, juste avant de quitter Johannesburg, en route pour l'Arabie

Saoudite, j'avais été victime d'un vol à l'arraché dans ma voiture et que des voleurs avaient dérobé mon sac à main sur le siège avant. J'étais en effet bouleversée quand nous prîmes l'avion la nuit précédente – toute ma vie se trouvait dans le sac qui avait été volé et, pour la première fois, je pris un avion sans rien, même pas un portable. Toutefois, pour l'heure, j'étais bien plus préoccupée par le fait de me retrouver dans la même pièce que le roi au mépris de la culture saoudienne. Madiba lui expliqua que j'étais encore sous le choc et le roi exprima sa compassion. Il finit par me lâcher la main et nous nous installâmes tous pour prendre un thé avec lui. Le roi ne recevait plus de visites, car il était âgé et malade. Toutefois, nous discutâmes brièvement avec lui avant de partir. Il avait beaucoup d'affection pour Madiba et apprécia notre visite de courtoisie.

Madiba avait également demandé à rencontrer le prince héritier et, dans l'après-midi, nous partîmes le voir. À l'évidence, il dirigeait déjà l'Arabie Saoudite ; il était plus sérieux et visiblement sous pression. Son bureau et son environnement étaient plus modernes, et ma présence ne posa aucun problème. Il nous restait quelques jours à passer en Arabie Saoudite et Madiba eut l'idée que nous visitâmes Médine et La Mecque, lieux de pèlerinage des musulmans. Nous avions tout organisé, lorsque l'on m'annonça que je n'aurais pas le droit de voyager avec Madiba, car je n'étais pas musulmane. Ma réponse aux officiels fut la suivante : « Mais Madiba non plus n'est pas musulman ! » Ils furent sidérés. Ils croyaient que Madiba l'était ! Cela m'étonnera toujours : Madiba savait si bien s'entendre avec les autres que les gens finissaient par croire qu'il était «comme eux».

En fin de compte, nous n'allâmes ni à Médine ni à La Mecque. D'Arabie Saoudite, nous partîmes pour Tunis, puis pour l'Iran. À Tunis, Madiba était censé assister à une réunion du conseil d'administration du Fonds africain pour l'infrastructure et en Iran, le président Khatami devait lui remettre le plus grand honneur du pays. À Tunis, Madiba, fatigué, n'assista pas au meeting, mais juste à une courte réception. Cyril Ramaphosa nous accompagna et expliqua que Madiba était fatigué et incapable d'assister à cette réunion. C'était la première fois que je le voyais simplement fatigué, sans rien vouloir faire. Pour moi, c'était une crise importante. Je ne savais pas comment nous l'apprendrions aux gens. Heureusement, Cyril se chargea de toutes les explications. Et je n'eus pas à en endosser la responsabilité. J'appelai aussi le professeur Gerwell, et Cyril et lui déclarèrent d'une seule voix : «S'il ne veut pas le faire, il ne devrait pas. Il a le droit d'être fatigué.» Puis Madiba annonça qu'il ne désirait pas aller en Iran, mais rentrer chez lui. Il n'avait encore jamais annulé de voyage international auparavant et avait jusqu'à présent toujours eu envie de voyager. Nous informâmes le gouvernement iranien qui fut clairement très déçu. Il voulait passer du temps chez lui avec son épouse, et non que sa vie soit dictée par un emploi du temps. J'avais imaginé que ces signes arriveraient plus tôt et je les attendais donc depuis quelque temps, mais je lui laissai la liberté de savoir quand il en aurait enfin assez; toutefois, cela fut une surprise.

Une fois de retour en Afrique du Sud, Madiba décida qu'il devait envoyer un cadeau au roi et au prince héritier d'Arabie Saoudite pour les remercier de leur hospitalité. Il me demanda des idées. Les Saoudiens sont si riches que c'était un énorme défi. Je suggérai de leur envoyer deux springboks chacun et deux oryx. J'avais effectué des recherches et je savais que ces bêtes survivraient sous le climat saoudien. Quel genre de cadeaux faites-vous à des gens qui ont tout ce qu'ils désirent ? J'appris qu'ils aimaient tous les deux les animaux et de fait l'antilope serait un cadeau bienvenu. Madiba accepta.

Nous demandâmes à Dries Krog, alors gérant de Shambala, de nous aider. Les animaux devaient passer en quarantaine avant de partir et il fallut des semaines pour organiser toute la paperasserie administrative et autres permis d'exportation. On me demanda souvent au fil des années en quoi mon travail consistait au juste. Je ne savais pas par où commencer, alors je répondais : « Je sais taper, répondre au téléphone, organiser des conférences de presse et exporter des springboks et des oryx en Arabie Saoudite. »

De retour chez nous, nous assistâmes à un autre grand meeting de l'ANC avant les élections, mais entre-temps Madiba avait perdu l'envie de faire activement campagne. Ils voulaient organiser des réunions du comité exécutif de l'ANC au cours desquelles les gens formuleraient leur mécontentement sur le prétendu manque de respect de Madiba envers le président. Ces mécontents ne furent jamais disposés à affronter Madiba directement et il entendit parler de ces débats par les autres participants.

L'Afrique du Sud était candidate pour la Coupe du monde 2010 de football. Madiba fut informé de cette initiative, mais nous n'eûmes qu'un tout petit rôle, car c'était au chef d'État de conduire les initiatives. Fin avril 2004, Tokyo Sexwale, ancien Premier ministre de la province du Gauteng, alors à la tête d'un empire de plusieurs milliards de rands, rendit visite à Madiba en tant que membre du Comité olympique. Tokyo annonça qu'ils voulaient que Madiba se rende à Trinité-et-Tobago pour appuyer la candidature sud-africaine. Madiba était fatigué et n'avait pas envie de voyager. Au début, il refusa. Tokyo insista et, deux soirs plus tard, nous étions en route pour Trinité-et-Tobago. Nous étions incapables, en tant que conseillers, de faire en sorte que ses décisions apparaissent cohérentes aux yeux du grand public. Ainsi, celui-ci était à juste titre dérouté et ne savait plus trop qui détenait le pouvoir autour de Madiba. Je refusai d'endosser cette responsabilité à de nombreuses reprises et autant j'essayai de respecter ses vœux, autant la prise de décision dépendait vraiment d'un tas d'influences extérieures, dont celles du professeur Gerwel et des dirigeants de la Fondation. En fin de compte, Madiba décidait, et une fois qu'il avait accepté ou s'était laissé convaincre, il était difficile de le persuader du contraire. Il en était de même s'il refusait. Il restait sur ses positions.

J'insistai pour que son emploi du temps sur place soit moins chargé et le programme réduit au minimum. Le but de sa visite était de convaincre les membres de la FIFA qui résidaient à Trinité et dans la région de voter pour la candidature de l'Afrique du Sud. Nous voyageâmes dans un avion confortable, mais Madiba était habitué au silence complet quand il dormait. Et la configuration de l'engin était telle qu'il fallait passer devant lui pour aller aux toilettes quand il dormait. Il dormit mal et cela m'inquiéta. Tokyo fit de son mieux pour s'assurer du confort de tout le monde, mais quand nous atterrîmes, je regardai par le petit hublot et constatai que le gouvernement avait déployé toute une haie d'honneur pour l'arrivée de Madiba, alors que nous lui avions expressément demandé de ne pas le faire. C'était impossible de demander à Madiba de se livrer à tout un cérémonial après un si long vol. Lorsque je remarquai la garde d'honneur, Tokyo et moi eûmes des mots et je lui intimai d'intervenir. Il constata par lui-même que Madiba était fatigué et appela Jack Warner, le membre de la FIFA à Trinité, qui visiblement détenait un grand pouvoir dans ce pays, à bord de l'avion pour nous retrouver. On nous répondit que la haie d'honneur était simplement une ligne d'accueil et que Madiba serait libre de quitter l'aéroport immédiatement.

La visite dans son intégralité fut une bataille. Deux semaines seulement après Trinité, nous voyageâmes à Zurich où la candidature de l'Afrique du Sud pour accueillir la Coupe du monde fut retenue. Je suppose que cela valait le coup. Après Zurich, nous allâmes dans la propriété de Douw Steyn, à la campagne, en Angleterre, où nous prîmes le temps de souffler un peu quelques jours.

Je ne me souviens pas de l'année, mais au cours de l'un de nos passages à Londres, nous rendîmes une visite de politesse à Tony Blair, le Premier ministre, comme nous aimions souvent le faire. J'adorais me rendre au 10 Downing Street, surtout après son apparition dans *Love Actually,* le film de 2003. Lorsque Hugh Grant, en Premier ministre, dansait dans l'une des pièces du Downing Street, je souriais, ayant moi-même été dans cette pièce. Mais je n'y avais pas dansé. Tony Blair se montrait toujours chaleureux envers Madiba et nous retournâmes à l'hôtel Dorchester où nous séjournions, heureux de cette rencontre.

C'était l'automne, le soleil se levait plus tard et se couchait plus tôt, à quoi s'ajoutait le brouillard habituel. Lorsque je descendis de voiture au Dorchester, je remarquai que je portais deux chaussures différentes. « Idiote ! » me dis-je. J'avais bien trop honte pour faire remarquer mon erreur à qui que ce soit, mais je me confiai plus tard au médecin qui nous accompagnait, et nous nous moquâmes de ma bêtise. Je résidai toujours dans une chambre particulière au Dorchester chaque fois que je venais avec Madiba, gentiment mis à notre disposition par un expatrié sud-africain, Nigel Badminton, qui était devenu un ami proche au fil de nos séjours. Cette chambre avait un petit dressing, mais c'était plus un angle qu'une pièce. Il n'y avait pas de lumière naturelle et je devais me fier à la lumière artificielle. J'étais tellement pressée quand nous partîmes, à essayer de rassembler tout le monde et m'assurer que Madiba était prêt, que je ne remarquai pas que j'avais enfilé deux chaussures différentes. Les deux paires que j'avais étaient plus ou moins identiques et de fait je ne sentis pas la différence en marchant. Mais l'une était noire et l'autre brun foncé. C'est à ce jour la chose la plus ridicule que j'ai faite. J'ai essayé d'inverser cette action un millier de fois ou tâché de me souvenir si quelqu'un au 10 Downing Street s'en est rendu compte.

De Londres, nous partîmes pour l'Espagne où Madiba et Mme Machel assistaient au mariage du fils du roi Juan Carlos et de la reine Sofia d'Espagne. On se serait cru dans un vrai conte de fées ! La plupart des familles royales du monde entier avaient envoyé un représentant et tous les politiques étaient invités à toutes les festivités. Nous taquinâmes Madiba à ce sujet : il nous rappela qu'en effet il était né dans la royauté lui aussi. C'était peut-être juste la royauté xhosa, mais tout de même, et il adorait qu'on lui rappelle qu'il était un prince.

Le 24 mai 2004, nous reçûmes une visite de Don King, le célèbre sponsor de boxe. C'était un personnage controversé, mais Madiba devait le faire. Bien sûr, étant lui-même un boxeur, Madiba n'y vit pas d'objection. Je me trouvais dans mon bureau quand la réceptionniste appela pour dire : « King est arrivé. » J'avais oublié l'espace d'un instant que nous l'attendions et je répondis : « Le roi de quoi ? » Nous rîmes tous et en effet c'était King, le roi de la boxe. Nombreux étaient ces moments qui égayaient nos journées et nous permettaient de rester sains d'esprit.

Comme il fallait s'y attendre, après un bref repos, et en dépit de sa retraite, Madiba décida qu'il voulait assister à la Conférence internationale sur le sida en Thaïlande. Il espérait poursuivre le combat même à la retraite et laisser un message fort. C'était peu avant son quatre-vingt-sixième anniversaire. En rentrant de Thaïlande, j'écrivis un article pour le *Sunday Independent*, un message pour son anniversaire. Le dimanche en question, l'article parut à la une, disant « *Khulu, mon souhait pour votre 86ᵉ anniversaire, c'est du temps ! Zelda.* » Je souhaitais réellement qu'il ait du temps pour lui, du temps avec sa femme, et du temps pour réfléchir. Mais dès que les choses se calmaient, il les relançait. Bien vite, la « retraite » devint « lui laisser le temps de choisir de faire ce qu'il veut ». Et nous repartions. Je sentis que c'était un combat intérieur pour lui, de choisir de rester chez lui et être isolé du monde. Nous arrivâmes à la conclusion qu'il ne s'arrêterait jamais et dès qu'il envoyait des signaux qu'il était de nouveau disponible, on verrait toujours les mêmes s'approcher de nouveau.

J'avais le sentiment que certains membres de la famille et leurs associés désapprouvaient ma présence dans sa vie. Pour certains, cela semblait personnel et pour d'autres j'avais l'impression que le fait qu'il dépende d'une Blanche les mettait mal à l'aise. Je me sentais écartelée entre mon devoir envers Madiba et la perception d'être une charge publique pour lui. Si j'essayais de me faire rare, il m'appelait et parfois s'énervait que je ne sois pas à mon poste. Il devenait de plus en plus dépendant de moi pour des raisons simples : il était vieux, il avait besoin que quelqu'un soit là quand il entrait dans un meeting parce qu'il fallait qu'on lui rappelle ce qui allait se passer. Sa mémoire n'était plus aussi bonne qu'elle l'avait été. J'étais tendue et il le voyait.

Madiba me faisait m'asseoir et me sermonnait sur le fait que je travaillais pour lui, que je devais faire ce qu'il me demandait et que je ne devrais pas laisser les autres me distraire. Avec du recul, à présent, j'aurais alors dû en parler à quelques personnes, quand il était encore en mesure de me défendre, lui dire d'adresser leurs plaintes à Madiba directement, mais je n'ai jamais voulu l'encombrer avec mes problèmes personnels. Je devais accepter le fait qu'une jeune Afrikaner blanche qui prenait soin de lui serait toujours considéré comme improbable et mal vu. Pourtant, j'étais déterminée à ne jamais l'abandonner tant qu'il voudrait de moi. Il me parlait de visiteurs mécontents à certaines occasions, expliquait qu'ils le mettaient au défi de nommer une Afrikaner blanche. La première fois qu'il m'en parla, il se montra prudent, mais ensuite, nous en rîmes tous les deux.

Xoliswa, la cuisinière de longue date de Madiba, et moi discutions beaucoup au téléphone, car en général elle travaillait chaque fois que je devais joindre Madiba. Nous en arrivâmes à la conclusion que tout le monde enviait notre job, mais que peu étaient prêts à y passer autant d'heures et d'y déployer autant d'effort.

Début 2003, j'avais remarqué que quelque chose tracassait Madiba. Pendant des jours, il se montra réservé et renfermé. Madiba me confia que Makgatho – son seul fils vivant – était venu le voir chez lui pour lui annoncer qu'il avait le sida. J'étais dévasté par la nouvelle et je lui assurai que je ferais tout ce qu'il faudrait pour le soutenir.

Lorsque Makgatho fut hospitalisé en décembre 2004, je me rendis avec Madiba à son chevet dès le premier après-midi. Il était déjà en soins intensifs. Madiba insista pour que j'entre avec lui. Nous ne voyions Makgatho que de temps en temps, et il ne commença à faire partie de la vie de Madiba que vers la fin de son existence. Je l'aimais beaucoup, même si j'avais peu de contacts avec lui. Il se montrait toujours courtois et respectueux envers moi et m'aidait dès lors que je lui demandais un coup de main quand cela concernait son père. Je ne savais pas pourquoi les enfants de son premier mariage étaient absents de sa vie, mais je voyais bien que Mme Machel faisait son possible pour réunir la famille. Elle essayait constamment d'instaurer la paix entre les différents membres de la famille. Et insistait pour que tous ses enfants fassent partie de la vie de Madiba. Ce n'était pas facile pour elle, car certains éprouvaient de l'amertume envers lui. J'étais une employée, je n'interférais jamais dans les affaires de famille, et je gardai toujours cela à l'esprit.

J'étais triste de voir Makgatho à l'hôpital. Il ne pouvait pas parler, mais Madiba, lui, lui parlait et, juste avant de quitter sa chambre, je me penchai et lui murmurai : « Salut Makgatho, c'est Zelda. Souviens-toi, nous t'aimons très fort et sois courageux. » J'avais vu un malade du sida s'en sortir et j'espérais qu'il s'en sortirait lui aussi. Avant que nous ne sortions, la sœur de Magkatho entra. Je demandai à l'infirmière quelle était la température de Makgatho, pour essayer de réconforter un peu Madiba, et Makaziwe me dit : « Ne touchez pas au dossier médical de mon frère. Cela ne vous regarde pas. » Je brûlais d'envie de lui répliquer que je savais depuis deux ans que son frère avait le sida, que je n'avais jamais rien fait contre lui, et que ma question visait simplement à essayer de rassurer Madiba.

J'étais en vacances en décembre à Paternoster, une petite ville du littoral sur la côte ouest d'Afrique du Sud, quand Meme, la gouvernante de Madiba, m'apprit qu'il valait mieux rentrer, car l'état de santé de Makgatho s'était dégradé. Je savais que nous devrions donner un coup de main pour le ménage et je décidai donc de raccourcir mes congés. Tandis que j'étais toujours sur la route, Makgatho mourut, et je ne le revis plus jamais après cette unique visite. Personne ne me demanda jamais de rester en retrait, mais vous sentez quand votre présence n'est pas désirée. J'informai Mme Machel que j'étais rentrée, mais j'attendis deux jours avant d'aller présenter mes condoléances chez Madiba. Quand Mme Machel me demanda pourquoi je n'étais pas venue plus tôt, je répondis que j'avais toujours été soucieuse de respecter le deuil des personnes qui souffraient et que je ne voulais pas ajouter au fardeau ni les irriter. Mes réponses l'agacèrent, mais elle comprit ce que je ressentais. Makgatho était le père de Mandla, Ndaba, Mbuso et Andile. Je souffrais pour ces enfants qui faisaient partie de notre vie quotidienne, j'avais l'impression d'avoir grandi avec eux. Ils me traitaient comme une sœur et notre lien était très fort.

J'essayai de rester à l'écart de la famille en deuil tout en apportant mon aide d'un point de vue logistique. Ce furent des funérailles très tristes et j'avais le cœur brisé pour Madiba. Dans la tradition africaine, le corps est rapporté chez lui pour une veillée nocturne avant l'enterrement le lendemain. Le mort « dort » dans sa chambre pour la dernière nuit et le lendemain matin un service de prière a lieu dans l'entrée de la maison où le corps est exposé pour la dernière fois avant que les funérailles ne commencent. Madiba insista pour que je sois là et que je participe aux derniers adieux. Mme Machel se tint à côté de lui et lui serra la main très fort durant toute la cérémonie. Je n'avais vu un mort qu'une seule fois auparavant, quand ma grand-mère du côté de ma mère est décédée, alors que j'étais encore enfant. Ce souvenir me hanta de nombreuses années. Makgatho semblait toutefois paisible, de retour chez lui. Le voir enterrer son fils dut être l'un des moments les plus tristes que je vécus avec Madiba. Mme Machel ne lâcha jamais sa main.

Au début des années 2000, Madiba appela Douw Steyn pour lui demander de trouver une façon d'augmenter ses revenus. Madiba ne recevait qu'une pension d'ancien président, ce qui était loin d'être suffisant pour conserver ses résidences et satisfaire les besoins de sa famille étendue. J'eus le sentiment qu'il se sentait responsable d'entretenir tous ceux qui l'entouraient – son désir perpétuel de soutenir les gens – et chaque fois que quelqu'un avait besoin de quelque chose, il se tournait vers Madiba. Même durant ses années de prison, des lettres désormais publiées dans *Conversations avec moi-même* montraient bien que Madiba avait toujours été le pourvoyeur.

À l'époque, l'avocat de Madiba, Ismail Ayob, avait l'habitude de s'occuper de ses finances. Ce dernier ne gérait jamais son argent tout seul et demandait à l'un de ses avocats de s'occuper de ses affaires financières pour lui. La vie avait évolué pendant que Madiba était en prison et il ne connaissait pas la technologie qui entourait l'activité bancaire du monde moderne.

Madiba avait le don d'accorder sa confiance sans condition. J'avais fait la connaissance d'Ismail Ayob au tout début de la présidence et chaque fois que Madiba avait besoin de quelque chose qui coûtait cher, on appelait Ismail. Celui-ci prenait ses responsabilités très au sérieux. Il s'occupait aussi de la propriété intellectuelle de Madiba et de son droit à l'image. Chaque fois que quelqu'un promettait à Madiba de l'argent pour le projet qu'il avait lancé, il fallait que l'argent soit d'abord à la banque avant d'ouvrir la porte aux discussions. Madiba ne s'occupait jamais personnellement de ce genre d'affaires, et, de mon expérience, la moitié du temps il ne savait pas ce qu'Ismail négociait pour lui, mais celui-ci était tenace quand il s'agissait de s'occuper des finances de Madiba.

Dès lors que quelqu'un voulait de l'argent, Madiba l'envoyait à Ismail. Mais d'abord, il l'appelait et lui donnait ses ordres. À de nombreuses reprises, Ismail contestait la dépense. Cela avait le don d'irriter tout le monde et, de mon expérience, personne n'avait de bonnes relations avec lui en fin de compte. Et tout le monde disait : « Ismail doit partir. » Mais il ne partait pas. Madiba était aussi une personne très loyale et, en dépit des opinions des autres, il garda une loyauté inébranlable envers Ismail.

George Bizos était un autre avocat de Madiba, depuis des décennies, avant même son emprisonnement. Il faisait même partie de l'équipe qui le représentait au procès de Rivonia. C'était quelqu'un qui imposait l'autorité de par son savoir et son expérience juridiques. C'était aussi l'un des rares qui partageaient une amitié particulière avec Madiba et celui-ci l'aimait beaucoup.

Douw Steyn revint vers Madiba avec une idée pour générer un salaire afin de soutenir sa famille. Toutefois, cela impliquait dans une certaine mesure la commercialisation de son image. La proposition fut diffusée aux avocats qui y furent tous farouchement opposés. Accepter cette solution engendrerait d'énormes difficultés dans le futur pour empêcher la commercialisation illégale de son image. L'idée de Douw fut donc rejetée. Ses intentions étaient tout de même bonnes. Nous nous sommes toujours montrés respectueux des vœux de Madiba de ne pas laisser son image ou son nom être commercialisés, ce dont il chargea la Fondation Nelson-Mandela après sa présidence.

Au fil des années, on nous offrit de l'argent en échange de beaucoup de choses, mais il y avait quelques règles tacites que personne ne compromettrait jamais, quel que soit le montant mis sur la table. Il y avait juste certains points sur lesquels Madiba n'était pas prêt à faire des compromis. Mettre en péril sa relation avec la reine en était un, promouvoir le tabac et l'alcool en était un autre, et ne jamais vendre son temps. Une fois, une célèbre marque d'alcool nous proposa deux millions de dollars. Elle ne voulait rien en échange de la part de Madiba ; mais associer l'alcool et Nelson Mandela en tant qu'humanitaire ne faisait pas bon ménage et nous refusâmes. Une fois, des brasseries sud-africaines nous proposèrent de l'argent et Ismail refusa également.

À Paris, une marque de luxe bien connue proposa cinq millions de dollars pour que Madiba apparaisse dans une de leurs publicités. J'aimais bien ces gens-là, mais je savais que nous ne pourrions jamais commercialiser son nom ; et nous ne vendîmes donc jamais le temps de Madiba non plus. Les gens voulaient payer pour le rencontrer, nous refusâmes et parfois ils le rencontrèrent, mais nous refusâmes tout de même l'argent. Pour moi, la logique voulait que si vous ne croyiez pas en l'héritage de Nelson Mandela et que vous ne vouliez payer qu'à condition de pouvoir profiter de l'être humain lui-même, cela signifiait que vos intentions n'étaient pas pures. Nous avons en effet perdu des millions au fil des années, mais nous avons réussi à éviter l'exploitation commerciale ou l'association avec tout ce qui détonnait avec l'héritage de Nelson Mandela. Ou du moins nous essayâmes et nous y arrivâmes presque. Cela ne voulait pas dire que nous aimions moins les gens qui produisaient de l'alcool ou ceux qui nous faisaient de telles avances. Les gens sont parfois inconscients et cela n'est en aucun cas une réflexion sur leur intégrité. La plupart des célébrités dans le monde et même les dirigeants prêtent leur image à la publicité ou contribuent à des ventes aux enchères en organisant un déjeuner ou un dîner ou un événement exceptionnel. C'est un bon moyen de gagner de l'argent, mais pas pour qui a le sens moral de Nelson Mandela.

Dans le cas présent, c'était pour soutenir des membres de sa famille, et c'était donc plus compliqué.

Ismail vint voir Madiba avec une contre-proposition, quelques jours après que celle de Douw avait été refusée. Madiba créerait des œuvres d'art, reproduirait des dessins qu'il signerait et qui seraient ensuite vendus. Alors que Madiba vieillissait, il rappelait sans cesse à ceux qui l'entouraient qu'il avait une grande famille à nourrir, ce qui nous indiqua qu'il y avait urgence. Il collecta de l'argent pour un fonds d'enseignement, car il tenait catégoriquement à ce que ses petits-enfants bénéficient d'une bonne éducation. Il n'y avait rien de sinistre là-dedans. Les gens comprenaient qu'il avait été en prison très longtemps et pensaient qu'il devait soutenir sa famille pour compenser son absence.

La proposition d'Ismail fut acceptée et bien vite il conclut pour Madiba un marché avec l'homme d'affaires Ross Calfer. Ils firent venir un artiste chez lui, qui l'aida à colorer des dessins et à faire des esquisses. L'initiative s'inspirait d'un autre projet, dans lequel d'autres icônes mondiales comme Madiba effectuaient le même style d'art amateur, ce qui, en fin de compte, s'avérait très profitable. Une fois les dessins coloriés par Madiba et imprimés, la phase suivante consistait à ce qu'il signe des milliers de ces épreuves. Et me voilà donc en train de programmer de nouveau des séances de dédicaces. Presque chaque jour, Madiba signerait ces esquisses pendant une heure ou deux. Des centaines, voire des milliers. Je ne sais pas. Comme Madiba lui faisait entièrement confiance, je ne fus pas du tout présente à ces séances de dédicaces. Parfois, elles avaient lieu chez lui et parfois au bureau. Personne ne gardait aucune trace et il y avait aucune raison de remettre en question la conviction avec laquelle ce projet était mené. Après tout, Madiba avait toujours mis un point d'honneur à dire qu'il ne fallait jamais remettre en question l'intégrité d'une personne tant que l'on n'avait pas de raison valable de le faire. De plus, j'appris qu'Ismail était déjà au service de Madiba en 1994. Je ne remis jamais en question leurs relations, ni l'autorité d'Ismail, parce qu'ils avaient un passé en commun, comme on me l'avait si souvent fait remarquer, et pas moi.

En avril 2005 un article fut publié dans *Noseweek*, un magazine d'investigation, dont le titre disait : *GUERRE CIVILE À MADIBALAND.* :

« *Afin de comprendre la guerre civile qui éclate à Madibaland, il est utile d'imaginer une monarchie médiévale quand les derniers jours du roi approchent. La famille et les factions au sein de celle-ci font campagne pour avoir une place dans la succession. Ragots et complots sévissent à la cour.* »

Au centre de cette guerre civile, se posait le problème de savoir qui contrôlait le futur revenu de Madiba et surtout, la licence qui protégerait son nom et son image. Madiba voulait que des personnes objectives, comme ses avocats, Bizos, Bally Chuene et Wim Trengove, contrôlent sa propriété et non pas sa famille. Mais surtout, il fut déçu par le comportement d'Ismail. Quelqu'un sema le doute dans l'esprit de Madiba, comme quoi l'avocat devrait rendre des comptes. Lorsque Madiba mit le comportement d'Ismail en question en l'interrogeant sur le projet, à ce moment-là, selon moi, leur relation commença à se détériorer. Madiba a fait volte-face : il ordonna, entre autres à George Bizos, de l'arrêter définitivement. On ordonna à la société d'Ismail et de Calder de cesser la vente d'œuvres d'art, provoquant la colère de ceux qui profitaient de l'entreprise, et la guerre s'ensuivit.

Dans la toute dernière bataille en 2013, Makaziwe et Zenani, deux des filles de Madiba – ainsi qu'Ismail – déposèrent plainte contre Bally Chuene, au motif que sa nomination, celles de l'avocat George Bizos et de Tokyo Sexwale comme administrateurs des recettes générées par les œuvres d'art n'étaient pas légitime. L'affaire fut annulée en septembre 2013.

Nous séjournions souvent, à présent, à Shambala. C'était l'environnement idéal pour qu'il écrive tout en lui offrant une paix tant désirée et de la tranquillité. Madiba disait souvent que la prison lui manquait, cela me déconcertait et me surprenait. Il expliqua ensuite qu'en prison il avait le temps de lire et de réfléchir, et je comprenais ce qu'il voulait dire. Il insistait pour se rendre à Shambala plusieurs semaines de suite, car il avait hâte d'achever ses mémoires. C'était une tâche longue et ardue. Il écrivait chaque page à la main, m'en confiait cinq à taper, puis une fois que je l'avais fait, il y ajoutait des corrections factuelles. Puis au lieu de me rendre la page tapée avec ses corrections, pour que je les y intègre, il insistait pour réécrire toute la page à la main. Je lui suggérais de m'installer à ses côtés avec mon ordinateur portable pour taper à mesure qu'il parlait. Il refusait. Il n'aimait pas la technologie et il voulait pouvoir écrire : je lui proposais même de parler dans un dictaphone, ainsi je pourrais taper le texte à partir de là, mais il rétorquait : « Non, vous savez, cela ne me plairait pas. » Nous désignâmes aussi un chercheur, mais Madiba n'avait simplement pas le cœur à écrire.

Des extraits du manuscrit sont publiés dans *Conversations avec moi-même*; et avec un peu d'espoir les parties non publiées le seront dans *Un long chemin vers la liberté*, qui, lui, ne traitait que de ses années à la présidence.

La réalité de tout cela, c'est que, lentement mais sûrement, nous perdions de la vitesse. Ainsi, en mai 2005, Madiba effectua son dernier voyage aux États-Unis. New York fut notre première halte. Une collecte de fonds était organisée par l'ancien président de Goldman Sachs, et Madiba devait assister à un dîner. Mme Machel ne pouvait pas nous rejoindre à New York, et Madiba était grognon, car il était de plus en plus mal à l'aise quand elle n'était pas là. Il fit sa sieste habituelle l'après-midi de l'événement, et quand j'allais le réveiller pour qu'il se prépare pour le dîner, il m'annonça qu'il ne se sentait pas bien. Mon cœur s'arrêta. Nous appelâmes le médecin. Celui-ci ne trouva aucun signe de maladie : c'était probablement de l'épuisement. Nous convînmes de faire venir les principaux donateurs dans la salle pour qu'il puisse les saluer, mais il ne serait pas obligé d'assister au dîner. Les réactions des gens nous rendaient tous nerveux, quand il décidait d'annuler quelque chose.

Les sponsors se montrèrent tous compréhensifs ; et je regrette que tout le monde ne soit pas aussi arrangeant. Le lendemain, Madiba était en pleine forme. Il se leva pour son rendez-vous avec le président Clinton et fut ravi de le voir, comme d'habitude. Mme Machel n'allait pas tarder à nous rejoindre, ce qui le réjouissait

toujours. Deux soirs plus tard, nous nous rendîmes à
un dîner avec Sol Kerzner et Robert De Niro, organisé
par Jerry Inzerillo au TriBeCa. C'était un charmant
dîner auquel assistaient de nombreux amis, mais aussi
des célébrités de la musique et du spectacle – dont
je ne connaissais pas la moitié moi-même. Elles envahirent sa table pour le saluer et nous dûmes rester
fermes pour les éloigner. Je dus ordonner à Madiba de
se concentrer sur son repas pour conserver son énergie. Madiba n'avait pas la moindre idée de l'identité
de tous ces gens. Il reconnut certains noms et visages
pour avoir lu des articles sur eux dans la presse, mais
la plupart étaient des inconnus pour lui. Je pense que
cela a dû les choquer, car il ne sautait pas forcément
de joie quand il les rencontrait, contrairement à leurs
fans. C'était un spectacle en soi ! Tous affluaient à sa
table. Lorsque nous partîmes, nous nous arrêtâmes
pour saluer Richard Gere. Je regardai Madiba quand
on le lui présenta et je me demandai s'il savait combien de femmes dans le monde auraient voulu être à
sa place à ce moment même. Il n'en avait aucune idée,
mais quand il me présenta, je crois qu'il comprit que
j'étais abasourdie.

Cela me rappela une autre occasion, quand nous
voyageâmes en Irlande pour soutenir les Jeux olympiques spéciaux. Alors que nous allions entrer dans
un ascenseur, je vis un homme arriver en courant pour
essayer de le prendre lui aussi. Il ne savait pas qui se
trouvait à l'intérieur. Quand je regardai une seconde
fois, je reconnus Pierce Brosnan. Je murmurai à
Madiba : «Cet homme qui va entrer dans la cabine,
c'est un acteur célèbre. Il joue 007 dans les *James*

Bond.» J'aurais pu m'arrêter juste après «acteur célèbre», mais j'étais totalement prise au dépourvu que ce dernier se déplace sans gardes du corps. Et naturellement, lorsque celui-ci entra dans l'ascenseur, Madiba demandait encore : «Il joue qui ? » Je ne répondis pas et dis plutôt : «Khulu, vous vous souvenez du célèbre acteur Pierce Brosnan ? » et Madiba de répondre : «Oui, bien sûr. Enchanté ! » Je fus soulagée lorsque l'ascenseur s'arrêta à notre étage et que nous pûmes sortir. M. Brosnan nous salua éloquemment.

Un incident similaire se produisit quand Brad Pitt se rendit en Afrique du Sud pour soutenir le projet Mineseeker, à l'initiative de Richard Branson, pour financer la détection et la destruction des mines terrestres dans les zones touchées par la guerre. La vie de Nelson Mandela tournait autour de la politique, pas du spectacle, et à part les quelques films qu'il vit en prison, il n'avait pas du tout le temps d'aller au cinéma ni de regarder un DVD. Il mangeait, dormait et vivait pour la politique et ses efforts humanitaires. Je tâchai d'expliquer à Madiba qui était Brad Pitt, mais c'était difficile. Quand ils se rencontrèrent enfin le lendemain, Madiba demanda comme d'habitude si Brad avait une carte de visite sur lui. Bien sûr, il n'en avait pas. Madiba demanda : «Alors que faites-vous dans la vie ? » J'avais heureusement expliqué à Brad que Madiba n'était pas très au fait de ce qui se passait à Hollywood et dans l'industrie cinématographique en général. Et Brad répondit avec beaucoup de grâce : «J'essaie de gagner ma vie en jouant la comédie.» J'ajoutai : «Et il est très modeste, parce que c'est l'un des meilleurs acteurs au monde.» Brad ne fit pas d'histoires, ne fut ni surpris ni gêné. Il se comporta un véritable gentleman.

La veille de sa visite, un ami commun m'appela, qui participait au projet Mineseeker ; il m'annonça que Brad désirait que je dîne avec eux le soir même. Au début, je refusai. J'en parlai à une collègue qui s'enquit de ma santé mentale et se demanda qui donc sur terre refusait un dîner avec Brad Pitt ? Eh bien moi ! Bien que j'appréciai le fait que ce dîner soit censé lui donner une vue d'ensemble de l'Afrique du Sud et de ce qu'il fallait espérer quand on rencontrait Madiba, j'en avais assez des dîners et des soirées passées à parler de mon patron. Autant j'aimais profondément Madiba, autant je ne voulais pas avoir le sentiment de devoir divertir des gens en parlant de lui. J'acceptai cependant son invitation et j'en fus ravie. Brad était une personne extrêmement agréable, et humble, et nous partagions l'amour des motos ; nous découvrîmes même que nous conduisions la même à l'époque. Il n'était pas uniquement intéressé par Madiba, mais aussi par tous les gens qui pouvaient lui donner un aperçu de l'Afrique du Sud et de son avenir.

Notre voyage en Amérique se poursuivit après notre soirée à New York. Cette fois, le président George W. Bush nous rappela et Madiba le rencontra à Washington. Pour la première fois, nous séjournâmes à Georgetown, au Four Seasons, et l'hôtel utilisa le pseudonyme de « M. et Mme Smith » pour nommer incognito Madiba et Mme Machel. L'ironie de la situation m'amusa. En Afrique du Sud, le nom

«Smith» est considéré comme un nom de Blancs; et notre voyage eut lieu peu après la sortie du film *Mr. & Mrs. Smith*, avec Angelina Jolie et Brad Pitt. Encore un de ces moments qui apportaient une touche d'humour aux situations les plus stressantes. Avoir un sens de l'humour comme le mien était aussi utile, car je savais rire tranquillement des choses pour me permettre de garder mon équilibre mental intact.

À Washington, Madiba s'adressa aux personnalités noires du Congrès. Nous ne pûmes pas saluer tous les participants car il y avait beaucoup de monde, et nous fûmes soucieux de plaire à certains et de pas en offenser d'autres. De retour à l'hôtel, j'appris que Barack Obama, alors sénateur, n'avait pas participé au caucus, car il était en désaccord avec leur point de vue sur un sujet. Hillary Clinton, sénatrice, demanda également à rencontrer Madiba et, en raison de nos liens avec les Clinton, et sachant que c'était plus du social que de la politique ou des affaires, nous acceptâmes, bien que Madiba fût alors épuisé après notre séjour chargé à New York. Le voyage fut trop long pour lui cette fois. Il devait encore rendre visite au président Bush et nous devions garder toute l'énergie que nous avions en réserve. Nous reçûmes également un message du sénateur Obama qui voulait avoir l'occasion de saluer Madiba. Johan Samuel, notre P-DG de l'époque, le professeur Gerwel et moi-même refusâmes cette requête à l'unanimité : Madiba était trop fatigué.

Frank Ferrari, un ami américain de longue date de Madiba, nous assura que ce ne serait qu'une poignée de main et que le sénateur Obama pourrait bien être le premier président américain noir à l'avenir. Et je songeai : « Bon, très bien. » Nous finîmes par accepter une entrevue durant laquelle ils se saluèrent et échangèrent des plaisanteries. Il se montra extrêmement respectueux envers le vieux Madiba et je fus frappée par le fait qu'il faisait attention à tout le monde, du portier au « secrétaire ». Quelque chose de très similaire au caractère de Nelson Mandela. Les petites gens comptaient, ce qui montrait la grandeur de l'homme. Madiba ne se leva même pas de sa chaise pour l'accueillir, car il était trop fatigué. Je ne me souviens pas qui photographia Madiba et le sénateur, mais une photo de Madiba assis fut prise, avec la silhouette du sénateur Obama qui se dessinait pendant qu'il se penchait pour lui serrer la main.

C'était la première fois que nous verrions le président Bush après que Madiba eut déclaré que l'Amérique avait eu tort d'envahir l'Irak et que le Premier ministre Tony Blair s'était surtout conduit en ministre des Affaires étrangères américain. Oups ! Il affirma également que le président Bush ne respectait pas les souhaits des Nations unies parce que Kofi Annan était noir. Double oups ! Madiba devait discuter d'un tas de sujets avec le président Bush et le plan était qu'ils apparaîtraient conjointement devant les médias après leur rencontre pour montrer au monde entier leur « accord à ne pas être d'accord » et qu'ils étaient redevenus amis après tout ce qui s'était passé. Madiba disait toujours qu'il ne faudrait jamais avoir peur de montrer ses différends, mais que l'on devrait toujours se souvenir qu'il y en avait et que cela ne déterminait pas la suite de la relation. Ainsi, il avait des divergences d'opinion avec Kadhafi, mais il ne le snoba pas pour autant.

Je craignis que Madiba soit trop fatigué et trop fragile pour une réunion de cette envergure. Alors je lui fis des fiches avec les grandes lignes de ce qui serait traité lors de chaque débat. Nous entrâmes à la Maison-Blanche comme nous l'avions déjà fait et nous dirigeâmes vers le bureau ovale. Dans la salle d'attente, un stagiaire nous reçut et essaya de papoter avec Madiba. J'ai du mal à cacher mes sentiments et il comprit vite le message. Le président se rendit immédiatement disponible et la réunion commença. J'appréciai leur ponctualité. Au début, je crus qu'il serait aimable, mais quand Madiba répéta la même chose pour la troisième fois, je constatai que le président Bush perdait patience. Madiba ne respectait pas l'ordre de mes fiches, parlait sans cesse, puis, quand il retournait à ses fiches, répétait ce qu'il avait déjà dit. Je commençais à avoir peur, car je voyais que le président Bush acceptait mal les limites imposées par le vieil âge de Madiba. Avant que ce dernier eût terminé, le président Bush déclara : «Bien, M. le président… (en parlant de Madiba) il est temps pour nous d'aller voir les médias.» Madiba ne s'arrêterait pas tant qu'il n'aurait pas terminé. Le président l'interrompit et répéta sa requête. J'étais perturbée.

Il me sembla que le président Bush était bien plus intéressé par le fait d'apparaître devant les médias que d'écouter ce que Madiba essayait de dire. Le président Bush accepta d'accroître l'aide à l'Afrique, et c'était tout à son honneur, mais cela ne changea pas mon avis sur ce qui s'était produit ce jour-là. J'étais impuissante, et je me sentais mal pour Madiba, car je ne pouvais rien faire pour le soutenir davantage. Mais il restait fier, se rendait même compte que sa mémoire lui jouait des tours et qu'il devenait trop distrait. Il disait souvent : « Vous savez, j'ai presque cent ans ! J'oublie des choses ! » Alors, un élan me poussait vers lui, je lui serrais affectueusement la main ou touchais son épaule pour essayer de le réconforter, lui dire que nous comprenions et que nous étions là pour l'aider au moment même où il oubliait tout.

Je vivais alors sur le West Rand à Johannesburg à une vingtaine de kilomètres de Houghton où se trouvaient notre bureau et la résidence de Madiba. Dans des conditions de circulation normales, il me fallait quarante minutes pour me rendre à Houghton. Aux heures de pointe, je mettais deux heures. Cela me tuait. En plus, Madiba m'appelait pour tout et n'importe quoi. Par exemple, un samedi matin, alors que je travaillais dans le jardin, il me demanda : « Zeldina ? Êtes-vous occupée ? » Dans ces cas-là, je ne lui répondais jamais que j'étais occupée, mais plutôt : « Que puis-je faire pour vous, Khulu ? » Il me convainquait alors que l'on ne pouvait pas en parler au téléphone et que je devrais venir chez lui. Alors je me lavais, m'habillais et me rendais chez lui à Houghton. Une fois là-bas, neuf fois sur dix, il ne se souvenait pas pourquoi il m'avait fait venir.

J'essayais de lui faire écrire ce qu'il avait en tête pour qu'il puisse s'en souvenir quand j'arrivais chez lui, mais il ne le faisait pas. Alors je tâchais de le convaincre de dire à l'un de ses employés de maison de quoi il s'agissait pour que je puisse le lui rappeler une fois là-bas, mais il n'en faisait rien non plus ; je devais donc m'y prendre autrement. Je devais chercher une nouvelle maison plus près de chez lui. Je m'étais alors offert ma première moto, et mon père me persuada de grandir, de vendre mes jouets et d'investir dans l'immobilier. J'achetai alors une maison plus près du bureau et de chez Madiba.

Mais je n'arrivais tout simplement plus à suivre le rythme auquel nous étions soumis et à prendre soin en plus de «Zelda». Les tâches administratives étaient accablantes et comme j'étais chaque jour absente du bureau pour assister à des manifestations avec Madiba, un gros retard s'accumulait. Heureusement, le directeur de la Fondation approuva la nomination de trois assistants pour m'aider. C'étaient des anges tombés du ciel. Je parvins à déléguer certaines tâches pour faire un peu de place dans ma tête afin de trouver une stratégie pour tout ce qui concernait Madiba, de la communication avec les médias à la gestion de son temps. Mais rien ne se passait jamais comme prévu. Madiba voulait savoir ce que l'on attendait de lui à chaque seconde de la journée. Et pourtant, quoi que nous ayons planifié et quelle que soit l'attention portée aux détails, rien n'était jamais parfait. On me dit que je suis un négrier et que ce n'est pas facile de travailler avec moi. Je suis une perfectionniste et mes attentes sont parfois trop élevées. Alors que Madiba vieillissait, je devenais plus pointilleuse à propos de tout ce qui le concernait, mais étrangement, en même temps, je devenais plus patiente avec les autres.

Parfois, Madiba se montrait difficile. Si je ne lui accordais pas assez d'attention ou n'assistais pas à assez de manifestations à son goût, il trouvait une raison pour laquelle je devrais faire telle ou telle chose moi-même et ne pas déléguer. Je me retrouverais alors à essayer de ménager les membres de l'équipe et de les protéger de ce sentiment qu'on les fuyait. Je n'étais plus la jeune fille blanche, timide et peureuse ; et Madiba s'habituait à mon comportement obsessionnel compulsif et mon côté perfectionniste. Cela lui convenait. Il tolérait beaucoup de retard de la part des autres, mais pas de moi.

En octobre 2005, nous partîmes deux semaines au Kenya pour passer du temps avec Mme Machel, car elle travaillait pour le Mécanisme africain d'évaluation par les pairs à Nairobi. Ce fut probablement les deux semaines les plus longues de ma vie. Chez moi, j'avais un ami qui faisait les cartons pour mon futur déménagement, et au Kenya, tout ce que je voulais, c'était rentrer. Madiba parlait moins, mais il n'avait jamais été du genre à rester longtemps inoccupé. Lui aussi était frustré, mais c'était une situation sans issue : il désirait être avec sa femme, mais il ne voulait pas rester coincé au même endroit.

Nous séjournâmes tout d'abord dans un hôtel de Nairobi, magnifiquement entouré d'arbres verts luxuriants, mais ceux-ci empêchaient le soleil de passer dans sa chambre d'hôtel. Comme Madiba ne pouvait pas se déplacer librement sans être assailli par les foules, nous restâmes à l'intérieur la plupart du temps. Au bout de quelques jours, nous décidâmes de déménager sur un golf où nous avions au moins un peu de soleil, et il pouvait s'installer dehors. Il n'y avait en revanche pas grand-chose à faire, à part lire la presse de chez nous et recevoir quelques visites. En face de la pièce où se trouvait Madiba il y avait un lac, entouré d'arbres et de buissons. Mon imagination galope quand il n'y a rien à faire et j'imaginais que le lac était le Loch Ness. C'était en réalité un lac plutôt sinistre et étrange. Je fis part de mes pensées à Madiba et lui parlai du mythe écossais du monstre du lac. Quelques jours plus tard, j'appelai le lac « le Loch Ness » quand Mme Machel vint déjeuner à la maison et elle m'intima d'arrêter, car je faisais peur à Madiba. Moi ? Faire peur à Madiba ? Nous éclatâmes de rire.

Avec l'aide de mon ami, je déménageai dès mon retour en Afrique du Sud. Je décidai alors qu'il était temps de retrouver une certaine normalité et comme j'avais toujours aimé les chiens, je décidai de m'offrir deux chiots. Mes boston terriers arrivèrent. Ils s'appelaient Winston et Roxy. J'avais décidé très tôt que je n'aurais jamais de chien qui ait un nom médiocre. Ils devraient incarner de célèbres figures politiques. Winston ressemblait comme deux gouttes d'eau à Churchill ; il ne lui manquait que le cigare. Roxy était une femelle avec une houppette et ne ressemblait à aucun personnage politique. Avec du recul, j'aurais pu l'appeler Christina, comme Christina Onassis, ou Madeleine, comme Albright, plutôt que Roxy, mais ce nom lui allait également. Ils devinrent bien vite mes enfants et comme Madiba n'avait plus envie de voyager, ce fut plus facile de leur prodiguer toute l'attention dont ils avaient besoin.

Madiba passa encore plus de temps à Maputo mais abandonna l'écriture de ses mémoires. Il désirait encore aller à la rencontre des gens ; après le concours de *South African Idols*, il lut un article dans la presse et annonça qu'il voulait rencontrer ces jeunes ; nous organisâmes donc une entrevue. Puis un policier reçut onze coups de feu en service et survécut miraculeusement. Madiba l'apprit dans la presse et tint à le voir. Certains jours, il déclarait vouloir rencontrer des gens et quand ils arrivaient, il n'avait plus envie. Il devenait plus difficile de prédire ce qu'il voulait et il était évident que nous devrions à l'avenir faire preuve d'encore plus de patience et de compréhension. C'est un procédé naturel, cela fait partie du vieillissement. On change d'avis plus fréquemment en vieillissant.

À partir de là, tout commença à se calmer. Madiba se trouvait à Maputo avec son épouse la plupart du temps et ne venait en Afrique du Sud que lorsqu'il avait des engagements importants. Mme Machel dut continuer son travail. Dynamique comme elle était, elle devait continuer à travailler, et comme nous passions la plupart du temps à la maison, nous commençâmes à nous ennuyer. De mon avis, l'un des traits de caractère que Madiba appréciait chez Mme Machel, c'était son côté dynamique et passionné et qu'elle ait la détermination et l'engagement d'apporter du changement, non seulement au Mozambique mais aussi dans toute l'Afrique et de changer le monde. Elle était ambitieuse et s'il voulait passer du temps avec elle, il ne devait pas espérer qu'elle abandonne ce qu'elle était ni qui elle était. Elle avait deux passions : les enfants et améliorer la vie de son peuple en Mozambique. Elle reçut la médaille Nansen des Nations unies en 1995, pour son travail avec les enfants réfugiés, et elle était déterminée à poursuivre cet objectif, à être une voix pour les sans-voix, ce que Madiba appréciait et admirait, et dont il se targuait souvent quand elle n'était pas là.

En janvier 2006, nous repartîmes pour l'île Maurice, sur l'invitation de Sol Kerzner. Cette fois, nous fîmes en sorte que le planning de Madiba soit bien clair, et qu'il puisse rester dix jours et non une semaine. Ce fut aussi agréable que la première fois. Comme d'habitude, Jerry Inzerrillo de Kerzner International s'assura que tous nos besoins soient satisfaits, à la demande de Sol Kerzner. Le même gérant, Mauro Governato, était responsable de la propriété et il se mit en quatre pour que Madiba passe un séjour magnifique. Nous profitâmes d'une intimité parfaite et il retourna en Afrique du Sud complètement rajeuni.

Je rencontrai un jeune entraîneur mauricien à la salle de gym, Prakash Ramsurrun, qui prétendait être un biokinergiste confirmé et quand il m'interrogea sur Madiba après avoir visité la salle de sport, je lui répondis que celui-ci ne pouvait plus marcher comme il voulait sans aide ou sans sa canne de marche. Prakash me mit au défi et affirma que s'il pouvait faire faire des étirements à Madiba, il m'assurait qu'avec un peu d'entraînement à la résistance, il serait en mesure de remarcher. En général, ce genre de suggestion avait le don de m'irriter. Madiba était entouré d'une équipe médicalisée en permanence. Vexée, je pensais que les gens sous-estimaient l'attention que nous lui portions. Ne croyaient-ils pas que nous avions déjà réfléchi à cela avant de les connaître ? Comme les médecins ne voulaient pas écouter ces propositions alternatives, je devais le faire. Et je devais inventer des excuses pour expliquer pourquoi cela ne marcherait pas ou cela ne se produirait pas.

Je discutai de la proposition de Prakash quand nous rentrâmes à la villa avec Madiba et Mme Machel, et ils acceptèrent qu'il vienne nous montrer des étirements. Le lendemain matin, Prakash commença son entraînement. Bien sûr, il dut d'abord s'entraîner sur moi, pour que Madiba soit d'accord qu'il le lui fasse ensuite. J'étais le cobaye. Avant que nous nous en rendions compte, Madiba suivit le programme et collabora avec Prakash. Au moment du départ, Madiba marchait sans aide et sans sa canne. Il était radieux et plus tard j'écrivis un mot pour remercier Sol de son hospitalité, lui expliquant que sa générosité avait ajouté des années à la vie de Madiba, parce que je le croyais sincèrement. Nous fîmes venir Prakash en Afrique du Sud pour entraîner notre masseuse, mais il fallait de la détermination et de la ténacité pour faire en sorte que Madiba continue son traitement, et celui-ci n'y était pas toujours disposé. Donc, quelques mois plus tard, il avait retrouvé sa canne.

De retour chez lui, Madiba passa plus de temps dans son salon, et un jour il annonça qu'il était temps de se débarrasser de certaines œuvres d'art colonial qui le décoraient. Mme Machel me demanda mon aide ; comme j'avais acheté des œuvres de femmes xhosas pour ma nouvelle maison, je retournai à la boutique et demandai au propriétaire de montrer des œuvres d'art africaines à Madiba. Au début, il se contenta d'un tableau qui représentait trois femmes xhosas. Il était vif et coloré ; deux semaines plus tard il décida que cela ne lui plaisait pas et dit : « Non, vous voyez, ça n'est pas juste. Ce tableau ne montre que des femmes, il faut qu'il y ait un homme aussi. » Il fallait ajouter un homme. On rendit le tableau à l'artiste qui y ajouta un homme xhosa. Je compris que, dans la tête de Madiba, tout était programmé pour être toujours parfaitement équilibré. Ce n'était plus une décision consciente, mais son être qui réagissait, une demande qui venait naturellement. Il devait y avoir de la place pour tout le monde.

Quand vous assistez à cela tous les jours, vous devenez un peu comme cela, vous aussi. Tout votre être change à force d'être au côté de quelqu'un comme Madiba. En effet, comme on dit : « Soyez gentil avec toutes les personnes que vous rencontrez, parce que vous ne connaissez pas leurs batailles », j'appris à apprécier davantage les étrangers, à remercier une personne correctement et à essayer d'être respectueuse, en gardant toujours en tête que votre façon d'aborder cette personne déterminera sa façon de vous traiter. L'une des grandes leçons de Madiba. À force de l'observer toutes ces années, j'en suis venue à comprendre la vérité du proverbe : « Les gens oublieront ce que vous avez dit, mais ils n'oublieront jamais ce que vous leur avez fait ressentir. » Et rien que le fait de saluer quelqu'un avec respect et chaleur me montre combien cette phrase est vraie.

Le président Clinton se rendait régulièrement en Afrique du Sud. En 2007, il accepta de participer à une collecte de fonds au bénéfice de la Fondation. C'était l'une de ces occasions pour lesquelles je faisais appel à certains amis afin qu'ils soutiennent une collecte comme celle-ci. Et ils répondirent présent. Le président Clinton fit don de souvenirs pour qu'ils soient mis aux enchères, la Fondation aussi. Nous collectâmes l'énorme somme de dix-huit millions de rands soit un million sept cent mille dollars en une seule nuit, avec moins d'une centaine de personnes invitées. Du jamais vu en Afrique du Sud. L'argent fut ajouté au fonds de dotation pour la Fondation afin d'assurer sa viabilité.

Malheureusement, aujourd'hui, la Fondation Nelson-Mandela est la seule des trois œuvres caritatives de Mandela qui n'ait pas pu atteindre ses objectifs. Nous dûmes souvent partager ses recettes avec les autres œuvres caritatives dont le centre d'intérêt, les enfants et les bourses, sont des sujets qui attirent facilement la bonne volonté. Je n'ai jamais touché de salaire en plus pour la collecte de fonds. Cela n'a jamais fait partie de mon travail d'organiser des événements ou des collectes, mais c'était ce que j'attendais de moi-même. Je croyais en la nécessité de préserver l'héritage de Madiba, pour que les générations à venir puissent apprendre de l'homme même une fois qu'il serait parti, et je voulais m'assurer de m'être donné les moyens pour que tout fût une réussite. Pourtant, lorsque quelqu'un de sa famille me demande : « Pourquoi une secrétaire doit-elle faire ceci et cela… ? », je suis incapable de lui répondre, et j'imagine que la meilleure réponse est parce que personne d'autre ne l'a fait. Je reste éternellement reconnaissante à ceux qui ont répondu à mes appels, qui m'ont soutenue quand je le leur ai demandé et pour les amitiés et liens tissés au fil des années.

Au cours d'une visite du président Clinton à la Fondation la veille de la collecte de fonds, celui-ci fit un discours très émouvant dans lequel il dit de Madiba :

« Je le regrette infiniment, plus que je ne peux le dire, mais je n'ai jamais été dans la position, comme Robert Kennedy, de m'élever contre lui ou de faire quoi que ce soit pour aider mon ami Madiba durant toutes ces années de souffrance. Mais il a survécu et je crois que si Dieu l'a décidé, c'est pour une bonne raison et à présent, dans la grâce et la beauté de ses dernières années, il n'a même pas besoin de dire quoi que ce soit pour que nous sachions que l'on est plus beau, que l'on se sent mieux et que l'on vit mieux si on pense que notre humanité commune est plus importante que nos intéressantes différences. »

C'était émouvant et touchant à tous les égards, et pour moi l'un des meilleurs discours que le président Clinton n'avait jamais faits en notre présence.

Nous commençâmes également à sympathiser avec Gordon Brown et son équipe. Nous le connaissions en tant que politicien britannique, mais il éprouvait une grande passion pour l'Afrique en tant que chancelier au Royaume-Uni et travailla dur pour pousser les gouvernements à remplir le mieux possible les objectifs du Millénaire pour le développement. Il se préparait à prendre la relève du Premier ministre Tony Blair qui souffrait politiquement suite à l'engagement du Royaume-Uni en Irak. Gordon était une personne très humble et Madiba l'aimait beaucoup. L'ANC était un allié du Parti travailliste britannique, mais pas tant qu'il soutenait la violence de la guerre. Gordon avait des intérêts à se retirer d'Irak mais, de la même façon que le président Obama avait hérité d'une situation très compliquée du président Bush, Gordon hérita lui aussi de défis complexes de l'ère Tony Blair. Tony était charmant et j'étais proche de son équipe moi aussi, mais c'était comme si les personnalités publique et privée n'allaient pas ensemble : dans des discours privés, je l'aimais bien, lui et ses idées, mais politiquement il prenait des décisions en contradiction avec la personne que j'appréciais. Gordon incarnait un généreux géant à mes yeux. Il visita également le Mozambique où il lança un projet d'éducation avec Madiba et Mme Machel.

Quelques années plus tard, Shaun Johnson, le directeur de la Fondation Mandela-Rhodes, désirait que Madiba rencontre David Cameron au cours de l'une de nos visites à Londres. Il était le chef du Parti conservateur d'opposition en Grande-Bretagne à cette époque. Shaun déclara que David pourrait être le prochain Premier ministre. Cette fois, je me gardais bien de dire à voix haute, même si je le pensais : « Oui, bien sûr, comme si un conservateur pouvait redevenir Premier ministre en Grande-Bretagne ! » Le même genre de réaction que lorsqu'on m'annonça que Barack Obama pourrait devenir le premier président noir des

États-Unis. Mais ce fut le cas pour tous les deux et je suis donc ravie que nous ayons accepté de rencontrer David Cameron à ce moment-là.

Mais Madiba nous envoyait des messages contradictoires à tous sur son statut de « retraité ». Un exemple flagrant fut le lancement des Elders, un groupe mondial de dirigeants et décideurs qui s'exprimaient conjointement sur des sujets relatifs à la paix et aux droits de l'homme. L'idée était venue au début des années 2000 au cours d'un déjeuner chez l'entrepreneur Richard Bronson à Londres. Le musicien Peter Gabriel et Richard Branson proposèrent cette idée : une organisation d'hommes politiques d'un certain âge, qui donneraient des conseils pour établir la justice et la paix dans le monde. Bien qu'elle fût brillante, Madiba était déjà trop âgé et fatigué pour participer aussi activement à ce genre d'initiative, mais il était résolu à la soutenir. Il fut convenu dès le début qu'il la lancerait, puis démissionnerait aussitôt quand il prendrait sa retraite. En principe, il donnait son consentement afin que l'initiative soit lancée avec son aide, en gardant en tête que cette entité prodiguerait les conseils indispensables sur des questions mondiales pour un groupe indépendant de personnes influentes et respectées.

Plus les choses changeaient, plus elles restaient finalement les mêmes. Parfois, Madiba restait chez lui quelques jours puis annonçait qu'il voulait sortir s'acheter un stylo ; je lui proposais alors d'y aller, car je savais précisément avec lesquels il préférait écrire. Des Bic normaux en plastique. Mais il résistait au prétexte que je n'achèterais pas le bon modèle. Et je savais qu'il voulait simplement voir du monde et que c'était l'excuse idéale pour se rendre au centre commercial. C'était le pire cauchemar de ses gardes du corps et de moi-même : nous avions bien du mal à le faire entrer et sortir du centre commercial, et on ne pouvait pas le tromper en l'emmenant dans une papeterie avec une entrée en retrait de la rue. Ce devait être un centre commercial. D'où il reviendrait avec ses stylos tout bêtes.

Une fois, il se rendit à Sandton City, un gros centre commercial en banlieue de Johannesburg. Il était déterminé à acheter un stylo et la sécurité le conduisit chez Montblanc, ignorant qu'un Bic aurait fait parfaitement l'affaire. Je n'étais pas avec lui ce jour-là. Il choisit le stylo et au moment de payer il se rendit compte qu'il n'avait pas d'argent sur lui et aucun garde du corps n'avait la somme suffisante, même s'ils additionnaient tout le liquide qu'ils avaient sur eux, pour payer le stylo. (La police d'Afrique du Sud fait partie des professions les moins bien payées de notre pays et pourtant elle est censée nous protéger et nous servir.)

Quoi qu'il en soit, Madiba n'avait jamais d'argent sur lui et une fois de temps en temps, il demandait du liquide à quelqu'un, puis il oubliait qu'il avait donné de l'argent à ses petits-enfants et du coup son porte-monnaie était toujours vide. La seule chose qui s'y trouvait en permanence, c'était une carte de visite de Mme Machel. C'était mignon. Je reçus ce jour-là un coup de fil affolé de la sécurité affirmant que Madiba disait qu'il faudrait que je paye le stylo. J'appelai le gérant de la boutique pour m'arranger avec lui, mais celui-ci me répondit qu'il m'enverrait la facture plus tard.

Montblanc appartient à la famille Rupert, des amis de Madiba depuis des années : d'abord le père, le docteur Anton Rupert, puis le fils, Johann Rupert, à présent à la tête des marques de luxe qui marchent le mieux au monde, comme Cartier, Montblanc, Van Cleef & Arpels, etc. En aucun cas Madiba ne se serait souvenu que Montblanc appartenait aux Rupert, et ç'avait été une intention honnête de la part de la sécurité de lui trouver un bon stylo, pensant qu'il aurait sur lui l'argent pour le payer. Bien sûr, Johann ne laisserait pas Madiba payer le stylo et on raconta que c'était un cadeau. Madiba ne voulut pas l'accepter, et, en fin de compte, il n'eut pas le choix, Johann remporta la bataille. Jusqu'à ce qu'il tombe malade, Madiba porta le stylo dans sa poche ; il l'appelait même le « stylo présidentiel ». C'était un stylo-plume qu'il fallait régulièrement remplir d'encre, et, en général, il était vide. Nous essayâmes donc de ne pas nous en servir, car il fallait trouver de l'encre, le remplir, puis il ne marcherait pas immédiatement et quoi qu'il faille signer, ce serait un gâchis.

Madiba avait très peu de biens personnels qu'il conservait précieusement et religieusement. Ses deux stylos, son bracelet-montre, son porte-monnaie vide, sa canne de marche en ivoire et l'étui de ses lunettes de lecture, ainsi que son appareil acoustique. Le plus important, bien sûr, c'était son alliance qu'il portait toujours, à l'intérieur ou à l'extérieur, qu'il travaille ou se repose. Ces objets devaient être soigneusement déposés à côté de son lit tous les soirs, et c'étaient les premiers qu'il regardait quand il se réveillait. Chaque fois que nous partions à l'étranger, sur un vol commercial, il me donnait son porte-monnaie pour que je le garde jusqu'à notre arrivée. Il pensait qu'il était plus en sécurité avec moi. Pourtant, je me trouvais généralement à quelques places de lui, pas plus en sécurité ni en danger que lui. Et il était toujours vide. Une fois, ses employés de maison rangèrent quelque chose dans sa valise, et non dans son bagage à main, et il insista pour la garder durant tout le vol. Il fallut convaincre le commandant de bord de me laisser descendre dans la soute avec la sécurité pour chercher l'objet dans nos bagages, car il ne se reposerait pas sans lui. Il était maniaque pour certaines choses, dont celle-ci faisait partie.

L'autre chose sacrée pour lui, c'étaient ses journaux. On n'avait pas le droit de les lire avant lui. Il n'aimait pas ceux qui avaient été ouverts. Il fallait enlever les publicités à l'intérieur sans ouvrir le journal. Il refusait catégoriquement un journal qui avait été ouvert. Et on ne pouvait pas proposer de les replier quand il avait fini de les lire. Il insistait pour le faire lui-même, quoi qu'il advienne. Il prenait son temps pour refermer les journaux et les couvertures avec la plus grande précision. J'en arrivai à la conclusion que c'était le comportement d'une personne qui avait été enfermée pendant vingt-sept ans et qu'il n'y avait aucune raison ni besoin d'essayer de la changer. Il avait le temps d'être aussi méticuleux, mais ensuite cela était tellement implanté en lui que cela faisait partie de son quotidien. J'enlevais souvent ses chaussures pour lui et l'aidais ensuite à poser ses pieds sur un repose-pieds. Et malheur à moi si ses chaussures n'étaient pas soigneusement posées à côté de lui, où il puisse les voir. N'allez pas croire que vous pouviez les cacher sous une chaise ou les ranger n'importe comment. Il vous rappellerait vite pour vous demander de bien les ranger. Cela faisait partie de la personne disciplinée qu'il était. «Zeldina, venez donc arranger cela», disait-il, en me rappelant pour que je pose ses chaussures là où il pouvait les voir, l'une à côté de l'autre, dans le même sens.

À de nombreuses reprises, Madiba nous annonça qu'il voulait aller dans une librairie. Il possédait plus de livres que plusieurs librairies réunies et je tentai alors ma chance en lui demandant ce qu'il recherchait, car je pouvais aller le lui acheter pour éviter qu'il soit assailli par les clients. Soit il répondait qu'il voulait un livre particulier, et que je ne saurais pas demander le titre, soit il se montrait totalement honnête et me disait qu'il voulait simplement regarder les livres. Mais par là, il entendait qu'il voulait aussi voir du monde. Bien vite, la confusion régnait dans la librairie. Les clients en oubliaient jusqu'à la raison pour laquelle ils avaient voulu venir ici, tandis que je faisais en sorte qu'il se concentre sur des titres et des rayons de façon que nous partions le plus vite possible. Il était complètement submergé par la foule et souvent nous craignîmes que sa gentillesse le tue.

Parfois, il feuilletait un livre et si les caractères étaient trop petits, même si le livre était intéressant, il ne le prenait pas. Plus d'une fois demandions-nous à Naspers, l'une des plus grosses maisons d'édition en holding d'Afrique du Sud, de réimprimer un livre en plus gros caractères pour lui. Elle s'exécutait avec joie. Et naturellement Madiba s'en allait toujours avec quelques livres qu'on lui avait offerts, mais il insistait toujours pour les payer et pour qu'on le traite comme un client normal, sinon il menaçait les gérants de ne plus jamais revenir. D'autres accepteraient tout ce qu'on leur offre. Pas Nelson Mandela. Il insistait pour payer et n'acceptait de petits cadeaux que de temps en temps. Parfois, il n'achetait qu'un seul livre et, d'autres fois, nous repartions avec des caisses entières. Des livres dont il ne lut pas plus de deux pages pour la plupart, j'en suis sûre.

Il adorait les biographies et les auteurs sud-africains. L'un de ses ouvrages préférés était un recueil de poèmes d'un poète afrikaner, C. Louis Leipoldt (1880-1947). Il se rendit donc sur la tombe de Leipoldt au Cap-Ouest en 1999. Une fois, il acheta un livre d'Antjie Krog, le célèbre auteur sud-africain qui écrivit *La Douleurs des mots*, et je tâchai de lui expliquer qu'il en avait déjà deux exemplaires chez lui, mais rien à faire, il le savait, mais insista. Il s'était même mis en colère contre moi, quand je lui annonçai que nous avions déjà l'ouvrage et que nous achetâmes le quatrième ou cinquième exemplaire.

Il annonçait aussi de temps en temps qu'il avait besoin d'un dictionnaire. Après en avoir acheté plusieurs à différentes occasions, je compris que l'une des choses les plus stupides que je puisse faire, c'était lui dire que nous en avions déjà acheté un il y a quelques semaines. Le dictionnaire n'était là encore qu'une excuse pour se rendre dans une librairie, et je pense que j'aurais pu acheter vingt Oxford en gros caractères. Même à l'étranger, il me prévenait parfois qu'il avait besoin d'un dictionnaire ; nous nous mettions en route vers la librairie la plus proche de notre hôtel, achetions le dictionnaire et rentrions chez nous sans qu'une seule page n'ait jamais été tournée. Il ne parvenait simplement pas à dire : « Je veux voir du monde » ou « Je veux voir la ville. » À mon avis, il devait croire que cela aurait eu l'air futile de l'exprimer, alors il préférait se servir d'une librairie ou de l'achat d'un stylo en guise d'excuse. C'était l'un des inconvénients d'être célèbre comme lui : il ne pouvait jamais faire de choses qui pour nous étaient normales, mais ce n'était qu'une fois que cette liberté vous était ôtée que vous saviez l'apprécier.

Étrangement, le rayon afrikaner des libraires l'attirait toujours. Il évoque son amour des œuvres de Langenhoven, un auteur afrikaner, dans son livre *Conversations avec moi-même* :

« D'abord, il écrivait très simplement. Et ensuite, c'était un écrivain plein d'humour. Et bien entendu une partie de son œuvre avait pour but de libérer les Afrikaners de la tentation d'imiter les Anglais. Son idée était d'instiller une dose de fierté nationale parmi les siens, c'est pourquoi je l'aimais beaucoup. »

Je me raccrochai à ces mots et tâchai donc d'instiller de l'orgueil parmi les jeunes Afrikaners pour qui ils étaient et pour ce qu'ils étaient. Il était important pour lui que l'on reste un individu tout en faisant corps avec son histoire et son ascendance, et je récitai souvent ces paroles quand je discutais avec de jeunes Afrikaners.

Nous nous rendîmes une fois dans une librairie à Pretoria, près de l'université, au cœur du quartier étudiant. Nous revenions de la cérémonie de remise de diplômes de son petit-fils quand le convoi s'immobilisa. Je descendis de la voiture d'un bond – car j'avais l'habitude d'être au volant de mon propre véhicule – pour demander à la sécurité pourquoi tout le monde s'arrêtait. La réponse était simple : nous allions dans une librairie. Nous feuilletâmes quelques livres, puis il se figea devant un rayon où des livres sur les langues étrangères étaient exposés. On pouvait acheter des cassettes et des livres pour nous aider à apprendre une autre langue. Et ainsi nous nous procurâmes le kit pour apprendre le portugais. Comme Madiba passait beaucoup de temps au Mozambique, il voulait en apprendre la langue et comprendre quel portugais on parlait quand il allait à Maputo. Il me fit promettre de ne rien dire à Mme Machel, car il voulait lui faire la surprise. Un geste très romantique. Je ne crois pas qu'il ait jamais ouvert le paquet et je ne sais pas ce qui est arrivé au kit d'apprentissage, mais nous n'arrivâmes à dire que «bonjour», «merci» et «s'il vous plaît» en portugais.

Le 14 novembre 2006, Madiba était en route pour le Saxon Hotel où il allait déjeuner avec Morgan Freeman. Nous voyagions en convoi, comme d'habitude, et j'étais dans ma voiture, à la suite du convoi. Nous étions en retard. Je devais systématiquement me battre pour éloigner le monde de Madiba afin qu'il arrive à l'heure, car je savais que la ponctualité avait beaucoup d'importance pour lui. Nous essayâmes nerveusement de nous sortir des embouteillages pour qu'il arrive tout de même à l'heure pour le déjeuner. Partout, des gyrophares bleus et des sirènes essayaient de se frayer un chemin dans la circulation.

À un carrefour où nous devions tourner à droite, – il ne faut pas oublier que nous conduisons à gauche en Afrique du Sud –, nous tombâmes sur un croisement avec des feux de signalisation. La police ferma le carrefour comme d'habitude, en bloquant la circulation avec un de ses véhicules pour laisser passer la voiture la plus importante et ralentir le trafic, même si le feu était rouge pour les voitures qui arrivaient. Donc c'est précisément ce que fit la police, et nous commençâmes à nous engager dans le croisement. Un type en voiture de sport descendait la route à toute allure, avec des écouteurs dans les oreilles, et n'entendit pas les sirènes. Il ne remarqua pas non plus ce qui se passait devant lui. Il fonça dans la voiture de sécurité qui bloquait l'intersection. Tout sembla se passer au ralenti. Je pus voir la BMW X5 se soulever sous l'impact. Le convoi s'arrêta quelques secondes, et ce fut vraiment la première fois que je vis l'unité de protection présidentielle en pleine action. Elle fut exceptionnelle.

Les gardes chargés de la sécurité sortirent du véhicule heurté par la voiture de sport, s'emparèrent de leur arme à feu et sautèrent dans les autres véhicules, dont le mien, pour éloigner Madiba de la scène le plus vite possible. Nous laissâmes le véhicule endommagé et deux gardes du corps, et nous mîmes en route directement pour l'hôtel. Madiba regardait dans une autre direction à ce moment-là et n'entendit pas l'impact, car sa voiture est fortement blindée et donc insonorisée. La sécurité le déposa à l'hôtel puis repartit aider ses collègues. J'appelai une amie dont le bureau se trouvait juste en face de l'accident. Elle nous envoya du renfort. Et Madiba déjeuna avec Morgan Freeman comme si de rien n'était. Lori, l'associé de Morgan, qui était avec lui nous trouva tous choqués quand nous arrivâmes, sauf Madiba. C'était typique de la vie avec lui. Très peu de choses le touchaient, parce que, où qu'il se trouve, plusieurs couches de protection absorbaient la pression du quotidien qui l'entourait.

C'était l'année où le film *Le Dernier Roi d'Écosse* sortit sur les écrans, et à court d'idées pour l'occuper, je demandais à Madiba s'il voulait aller le voir, car il parlait d'une histoire qu'il connaissait bien. Nu Metro réserva tout le cinéma et organisa une projection privée à une heure qui lui convenait, nous aidant bien sûr à entrer par l'arrière du bâtiment. Lorsque quelqu'un lui offrit du pop-corn ; il dit : « Non merci, j'en ai assez mangé dans ma vie, c'est maintenant aux jeunes comme eux (en me désignant ainsi que la sécurité) d'en avoir. » Je doute que Madiba n'en ait jamais goûté, mais comme il n'avait jamais eu l'occasion de « grignoter » dans sa vie, il n'était pas pressé de commencer maintenant. Il apprécia le film et quand je lui appris que Forest Whitaker, qui jouait Idi Amin dans le film, venait en Afrique du Sud, il fut pressé de le rencontrer. À deux autres reprises, il alla également au cinéma, une fois pour voir *Fahrenheit 9/11* de Michael Moore et une autre pour *The Queen*.

Durant le visionnage de celui-ci, il se tourna vers moi quelques fois et murmura quand il vit Helen Mirren à l'écran : «Au fait, c'est bien elle, la reine, non ?» C'était précieux de voir quelqu'un comme Madiba aimer un film, quelque chose d'inhabituel pour lui mais de si normal pour nous.

Je me rappelle quand Gavin Hood, le réalisateur sud-africain, a remporté un Oscar pour le film *Mon nom est Tsotsi*, dans lequel jouaient les acteurs sud-africains Terry Pheto et Presley Chweneyagae : tous les trois vinrent rendre visite à Madiba dans sa résidence de Cape Town après leur retour de Los Angeles, et nous étions extrêmement fiers d'eux ; c'était la deuxième fois seulement que des Sud-Africains remportaient un Oscar – après Charlize Theron –, et cela fit la une des journaux pendant plusieurs jours ; Madiba était tellement excité de tenir un Oscar qu'il leur demanda en riant s'ils n'envisageaient pas de le lui donner. La perplexité se lut sur le visage de Gavin Hood. Bien sûr que vous donneriez votre Oscar à Nelson Mandela. Ou pas.

Début 2007, le prince Albert de Monaco proposa d'organiser une collecte de fonds commune pour la Fondation Nelson-Mandela et la sienne, plus tard dans l'année à Monaco, à condition que Madiba y assiste. Madiba, fatigué de voyager, désirait simplement rester chez lui et passer du temps avec Mme Machel. Toutefois, lorsque la royauté l'invitait, il acceptait volontiers. De temps en temps, il suggérait que nous allions quelque part, puis il oubliait et nous comprenions qu'il n'était pas si enthousiaste, sinon il s'en souviendrait. Je fus chargée par Achmat Dangor, notre P-DG à l'époque, de travailler avec une collègue et le bureau royal à Monaco sur cette manifestation.

Je me rendis à Monaco tous les mois. Nous avions des réunions dans le bureau du prince Albert, mais il devint vite évident que, comme toute administration, ils connaissaient eux aussi les luttes de pouvoir intestines. Ce fut l'une des tâches les plus difficiles à négocier.

Je contactai tous ceux que je connaissais et qui avaient un peu d'argent pour leur vendre des places pour l'événement. J'envoyais des e-mails aux gens que j'avais rencontrés au fil des années pour leur parler des objets qui seraient vendus aux enchères et leur dis que j'espérais qu'ils nous soutiendraient; et ce fut le cas. En fin de compte, la plupart des amis de Madiba débarquèrent. Il me fallut neuf mois de communication intense avec le monde entier pour les persuader de soutenir l'initiative et de voyager jusqu'à Monaco à leurs frais pour soutenir une vente aux enchères. Ce fut une collecte très réussie. Elle porta ses fruits et j'étais fière de ce que nous avions réalisé. La Fondation gagna beaucoup d'argent et se construisit un fonds de dotation bien utile pour garantir sa viabilité à l'avenir, mais pourtant pas assez important pour se sentir vraiment hors de danger.

Je tombai malade au cours de l'une de mes visites à Monaco et je fus admise à l'hôpital pour y passer des radios. Je croyais que j'avais une pneumonie. À part le fait que personne ne comprenait un seul mot d'anglais, ce qui rendait presque impossible une simple procédure comme examiner un patient, l'hôpital n'était pas parmi les meilleurs. Dès que je pus tenir debout, je pris un avion pour Londres où deux de mes ex-collègues, un médecin et un garde du corps, vivaient, et je dus compter sur eux pour m'aider. L'ironie de l'histoire, c'est que je croyais que je mourrais et que les seuls à m'aider étaient mes ex-collègues. Je n'avais personne d'autre sur qui m'appuyer dans la vie à part ceux qui travaillaient avec moi, et je me rendis alors compte combien je m'étais coupée de la vie.

Avant d'aller à Monaco, Madiba et Mme Machel s'arrêtèrent à Londres pour dévoiler une statue de Madiba à Parliament Square. Pendant que j'organisais la vente à Monaco, je dus aussi rencontrer régulièrement Wendy Woods, la femme de feu Donald Woods, deux activistes anti-apartheid, dans le cadre de l'organisation d'une inauguration. Wendy dirigeait le comité organisateur avec Richard Attenborough. Je l'adorais et j'aimais le voir. C'était un événement historique et l'une des rares occasions où l'on pouvait convaincre Madiba d'inaugurer une statue le représentant. Il n'a jamais été pour la création de choses portant son nom, l'érection de statues à son effigie ou qu'on le mette à l'honneur partout. Il nous rappelait constamment qu'il y avait également d'autres héros qu'il fallait aussi reconnaître et honorer. Et s'il acceptait une statue comme celle-ci, il ne serait pas pour l'inaugurer lui-même, de peur d'avoir l'air vaniteux.

Nous étions très proches des Brown et de leur équipe, et c'était toujours agréable de leur rendre visite. Gordon Brown assisterait à l'inauguration de la statue quelques jours plus tard, il était donc bien vu que nous lui fassions une visite de politesse avant de le retrouver à l'inauguration. Le 28 août 2008, avant d'entrer au 10 Downing Street, j'expliquai à Madiba que la presse nous attendait à l'intérieur et que nous étions convenus avec le bureau du Premier ministre qu'il y aurait une brève séance photo avec les médias quand le Premier ministre rencontre Madiba et Mme Machel. Madiba devenait très distrait et l'avouait même en public. Il avait besoin qu'on lui rappelle constamment ce que l'on attendait de lui, mais ensuite il y avait toujours ces moments de lucidité parfaite, où il nous surprenait tous avec son sens de l'humour aiguisé, totalement conscient de ce qu'il faisait et prêt à le faire.

Je lui expliquai qu'il n'était pas censé répondre aux questions de la presse en arrivant à Downing Street, mais qu'il pourrait simplement déclarer qu'il était heureux d'être là et de rencontrer Gordon Brown. Quand nous entrâmes, tous deux plaisantèrent et Madiba se tourna vers les médias et dit en riant : « Mon épouse et moi sommes fiers et ravis d'être là, parce que comme vous le savez, c'était l'un de nos dirigeants, que nous avons renversés, et nous sommes sur un pied d'égalité à présent. » Tout le monde se mit à rire. Tout le monde sauf moi, bien sûr. J'étais sous le choc et je ne savais pas comment les médias interpréteraient ce genre de déclaration. Madiba avait un excellent sens de l'humour, et c'était sa façon de souligner le fait que nous nous étions éloignés du colonialisme.

Nous tâchions de faire attention à ne pas laisser se produire ce genre de situation où il pouvait se sentir accablé, et cela augmentait le stress et la tension.

Je n'étais pas angoissée quand je devais lui donner son discours sur le podium ; non, mes angoisses tournaient désormais autour de lui. Irait-il bien ? Saurait-il gérer la pression ? Mais chaque fois qu'il montait sur une scène et se tenait derrière un podium, le vieux Madiba était de retour, plus fort que jamais. C'était dur pour nous les jeunes d'assister au vieillissement, et aussi de ne pas toujours savoir comment le gérer. Il fallait s'adapter tout le temps, penser, prévoir, pourvoir au moindre scénario possible rien que pour s'assurer qu'il irait bien et que l'on saurait réagir à toute éventualité. Au fil des années, pour prendre de simples rendez-vous, nous passions de : « Oui, bien sûr que c'est confirmé » à « Confirmons-le ultérieurement », puis à « Il est difficile de prévoir quoi que ce soit pour l'instant », et enfin à « Ce n'est simplement pas possible. » Comme une frise chronologique vieillissante.

Après la collecte réussie de Monaco, nous nous rendîmes également à Paris. Le président Sarkozy vint à l'aéroport pour rencontrer Madiba à son arrivée et ce dernier fut touché par ce geste et répéta pendant des années que c'était extrêmement courtois de la part d'un chef d'État d'être venu jusqu'à l'aéroport pour rencontrer un ancien président. C'était la première fois que nous allions au Ritz depuis la mort de la princesse Diana. Fidèle à moi-même, je demandai en secret au gérant de me montrer la route qu'elle avait prise et je rejouai les événements précis et les différentes étapes de la soirée. Je n'essayais pas de mener l'enquête mais plutôt de comprendre à quoi avait dû ressembler cette nuit-là.

J'avais conscience que la plupart de ceux que j'aimais vieillissaient. Madiba eut quatre-vingt-neuf ans en 2007. Je faisais en sorte que nous n'oubliions jamais les anniversaires des autres, ou quand quelqu'un était malade, d'envoyer des fleurs, et parfois je demandais simplement comment ils allaient sans vouloir autre chose d'eux. C'était ma façon un peu simpliste de m'investir dans des relations, car pour moi faire appel aux gens uniquement quand vous aviez besoin d'eux ne voulait rien dire – et c'était grossier. Je lus récemment : «La vie prend peu de temps et beaucoup de relations.» Cela traduit tout.

Je crois que les gens se demandaient souvent ce qui m'occupait à la Fondation, car il était difficile d'imaginer mes occupations, mis à part les initiatives de collectes de fonds particulières dont on me chargeait. Je conservais des relations. J'assistais à des déjeuners, des petits déjeuners, et je buvais plus de cafés que nécessaire, pour montrer l'intérêt sincère que nous portions aux gens, qu'ils donnent de l'argent ou non. Parfois, je me sentais submergée, n'étant pas du genre liant. Mais je montrais tout de même de l'intérêt pour les autres, avec les meilleures intentions. Je m'assurais qu'ils reçoivent tous des cartes de Noël ou toutes mes amitiés pour le ramadan ou les fêtes juives. En vieillissant, Madiba ne pouvait plus s'en charger personnellement et la Fondation ne pouvait plus imprimer des milliers de cartes. J'essayai toutefois de conserver ces petits gestes. Après tout, Madiba m'apprit que le plus important qu'une personne puisse vous donner, c'est son temps. Il l'écrivit dans une lettre à sa fille Zindzi datée du 1ᵉʳ mars 1983 quand il était en prison et publiée dans *Conversations avec moi-même*.

« Souvent, quand j'arpente de long en large ma cellule ou que je reste étendu sur mon lit, mon esprit erre au loin, ressassant tel épisode ou telle erreur. Je me demande souvent par exemple si lors de mes heureuses périodes hors de prison, j'ai suffisamment montré à quel point j'appréciais l'amour et la gentillesse de tous ceux avec qui je me suis lié d'amitié ou qui m'ont aidé quand j'étais pauvre et que j'essayais de m'en sortir. »

Ce que je compris, c'est qu'il était vital pour lui de se montrer courtois et généreux à tout moment, car on ne sait jamais si nous aurons l'occasion de remercier ou de montrer notre respect aux gens qui ont été bons avec nous.

Mon père fêta également son soixante-dixième anniversaire ce jour-là et ma mère, l'année suivante. Nous décidâmes de partir tous ensemble en vacances en famille et mon frère, son conjoint et moi décidâmes de partager les frais des parents. Ils n'étaient pas allés à l'île Maurice depuis la fin des années soixante-dix, alors nous partîmes pour Sugar Beach Resort à Maurice. Rick, l'ami de mon frère, reçut alors un coup de fil de ses parents qui s'occupaient de tous nos chiens. Je crois qu'il devait y en avoir une dizaine sur leur petite exploitation à l'extérieur de Pretoria. Je le revois répondre au coup de fil et se lever de table. Il revint et je partis me servir au buffet. Quand je revins, l'ambiance était sombre à table et je demandais comment allaient mes chiens et on me répondit que tout allait bien. Mais mon frère était vraiment bizarre. J'avais l'impression de l'agacer et je sentis que quelque chose n'allait pas. Le soir de notre retour, je me précipitai à la petite exploitation pour aller chercher les chiens. Quand je me garai, je me rendis compte que mon père était déjà là, qu'il avait couru depuis l'aéroport pour arriver avant moi. Il se dirigea vers moi, me prit la main et annonça : «Zelda, Roxy est morte.» Mon bébé, mon pauvre bébé était mort. Elle était en chaleur quand nous sommes partis et les chiennes étaient toutes gardées dans un petit enclos quand une bagarre éclata ; et les autres chiens formèrent une meute et tuèrent la plus faible.

Ce fut l'un des jours les plus tristes de ma vie. Je regrettais chaque minute que je n'avais pas passée avec elle, j'en voulais à mon travail de ne pas m'avoir laissé passer plus de temps avec elle ; comment pourrais-je avoir des enfants si je n'avais même pas de temps à consacrer à mes chiens ? C'était mon enfant, ou en tout cas ce qui s'en rapprochait le plus, et j'avais l'impression de l'avoir trahie.

Je dus m'asseoir un long moment et réfléchir aux choix que je devais faire dans ma vie. Ce n'était la faute de personne à part moi, mais je ne peux pas utiliser le mot «faute» alors qu'il y eut tant d'avantages et d'opportunités. Je pleurai, m'apitoyai et n'allai pas travailler pendant trois jours après la mort de Roxy. C'était cinq jours avant que 46 664 organise un concert à Johannesburg. Je ne parvins pas à me reprendre et ce fut la pire des choses qui soit arrivée jusqu'alors. Il me fallut au moins un an pour me remettre de sa mort et à ce jour, elle occupe une place d'honneur dans ma maison.

Roxy avait eu une portée l'année passée et j'avais vendu tous ses chiots – dont deux moururent quand ils étaient tout petits. Tous reçurent des noms d'hommes politiques, avant de me quitter, y compris Indira, comme Indira Gandhi, le troisième Premier ministre d'Inde qui se fit assassiner en 1984. Toutefois, en avril après la mort de Roxy, les personnes qui avaient adopté Indira m'appelèrent pour m'annoncer qu'ils allaient devoir la laisser, car elle ne s'adaptait pas bien et qu'ils se faisaient du souci pour leur enfant. Ils voulaient me prévenir que si je lui trouvais un autre foyer, ils seraient prêts à lui donner un autre propriétaire, mais que sinon ils devraient l'abandonner. Je leur demandais de l'amener chez moi le jour même et avec Winston, son père, elle est à présent l'amour de ma vie. Avoir des boston terriers est une thérapie pour moi. Ils veillent sur moi pendant les périodes les plus difficiles de ma vie. Ce sont eux qui me manquent quand je voyage et c'est à eux que je pense quand je travaille la journée. J'aime plaisanter en disant qu'au moins je n'ai pas de frais de scolarité à payer pour mes enfants, et que je peux donc les consacrer à mon amour de la moto.

10

La plus grosse collecte de fonds de ma vie

Madiba allait voir quatre-vingt-dix ans quand j'en avais trente-huit. Jamais je n'avais imaginé qu'il pourrait atteindre cet âge-là, ni que je serais encore avec lui à mon âge. Pourtant, c'était comme si le temps était passé très vite. Je commençais à me rendre compte de l'étendue de mes privilèges et de mes expériences. Et plus que jamais j'étais prête à donner tout ce qu'il faudrait pour s'assurer que cette collecte soit la plus grosse de l'histoire de notre organisation en son honneur.

Madiba ne voulait plus du tout quitter le pays pour partir en vacances comme chaque année en janvier, la maison de Houghton devait être fermée pour quelques jours pour permettre aux employés de prendre des congés. Ceux-ci serviraient aussi Madiba à Qunu, ce qui signifiait qu'aller là-bas n'était pas une option. Mme Machel me demanda de considérer les quelques autres possibilités, et je contactai Jabu Mabuza, un bon ami, le directeur du groupe Tsogo Sun en Afrique du Sud pour lui demander conseil. Nous optâmes pour Noetzie, où quelques vieux châteaux sont construits sur le rivage, difficilement accessibles pour le public. Les châteaux étaient entourés de la forêt de Knysna, et Madiba adorait s'installer à l'extérieur pour la contempler. Longtemps, après ces vacances, il me demanderait parfois : « Au fait, Zeldina, vous nous emmenez dans la forêt de Knysna, d'accord ? » « Oui, Khulu », répondis-je, bien qu'il entendît plutôt par là qu'il voulait que je me charge de l'organisation.

En début d'année, je reçus un coup de fil d'un ancien ministre des Affaires étrangères durant les années d'apartheid, M. Pik Botha, qui m'apprit que le professeur Stephen Hawking devait visiter l'Afrique du Sud et qu'il voulait rencontrer Madiba. M. Botha avait contacté le professeur par l'intermédiaire d'une université sud-africaine dans laquelle il était impliqué. En 2000, M. Botha avait quitté l'ancien Parti national pour rejoindre l'ANC au grand amusement du public. Madiba accueillit bien sûr ce geste en faveur de l'ANC, quelles que fussent les motivations de l'ancien ministre. Au début nous refusâmes la rencontre, puis on nous persuada de faire machine arrière, comme ce fut le cas à de nombreuses reprises.

Nous convînmes avec M. Botha d'un protocole pour l'entrevue. Madiba n'était plus en mesure de gérer les surprises. Il vieillissait et il lui fallait des conseils et des instructions précises. M. Botha était accompagné du professeur Block, de l'université de Johannesburg, célèbre pour ses travaux en physique et pour ses distributions de morceaux de pierres de lune. Il en avait donné un à Madiba des années plus tôt.

C'était formidable de découvrir le professeur Hawking, mais il fallait beaucoup de concentration pour qu'un homme de quatre-vingt-dix ans qui n'y connaissait rien en technologie communique avec le professeur qui parlait *via* un ordinateur. M. Botha, qui ne comprenait pas pourquoi Madiba avait du mal à communiquer, ne cessait d'interférer dans la conversation et, à un moment donné, je me sentis rougir quand je lui dis : « M. Botha, arrêtez, je vous prie. Nous ne pouvons pas tous dire à Madiba comment faire. Laissez-le retrouver tout seul, comme je le lui ai expliqué ! » C'était souvent le problème des gens. Soit ils pensaient que Madiba était complètement débile, soit d'autres personnes dans la pièce pensaient qu'elles devaient lui dire comment faire, en raison de son âge, ce qui n'arrangeait pas du tout la situation. Les appareils acoustiques de Madiba allaient bientôt couper toutes les voix dans la pièce à cause du brouhaha et il aurait l'air perdu.

Quand vous essayiez de demander aux gens de ne pas interférer, ils le prenaient mal. Ou pensaient que vous étiez possessive ; pourtant eux-mêmes n'avaient aucune expérience avec un vieil homme de quatre-vingt-dix ans qui essayait de mener une vie professionnelle. Il n'y eut donc pas de grande conversation avec le professeur Hawking, et pour couronner le tout, alors que nous étions tombés d'accord sur le fait de ne pas réserver de surprise à Madiba, des livres et des messages apparurent, que le professeur Block et M. Botha voulaient que Madiba dédicace personnellement. J'étais furieuse. Il était clair qu'ils n'avaient aucun respect pour le protocole qu'ils avaient signé et accepté avant la rencontre.

Les surprises prenaient Madiba au dépourvu ; il nous regardait alors d'un air impuissant et il fallait alors nous expliquer ou nous disputer avec les visiteurs. Depuis le temps, Madiba me connaissait assez bien, et je ne faisais pas semblant d'être quelqu'un que je n'étais pas. Ainsi, nous instituâmes des protocoles. Nous en avions aussi assez de ceux qui nous abordaient avec une requête particulière puis, une fois assis devant lui, présentaient un ordre du jour totalement différent. Tout le monde savait qu'il avait du mal à dire non. Bien vite, lorsque les protocoles commencèrent à être connus, certains tâchèrent d'insinuer que c'était un comportement digne de la Gestapo. Que faire ? Nous insistâmes, nous n'avions plus le choix, car les gens ne cessaient d'exagérer.

Ce fut aussi en juin 2008 que nous apprîmes la maladie soudaine de John Reinders, le chef du protocole durant la présidence de Madiba. Celui-ci l'aimait beaucoup et lui était très reconnaissant de ses services. John était déjà dans le coma dans un hôpital de Bloemfontein quand nous lui rendîmes visite. Cela souleva un véritable tollé parmi nos proches que Madiba voyage jusqu'à Bloemfontein pour voir un Blanc à l'hôpital. Nul n'oserait affronter Madiba personnellement à ce sujet, mais j'eus droit au retour de manivelle. Je ne réussis pas à lui envoyer ces râleurs pour qu'ils se plaignent, alors je me contentai de les supporter et je tournai les talons. En attendant, j'avais la peau d'un bébé rhinocéros, et même si cela faisait mal de se dire que Madiba serait privé des gens qu'il aimait bien, les critiques commençaient à glisser sur moi comme de l'eau sur les plumes d'un canard.

Je mis un point d'honneur à répondre aux articles des journaux qui parlaient de problèmes raciaux pour rappeler aux gens ce que Madiba répétait souvent : que si l'on continuait à juger les gens à la couleur de leur peau, il y avait peu de chances pour que l'on construise la nation arc-en-ciel dont nous rêvions tous. Et il avait raison. J'en avais assez d'être étiquetée moi aussi selon la couleur de ma peau. Je suis une Sud-Africaine et c'est tout ce qui compte.

46 664, sous la direction de Tim Massey, organisait un énorme concert pour le quatre-vingt-dixième anniversaire de Madiba, à Hyde Park à Londres en juillet. Une fois de plus, nous nous appuyâmes sur nos amis et nos relations, et commençâmes à les préparer afin de budgétiser un dîner caritatif qui devrait avoir lieu avec le concert.

Bien que ce fût souvent fatigant et fastidieux d'organiser un événement pour Madiba à l'étranger, je faisais en sorte qu'un élément sud-africain soit présent, jusque dans les plats servis. La liste des invités était un autre problème. Tout le monde voulait être présent, mais nous n'avions qu'un espace restreint.

Des tables furent disposées en gradins et nous remplîmes une vaste tente érigée dans Hyde Park. Les gens voulaient toujours être invités à ces dîners, mais pas forcément payer. On s'y habitue. Certains ne comprendront jamais que cela tombe sous le sens que plus on cède de places gratuites, moins on a de chances de collecter des fonds, et avoir cent invités gratuits au lieu de vingt augmente vos frais généraux et la collecte de fonds est moins fructueuse. Certains, qui n'avaient pratiquement rien fait pour collecter de l'argent ou soutenir une action de Madiba, voulaient toujours figurer sur la liste des invités. Et à un certain moment, il fallait juste lâcher du lest, car votre réputation était en jeu et le succès ou l'échec de la collecte reviendrait vous hanter.

Avec Sara Latham, une amie que je connaissais depuis qu'elle avait travaillé à la Maison-Blanche, et la Fondation Nelson-Mandela pour l'enfance au Royaume-Uni, nous préparâmes une liste d'invités pour nous assurer que l'événement serait rentable. Les places se vendirent à guichets fermés et nous inclûmes des amis de Madiba, sa famille et des vétérans de la lutte pour la paix pour garantir la représentation. Les jours précédant son arrivée à Londres furent très animés, et je ne parvenais pas à croire que l'anniversaire de Madiba était tout proche ; et à Londres l'excitation régnait, même parmi les gens ordinaires.

Ce fut en préparant la logistique du voyage que nous fûmes pris dans une autre bataille pour le pouvoir. Le président Mbeki était encore président d'Afrique du Sud et, politiquement, l'époque était incertaine pour beaucoup. En 2005, le président Mbeki et l'ANC « libérèrent » le vice-président Jacob Zuma de toutes ses fonctions, à la suite d'une décision de la Haute Cour de Durban qui trouva des relations corrompues entre Schabir Shaik et Jacob Zuma. En 2006, une amie de la famille de Zuma déposa plainte contre lui pour viol, tandis que Zuma prétendait qu'ils avaient eu des rapports consentis. À l'issue du procès, Zuma fut lavé de tout soupçon ; on supposa que l'administration Mbeki menait une guerre politique pour empêcher Zuma d'évincer le président à la conférence nationale de 2007 de l'ANC. En effet, en décembre 2007, Jacob Zuma fit perdre son siège au président Mbeki et fut élu président de l'ANC.

La bataille pour le pouvoir se manifesta à tous les niveaux de la société. Soit vous étiez pour Mbeki, soit pour Zuma. La nation avait beau être unie suite à la présidence de Madiba, il y avait des divisions profondément ancrées à chaque niveau de la société. Une fois que Zuma fut président de l'ANC, celui-ci désavoua le président Mbeki, au prétexte qu'il ne servait plus les intérêts du parti et de son peuple, celui-ci démissionna. Kgalema Motlanthe, le vice-président de l'époque, fut nommé président jusqu'aux prochaines élections nationales à l'issue desquelles Jacob Zuma fut élu président du pays.

La Fondation Nelson-Mandela était apolitique. Et Madiba lui-même s'était éloigné de la politique. Une fois à la retraite, il cessa de fréquenter les meetings de l'ANC et annonça que même s'il ne se séparerait jamais de l'ANC, et qu'il en resterait toujours un membre loyal, il fallait laisser la jeune génération faire fonctionner le parti.

Cependant, on nous perçut volontiers comme des anti-Mbeki et de fait, des loyalistes pro-Zuma. Ce fut au milieu de cette lutte pour le pouvoir, en préparant la visite de Madiba à Londres, que nous informâmes la Haute Commission sud-africaine à Londres de notre intention de venir.

Trois jours avant notre arrivée pour la célébration du quatre-vingt-dixième anniversaire de Madiba, je reçus un coup de fil du bureau de logistique de la Haute Commission sud-africaine, qui m'annonça qu'elle refusait de laisser Madiba passer par le salon VIP aux arrivées des lignes intérieures à Heathrow et qu'elle ne paierait pas la centaine de livres que cela coûtait. J'explosai : « Quoi ? Vous plaisantez ? Ces neuf dernières années, vous l'avez laissé utiliser le salon VIP, vous avez payé et vous avez fait en sorte qu'il puisse le faire, parce que c'est un ancien chef d'État d'Afrique du Sud et maintenant vous voulez qu'il fasse quoi ? Qu'il sorte par le même terminal qu'un passager lambda ? »

J'écrivis même un e-mail sarcastique, montrant que sans Nelson Mandela, nous serions nombreux à ne pas avoir de boulot. Je frisais le ridicule, mais j'étais hors de moi !

Je m'ouvris de ma « bataille » à notre P-DG et directeur, car j'étais prête à tout pour faire respecter mes principes. Je n'avais jamais accablé Madiba avec mes problèmes et, dans ce cas précis, je pensais également que cela lui ferait du mal et le bouleverserait d'apprendre cette histoire. Cela ne coûtait que quelques centaines de livres, de payer le salon VIP. Par principe, je refusai que la Fondation le paie. À mon avis, ce brusque changement de décision, qu'un ancien chef d'État d'Afrique du Sud n'ait plus le droit de passer par un salon VIP, devait être pris au niveau du cabinet. Ce n'était pas une décision qui revenait à un simple employé de bureau. Ils ne cédèrent pas et me dirent que, comme ce n'était pas une visite officielle mandatée par le gouvernement sud-africain, ils ne pouvaient pas payer. Pourtant, ils l'avaient fait à de nombreuses autres reprises, bien que la visite n'ait rien d'officiel.

Les gens supposaient que Madiba était au côté de Jacob Zuma dans la lutte pour le pouvoir de l'ANC et agirent donc en conséquence pour avoir l'approbation du président Mbeki. Ce dernier n'eût jamais été mesquin au point de retirer ce genre de privilège à un ancien chef d'État, et il était évident que cet incident était une manifestation de ce qui divisait les Sud-Africains : être pro-Mbeki ou pro-Zuma. Je finis par appeler le bureau du Premier ministre Gordon Brown pour lui demander de s'organiser afin que nous puissions utiliser le salon VIP de leur côté, ce qu'ils firent.

L'événement fut un immense succès. Nous collectâmes plus de cent cinq millions de rands nets – soit sept millions cinq cent mille livres environ – et à ce jour, cela fut la collecte de fonds la plus réussie de toutes les œuvres de bienfaisance de Mandela. Les recettes furent partagées entre le Fonds Nelson-Mandela pour l'enfance, la Fondation Mandela-Rhodes et la Fondation Nelson-Mandela, afin que chacune puisse promouvoir sa mission respective. Mon objet préféré vendu aux enchères fut une réplique en plâtre de la main de Madiba, achetée par Sol Kerzner pour deux millions neuf cent mille livres, ce qui fit de Sol le plus grand donateur à ce jour de toutes les œuvres de charité de Mandela.

Madiba était également intrigué par la richesse et la célébrité des autres. Pourtant ; cela ne l'avait jamais attiré. Il trouvait tout simplement fascinant que l'on puisse être aussi riche que Bill Gates ou Sol Kerzner. Il se prévalait souvent de la richesse de ses amis en Afrique du Sud – Patrice Motsepe, Tokyo Sexwale,

Douw Steyn, les Rupert et les Oppenheimer, pour en nommer quelques-uns. Ils étaient tous bons avec lui et chaque fois qu'il faisait appel à eux pour soutenir ses œuvres caritatives, construire une école ou une clinique, ou soutenir une cause pour laquelle il se battait, ils le faisaient volontiers. Pourtant il était vital pour lui que même quand il ne faisait pas appel à eux, ceux-ci soient traités avec respect et courtoisie. Il écrivit dans une lettre à Zenani Mandela, citée dans *Conversations avec moi-même* : « L'habitude d'assister à de petites choses et d'apprécier les petites politesses est la marque des bonnes personnes. » Ainsi nous n'oubliions jamais un anniversaire ni une commémoration. Et nous nous veillions à ce qu'il passe du temps avec le peuple alors même qu'il n'avait rien à lui demander, car cela faisait partie des « petites choses ». Pour honorer Madiba, il fallait honorer ses relations avec les autres.

Madiba insista pour rester plus longtemps que prévu à la soirée pour la collecte de fonds et quand il alla enfin se coucher, je le raccompagnai à l'hôtel pour que Mme Machel puisse rester un peu plus longtemps, et que l'on n'ait pas l'impression que tous deux aient déserté en même temps la table d'honneur. Je retournai ensuite à la soirée, qui fut assurément l'un des plus grands moments de ma carrière. Je ne voulais pas d'accolades ni de récompenses, mais j'avais tellement envie que Madiba se sente honoré et célébré tant qu'il pouvait encore en profiter, et cette nuit-là, j'eus le sentiment que nous y étions arrivés. En rentrant à l'hôtel en voiture, j'avais le cœur rempli de joie et d'orgueil qu'il ait pu se rendre compte à quel point les gens le vénéraient. Des célébrités et des amis connus de Madiba nous aidèrent à faire venir de gros donateurs, et ceux-ci voyagèrent à leurs frais, donnèrent de leur temps sans compter, pour honorer Madiba et nous aider à attirer l'attention sur ses œuvres. Ils profitèrent également des retombées, mais l'un ne va pas sans l'autre.

Le concert le lendemain soir remporta tout autant de succès, mais les voyages commençaient à ébranler Madiba. Il était fatigué. La ruée habituelle s'ensuivit quand les gens se levèrent pour aller le saluer. J'observais de loin et me rendis compte qu'on allait bientôt se battre pour le toucher. Je me sentis extrêmement mal pour lui, car j'avais l'impression qu'il voulait simplement écouter la musique et les performances des artistes sud-africains, africains et internationaux qui jouaient tous pour son anniversaire. Je nous revois regarder la prestation d'un groupe sud-africain, Mafikizolo, à Tromsø, en Norvège, et combien il avait adoré les voir jouer sur une scène internationale. Après tout, cette fois, c'était son anniversaire.

Avant que Madiba ne monte sur scène, une toute petite femme m'aborda, que je ne reconnus pas immédiatement ; c'était Emma Bunton, l'ancienne chanteuse des Spice Girls. Emma était l'une des personnalités qui faisaient des annonces ou déclarations pendant le concert. Emma annonça à l'un des réalisateurs qu'elle voulait absolument donner à Madiba son cadeau personnellement, soit avant, soit quand il monterait sur scène. C'était une énorme boîte. Je le voyais mal accepter un carton qui contenait un cadeau et le trimballer avec lui toute la soirée. De plus, j'étais encore énervée contre les Spice Girls, après avoir appris qu'elles s'étaient vantées d'avoir piqué du papier-toilette dans la résidence officielle de Madiba quand elles lui avaient rendu visite alors qu'il était président. J'avais donc déjà une opinion préconçue à leur sujet. Je ne l'autorisais pas à lui offrir son cadeau, car il devait avoir les mains libres à tout moment.

Quand elle monta sur scène, je constatai qu'elle était vraiment énervée et demandai à notre sécurité de garder un œil sur elle, quand elle se fraya un chemin de force vers Madiba, alors que tant d'autres artistes africains se faisaient refouler. Elle était peut-être parfaitement innocente, mais, dans ces circonstances, vous n'hésitiez pas à réprimander les célébrités si nécessaire. Mon boulot consistait entre autres à faire en sorte que les crises soient résolues avant qu'elles ne se produisent. Je savais que Madiba tenait à ce que les artistes africains présents sur scène autour de lui soient au tout premier plan et je voulais être sûre qu'il ne serait pas bouleversé si cela ne se passait pas ainsi. Quand Madiba monta sur scène, une immense clameur se souleva dans la foule. Certains crièrent et le bruit était assourdissant. Je fus submergée de joie et d'excitation pour lui.

La presse et le public mettaient la pression sur Madiba pour que celui-ci s'élève publiquement contre la négligence des droits de l'homme au Zimbabwe du président Mugabe. Nous subissions une pression constante de la part du monde entier pour que Madiba fasse une sorte de déclaration, à cause des précédents incidents où il avait été critiqué pour avoir travaillé indépendamment du gouvernement parce que l'on sentait que ses actions pourraient interférer avec le processus diplomatique. Toutefois, au final, il déclara simplement : « Plus près de chez nous, nous avons assisté à des explosions de violence contre nos compatriotes africains, dans notre propre pays, et l'échec tragique du leadership dans notre Zimbabwe voisin. » Et en dire moins signifiait plus, et ne pas dire certaines choses en signifiait d'autres. La presse dans le monde entier reprit sa déclaration qui fit la une pendant plusieurs jours.

Le lendemain, Madiba rencontra également d'anciens collègues à lui, tous ceux qui étaient à ses côtés lors du procès de Rivonia dans les années soixante. Voilà plus de quarante ans que ce procès avait envoyé Madiba en prison et il n'en avait pas revu certains depuis. Il gardait un vif souvenir de chacun d'entre eux, et il aima passer du temps avec eux. Voilà qu'ils prenaient un thé au Dorchester Hotel à Londres alors que la dernière fois qu'ils s'étaient vus, ils étaient prisonniers dans une cellule, dans l'attente de leur procès plus de quarante ans auparavant. La Fondation organisa également une petite fête privée pour lui, ses anciens collègues politiques du procès de Rivonia et ex-codétenus qui vivaient encore, en Afrique du Sud. C'était émouvant de voir ces personnes rassemblées et j'aurais tellement voulu parler avec certaines, leur poser tant de questions. Les conversations étaient dominées par : « As-tu revu untel et untel ? » ou encore : « Qu'est-il arrivé à untel ou untel ? »

Les festivités à l'occasion de son quatre-vingt-dixième anniversaire à Londres achevèrent en beauté ses apparitions internationales. Vingt ans plus tôt, on avait fêté son soixante-dixième anniversaire au stade de Wembley en Angleterre, qui avait été visionné par plus de six cents millions de personnes dans le monde entier. Le concert était intitulé « Libérez Mandela » et, deux ans plus tard, c'était un homme libre. Même si ces festivités furent plus modestes, c'était une façon convenable de mettre un terme à nos voyages, lui étant présent là où l'on célébrait sa vie. Après quoi, nous ne repartîmes plus à l'étranger. Il devenait trop vieux pour voyager.

Madiba m'appelait parfois de chez lui pour me prévenir qu'il allait prendre l'ascenseur pour descendre au rez-de-chaussée de sa maison. Il était terrifié à l'idée de rester coincé entre deux étages et je devais l'appeler dans dix minutes pour m'assurer qu'il n'était pas coincé dans la cabine. À l'époque, je trouvais cela drôle, mais aujourd'hui quand j'y repense, cela m'attriste. Répondre à ses coups de fil me faisait encore plus aimer cet homme, peut-être parce qu'il dépendait de moi, et pourtant c'est précisément cet amour et cette admiration qui provoquèrent tant d'animosité.

Ces appels me rappelaient également combien il avait vieilli. Quelques années auparavant, s'il était coincé dans un ascenseur, c'était lui qui rassurait tout le monde. Il y a quelques années, cela s'était produit avec le vice-président de l'Ouganda à Kampala. Bien sûr, en plus de ceux qui devaient l'accompagner, tout le monde essayait de prendre l'ascenseur avec Madiba. Cela me rendait claustrophobe, alors je décidais de prendre l'escalier. Et manque de chance, il resta coincé ce jour-là. Pendant vingt minutes, nous attendîmes au rez-de-chaussée que les techniciens viennent à leur secours. Le vice-président finit par sortir de l'ascenseur totalement paniqué et quelque peu gêné, mais Madiba avait diverti tout le monde avec son sens de l'humour.

Mme Machel m'apprit que je devais être vraie et toujours me rappeler que la seule chose qui comptait, c'était ma relation avec Madiba, que je ne pouvais être tenue responsable des rapports que les autres entretenaient avec lui et que quand je faisais quelque chose je devais écouter ma voix intérieure parce qu'elle me dirait toujours ce qui est bien et ce qui ne l'est pas. Si quelque chose me préoccupait, ou me dérangeait, alors c'était qu'il y avait forcément des raisons pour que je ressente cela, et je devais aller vers ce qui me rassurait. Mme Machel et moi n'avons pas eu une relation facile au fil des années. Je fus très sensible au fait qu'elle accepte qu'une jeune femme passât tout ce temps avec son époux, qu'une Blanche leur dît quand se lever, quand se détendre, et cela ne dut pas être facile d'être entourée de tout ce monde tout le temps. Mais, malgré cela, elle est la seule à me montrer respect et gratitude et à me faire me sentir digne. Je lui rends hommage des milliers de fois pour avoir su rester calme et m'avoir appris tout ce qu'elle m'a appris.

Alors que son quatre-vingt-dixième anniversaire approchait, nous veillâmes à ce que Madiba puisse déjeuner ou dîner avec d'anciens collègues et camarades, en petits groupes. Il reçut également des timbres de la Poste nationale car une série limitée commémorait son anniversaire. Les timbres représentaient deux de mes photos préférées de Madiba.

Il déjeuna avec ses anciennes collègues de l'ANC, Barbara Masekela, Jessie Duarte et Frene Ginwala, puis avec les artistes de sa génération, Dorothy Masuka, Miriam Makeba, Abigail Kubeka et Thandi Klaasen ; puis il assista à un grand meeting de l'ANC en son honneur le 2 août, au cours duquel tous les participants apprécièrent les instants passés avec lui. Le gouvernement souhaita lui aussi organiser un concert pour le peuple, mais en raison de la publicité tardive, il n'y eut pas grand monde. Le 16 juin, la Fondation fut autorisée à remettre une statue à Madiba. Le 16 juin se tenait, en Afrique du Sud, la Journée de la jeunesse qui commémorait le début des émeutes de Soweto en 1976. C'était une magnifique statue d'Hector Pieterson et je fus émue lorsque Madiba la reçut. L'un des membres du conseil d'administration fit quelques remarques à mon sujet, comme quoi ils étaient très reconnaissants que j'aie pris soin de Madiba et j'appréciai beaucoup que cela vienne d'une organisation comme la leur, fondée pour rappeler au public les événements qui conduisirent à ce jour fatal de 1976. Nous en avions parcouru, du chemin, dans ce pays ! J'étais une Afrikaner et voilà qu'ils me remerciaient !

Ce fut à peu près à la même époque que Madiba rêva une nuit que j'avais démissionné pour accepter un autre job, et très sérieusement, il m'annonça le lendemain matin au bureau qu'il avait rêvé que je l'avais abandonné. Moi ? Zelda la Grange ? Je le rassurai : je ne ferai jamais ce genre de chose. Je triomphai de mes angoisses, bien déterminée à le servir jusqu'au jour où l'un de nous deux mourrait.

IV
QUATRIÈME PARTIE

Et ensuite ?

2009-2013

11

Rester jusqu'à la fin

Nous étions de nouveau en janvier et il fallut fermer la résidence de Houghton pour permettre au personnel de prendre ses vacances. Nous n'avions aucune idée de l'endroit où emmener Madiba. Il était difficile de le conduire à l'hôtel et nous devions soit trouver une pièce assez grande où il pourrait rester toute la journée, soit un lieu discret où il pourrait se rendre à l'extérieur sans se trouver en public. Difficile ! C'est ainsi que vint l'idée de Sun City. L'endroit n'est qu'à une demi-heure de vol de Johannesburg, et Madiba n'avait pas envie d'aller trop loin.

D'abord, je reçus un coup de téléphone d'une de ses filles qui se plaignait. « Comment pouvez-vous emmener Madiba là-bas ? » Comme si c'était moi qui avais pris la décision. J'en parlai à Mme Machel. Avant que la fille de Madiba se calme, il fallut lui expliquer que la suite présidentielle était offerte à Madiba, que les trois pièces étaient assez grandes pour qu'il ne s'y sente pas isolé, et qu'il pourrait s'asseoir dehors dans l'intimité.

Un matin à Sun City, Mme Machel et moi avions pris rendez-vous pour faire de la marche. Mon téléphone portable sonna à 7 heures du matin et je me dis qu'elle appelait pour reporter. C'était étrange qu'elle n'ait pas appelé ma chambre d'hôtel. Je répondis en souriant : je m'attendais à ce qu'elle m'annonce qu'elle restait dormir. Mais non. Mme Machel me dit juste : « Viens vite Zelda, et amène le docteur. » Je fonçai dans le couloir, frappai à la porte du médecin et lui criai : « Harold, venez vite ! » Il était habillé et sans que j'aie besoin de rien lui expliquer, il saisit sa trousse et on fila à la suite, attrapant l'un des gardes du corps au passage. Madiba avait glissé et était tombé dans la salle de bains. Il s'était cogné la tête. Ce n'était pas grave, mais les blessures de ce genre saignent énormément. On l'aida à se relever et le docteur procéda aussitôt à tous les examens nécessaires, nettoya la plaie et fit son rapport au Dr Plit, le praticien de Johannesburg. Lorsque Madiba fut enfin allongé sur le lit, tandis que Harold le soignait, il me vit remuer dans la pièce, son visage s'éclaira et il me dit : « Oh, Zeldina, tu es là. » Si j'avais jamais pensé partir, ce jour-là, je décidai de rester jusqu'au bout.

Mon corps se trouvait inconsciemment en état de choc. Je n'avais jamais éprouvé une terreur pareille de toute ma vie : mes épaules et mon cou étaient parcourus de spasmes. Pour m'en débarrasser, il me fallut trois semaines de traitements de toute sorte – massages, acupuncture, médicaments, rien n'y faisait. Mme Machel avait des problèmes, elle aussi. La famille de Madiba était furieuse et la rendait responsable de l'avoir emmené à Sun City, où il était tombé. Il aurait pu tomber n'importe où et cela n'aurait rien changé. Il arrive aux personnes âgées de tomber, c'est tout.

Madiba n'était plus aussi disert au quotidien ; il devenait plus réservé. Chaque fois qu'il se rendait au bureau – de moins en moins souvent – il s'installait au calme, pour réfléchir de son côté. Il ne faisait la conversation que les jours où il se sentait assez en forme pour bavarder. Je devais toujours m'assurer qu'il y avait quelqu'un avec lui, lorsqu'il lisait le journal ou qu'il voulait se reposer dans son fauteuil. Il adorait parler avec tous les collègues de la Fondation et je lui présentais dûment chaque nouveau venu. Je faisais en sorte que les gens le saluent à chacune de ses visites au bureau, pour qu'il ait l'impression d'être chez lui. Madiba avait ses plaisanteries préférées pour certains employés. Il demandait régulièrement à Maretha, alors enceinte de son premier enfant : « Combien en attendez-vous ? » parce qu'elle est frêle et que sa grossesse était bien visible. Et à Vimla, l'assistante de Mme Machel, il disait « On dirait que vous avez grandi », parce qu'elle est petite.

Parfois, il m'étonnait en me déclarant : « Ah, Zeldina, nous sommes ensemble depuis longtemps, n'est-ce pas ? » Cette expression me faisait sourire. Il voulait dire que nous travaillions ensemble depuis longtemps. Lorsqu'on travaille pour quelqu'un pendant aussi longtemps, on n'a plus besoin d'explications, on comprend ce que la personne veut dire. Je répondais : « Oui, Khulu, depuis longtemps. Nous travaillons ensemble depuis quinze ou seize ans », ce à quoi il répliquait étonné : « Ça alors ! » Je ne lui ai jamais demandé pourquoi il était si surpris de ces années que nous avions vécues ensemble : s'attendait-il à ce que je parte plus tôt, ou était-il surpris de la vitesse à laquelle le temps avait passé ?

Au fil des ans, nous étions devenus proches de Morgan Freeman et son associée Lori McCreary. Nous nous voyions occasionnellement lors de voyages à l'étranger, ou lorsqu'ils venaient en Afrique du Sud. Ils avaient participé à notre événement de collecte de fonds à Monaco, en nous informant que Clint Eastwood avait accepté de réaliser le film qu'ils voulaient faire sur la Coupe du monde de rugby de 1995, en Afrique du Sud. Le film devait s'appeler *Invictus*, d'après le poème que Madiba récitait en prison, qui se terminait par « Je suis le maître de mon destin/Je suis le capitaine de mon âme. » Des équipes de Hollywood se rendaient en Afrique du Sud pour préparer le film et je les rencontrais souvent pour leur indiquer les gens susceptibles de les assister sur le plan logistique. On me demanda aussi si je voulais aider Morgan Freeman à interpréter le personnage de Madiba. Après avoir lu le script, je donnai mon accord. Tout comme eux, je voulais que le film soit un succès, même si je ne jouais pas un rôle important dans le bureau de Madiba en 1995.

Après avoir demandé l'aide de la présidence aux Bâtiments de l'Union, l'équipe de préproduction reçut l'autorisation d'examiner les lieux. La Fondation l'aida aussi en procédant à des recherches, et je remis aux gens du film des copies authentiques d'entêtes, de badges d'accès et des plans du bureau. Je savais qu'ils feraient un bon travail, mais je n'avais pas compris que lorsque Hollywood recrée un lieu, c'est à la perfection. Le premier jour où j'arrivai sur le plateau de tournage, je pénétrai dans une réplique de la première maison de Madiba à Houghton. Je rejoignis l'équipe et restai là derrière une porte entrebâillée, jusqu'à ce qu'on me donne le feu vert pour aller sur le plateau. Et là, tout à coup, j'entendis Madiba dans la pièce voisine. Instinctivement, je me dis : « Qu'est-ce qu'il fait là ?... » avant de comprendre que c'était Morgan Freeman qui jouait Madiba assis dans son salon. C'était inquiétant d'entendre à quel point sa voix ressemblait exactement à celle de Madiba. Au fil des ans, nous trouvions que plus Morgan vieillissait, plus il ressemblait à Madiba.

Je ne restai qu'une journée sur le plateau pour aider au sujet des détails que j'avais relevés dans la maison, ou améliorer l'interprétation de Morgan dans le « rôle de Madiba ». Morgan était parfait ; pour quelqu'un connaissant assez bien Madiba, il en donnait l'image la plus fidèle qu'on ait vue au cinéma. La seule chose pour laquelle je pouvais vraiment aider Morgan, c'était certains petits gestes et attitudes qu'il apprit rapidement. Il croisait les jambes trop souvent, ou s'exprimait trop avec les mains.

Cette journée passionnante se termina bientôt et je dus rentrer à Johannesburg. Je n'avais pu prendre qu'un jour de congé, mais bientôt, quand on tourna d'autres scènes avec Madiba ou ses gardes du corps, je pris encore du temps pour aider l'équipe chaque fois que cela semblait nécessaire, pour rendre une scène encore plus authentique.

À l'occasion du quatre-vingt-dixième anniversaire de Madiba, nous avions demandé aux amis et au public de lui envoyer des messages de félicitations qu'il pourrait conserver dans un livre, avec les photos, pour lui rappeler la cérémonie de Hyde Park. Parmi ces messages figurait une lettre de Bono. Il avait écrit : « Bon anniversaire, Madiba. Je m'efforce de faire du 18 juillet un jour férié dans chaque pays reconnaissant que la lutte de Nelson Mandela ne sera pas finie, tant que toute personne aspirant à la liberté se la verra refuser. Je pense que votre anniversaire doit être l'occasion, partout dans le monde, d'honorer ceux qui luttent encore. » Tim Massey et moi sourîmes en lisant ce mot. L'affaire était plus importante qu'elle n'y paraissait. Comment y parvenir ? Nous réfléchîmes un peu à cette idée, et après avoir consulté Fink Haysom, le conseiller juridique de Madiba pendant sa présidence qui travaillait désormais aux Nations unies, la Fondation et 46 664 décidèrent de demander à l'ambassadeur sud-africain de déposer à l'ONU une proposition pour que le 18 juillet soit déclarée Journée internationale Nelson Mandela.

L'ONU accepta cette proposition à l'unanimité et la résolution fut votée. Baso Sangqu, notre ambassadeur à l'ONU, fit un travail de lobbying exceptionnel auprès de ses homologues afin d'obtenir leur soutien. Nous fûmes extrêmement fiers d'apprendre que la résolution avait été acceptée et même si le 18 juillet ne serait pas un jour férié, il fut déclaré journée consacrée à ceux qui changent le monde, partout autour d'eux. Même si Bono refusa de s'attribuer le mérite de cette initiative, je lui rappelle souvent que ses idées parfois un peu folles contribuent à rendre le monde meilleur, et que c'en était un exemple parfait.

Le bureau de la Fondation organisa un nouvel événement 46 664 à New York pour réunir des fonds, mais ce fut difficile. Nous essayions de trouver de l'argent pendant une récession économique mondiale, et pour la première fois, en l'absence de Madiba. Les gens ne voulaient pas paraître dépensiers dans le contexte d'une crise financière, même pour une bonne œuvre, et encore une fois, les participants étaient des habitués. L'événement ne connut pas un grand succès, mais nous nous y attendions. Le bon côté des choses, c'était que mon petit ami de l'époque m'accompagnait à l'étranger pour la première fois, à nos frais bien sûr. Pour la première fois en seize ans, j'avais quelqu'un à qui parler le soir quand le travail était terminé.

Au fil des ans, j'avais découvert l'aspect le plus solitaire de mon travail : les soirées seule à l'hôtel, partout dans le monde. J'avais eu quelques petits amis, relations ou passades, mais personne qui comprenait vraiment l'environnement dans lequel je vivais. Il y avait aussi la crainte et le risque constants d'être approchée pour de mauvaises raisons, que ce soit pour faire signer un livre, profiter de mes contacts ou rencontrer des gens intéressants. Après quelques déceptions, je devins une sorte de recluse moderne. J'étais donc toujours seule. Personne à appeler, personne à qui dire bonne nuit : on se tourne encore plus vers son travail et, sur le plan émotionnel, on dépend presque de ce travail pour compenser cette solitude. Je pense qu'à un certain moment c'était devenu moins compliqué que de partager ma vie avec quelqu'un. Je n'avais pas à m'excuser de travailler autant ; pourtant, même si cette liberté m'avait procuré un certain épanouissement, je ressentais le manque d'une relation de partage et de confiance avec un véritable compagnon. Cette fois-ci, c'était différent.

Pour la fin de l'année, il était prévu que Madiba passe quelques jours à Shambala pour s'y reposer avec Mme Machel. Ensuite, ils se rendraient à Qunu pour passer du temps en famille. Il apparut clairement vers la fin du séjour à Shambala que Madiba vieillissait bien plus vite que prévu et que ses forces déclinaient.

Madiba avait désormais du mal à se déplacer seul. Quelque chose le perturbait. Un matin, vers la fin de notre séjour, il se réveilla de mauvaise humeur. Il refusa de manger et voulut quitter la ferme immédiatement. « Mum, dit-il, il y a une crise. » Mum et moi lui demandâmes de quoi il s'agissait, mais il ne voulut pas nous répondre. Puis il recommença : « Mum, tu ne vois pas qu'il y a une crise ? » Madiba insista pour partir aussitôt. En général, il se rendait à Shambala dans un hélicoptère militaire. Le trajet en voiture depuis Johannesburg était trop long pour lui. C'étaient les vacances et il était difficile de trouver des pilotes en si peu de temps. Douw Steyn, le propriétaire de Shambala, était également sur place, et Mum lui demanda de les aider à trouver un hélicoptère.

Entre-temps, certains membres de la sécurité avaient appelé Makaziwe (la fille aînée de Madiba) à Johannesburg, pour indiquer que Madiba voulait partir sur-le-champ. Makaziwe appela Mum et lui ordonna : « Laisse partir mon père tout de suite… laisse partir mon père. » À côté de Mme Machel, j'entendais tout dans le téléphone. Je frissonnai. Nous essayions de comprendre à quelle crise Madiba faisait allusion. Nous attendions aussi que Douw trouve un hélicoptère. L'instant d'après, la sécurité arriva en convoi, embarqua Madiba et prit la route pour Johannesburg. Panique. C'était la première fois que la sécurité abandonnait Mme Machel. Madiba ne comprenait pas tout ce qui se passait. Mme Machel, ancienne Première dame d'Afrique du Sud et épouse de Madiba, restait coincée à Shambala, sans sécurité ni moyen de transport. Avec Josina (sa fille), il nous fallut organiser son retour chez elle.

Douw avait trouvé un hélicoptère et il suivait le convoi à faible altitude. Ne sachant pas comment opérait la police sud-africaine, il avait dit au pilote de se poser sur l'autoroute – sans comprendre que les gardes du corps leur tireraient sans doute dessus. Le régisseur de la ferme, Tinus Nel, se lança à toute allure derrière le convoi pour les mettre au courant des intentions de Douw. Mais pour les rattraper, il dut attendre que le convoi s'arrête à un drive de KFC dans une ville voisine – apparemment pour acheter à déjeuner à Madiba. L'hélicoptère fut finalement détourné : on demanda à Douw de voler jusqu'à Johannesburg pour y récupérer Madiba.

En quittant Shambala, Madiba était furieux, mais aucun de nous ne comprenait pourquoi. Tout ce qu'il répétait, c'était qu'il y avait une crise. Nous ignorions que Madiba avait eu une vision des années qui l'attendaient. Une vision de maladie et de douleur. Il savait que son corps changeait, mais il n'arrivait pas à nous dire ce qu'il éprouvait.

Au cours des seize années précédentes, j'ai souvent ressenti de la colère, mais tôt ou tard, le rire et l'ironie la remplaçaient. Certains d'entre nous avaient passé de nombreuses années à s'occuper de Madiba, s'assurer qu'il mangeait bien et au bon moment, qu'il était bien traité et que ses souhaits étaient respectés, et tout à coup, la situation change, et on se retrouve simple spectateur extérieur. Je n'aurais jamais imaginé que quelqu'un emmène Madiba dans un drive de KFC, mais c'était bien ce qui venait de se passer.

Madiba arriva chez lui tandis que nous faisions encore les valises à Shambala et préparions le voyage de Mme Machel à Johannesburg. Peu après l'arrivée de Madiba, Douw s'arrêta aussi à la maison de Houghton, puis Makaziwe fit son apparition. Madiba, profondément perturbé, n'arrivait toujours pas à exprimer sa frustration. Pourtant, il chassa tout le monde de sa maison, sauf Douw : « Sortez ! lança-t-il. Sortez ! » Ils partirent et Madiba déclara qu'il ne voulait pas qu'on se mêle de ses affaires.

Dans de tels moments, quand Madiba se mettait en colère, je craignais sincèrement pour sa santé. Il entrait parfois dans une telle fureur que je pensais qu'il allait avoir une attaque. Une journée s'écoula et Madiba retrouva son calme, puis ils partirent à Qunu, où ils avaient prévu de passer Noël.

Au début 2010, les organisateurs de l'émission *Top Gear* en Afrique du Sud nous contactèrent en demandant si la Fondation aimerait s'associer avec eux ; en retour, ils nous feraient profiter de leur événement de collecte de fonds. Cette demande, comme toutes les autres, fut examinée par notre comité, composé du directeur, du président et d'autres responsables ; on demanda ensuite à Madiba s'il serait intéressé de les rencontrer. Après avoir consulté leur dossier, il accepta. Contrairement à ce que les médias rapportèrent par la suite, les organisateurs demandèrent si Jeremy Clarkson et son équipe pourraient rendre une visite de courtoisie à Madiba. Considérant que *Top Gear* est l'émission de télévision la plus regardée dans le monde, la permission fut accordée, à condition que la Fondation y figurât, car elle avait fourni une tribune pour présenter le travail du Centre de la mémoire, dans l'espoir de transmettre l'héritage de madiba au monde entier. Tout le monde tomba d'accord. L'événement permit de réunir huit cent mille rands, ce qui nous satisfaisait. Clarkson et James May, malgré leur promesse d'assister à la soirée, n'étaient pas là. J'avais espéré les voir pour me faire une idée, car ils devaient rencontrer Madiba le lendemain. Personnellement, j'avais toujours été fan de *Top Gear*.

Le même jour, Neil Armstrong, le premier homme à marcher sur la Lune, en 1969, rendit visite à Madiba. En 1969, celui-ci était en prison, mais il se rappelait que les gardiens lui en avaient parlé, car lui n'avait aucun accès aux journaux ou à la radio à cette époque, ni bien sûr à la télévision. Contrairement à de nombreuses autres visites à l'époque, Madiba trouva fascinant de discuter avec M. Armstrong. L'astronaute avait passé la plus grande partie de sa vie en reclus et nous ne savions pas grand-chose de lui. Je me demandais comment il avait vécu après une expérience aussi

extraordinaire et il semblait désireux de partager cette
expérience avec nous. J'étais fascinée, presque intimi-
dée par M. Armstrong, et je lui posai les questions
les plus étranges une fois que Madiba eut terminé les
siennes. Madiba trouva cela très étonnant. Neil Armstrong était plein de délicatesse, on sentait qu'après
une telle expérience, il avait une conception de la vie
différente. Il était âgé aussi, et Madiba se sentit à l'aise
avec lui. Ce fut sans doute l'un de mes dix meilleurs
moments avec Madiba, de voir ces deux messieurs
d'un âge avancé conversant ensemble, partageant les
moments les plus difficiles de leur vie.

Je savais que Jeremy Clarkson aimait faire de
l'humour, mais je croyais qu'il avait du tact. Le jour
suivant, il entra dans le bureau de Madiba en lui
demandant si une stripteaseuse avait déjà dansé sur
ses genoux. Je pensai que cette question était parfaitement déplacée pour un homme d'État âgé et Madiba
me regarda comme s'il attendait que je réponde. Je
me tournai vers lui et lui dis : «Vous n'avez pas à
répondre à ça, Khulu.» Sur la défensive, je me tournai
vers Jeremy Clarkson. Il vit bien ce que je pensais :
c'était une question stupide à poser à un monsieur de
quatre-vingt-onze ans.

Clarkson et May s'assirent et je rappelai à Madiba
qui ils étaient, expliquant bien que leur émission
télévisée était la plus regardée de la planète ; je débi-
tai les chiffres et ajoutai quelques précisions. Madiba
écouta ensuite ses visiteurs avec attention. Ils lui
donnèrent leurs ouvrages, qu'il feuilleta. Il n'était
pas d'humeur bavarde ce jour-là, et semblait un peu
en retrait.

Le premier problème, que je n'avais pas perçu à ce moment-là, était que Clarkson pensait que Madiba avait demandé à les voir, tandis que Madiba pensait que c'étaient eux qui avaient demandé à le voir. Jeremy Clarkson demanda ensuite à Madiba s'il venait souvent au bureau et Madiba répondit que non, c'était sa première journée cette année. Pourtant, je savais que les journaux avaient annoncé sa rencontre avec Eddie Izzard et Armstrong la veille. Je le corrigeai comme à l'ordinaire, en disant : « Non, Khulu, vous étiez là hier, rappelez-vous. Vous avez rencontré Neil Armstrong. Vous vous souvenez comme il était intéressant ? Il nous a parlé de son voyage sur la Lune. » Madiba répondit : « Ah oui, c'est vrai, je me souviens maintenant. » Comme il n'avait plus grand-chose d'autre à dire à Clarkson et May, il leur demanda en plaisantant : « Et vous, vous êtes allés sur la Lune ? » Si Jeremy Clarkson se permettait des plaisanteries déplacées, Madiba pouvait faire de l'humour aussi, non ?

Pourtant, Clarkson écrivit par la suite un article où il disait de manière tout à fait erronée que Madiba l'avait confondu avec Neil Armstrong. Madiba ne savait peut-être pas qui était Clarkson, mais il ne l'avait certainement pas confondu avec quelqu'un d'autre. Ils sous-estimaient l'intelligence de Madiba parce qu'il était vieux. Pour moi, c'était un manque de respect.

En outre, les organisateurs de l'événement nous rencontrèrent quelques jours plus tard et nous expliquèrent que les huit cent mille rands que nous pensions avoir récoltés, et qui étaient censé revenir à la Fondation Nelson-Mandela, ne nous appartenaient pas entièrement. Il fallait encore payer le coût du dîner et de la soirée ; il nous resterait alors la moitié de l'argent. J'étais furieuse. En termes de gouvernance, cela nous créa des difficultés. Par la suite, l'histoire parut dans le *Mail & Guardian,* un journal sud-africain. On racontait que j'avais eu une attitude infecte envers les organisateurs, mais je m'en moquais complètement. J'en avais marre des gens – en tout cas, c'est ce qu'il me semblait – qui profitaient de Madiba, de nous, et qui tournaient autour du pot au lieu de dire les choses clairement. La Fondation accepta l'argent, mais il nous fallut le demander à chaque acheteur individuellement. Cela fut la cause de bien des soucis ; nous étions loin du contrat que nous avions cru conclure. En outre, j'avais l'impression que la Fondation avait été traitée avec un manque de respect total. La pilule était donc difficile à avaler. Par la suite, on nous demanda comment nous avions laissé Clarkson rencontrer Madiba, mais tout avait été fait dans les règles, la question avait été discutée avec tous ses conseillers et à l'époque, comme souvent, ce qui était présenté sur le papier semblait avantageux – en particulier l'opportunité de faire connaître le travail de la Fondation à un public international. Il ne s'agissait pas que d'argent, mais de la promesse de donner à l'héritage de Madiba une publicité bien nécessaire. C'est comme cela que l'on apprend…

En 2010, l'Afrique du Sud accueillit la Coupe du monde de football de la FIFA. Madiba ne se rendait à son bureau qu'occasionnellement. Il commençait à faire son âge. Nous n'en étions pas surpris, mais le public l'était. Il arrivait à Madiba de perdre la mémoire, et parfois, il n'avait pas envie de voir des gens ni de se lever. D'autres jours, il ne voulait pas être seul et demandait à voir du monde. La plupart du temps, il souhaitait rester chez lui pour se reposer. Nous fûmes rapidement submergés par les nombreux artistes, visiteurs, touristes et chefs d'État présents en Afrique du Sud pour la Coupe du monde, qui tous voulaient rendre une visite de courtoisie à Madiba. Il lui était impossible de prendre tous ces rendez-vous et nous décidâmes de fermer son agenda, de crainte qu'il soit trop épuisé pour la cérémonie d'ouverture, à laquelle il était censé assister.

Et puis, il y avait la FIFA. Nous disions en plaisantant que cet organe international nous envahissait, et je décidai que la FIFA n'était pas une organisation mondiale liée au football, mais un État à part entière. Pourtant, la FIFA se montra particulièrement accommodante pour l'organisation du planning de Madiba lors de la cérémonie d'ouverture. De manière générale, les gens en Afrique du Sud estimaient que la Coupe du monde coûtait trop d'argent au pays, car nous avions dû beaucoup investir dans l'infrastructure pour accueillir de si nombreux visiteurs. La majorité des Sud-Africains vivaient toujours dans la pauvreté, même si l'ANC était au pouvoir depuis seize ans. Les services fondamentaux fonctionnaient au ralenti en raison des diverses et fréquentes difficultés que subissait un pays en développement. Et même si on nous avait promis de bons retours sur des projets de responsabilité sociale de la FIFA en échange de notre accueil de la Coupe du monde, les résultats ne se voyaient guère à l'époque, ni ne se virent par la suite.

Dans l'ensemble, j'entretenais de bonnes relations avec les responsables de la FIFA, malgré quelques frictions lorsqu'ils voulaient surcharger Madiba. Je participais à de nombreuses réunions pour préparer la cérémonie d'ouverture, où toutes les parties concernées étaient présentes. Ensuite, j'expliquais les besoins de Madiba au responsable, et ils modifiaient leurs projets en fonction. Bien sûr, ils désiraient ardemment qu'il apparaisse pour « soutenir » l'ouverture de la compétition, mais je voulais aussi croire qu'ils s'inquiétaient sincèrement de sa personne et s'adaptaient à ses besoins. J'étais très franche avec Danny Jordaan, le président du Comité local d'organisation en Afrique du Sud, et avec les responsables de la FIFA, pour éviter d'épuiser Madiba, expliquant les difficultés qu'il éprouverait à participer à un tel événement en plein hiver.

Tous les présidents et vice-présidents présents en Afrique du Sud disposent d'une équipe médicale qui les accompagne. Ce privilège avait été étendu à Madiba pour tous ses déplacements à l'étranger, même après son retrait de la vie publique. À mesure qu'il vieillissait, son équipe médicale prenait une place de plus en plus importante, et quand il eut quatre-vingt-douze ans, elle se mit à nous accompagner même lors des événements locaux. Après l'une des réunions de préparation à la cérémonie d'ouverture, Jérôme Valcke, le P-DG de la FIFA, me prit à part pour m'informer qu'il avait reçu un appel du médecin général, responsable de la santé de Madiba. Cependant, ce n'était pas ce haut gradé qui avait appelé en personne, mais le général Zola Dabula, son second, chargé de tous les anciens présidents. Jusqu'à présent, nous avions surtout vu le général Dabula quand un visiteur important rendait visite à Madiba.

Jérôme Valcke me dit qu'il avait reçu des instructions du général Dabula, selon lesquelles ce dernier serait le seul à décider des déplacements de Madiba. Le général avait ainsi décidé qu'à son arrivée Madiba devait se rendre au siège de l'Association de football sud-africain, l'immeuble de bureaux proche du stade où se trouvait l'Association de football sud-africain. Madiba serait conduit dans une salle d'attente du bureau du président Irvin Khoza, et quand l'heure serait venue de se rendre sur le terrain, il serait emmené en voiturette de golf jusqu'à l'entrée du stade, à environ un kilomètre de là.

Cela ne me semblait absolument pas pratique. Pourquoi conduire une personne âgée – au milieu de l'hiver – sur une telle distance dans une voiturette ouverte? Jérôme Valcke avait reçu ces instructions deux jours avant le match d'ouverture. Je voyais bien qu'il était perplexe. J'avais travaillé avec eux pendant des années avant la Coupe du monde, et voilà qu'il recevait un coup de téléphone de quelqu'un à qui il n'avait jamais parlé et qu'il n'avait même jamais vu, deux jours à peine avant le coup d'envoi. Heureusement, le chef de l'unité de protection présidentielle, le général de brigade Dladla, assistait aussi à la réunion. Je l'appelai et demandai à Jérôme Valcke de répéter ce qu'il m'avait dit. Le général Dladla ne voulut rien entendre. La sécurité avait toujours décidé du moyen de transport et des déplacements de Madiba, en accord avec le programme que nous avions élaboré.

J'étais stupéfaite de cette ingérence et de cette étrange logique. Heureusement, les choses se calmèrent quand le général Dladla eut appelé Dabula. Mais il était évident qu'il y avait un conflit d'autorité. L'équipe médicale dirigée par le général Dabula pensait désormais détenir l'autorité suprême, mais la sécurité du général Dladla pensait de même. Le bureau de Madiba travaillait depuis longtemps avec ses équipes de sécurité, dans une atmosphère de respect et de compréhension profonde de nos spécialités respectives. J'avais l'impression que l'on essayait de saper l'autorité de la Fondation et du bureau de Madiba : plus il vieillissait et avait des difficultés à exprimer ce qu'il voulait, plus les gens essayaient de lui imposer leur volonté, dans leur intérêt plutôt que le sien, même s'ils considéraient qu'il s'agissait aussi de l'intérêt du pays. Prise entre deux feux, je trouvais la situation difficile.

Malheureusement, le soir du concert d'ouverture de la Coupe du monde de la FIFA, la veille du début officiel de la compétition, Zenani, l'arrière-petite-fille bien-aimée de Madiba, mourut tragiquement dans un accident de voiture. Je me réveillai le lendemain matin avec un message de la présidence demandant si ces rumeurs étaient fondées. Je vérifiai et c'était bien le cas. Le choc me paralysa. Zenani était la plus adorable jeune fille que l'on puisse rêver.

En apprenant la mort de Zenani, je supposai immédiatement que Madiba serait dans l'incapacité d'assister à la cérémonie d'ouverture. Pourtant, je recevais des messages contradictoires. Mme Machel était partie de chez elle pour soutenir la famille et je ne pouvais pas la contacter tout de suite. Lorsqu'elle m'appela, elle m'apprit que la famille s'était réunie et avait décidé que Madiba ne devrait pas aller au stade. À peine une demi-heure plus tard, je reçus un appel de la maison de Madiba, me disant qu'il viendrait sans l'ombre d'un doute. Je demandai comment c'était possible. On me répondit que des gens de la maison étaient allés convaincre Madiba de faire une brève apparition. Je rappelai pour vérifier qui était là-bas et apparemment, l'équipe médicale et la sécurité avaient réussi à convaincre Madiba que le monde attendait de le voir. C'était bien le cas et ils jouaient sur la culpabilité de Madiba – mais ils cherchaient un moyen de se rendre eux-mêmes à la cérémonie : en convainquant Madiba d'y aller, ils parviendraient à leurs fins aux dépens de Madiba et de sa famille, alors qu'ils vivaient un moment si difficile. J'étais folle de rage. Je fis mon rapport à Mme Machel et à son retour, elle résolut le problème. À quelques minutes de la cérémonie d'ouverture, des gens essayaient encore de convaincre Madiba d'y aller.

Il devenait évident qu'il y aurait un âpre conflit d'autorité concernant Madiba. Madiba ne se rendit pas au stade, mais participa à une veillée avec sa famille, comme il convenait. Ce conflit était épuisant. L'équipe médicale avait clairement l'intention de prendre le contrôle de la vie de Madiba. Ceux qui l'avaient servi toutes ces années étaient régulièrement mis sur la touche. Je n'avais pas envisagé ce qui allait arriver. À l'époque, j'étais triste pour Madiba. Je l'imaginais comme une antilope heurtée par un véhicule, hébétée, bousculée par des gens, ayant perdu la capacité de raisonner par elle-même.

Malgré ce triste jour pour nous, le pays explosa d'enthousiasme au coup d'envoi du premier match au stade Soccer City. L'Afrique du Sud était redevenue une nation unie. Le sport nous réunissait tous, et après un succès en match d'ouverture, les gens cessèrent de craindre l'échec. Il y avait des touristes partout et les affaires étaient florissantes. Des drapeaux de tous les pays flottaient partout, les gens décoraient leurs voitures ou leurs maisons aux couleurs de l'équipe qu'ils soutenaient.

La cérémonie funéraire de Zenani eut lieu la semaine après le match d'ouverture. Deux semaines plus tard, tandis que j'assistais à un match avec les Clinton, ma grand-mère décéda elle aussi. Ces deux tristes moments m'empêchèrent de partager l'enthousiasme national pendant la Coupe du monde. Mme Machel et Josina assistèrent à l'enterrement de ma grand-mère à Pretoria. Ma famille en fut extrêmement touchée et reconnaissante. Je n'aurais jamais cru qu'elles prendraient le temps et la peine de conduire tout ce chemin pour nous soutenir, ma famille et moi. C'était la dernière de mes grands-parents et même si j'étais un peu amère qu'elle ait fait subir à ma mère le traumatisme de vivre dans un orphelinat, j'étais tout de même très triste de son décès. Ma mère, femme merveilleuse, ne montra pas de rancune. Elle était restée très proche de ma grand-mère.

Mme Machel est présente dans les moments les plus étonnants. Son instinct maternel lui dit quand quelqu'un a besoin de son soutien. Cela me fit penser qu'elle aussi aurait besoin d'aide. Madiba vieillissait et cela devenait aussi difficile pour elle, de voir son mari prendre de l'âge. Ce n'était pas une machine, elle aussi avait besoin qu'on la soutienne. Elle avait été là pour moi quand des ruptures sentimentales m'avaient brisé le cœur, ou à d'autres moments difficiles. Plus que toute autre personne.

L'être tout entier de Madiba était fondé sur le respect. Respect pour ses amis, respect pour l'ennemi, pour les plus pauvres que soi, moins bien habillés, moins instruits, même ceux qui nous avaient fait du mal ou avaient commis des erreurs. Mais également pour les plus puissants, plus riches et plus intelligents. Pas une fois, je n'eus l'impression que Madiba me méprisait, parce que j'étais moins importante que lui, en savais moins que lui, gagnais moins que lui, que j'ignorais tant de choses de la vie et que parfois, eh bien oui, j'étais carrément bête. Pas un seul jour. Pas une seule fois. Mme Machel est la seule personne qui ait rendu Madiba vraiment heureux et rien que pour cela, elle mérite le respect – si tant est qu'on puisse douter de son mérite. Oui, elle le méritait bien.

En mai, je décidai que je devais faire quelque chose pour la Journée de Mandela. Après avoir envisagé l'idée avec un collègue, Sello Hatang, je décidai d'organiser une virée avec des motards. Un groupe représentatif ferait le trajet de Johannesburg au Cap (environ 1 400 km) pour faire connaître la Journée.

En chemin, on s'arrêterait pour visiter des projets de charité, ou on offrirait soixante-sept minutes pour soutenir ce projet. La Journée de Mandela représente une aspiration à laquelle nous pouvons tous souscrire en l'honneur de Madiba. C'est un jour de service rendu et Madiba, ayant passé soixante-sept ans à lutter contre l'injustice sociale, ne demandait que soixante-sept minutes de notre temps. L'idée était aussi de montrer que nous pouvions rendre le monde meilleur, même par un simple petit geste.

Avec la pression de la Coupe du monde, et tout en organisant la randonnée en moto, je m'occupais aussi d'investisseurs visitant l'Afrique du Sud à l'occasion du tournoi de football. J'avais lancé une entreprise de traiteur l'année précédente, capable de répondre spécifiquement aux besoins logistiques des VIP qui venaient dans le pays. Mon rôle s'amenuisait peu à peu au bureau et je devais trouver des activités, ce qui m'avait poussée à prendre cette décision. Pendant la Coupe du monde, je m'occupais ainsi de quelques clients importants et avec toutes mes responsabilités, le temps et l'énergie risquaient de me manquer.

Le dernier jour de la compétition, notre expédition en moto partit de la Fondation dans le froid modéré de l'hiver. Ce fut un moment agréable et un grand succès. Morgan Freeman et son associée Lori McCreary se trouvaient en Afrique du Sud pour la Coupe du monde, et ils nous accompagnèrent. Le Jour de Mandela obtint ainsi une couverture médiatique nationale et internationale. Et surtout, il influença des milliers de personnes. C'est une expérience que j'espère poursuivre à l'avenir. Tout le groupe se sentait bien à la fin. Nous avions l'impression d'avoir vraiment rendu meilleure la vie des gens.

Le jeudi d'avant la finale de la Coupe, Madiba fit savoir qu'il voulait absolument assister au dernier match, ou au moins faire une apparition, car le décès de Zenani l'avait empêché d'assister à l'ouverture du tournoi. J'informai de ce souhait toutes les parties concernées. Il nous fallut de nouveau mettre en place tous les mécanismes nécessaires.

Le dimanche du match, nous avions finalement tout organisé pour que Madiba se rende sur le terrain pour au moins saluer la foule. Cette idée le faisait vibrer, mais c'était l'hiver et nous savions que son apparition devait être aussi courte que possible. En arrivant au stade, nous vîmes le général Dabula et tous les hauts gradés de l'armée qui attendaient Madiba. Je ne comprenais pas pourquoi : tous ces chefs n'allaient pas réagir eux-mêmes en cas de problème. L'équipe de sécurité avait préparé une voiturette de golf pour Madiba, mais l'équipe médicale en avait une autre. La lutte pour le pouvoir commença. Le général Dabula insista pour accompagner Madiba dans la voiturette, sur les 50 mètres de trajet jusqu'au terrain. La sécurité n'était pas d'accord, mais ne dit rien. Cela impliquait aussi qu'il n'y aurait pas de place pour Mme Machel. Je ne voulus rien savoir et une dispute enflammée éclata. Tous les membres de l'équipe étaient jeunes et bien capables de marcher à côté de la voiturette, si nécessaire. Dans tous les cas, s'il arrivait quelque chose à un VIP en public, on ne s'en occuperait pas sur place, mais on évacuerait la personne en lieu sûr.

Pourquoi Mme Machel devait-elle céder son siège à un médecin ? Ils auraient dû m'abattre pour que je leur cède là-dessus. Leur proposition était tout simplement absurde. À l'arrivée de Madiba, l'affaire n'avait toujours pas été résolue.

J'insistai, avec le soutien de la sécurité, et je perçus du ressentiment chez le général Dabula. Il voulait avoir le dernier mot, mais ne souhaitait pas compliquer la vie de Madiba. Au moment où on annonçait son arrivée, la voiturette apparut sur le terrain. Bien sûr, elle était entourée de gardes du corps et d'une nuée de personnel médical. Même les médecins militaires hauts gradés. Je restai dans le tunnel, observant ce cirque de loin. Quand la foule remarqua Madiba, elle fit un bruit assourdissant. Il sourit et salua. Il portait son chapeau russe fourré et son manteau chaud préféré, avec des gants et une écharpe. Mum était assise à côté de lui et, tous deux, ils saluèrent le public. Madiba était heureux. C'était une belle fin à sa carrière d'homme public. De fait, ce fut sa dernière apparition officielle en public.

Vers la fin 2010, Madiba revint à Shambala pour permettre au personnel de maison de prendre des congés. Comme il ne voyageait plus et ne sortait que rarement, ces employés travaillaient en permanence. Ils étaient au bord de l'épuisement et avaient grand besoin de repos. De Shambala, ils se rendirent à Qunu pour passer Noël en famille, et je rejoignis la mienne.

À la fin de décembre 2010, quand j'arrivai au Cap pour passer le Nouvel An avec Mum et Madiba, j'éprouvai une vive inquiétude en le revoyant. Il avait perdu du poids depuis la dernière fois, quinze jours plus tôt, et il était toujours très nerveux et mal à l'aise. Quand j'étais partie en vacances, il avait de grandes difficultés à marcher. Comme d'habitude, j'avais fait part de mes inquiétudes à l'équipe médicale, et ils s'étaient contentés de répondre : «Madiba va bien.» La santé de mon patron, ce n'était visiblement pas mes affaires.

Mme Machel était également inquiète, mais il apparaissait que l'équipe médicale agissait désormais sur ordre de certains membres de la famille Mandela, avec des priorités différentes de celles que Mme Machel estimait importantes pour son mari. La chaîne Sky News signala que Madiba souffrait d'escarres. Le personnel soignant du Cap, indépendant, se montrait inquiet.

Je décidai avec Rodney, un infirmier du Cap, d'aller acheter du matériel médical pour que Madiba se sente plus à l'aise. Les infirmières et le personnel médical qui l'avaient accompagné depuis Pretoria semblaient indifférents à son état et à son inconfort. La petite secrétaire si souvent blâmée pour son inefficacité était désormais de mèche avec les infirmiers du Cap afin de répondre aux besoins médicaux de Madiba. Je suis encore stupéfaite à ce jour de ne pas être en asile psychiatrique : dans de telles situations, j'avais l'impression de devenir folle.

Ma première question était : si la santé de Madiba était entre les mains du gouvernement, pourquoi ce dernier ne s'occupait-il pas de ces soins élémentaires ? C'est du simple bon sens : lorsqu'une personne prend de l'âge, ses besoins évoluent et on doit s'y adapter continuellement pour lui rendre la vie plus aisée. J'avais lu dans les *Conversations avec moi-même* de Madiba ce qu'il avait dit à l'éditeur Richard Stengel : «J'évoluais dans des cercles où le bon sens et l'expérience pratique étaient importants, et où les diplômes de haut niveau ne jouaient pas nécessairement un rôle décisif.» Et en vérité, c'était exactement ce que je venais de comprendre. Dans certains cas, le bon sens transmis par mon père s'était avéré plus important que mon absence de diplômes.

Au fil des jours, la situation se dégrada rapidement. Le médecin de service fit son rapport aux personnes en charge de Madiba à Pretoria, au général Dabula et au médecin général Vejay Ramlakan : il fallait l'avis d'un spécialiste sur le genou de Madiba.

Entre-temps, nous comprîmes que Madiba ne serait pas capable de retourner à Johannesburg le 11 janvier, comme c'était prévu au départ. Il avait de grandes difficultés à marcher et nous achetâmes un fauteuil roulant pour le déplacer. Le fauteuil ne tenait pas dans l'ascenseur de la résidence de Johannesburg, et il fallut donc remplacer l'ascenseur. L'entreprise dut alors élargir la cage pour y poser une machine plus importante. Meme Kgagare, la gouvernante de Madiba, contacta avec moi l'ascensoriste qui avait installé le premier modèle et prit rendez-vous pour commencer les travaux le plus tôt possible. Meme nous ferait un rapport quotidien sur ce chantier. Cela prendrait du temps, il fallut donc rester au Cap un peu plus longtemps que prévu. À ce moment-là, nous envisagions une semaine de plus. Parfois, un visiteur venait voir Madiba, mais le reste du temps, un silence gênant planait dans la maison.

Le jeudi 13 janvier 2011, un chirurgien orthopédique du deuxième hôpital militaire reçut l'ordre de venir examiner Madiba. Il entra dans le salon tandis que M. Gerwel et moi étions avec Madiba. Il examina son genou et Madiba protesta sous l'effet de la douleur. Le médecin demanda aux infirmiers de conduire Madiba à sa chambre pour qu'il puisse l'examiner convenablement. Il effectua une prise de sang et un examen approfondi puis sortit de la chambre, l'air sous le choc. Il nous dit qu'il nous contacterait bientôt, mais qu'il s'inquiétait de problèmes sous-jacents qui pourraient être la cause de la détérioration à laquelle nous avions assisté ces dernières semaines.

Mme Machel se trouvait au Mozambique ce jour-là, car elle devait préparer sa famille pour la *labola* de son fils (le payement d'une somme pour épouser une femme dans la tradition africaine). La famille de Mme Machel ne lui demandait que peu de temps ou d'attention, mais il s'agissait d'une des rares occasions où ses propres enfants avaient besoin de sa présence au Mozambique. Le général Dabula se trouvait aussi au Cap à ce moment-là. Le médecin le mit au courant, exprimant sa stupéfaction devant la carence de soins de M. Mandela. Il fit appel à nous pour que Madiba soit admis à l'hôpital militaire du Cap, immédiatement. Je répondis que Mme Machel reviendrait ce soir, que je ne pouvais prendre une telle décision, et que nous devrions l'attendre, sauf s'il m'affirmait que c'était une urgence.

Le général Dabula déclara qu'il craignait surtout que Madiba souffre du mal du pays. Il suggéra que nous fassions venir par avion l'une des gouvernantes de Johannesburg. Je lui répondis que la gestion domestique et les agendas du personnel n'étaient ni de son ressort ni du mien, et qu'à mon avis, Madiba souffrait du mal du pays depuis deux ans. Quiconque passait assez de temps avec Madiba savait que s'il était à Johannesburg, il voulait être à Qunu, et *vice versa*. S'il était au Cap, il voulait être à Qunu ou à Johannesburg. C'est ainsi que sont les personnes âgées. Je conseillai au général de laisser les affaires domestiques à Mme Machel et de se concentrer sur les problèmes médicaux. J'eus l'impression qu'il m'en voulait, mais je considérai son comportement comme une marque d'irrespect supplémentaire à l'égard de Mme Machel. Il y avait toujours des jeux de pouvoir dans la maison, comme c'est le cas de tout environnement de travail.

Mme Machel rentra tard le 14, mais je lui avais envoyé un SMS pour lui dire que le général Dabula et le chirurgien qui avait examiné Madiba voulaient la rencontrer le lendemain matin. Elle donna son accord pour 11 heures. À ce moment-là, je savais que le général Dabula avait décidé de ne pas faire appel au spécialiste qui avait examiné Madiba, mais de convoquer un troisième médecin, une généraliste. Cette femme, qui n'avait pas encore examiné Madiba, dut faire un rapport à Mme Machel alors qu'elle n'avait jamais rencontré le patient.

Le vendredi matin, après notre séance de gymnastique, je raccompagnai Mme Machel à sa voiture. Je lui dis que le spécialiste qui avait examiné

Madiba soupçonnait un problème ayant entraîné la détérioration rapide de son état de santé, et qu'on allait proposer d'admettre Madiba à l'hôpital cet après-midi. Je m'inquiétais de plus en plus pour Mme Machel aussi. Elle était épuisée à cause du stress permanent, des affaires familiales, et je craignais que si elle apprenait par surprise l'hospitalisation de son mari, elle puisse avoir une attaque. Nous ne pouvions vivre sans «Mum» pour s'occuper de Madiba. Les médecins arrivèrent à 10 h 30, et après en avoir discuté, les préparatifs furent faits et Madiba fut emmené au deuxième hôpital militaire pour subir une série d'examens. D'autres suivirent, dont des scanners et des radios.

Certains membres de la famille Mandela m'avaient souvent dit de ne pas me mêler de la vie privée de Madiba, mais j'étais extrêmement agacée, car on voyait que son cas n'était pas traité comme il le fallait; en outre, il était évident que l'équipe médicale faisait passer les rapports de force familiaux avant l'intérêt du patient. Les médecins avaient aussi clairement reçu l'ordre de certains Mandela de ne discuter d'aucun de ses problèmes de santé avec moi. Il était clair que ces parents s'agaçaient de voir certaines choses m'être révélées.

Globalement, tout se passa bien à l'hôpital, mais Madiba était mal à l'aise, car il n'avait jamais aimé ces endroits. Il ne voulait pas y aller et protesta. Le samedi, vers 6 heures du matin, je reçus un appel de Mike Maponya, le fidèle garde du corps et chauffeur de Madiba, qui était avec lui depuis sa sortie de prison. Mon cœur cessa de battre. Mike ne m'appelait pas souvent et, étant donné l'heure, c'était pour une raison grave. Je m'attendais au pire. Madiba voulait que je vienne immédiatement à l'hôpital. Je dus encore m'habiller et me rendre présentable, et arrivai donc un peu plus tard. Madiba était furieux contre moi. «Zeldina, toi, entre tous, tu m'as déserté, tu m'as abandonné ici.» Il n'avait pas passé une nuit à l'hôpital depuis des années et il en avait horreur. Mike essaya de détourner la conversation en disant à Madiba que Mum allait arriver à l'hôpital elle aussi. J'expliquai à Madiba que les gens étaient là pour s'occuper de lui et l'examiner, pour s'assurer que tout allait bien, mais il ne voulut rien entendre. Heureusement, Mme Machel arriva rapidement et le calma. C'était difficile de le voir aussi mal à l'aise, et je sortis de la chambre dès que je pus. Je ne supportais pas de le voir ainsi. Les médecins s'occupaient de lui tout le temps et tinrent plusieurs réunions à huis clos. J'étais soulagée parce que je savais qu'ils lui accordaient désormais toute leur attention et qu'il était entre les mains de spécialistes, et c'était tout ce qui m'importait vraiment.

Le général Dabula était aux abonnés absents et la généraliste de garde auprès de Madiba souffrait de laryngite. Je m'inquiétai beaucoup que deux des principaux responsables de la santé de Madiba soient absents. Mme Machel informa les trois filles de Madiba de l'hospitalisation de leur père et je prévenais aussi le professeur Gerwel. Je lui dis que je ne le dirais à personne à la Fondation, car une discrétion totale était de mise; sinon, l'hôpital serait envahi par les médias et le public.

Le samedi soir, la ministre de la Défense de l'époque, Lindiwe Sisulu, rendit visite à Madiba à l'hôpital. Elle est la fille d'amis de Madiba, feus Walter et Albertina Sisulu, et également la cousine de Makaziwe Mandela. En Afrique du Sud, le ministère de la Défense est responsable de la santé des chefs et anciens chefs d'État. Je n'étais pas là, mais Mme Machel y était, et la ministre s'inquiétait du bien-être de Madiba. En fin de soirée, des rumeurs filtrèrent dans les médias, selon lesquelles Madiba serait décédé. Le gouvernement voulut faire une déclaration pour expliquer que Madiba avait été admis à l'hôpital militaire du Cap pour y subir des examens, mais je déconseillai de révéler l'endroit où il se trouvait, pour que son intimité soit protégée. Le gouvernement, lui, voulait mettre un terme aux rumeurs.

Entre-temps, la Fondation m'avait contactée pour savoir si ces rumeurs étaient fondées. Je répondis : «Madiba est vivant, mais veuillez vous adresser au professeur Gerwel pour tout autre renseignement.» Je ne voulais pas être celle qui révélerait l'information, car je savais ce qui risquait d'arriver, et j'avais souvent été accusée de fuites dans les médias. Nous soupçonnions déjà nos téléphones d'être sur écoute, car des discussions confidentielles semblaient apparaître inexplicablement dans la presse. Dans ces cas, il vaut mieux que ce soient les hauts responsables qui discutent de la conduite à adopter. Par la suite, il fut déclaré que Madiba était en vacances avec son épouse et que les rumeurs de son décès étaient infondées. J'avertis la présidence de cette déclaration, et elle décida de n'en faire aucune de son côté.

Le dimanche, après un dernier examen de Madiba par l'ensemble des spécialistes, il sortit de l'hôpital. En arrivant à la maison du Cap vers 13 heures, j'y trouvai la généraliste qui avait quitté son travail pour cause de laryngite. Je me demandai : puisqu'elle était à présent en état d'aller chez Madiba, n'aurait-elle pas dû se rendre à l'hôpital ce matin pour recevoir les instructions des spécialistes ? Mais si elle était malade, ce n'était certainement pas la meilleure idée d'être aux côtés de Madiba ? Les personnes âgées – en particulier affaiblies – ne sont-elles pas plus vulnérables aux infections ?

Lundi et mardi, Madiba sembla aller mieux. Les médicaments commençaient visiblement à donner des résultats.

Le jeudi matin, j'avais hâte que le médecin de garde me donne des nouvelles de Madiba, mais le personnel – médical et de sécurité – me répondit qu'elle n'était pas au travail. Je demandai où elle était et j'appris qu'elle était partie faire des courses. C'était tellement ridicule que je n'y crus pas. Comment pouvait-on courir les boutiques quand on est le médecin de Nelson Mandela, trois jours après sa sortie de l'hôpital ? Cependant, je dépassais largement mes prérogatives en remettant en cause l'absence du médecin… et bientôt, mon cas fut signalé à la famille Mandela.

Mme Machel partit à Maputo assister au mariage traditionnel de son fils, Malenga. On lui avait dit que Madiba allait bien et qu'elle pouvait partir en toute tranquillité, mais je m'entendis avec elle pour la tenir en permanence au courant.

Le samedi, Zenani, la fille de Madiba, devait arriver au Cap ; Mme Machel lui avait demandé de venir et de rester avec son père tandis qu'elle assistait au mariage au Mozambique. Zenani arriva à la maison vers 10 heures, son père n'était pas encore levé. Les spécialistes le verraient à 11 heures. Zenani, Shirley la gouvernante et moi restâmes à bavarder à la cuisine, perdant un peu la notion du temps. Un peu après 11 heures, je demandai où étaient les spécialistes et on m'apprit qu'ils ne pouvaient pas se rendre d'eux-mêmes à la maison, mais qu'ils attendaient l'ordre, comme dans toute bureaucratie militaire, d'être amenés de l'hôpital. Je les appelai et leur demandai s'ils ne pouvaient pas s'y rendre eux-mêmes en voiture, mais ils répondirent qu'ils n'en avaient pas la permission. Et s'il y avait une urgence ? me demandai-je. Faudra-t-il attendre que Pretoria ordonne qu'on aille chercher les spécialistes du Cap à l'hôpital parce qu'ils n'ont pas le droit d'y aller eux-mêmes ?

J'étais stressée et plus qu'anxieuse pour la santé de Madiba. J'allai voir le professeur Gerwel à son cabinet du Cap pour lui dire que la situation s'aggravait et qu'il fallait intervenir. Avec toutes ces luttes de pouvoir impliquant l'équipe médicale et la famille, personne n'arrivait à se mettre d'accord. Je consultais le professeur pour chaque décision, et Madiba n'en prenait guère sans lui parler avant. D'une certaine manière, le professeur représentait un point d'équilibre pour Madiba. Il savait exactement trouver le compromis acceptable entre ce que Madiba voulait faire et ce qu'il fallait faire. J'étais l'une des rares personnes à pouvoir contacter le professeur à n'importe quelle heure du jour ou de la nuit. Il était engagé sur bien des fronts, mais il savait que nous mettions nos vies entre ses mains. Il savait aussi qu'à chaque urgence, c'est lui que j'appellerais en premier. Le professeur proposa de parler à la ministre de la Défense, et ils se donnèrent rendez-vous lundi, une fois Mme Machel revenue de Maputo.

Le dimanche, au retour de Mme Machel, l'état de Madiba s'était encore dégradé. Il ne voulait pas nous perdre de vue et insistait pour que nous restions avec lui tout le temps. Il était pâle et affaibli, gravement malade. J'étais prête à faire mes adieux, mais pas sans avoir lutté jusqu'au bout pour qu'il soit entre les meilleures mains.

Le lundi matin, l'un des spécialistes fut renvoyé à cause d'un désaccord concernant le traitement de Madiba. Un autre spécialiste fut envoyé par avion du premier hôpital militaire de Pretoria pour rejoindre l'équipe. Il examina Madiba et se montra fort inquiet. Il nous était impossible de rentrer chez nous par avion avec Madiba dans son état actuel. Le médecin conseillait d'amener Madiba au deuxième hôpital militaire pour faire une radio du thorax. Je craignais qu'il n'ait une pneumonie. La plupart des décès chez les gens âgés sont liés à une septicémie ou une pneumonie. Entre-temps, Mme Machel, la ministre Sisulu et le professeur Gerwel se réunirent et Mme Machel fit un récit détaillé des dernières semaines. Le professeur Gerwel était aussi inquiet que cette dernière et moi quant à l'état de santé de Madiba et aux soins qu'il recevait. Mme Machel était minée, au bord du désespoir. Comme c'était moi qui avais fait part de mes craintes et que les spécialistes étaient également tous blancs, j'avais l'impression que cela devenait aussi un problème racial. Il n'y avait pas d'issue sans l'intervention du professeur, de Mme Machel et de la ministre.

La ministre évoqua la possibilité de remplacer toute l'équipe, mais Mme Machel craignait de se faire incendier si elle osait intervenir contre les gens nommés par la famille Mandela. Il nous apparut clairement, au-delà de ces considérations, que Nelson Mandela devait recevoir les meilleurs soins médicaux. La ministre proposa de réunir une équipe internationale, mais Mme Machel la mit en garde : cela pourrait être interprété comme un signe de méfiance vis-à-vis de nos propres praticiens sud-africains. Elle avait raison. Nos spécialistes médicaux figurent parmi les meilleurs.

Le mardi, le spécialiste du premier hôpital militaire nous avait informés que nous rentrerions chez nous mercredi. Un avion sanitaire fut appelé de Pretoria pour transporter Madiba. Je fus informée par Maretha, ma collègue qui s'occupait désormais de la logistique, que l'appareil ne pouvait accueillir que quatre ou cinq passagers en raison des équipements médicaux à bord, mais qu'un autre avion emmènerait à Pretoria le reste du personnel de santé et de sécurité.

Le mardi matin, j'étais assise à la table du petit déjeuner avec Mme Machel et Ndaba, le petit-fils de Madiba qui était arrivé la veille pour s'occuper de son grand-père ; je les informai du problème de place dans l'avion. Il fallait déterminer qui partait avec qui.

Ndaba insista pour accompagner son grand-père, car un membre de la famille devait être présent. Mme Machel dit qu'ils résoudraient cette question une fois à l'avion, mais que les médecins devaient être prioritaires. Je me sentis profondément peinée pour Mme Machel, parce que Ndaba avait impliqué qu'elle ne faisait pas partie de la famille. Ce ne sont pas les grands drames qui me font mal, mais ces petites mesquineries. Et, bien sûr, quelle douleur aurait éprouvée Madiba s'il avait appris comment on traitait sa femme. J'avais déjà prévu de rentrer par un vol commercial car, je ne le savais que trop bien, il valait mieux ne pas gêner. Mme Machel me demanda si j'avais bien réfléchi, si je ne voulais pas prendre le second avion, mais je refusai, expliquant qu'il valait mieux céder ma place à qui en aurait besoin, et ne déranger personne.

À un moment, j'étais assise à côté de Madiba, et il me toucha la jambe, comme pour s'assurer que j'étais bien là. Les larmes me jaillirent des yeux et je dus me lever pour ne pas lui montrer à quel point j'étais bouleversée. Madiba ne parlait plus et on voyait qu'il était terriblement affaibli. Je ne savais pas pourquoi il n'était pas hospitalisé, mais on me dit que nous prendrions l'avion pour Johannesburg le lendemain, où toute une équipe de spécialistes s'occuperait de lui.

Le mercredi matin, j'arrivai tôt à la maison. Madiba était à la table du petit déjeuner, et on prenait soin de lui. Je pris le café, mangeai un morceau et décidai de me rendre à l'aéroport pour rentrer. Je saluai d'abord Mme Machel, puis Madiba ; ensuite je tournai les talons et sortis pour que personne ne me voie pleurer.

Je croyais avoir fait mes adieux. Madiba toussait sans arrêt.

J'étais inquiète à l'aéroport, et j'appelai la sécurité pour qu'on me prévienne une fois l'avion de Madiba décollé. Les médecins devaient l'emmener chez lui dès son arrivée à Pretoria, où le Dr Mike Plit, son médecin personnel depuis plus de vingt ans, viendrait l'examiner. Madiba lui confiait littéralement sa vie. Chaque fois que Madiba refusait de s'alimenter – un manque d'appétit qui vient avec l'âge – nous lui disions que le Dr Plit insistait pour qu'il fasse trois repas par jour. Et c'était vrai. Ensuite, Madiba s'exécutait. L'idée que le Dr Plit l'attendait à Johannesburg, prêt à le soigner, était une consolation, si tant est qu'il y ait pu en avoir une dans ces circonstances.

Mon avion avait du retard et Madiba décolla avant que je puisse embarquer. J'étais fatiguée, au bord des larmes, et je gardais mes lunettes noires, comme une jeune célébrité, pour cacher mes yeux rougis par les pleurs. Les rumeurs sur la santé de Madiba s'étaient calmées dans les médias et le public, et je ne voulais pas donner lieu à de nouvelles spéculations si je croisais quelqu'un de ma connaissance avec mes yeux rouges.

Je m'étais complètement tenue à l'écart de mes amis et je ne voulais voir personne. Je ne voulais pas qu'ils sentent comme j'étais bouleversée, parce qu'ils risquaient de comprendre. Ils savaient trop bien que tout mon univers tournait autour de Madiba et que cela me déchirait le cœur comme jamais de le voir dans cet état. Je ne répondais ni aux textos ni aux appels de mes amis, et évitai toute compagnie. Je me sentais seule, aussi, ne pouvant faire part de mon stress et de ma souffrance à quiconque. Je faisais mon rapport au professeur Gerwel tous les jours, mais autrement, je ne parlais à personne. On ne me le dit pas, mais je savais ce qui était le mieux pour moi dans cette situation : me tenir complètement à l'écart.

En général, je dors très facilement en avion et en déplacement. J'avais maîtrisé l'art de la sieste réparatrice. Cependant, en rentrant à Johannesburg, je n'arrivai pas à fermer l'œil. Je restai éveillée, parfaitement consciente, malgré mon épuisement. En atterrissant, je n'allumai pas mon téléphone. Je sautai dans le Gautrain, un système de liaison rapide, pour arriver à Sandton, où mon frère viendrait me chercher pour me ramener chez moi. Je voulais éviter de parler au téléphone en public, car je m'attendais au pire.

Le premier appel que je reçus une fois arrivée à Sandton venait de notre P-DG, Achmat. Il me demanda si je savais où se trouvait Madiba. J'espérais qu'il était déjà chez lui, répondis-je, car il était parti du Cap avant moi. Achmat m'apprit alors qu'on l'avait informé de l'admission de Madiba à l'hôpital Milpark, un établissement privé en banlieue de Johannesburg. J'appelai la sécurité et ils me dirent qu'ils arrivaient à Milpark. Je rappelai Achmat pour confirmer. À ce moment-là, on avait déjà annoncé aux médias que Madiba avait été conduit à Milpark pour des examens de routine. J'en informai le professeur Gerwel et m'inquiétai de la déclaration : des « examens de routine ».

Je rentrai chez moi, retrouvai mes chiens avec plaisir, et fus heureuse de voir mon frère et Maretha, ma fidèle collègue. Je partis à l'hôpital un peu plus tard. À mon arrivée, les médecins s'occupaient de Madiba, et je l'entrevis seulement derrière une porte. Je lui fis un signe, il me répondit, et je sus qu'il allait bien, même s'il paraissait encore très faible. Il avait une pneumonie – ou une infection respiratoire comme disaient les docteurs – en plus de ses escarres et d'une inflammation du genou. L'ensemble de ces pathologies avait un effet toxique sur son organisme.

Deux autres jours s'écoulèrent, avec des allers-retours à l'hôpital. Le second jour, je découvris un itinéraire secret pour entrer et sortir de l'établissement, afin que les médias ne puissent pas se servir de moi comme «baromètre» de l'état de Madiba, selon la formule de sa famille. Les médias commençaient à suivre mes moindres mouvements, et j'apparus dans les journaux avec Josina, en train de rire à cause d'une blague idiote entre nous, et ce rire était interprété comme «tout va bien pour Madiba». Le vendredi après-midi, Madiba allait sortir, et son état semblait déjà s'améliorer. Pendant ce temps, j'aidais l'équipe de la maison à préparer les lieux pour son retour. Une importante conférence de presse s'ensuivit à l'hôpital, durant laquelle on ramena Madiba chez lui. La sécurité avait astucieusement organisé cette diversion. Le temps que les médias comprennent que Madiba était sur le point de partir, il se trouvait déjà chez lui, sain et sauf.

Le samedi, après la sortie d'hôpital de Madiba, les journaux préparèrent un article pour l'édition du dimanche, expliquant qu'il existait des tensions entre la Fondation et la famille Mandela et que le gouvernement devait intervenir; cela expliquait pourquoi personne n'avait fait de déclaration après la première annonce de la Fondation suite à l'hospitalisation de Madiba. Ce n'était pas vrai. Il y avait toujours eu des tensions entre l'équipe de Madiba et certaines factions de son clan, mais la situation ne s'était pas aggravée. Il était tout aussi inexact de parler de «la famille»: il ne s'agissait pas de toute la famille de Madiba.

Madiba s'affaiblissant au fil des ans, certains membres de sa famille y avaient vu une opportunité de dicter leur conduite, à la Fondation et au staff. Si Madiba en avait eu la force, il ne l'aurait pas permis. Il nous avait guidés et protégés de nombreux périls toutes ces années, et sa faiblesse permettait à certains parents d'intervenir et de contrôler ses affaires à leur avantage.

Bientôt, Madiba alla beaucoup mieux, mais il faudrait du temps avant qu'il soit complètement guéri. L'administration de ses affaires personnelles posait des problèmes, et il était impossible de régler certaines dépenses. Comme personne n'avait le pouvoir de signature sur les comptes de Madiba, il fallut prendre d'autres dispositions, ce qui déclencha un conflit familial.

Le conflit pour le contrôle de l'argent de Madiba se poursuivit et empira au fil du temps.

La banque m'avait toujours appelée pour vérifier les transactions sur le compte de Madiba. Comme c'était une célébrité et qu'ils ne pouvaient pas lui parler directement, ils m'appelaient à chaque dépôt, retrait ou transfert, simplement pour vérifier que la demande émanait bien de Madiba. Avec le nouveau document, qui donnait désormais pouvoir à Mme Machel et à deux des filles Mandela, la banque avait besoin d'une lettre signée de Madiba, selon laquelle ils pouvaient toujours m'appeler pour contrôler les transactions. Je préparai tous les documents et les remis à Mme Machel avant de partir à New York, où je devais prendre la parole à la Fondation Clinton lors d'une nouvelle collecte de fonds pour notre Fondation. Je devais aussi m'exprimer à TriBeCa lors d'un événement conjoint pour la Journée internationale Nelson Mandela. Je n'avais jamais eu la signature sur les comptes de Madiba, je n'étais responsable que de l'administration. Mme Machel ne voulait pas prendre le contrôle des comptes non plus. J'avais horreur de ces appels de la banque. La Fondation avait engagé un comptable depuis des années, afin que je n'aie aucun pouvoir sur cet argent. Je préférais que cela se passe ainsi. Peut-être qu'inconsciemment, je savais ce qui nous attendait tous.

Pendant que j'étais à New York, Makaziwe arriva au bureau tôt le lundi matin. Elle voulait me parler. Ne me voyant pas, elle demanda à Achmat où j'étais. Il lui répondit que je me trouvais à New York et elle demanda qui m'avait donné la permission de voyager. Achmat répliqua que c'était lui, en tant que P-DG, et que j'étais là-bas en déplacement officiel pour la Fondation. Makaziwe demanda alors pourquoi il était nécessaire qu'une secrétaire se rende à New York. J'ignore ce qu'Achmat répondit. Makaziwe demanda encore pourquoi une secrétaire devait vérifier les transactions alors qu'eux, les Mandela, signaient les documents relatifs au compte de Madiba. J'ai appris que parfois, mieux vaut ne pas exprimer son opinion, car les faits parlent d'eux-mêmes.

Désormais, Mme Machel avait perdu toute intimité dans sa propre maison. Certes, Madiba avait besoin de soins constants, mais la vie privée de Mme Machel ne fut jamais prise en compte. Imaginez-vous dans votre propre maison, incapable d'aller de votre chambre à la cuisine en robe de chambre, de sortir de votre chambre sans être correctement habillée à cause de tous ces gens de l'extérieur chez vous. Sans jamais baisser la garde, sous les yeux de tous.

Une autre des grandes leçons que j'ai apprises de Madiba et du professeur Gerwel, c'est qu'il faut parfois laisser les choses passer et rester un simple spectateur. L'amertume est un poison. Pendant l'emprisonnement de Madiba, il avait été forcé de travailler dans la carrière de chaux, de la creuser sans raison. Il en va de même pour l'amertume. À ruminer stupidement ses griefs, on devient petit. Il faut laisser certains moments arriver, comme ils le doivent. Nous ne pouvons pas tout changer. Au cours de ma carrière, j'ai souvent voulu réagir immédiatement aux événements, mais j'ai appris avec l'âge que l'on doit laisser les choses suivre leur cours. Au fil des ans, en voyant Madiba cacher son manque de confiance vis-à-vis de certaines personnes, j'ai compris qu'il les laissait être acteurs de leur propre destin, bon ou mauvais. La patience est tout.

12

Les adieux

Quelques mois après la première longue hospitalisation de Madiba, il fut décidé de l'emmener à Qunu. Il demandait souvent des nouvelles de gens avec qui il avait grandi, ou des membres de sa famille décédés. Qunu est situé dans une partie excentrée du Cap-Oriental ; comme c'était l'endroit où Madiba était tombé malade en décembre, nous étions sceptiques quant à ce voyage. Chez lui, à Johannesburg, Madiba était près de son équipe soignante, des amis proches passaient le voir, ainsi que de la famille. On pouvait y faire venir des gens comme Ahmed Kathrada et George Bizos, mais à Qunu, ce serait difficile. Nous ne savions pas à quoi nous attendre, là-bas. La famille de Madiba insistait et Mme Machel ne pouvait en rien s'y opposer. Madiba était serein partout où elle était, que ce soit à Qunu ou à Johannesburg.

Je me rendais désormais à Qunu toutes les semaines, avec l'aide de la Fondation, ou au moins deux fois par mois. Madiba avait arrêté de parler comme avant, mais il désirait de la compagnie. Très peu de gens venaient le voir et Mme Machel était la seule personne près de lui, mis à part le personnel médical et domestique. Qunu est excentré et il est difficile de s'y rendre. Il fallait prévoir une journée complète pour faire l'aller-retour, en se levant à 3 heures du matin pour rentrer à 20 heures, si on n'y passait qu'une journée. Ce n'était sans doute pas facile pour tout le monde, mais Qunu devint vraiment un endroit désert et isolé.

On nous annonça à la Fondation que l'organisation allait être restructurée pour mieux se concentrer sur ses tâches essentielles. Je comprenais et approuvais le fait que la Fondation devait devenir un Centre de la mémoire, semblable à une Bibliothèque présidentielle, pour conserver l'héritage de Madiba. Celui-ci avait soutenu la création de ce Centre, ainsi que la conversion de la Fondation en ONG spécialisée dans le travail de dialogue et de mémoire. Il avait lancé le projet en 2004. Les années suivantes, Madiba fit don de documents, de prix et de cadeaux personnels à la Fondation Nelson-Mandela, pour les collections permanentes d'archives du Centre.

Cependant, je n'étais pas d'accord pour que le bureau de Madiba ferme. Du vivant de Madiba, les gens essayaient de garder le contact avec lui, même s'il ne pouvait leur rendre la pareille en personne. Ses amis et alliés, tous les gens qui avaient une relation avec lui, désiraient se sentir reconnus. En fermant le bureau de Madiba, cet échange devenait impossible, mais nous étions censés fermer et transférer la gestion de ces relations à des gens qui n'avaient pas la mémoire institutionnelle de notre bureau. Ainsi, on faisait disparaître les liens personnels que les amis de Madiba entretenaient avec lui.

Le professeur Gerwel et Mme Machel protestèrent, disant que Madiba méritait un bureau et une assistante personnelle jusqu'au jour de sa mort. Le professeur Gerwel, qui était président de la Fondation, déclara que Madiba m'avait choisie personnellement et qu'il refuserait de me licencier complètement, Madiba avait pris sa décision à une époque où il pouvait choisir son entourage. Le bureau de Madiba fut fermé et on nous licencia tous, mais je fus réintégrée à temps partiel. Mais j'avais été tellement mise sur la touche qu'en fait mon poste était purement formel. Maretha et Thoko, les deux autres employés, qui travaillaient aussi depuis longtemps pour Madiba, perdirent leur emploi. Heureusement, je n'avais jamais fait tout cela pour l'argent, et mon travail me procurait une gratification bien supérieure ; je décidai donc de rester avec Madiba et Mme Machel, même si je n'étais pas payée. La loyauté et le dévouement ne s'achètent pas. Je me promis aussi de ne jamais abandonner Madiba, jusqu'au tout dernier jour.

Au début 2012, Madiba résidait à Qunu en permanence. Je m'y rendais un jour ou deux par semaine pour passer du temps avec lui. Le 28 février 2012 fut ma dernière journée comme employée à plein temps de Nelson Mandela. Je ne m'attendais pas à ce que le lendemain tout soit différent, mais ce fut le cas. Je me sentis tout à coup vide, sans but dans la vie. Je savais que Madiba ne l'aurait pas toléré, mais il ne pouvait plus prendre de décisions ni faire entendre sa voix. En fait, il semblait prendre peu à peu ses distances avec nous. Il était manifestement vieux, il lui fallait des soins constants, et ce n'était plus l'homme jovial que nous connaissions.

Le P-DG de la Fondation m'informa que mon titre devait changer : d'assistante personnelle de direction, je devenais assistante personnelle. En dix-huit ans, j'étais passée de secrétaire à secrétaire particulière adjointe à secrétaire particulière à directrice et porte-parole de son bureau, pour revenir finalement à assistante personnelle. C'en était risible, en fait, ces montagnes russes que faisaient subir l'amour, la loyauté, la confiance et le dévouement.

Je n'avais jamais eu d'autre aspiration que de servir au mieux Madiba, et ces dernières tentatives pour me mettre sur la touche ne me dérangèrent pas. En vérité, si Nelson Mandela croit en vous, qu'il vous choisit personnellement et qu'il vous défend jusqu'au bout, y compris contre les critiques du parti qui l'a formé, vous ne devez guère avoir d'autres soucis dans la vie. Je ne me suis jamais appuyée là-dessus pour me défendre, préférant laisser les choses se dérouler comme elles le devaient sans doute. Je ne me suis jamais vantée d'avoir été distinguée, car cela pourrait être interprété comme de la vanité, mais j'ai toujours pensé qu'un jour viendrait où je devrais me défendre, et que ce jour-là, j'envisagerais les choses différemment, et rationnellement.

C'est l'un de nos côtés les moins sympathiques, nous autres Afrikaners : on nous élève dans l'idée que nous ne méritons rien, que nous ne sommes rien et que nous ne réussirons rien. Eh bien, ceux qui ont réussi l'ont fait en toute authenticité, et ont surmonté ces barrières mentales. Cela m'a vraiment été difficile d'admettre que Madiba m'avait choisie pour devenir quelqu'un. Le bon côté de cette attitude, c'est que cela nous évite la vanité ou la prétention. Je suis la première à admettre que je ne suis rien, et que je n'étais rien sans la grâce et la bénédiction de Madiba.

Le poison sécrété dans sa famille se répandait partout. Nombre de ses parents n'avaient jamais supporté ma présence, et ils avaient à présent leur chance. Pourtant, je refusai d'abandonner Madiba. Ils ne voulaient pas que je prenne l'avion pour Qunu toutes les semaines, et je les entendais demander à notre P-DG : « Qu'est-ce qu'elle va faire là-bas ? » Même si je devais trouver un sponsor pour me payer l'avion à Qunu toutes les semaines, je le ferais. Il n'y avait que Mme Machel là-bas, avec le personnel soignant et domestique. Il était seul. Le président Zuma passait de temps en temps, ainsi qu'une poignée d'amis très proches qui prenaient la peine d'effectuer le trajet pénible jusqu'à Qunu, mais Madiba était de plus en plus isolé du reste du monde. Lorsqu'une personnalité lui rendait visite, tout à coup, on notait un afflux soudain de personnes intéressées. Et de temps en temps, nous appelions des gens comme Ahmed Kathrada et d'autres vieux amis pour passer la journée, et on voyait le bien que cela faisait à Madiba de les voir.

Madiba semblait toujours très content de mes visites. Nous parlions très peu, mais quand Mme Machel était là, Madiba nous regardait avec plaisir discuter et échanger des nouvelles. Madiba avait besoin de vie autour de lui. Il avait besoin de contact, que les gens s'occupent de lui et donnent une impression de normalité, pour ne pas se sentir abandonné.

Parfois, il me disait seulement : « Ah, Zeldina, tu es là. Comment vont tes parents ? » Je répondais : « Et moi, Khulu, vous ne me demandez pas comment je vais ? » Un rire le secouait, puis il s'assoupissait et se réveillait seulement pour me tendre la main. C'est ce qu'il faisait avec la plupart des visiteurs.

Il fut décidé que la maison de Qunu avait besoin de rénovations, et Madiba revint à Johannesburg un moment. Les semaines passèrent vite et c'était plus facile de lui rendre visite souvent. Un vendredi après-midi, Mme Machel et moi parlions du fils de la reine Beatrix des Pays-Bas. Il s'était gravement blessé dans un accident de ski. Mme Machel essaya de joindre la famille royale néerlandaise pour leur faire part de notre soutien. Nous avions été proches d'eux et cela nous touchait personnellement.

Ce vendredi soir, j'allai me coucher en pensant à cette famille qui souffrait. Parfois, je coupais la sonnerie de mon téléphone en allant au lit, pour dormir un peu plus le lendemain matin. En me réveillant, je regardai l'écran : quelque chose n'allait pas. J'avais sept appels manqués et seize messages. Nous ne travaillions plus et normalement, il n'y avait aucune raison pour que je reçoive autant de communications. Le premier SMS était de Robyn Curnow, une amie journaliste. « Madiba est à l'hôpital. » Je répondis : « Quoi, tu plaisantes ? Comment tu le sais ? » Elle répondit que c'était dans tous les médias. Je me renseignai et découvris que Madiba était bien hospitalisé. Je n'en savais rien. Personne ne me l'avait dit. Je contactai Josina et elle me le confirma. Elle n'avait aucun détail non plus. J'envoyai ensuite un SMS à Mme Machel pour lui demander comment ils allaient. Je lui précisai de ne me donner aucun détail, mais simplement de me dire si ça allait : je ne voulais pas être accusée en cas de fuite dans les médias. Mme Machel me fit un court résumé de la situation.

Je ne connais aucune personne vivante qui ait été traitée avec autant d'irrespect que Mme Machel.

Le jeu de pouvoir familial avait commencé des années avant la mort de Madiba. En avril 2005, le magazine *Noseweek* fit paraître le premier article concernant les futures obsèques et la commission spéciale qui devrait gérer une telle éventualité. Mme Machel et certains des enfants avaient refusé de participer à ces travaux. Madiba était encore en assez bonne santé, et il était inconcevable d'organiser les obsèques d'un homme heureux de vivre, bien soigné par son épouse. Ce n'est que bien plus tard, en 2013, sur l'insistance de la ministre de la Défense Nosiviwe Nqakula, que Mme Machel participa à certaines consultations et fut informée. Je sais en revanche qu'elle dut se battre pour que mon nom soit ajouté à cette liste. C'était à Madiba que j'en avais fait la promesse : je serais là jusqu'au bout, même si je devais rester plantée derrière la barrière de sa ferme à Qunu, où il fut enterré. Je n'imaginais pas que ce serait presque ce qui se passerait.

Madiba disait parfois : pour éprouver le caractère d'un homme, donnez-lui le pouvoir. C'est vrai. Quand les gens ont le pouvoir, ils se révèlent.

Chaque fois que Madiba était admis à l'hôpital, nous retenions notre souffle. Je savais désormais que je devais vivre en recluse quand il était hospitalisé. Dans ces moments, je devenais une ermite, je

ne parlais à personne, je ne répondais pas au téléphone et ne discutais même pas avec mes parents.
Je ne communiquais qu'avec le professeur Gerwel,
Mme Machel et Josina. Ils comprenaient que si jamais
j'avais l'air de trahir leur confiance ou de laisser fui-
ter des informations, je me verrais tout simplement
refuser l'accès à Madiba pour le restant de mes jours,
car sa famille aurait une raison de se débarrasser de
moi. Je n'allais pas leur donner ce plaisir. Je gardai
donc mes distances, dépendant des nouvelles que je
recevais de Mme Machel. Je m'inquiétais aussi pour
elle. Elle avait un immense fardeau à porter. La famille
était plus divisée que jamais, alors que Mme Machel
était malade d'inquiétude pour son mari.

Au travail, la pression diminua finalement et hormis quelques personnes qui ne comprenaient pas que
Madiba se retire un jour de la vie active, les demandes
et les courriers se raréfièrent. Il y avait toujours des
requêtes émanant de gens se croyant l'exception à la
règle, des gens s'imaginant contre toute logique que
Nelson Mandela était le seul à pouvoir les aider, ou
du moins encourager publiquement leur entreprise.
Au fil des ans, j'avais compris que si je consacrais
mon temps de travail à des tâches négatives, comme
dire «non» aux gens, cela aurait inévitablement un
effet nocif sur mon mental. On devient cynique et il
faut des efforts constants pour s'extirper de cet état
d'esprit. Nous recevions moins de demandes, l'atmosphère était moins négative et je retrouvais plus facilement un certain équilibre. J'allais accéder à l'étape
suivante de ma vie.

Les gens me demandent souvent si je regrette de ne pas m'être mariée ou de ne pas avoir eu d'enfants. Ce serait égoïste et d'une ingratitude extrême d'utiliser le mot « regret » pour décrire ma vie. Ma vie avec Madiba m'avait tant apporté – même si je lui ai sans doute consacré ma jeunesse, et peut-être mon avenir. Mais je ne lui en voudrai jamais : au bout du compte, c'est moi qui avais fait ce choix. Était-ce un sacrifice, ou non ? L'idée que j'aie pu manquer certaines occasions ne m'a jamais pesé ni attristée. J'ai trouvé tellement de bonheur. Je me suis trouvée. Je suis parfaitement heureuse de la vie que j'ai.

Mon temps partiel, et le salaire réduit de la Fondation, m'obligeait à trouver un revenu et de nouveaux centres d'intérêt. J'avais toujours une responsabilité limitée envers Madiba, et j'étais décidée à ne pas reprendre un travail à temps plein à moins d'y être financièrement obligée. J'étais déterminée à rester disponible pour Madiba et Mme Machel chaque fois qu'ils auraient besoin de moi, et il fallait que je me rende utile. Mais c'était impossible et illogique de trouver un autre travail à temps partiel tout en conservant une réelle disponibilité.

Ce fut une expérience très étrange. Après dix-huit ans, les flots d'adrénaline s'étaient subitement taris, et ce n'était pas anodin. Je devais me trouver un but. C'était difficile. Certaines factions de la famille Mandela exigeaient toujours mon départ.

Le premier jour du « reste de ma vie », le 1er mars 2012, je me fis faire un tatouage au poignet gauche pour me rappeler ce que j'avais découvert sur moi-même tout au long de cette aventure. « Vis toujours ta passion. » Tant que je le ferais, je savais que je serais heureuse jusqu'à la fin de mes jours. Ma passion est de servir, je me sens épanouie quand je sers les gens. Je me fis tatouer ces mots en français parce que je voulais me rappeler à tout jamais ce que Madiba avait dit : « Trouve tes racines. » Comme ma famille est d'origine française, j'avais choisi cette langue.

Les premiers mois de ma nouvelle vie furent difficiles. Je me rendais encore de temps en temps au bureau pour y faire un peu d'administratif, et j'allais parfois voir Madiba. On annonça qu'il retournerait à Qunu, une fois les travaux terminés là-bas. Bientôt, je repris mes trajets hebdomadaires ou bimensuels à Qunu. Parfois, Madiba était d'humeur communicative, parfois non. Parfois, Mme Machel et moi parlions toute la journée de ce qui se passait dans le monde et en Afrique du Sud, de la politique au sein de l'ANC, des événements mondiaux comme le Printemps arabe ou des évolutions dans d'autres pays d'Afrique ; parfois Madiba nous regardait, souriant de voir de l'animation autour de lui. Nous nous asseyions au salon pour converser, et Madiba me faisait soudain remarquer que mon sac à main était tombé par terre et que je devais le ramasser. Il était toujours là, pleinement conscient de ce qui se passait autour de lui. Parfois, j'appelais le Professeur, rien que pour que Madiba lui dise bonjour au téléphone. Son visage s'éclairait toujours quand il entendait la voix du professeur Gerwel. « Ah, Jakes, souriait-il. Je suis content de vous entendre. » Madiba s'assoupissait souvent dans son fauteuil préféré, puis se réveillait en sursaut pour s'assurer que nous étions toujours là. Parfois, on croit qu'une époque privilégiée s'achève, mais on en profite encore. C'est là-bas, avec eux, que j'ai passé mes moments les plus précieux.

Quand Mme Machel n'était pas là, Madiba demandait tout le temps : «Où est Mum? Quand est-ce qu'elle revient?» Il fallait alors lui dire le jour de la semaine et le moment exact du retour de Mum. Mme Machel et moi nous croisions parfois dans les airs – elle se rendait à Johannesburg pour la journée et moi à Qunu – et le soir, j'avais l'impression que Madiba m'avait demandé deux cents fois : «Où est Mum?» Il dépendait totalement de sa présence et se montrait perturbé quand elle était partie.

Les gens étaient occupés et très peu venaient rendre visite. C'était vraiment difficile d'aller à Qunu, et de plus, Madiba n'avait pas envie de voir du monde tous les jours. Il n'était donc pas toujours facile d'inviter même ses amis les plus proches. Nous arrêtâmes d'inviter des personnes que Madiba ne connaissait pas très bien, mais bien sûr, nous comprîmes par la suite que dès que nous n'étions pas là, certains membres de la famille en profitaient pour amener des inconnus. Parfois, la Fondation devait défendre Madiba quand des photos ou des articles concernant ces visites paraissaient dans les médias. Les gens disaient : «Mais si untel a pu le voir, pourquoi pas moi?» et les conflits recommençaient : il fallait expliquer avec diplomatie qu'aucun visiteur ne serait plus accepté. Dans ces cas-là, la Fondation rejetait toute demande particulière de signature ou de soutien de Madiba, ou même de visites… puis la Fondation apprenait que cette demande avait été appuyée par un membre de la famille, qui laissait faire n'importe quoi quand Mme Machel ou moi-même étions absentes. Certaines personnes se mirent à profiter de la situation, quand elles eurent compris que Madiba n'avait plus la possibilité de défendre sa personne ou ses principes. Des hommes d'affaires nous appelaient à propos d'étranges demandes qu'ils avaient reçues de Madiba personnellement.

Madiba ne parlait plus beaucoup, et c'était gênant de lui amener des inconnus. Au cours de ces visites, un silence pesant s'installait.

J'avais quitté le quartier que j'adorais à Johannesburg, tout simplement parce que je ne pouvais plus me permettre d'y vivre. J'habitais désormais en banlieue, et l'aller-retour en ville était une épreuve quotidienne. Je n'avais plus d'horaires de bureau, mais je devais surveiller mes finances. Mes amis commençaient aussi à me manquer, comme mes contacts avec mes voisins, et je luttais contre la dépression. Je me sentais négligée par la Fondation, éloignée de mes amis, et je compris que toutes ces années, je ne m'étais pas bâtie un réseau de soutien fiable. Les gens s'occupaient de vivre leur vie, pour la plupart, et moi je luttais pour retomber sur mes pieds. Quant à bon nombre de mes amis, je n'avais pas non plus le courage de leur faire part de mes craintes, sans doute parce que les gens me percevaient comme quelqu'un de fort et qu'il me fallait sauver la face. La politique me manquait, aussi, comme les renseignements d'initiés sur tout ce qui se passait dans notre pays.

Le professeur Gerwel n'avait pas vu Madiba depuis plusieurs mois et nous avions décidé d'organiser un voyage spécial pour qu'il lui rende visite. En août 2012, je convins d'une date avec le professeur et je le retrouvai à East London, d'où je le conduisis sur 260 km jusqu'à Qunu. Ce fut une journée exceptionnelle, et les deux hommes furent heureux de se voir. Ils s'amusèrent bien ensemble, et quand je ramenai le professeur à East London, cet après-midi, je me dis que Madiba avait passé une très belle journée.

J'adorais le professeur, mais je pense que Madiba l'aimait encore plus. Mme Machel, qui ne le voyait presque jamais non plus, était heureuse de l'avoir retrouvé. En partant, nous étions d'accord pour que le professeur écrive sur la présidence de Madiba. Je ramenai M. Gerwel à East London ; en chemin, nous évoquions en riant ces années passées à la présidence, tout ce qui s'était passé à cette époque, les moments de stress, et nous étions d'accord : si nous avions su ce qui nous attendait, nous aurions sans doute fait des choix différents, avant d'être si attachés à Madiba. Ces trois heures de route jusqu'à East London furent un véritable voyage dans ces dix-huit dernières années. En lui disant au revoir à l'aéroport, je savais que le professeur était heureux de la journée qu'il avait passée avec Madiba. Il m'envoya un SMS dans la soirée en rentrant chez lui, pour me remercier d'avoir insisté pour l'inviter à Qunu. M. Gerwel était très occupé, siégeant dans d'innombrables conseils d'administration et impliqué dans bien des projets ; mais j'étais contente de l'avoir forcé à prendre un jour de congé pour faire tout ce trajet et voir Madiba.

Quelques mois plus tard, je sus que le Professeur
était mort. Je dormais dans ma chambre de l'Holiday
Inn de Mthatha, à une quarantaine de kilomètres de
Qunu. Quand Madiba apprit le décès du Professeur
par Mum, nous vîmes la tristesse dans son regard, et il
resta totalement silencieux pendant plusieurs heures.
Il est difficile de dire comment une personne de cet
âge réagira à ce genre de nouvelle, et Mme Machel
dut bien faire attention au moment de la lui annoncer, pour amortir le coup. Elle devait se rendre à
Johannesburg pour la journée, mais elle annula ses
déplacements pour rester avec Madiba, ne sachant
comment il assimilerait ce deuil.

Le Professeur Gerwel avait joué un rôle inestimable dans les dix-huit années précédentes. Prenez
la valeur qu'une personne a pour vous et multipliez
par cent : vous y êtes, ou à peu près. Le Professeur
avait une manière tout à fait originale de traiter les
problèmes. Alors que nous avions tous tendance à
les affronter à bras-le-corps, le Professeur était celui
qui proposait la solution la plus équilibrée, donnant à tout le monde l'impression d'avoir gagné,
alors même que chacun faisait un compromis. C'est
ce que Koos Bekker, le P-DG de Naspers, rappela
aux obsèques. Le Professeur n'était pas du genre à
bousculer les gens, et ceux-ci lui accordaient rapidement leur respect. Il observait la situation à distance, calmement, puis faisait une déclaration qui
nous ouvrait une direction totalement nouvelle, et
nous aidait donc à trouver nos propres solutions. Le
Professeur écoutait tout ce que je lui disais, même
si c'était pour me plaindre, ou sans importance ;

lorsque je me trompais, il était le seul à me le faire remarquer avec tact et honnêteté.

Pendant la présidence de Madiba, le Professeur voyageait beaucoup avec nous et il était très impliqué dans notre vie quotidienne. Après son départ du gouvernement, son activité diminua, mais il resta toujours joignable immédiatement. Je pouvais l'appeler de n'importe où dans le monde pour lui demander son avis sur n'importe quel sujet. Et il était mon premier interlocuteur, pour les événements graves comme pour les bêtises ou les moments drôles. Nous plaisantions et échangions des potins, mais sur les sujets sérieux, le Professeur était une figure paternelle pour moi. Il adorait parler afrikaans ; nous avions un échange tout à fait ouvert et honnête, et parfois il se servait de proverbes afrikaans très expressifs qui nous faisaient rire tous deux. C'était une personne qui pouvait s'adapter à n'importe qui dans n'importe quelle situation, et il jouait son rôle à la perfection. Il pouvait parler avec un chef d'État étranger et l'instant d'après, s'adresser au plus petit employé de bureau en lui donnant l'impression que c'était plus agréable de le voir qu'un personnage important.

Le jour du service à la mémoire du Professeur, le président de la Cour constitutionnelle Arthur Chaskalson nous quitta à son tour. Madiba l'avait nommé à la tête de la plus haute juridiction du pays. Quelques minutes avant le service, je reçus un message du fils du juge, m'apprenant le décès de son père. L'un de nos ministres préférés, Trevor Manuel, présidait la cérémonie et je lui appris la mort du juge Chaskalson. Nous observâmes donc une minute de silence avant la cérémonie. Deux personnages essentiels de nos vies nous avaient quittés en une semaine. C'était trop. J'avais le cœur brisé : la seule personne que j'espérais avoir à nos côtés jusqu'à la fin était le professeur Gerwell. J'étais aussi en colère, d'une certaine façon, qu'il ne puisse pas être là le jour où nous enterrerions Madiba. Mais c'est la vie. Quand Madiba parlait de la mort ou que les gens discutaient de la sienne, je comprenais que n'importe lequel d'entre nous pouvait partir avant lui. Le décès du Professeur en était bien la preuve.

Quelques mois plus tôt, le personnel de sécurité de Madiba, Mme Machel et des gens de maison avaient remarqué deux nouveaux venus dans l'équipe médicale de Madiba. Nous nous demandâmes s'il pouvait s'agir d'agents de renseignement. L'équipe médicale permanente de Madiba ne les connaissait pas non plus. J'envoyai un message au bureau du président Zuma pour demander s'ils étaient au courant. On me répondit qu'on se renseignerait et qu'on me recontacterait. Je n'eus plus de nouvelles. J'envoyai donc un nouveau message, ajoutant cette fois que « cette situation pourrait causer un immense embarras au gouvernement, car il s'agit d'une violation manifeste de la vie privée et de la dignité de Madiba et sa famille ».

Je reçus une réponse immédiate : l'affaire était transmise au ministère du Renseignement, et je pouvais m'attendre à une réponse rapide. Ce fut le cas. Le ministre Siyabonga Cwele m'appela quelques minutes plus tard pour s'informer de la situation et, une heure plus tard, m'indiquer que les personnes en question n'appartenaient pas aux services de renseignement ; le ministre en discuterait néanmoins avec le médecin général pour savoir si l'armée avait approuvé ces mutations. Je répétai au ministre ce que j'avais dit dans mon message à la présidence. Je n'entendis plus jamais parler du ministre, mais trois semaines après, les deux nouveaux venus à Qunu disparurent, pour revenir quelques semaines plus tard, malgré notre demande. Nous ne comprîmes jamais quelle était leur mission. J'étais écœurée de voir les ressources de l'État utilisées ainsi. Peu de choses m'irritaient à ce point. Des gens détournaient les moyens de l'État à leur propre profit. Nous avions un terrible problème de corruption au sein du gouvernement – sans doute la pire menace pour notre démocratie – et c'était là un exemple clair d'un gouvernement corrompu permettant ces ingérences dans les affaires publiques.

Kgalema Motlanthe était notre vice-président à cette époque. Ses relations avec Madiba remontaient à bien des années, au sein de l'ANC. Madiba aimait beaucoup Kgalema et ne l'avait pas vu depuis quelque temps. Une visite était organisée à Qunu le vendredi 7 décembre. Le jeudi, on m'apprit que Kgalema avait l'intention de venir. J'en fus heureuse, mais je n'avais pas l'intention, personnellement, de prendre encore un avion cette semaine-là. Tout à coup, le bureau de Kgalema m'apprit que Qunu avait annulé la visite. Même, la gouvernante, m'informa que Madiba ne se sentait pas bien, mais que pour éviter les rumeurs, elle avait demandé au bureau du vice-président d'annuler leur visite de son côté. Et voilà que le vice-président me contactait pour savoir la raison de notre annulation. La conférence nationale de l'ANC devait débuter dans une semaine. Nous nous demandions tous s'il y avait eu une intervention d'ordre politique. Je rappelai pour dire que Madiba ne se sentait pas bien, tout simplement. C'était une situation gênante. Pourtant, les gens étaient à présent habitués au fait que Madiba n'avait parfois pas envie de voir des visiteurs, préférant rester au lit. Nous supposions vraiment que c'était l'explication.

Le samedi 8 décembre, j'étais dans un studio de radio quand Achmat Dangor m'appela. J'avais accepté de coprésenter une émission hebdomadaire pour une station locale. Je ne pouvais pas répondre à ce moment et le rappelai dès la fin de l'émission. Achmat Dangor m'informa que des rumeurs circulaient sur l'état de santé de Madiba et que les journaux du dimanche essayaient de trouver une raison à l'annulation de la visite de Kgalema. J'appelai Meme et elle me répéta que Madiba allait bien. J'entendais d'ailleurs Madiba parler dans le fond, et je recontactai Achmat pour le lui dire. Le téléphone n'arrêtait pas de sonner.

Deux heures plus tard, l'information sortait : Madiba avait été admis dans un hôpital de Pretoria pour un examen de routine. Là encore, ma réaction fut : « Comment ? » J'envoyai un SMS à Mme Machel : « Mum, ça va ? On dit que Madiba est à l'hôpital. » Au début, elle ne lut pas ses messages. Nous pensions que nos téléphones et conversations étaient sur écoute. En Afrique du Sud, si l'on représente une menace pour la stabilité du pays, ou si l'on prévoit un attentat terroriste, votre téléphone peut être écouté. Nous ne faisions rien de tout cela, mais nous nous demandions si des agents du gouvernement – y compris du personnel soignant – n'avaient pas reçu l'ordre de certains membres de la famille de leur signaler tous les faits et gestes de Mme Machel. Par la suite, Meme m'appela pour expliquer que l'équipe médicale leur avait ordonné de ne dire à personne ce qui était arrivé. Madiba avait bel et bien été conduit dans un hôpital de Pretoria. Je ne comprenais pas. Pourquoi l'expédier si discrètement à Pretoria?

Là encore, nous retenions notre souffle. C'était tout simplement incroyable. Je ne suis pas superstitieuse pour un sou, mais ne pouvais m'empêcher de penser que le professeur Gerwell était parti en premier pour préparer la voie à Madiba. Mes propres pensées m'effrayaient. Mme Machel m'informa rapidement de ce qui se passait et je sentis qu'elle subissait un stress colossal. Elle était inquiète, préoccupée. Manifestement, il faudrait que la tempête soit finie avant d'essayer de voir Madiba. Finalement, quelques jours plus tard, je partis le voir avec Josina. J'étais anxieuse, je ne voulais pas reproduire l'erreur que j'avais commise avec le Professeur: le temps que j'arrive à son hôpital du Cap, il était déjà inconscient, et je ne voulais pas que cela se renouvelle. Madiba me reconnut, communiqua un court moment avec moi et cela me calma. Il n'avait qu'à dire «Ah, Zeldina», et tout irait bien. Comme tout le monde, j'avais besoin qu'il aille bien. Je passai un moment avec Mum et lui, puis je partis.

Le public suivait les événements avec inquiétude, car le gouvernement ne publiait pas d'informations régulières sur la santé de Madiba. On nous apprit ensuite que le gouvernement se chargeait de toutes les communications à ce sujet, et je n'avais ni l'envie ni le souhait de m'en mêler. Je savais trop bien à quel point c'était difficile de s'occuper des affaires de Madiba – chose, d'ailleurs, dont fort peu de gens me surent gré. À présent, c'était leur tour, et j'étais contente de pouvoir gérer mes propres émotions.

J'étais profondément perturbée par la santé de Madiba ; comme pour toute personne âgée de quatre-vingt-quatorze ans, son état changeait chaque jour, de mal en pis. Je fis rapidement mes bagages et allai voir mes parents pour les vacances. Je n'en pouvais plus.

Pendant mes congés, Mme Machel m'envoya un message : Madiba allait mieux et il appelait l'une de ses infirmières blanches « Zeldina ». Mme Machel pensait que je lui manquais. Je ne pouvais rien faire. J'aurais beaucoup voulu être là, mais je devais aussi passer Noël avec mes parents. Il était devenu impossible de voir Madiba régulièrement ou pas. Il ne pouvait pas croire que je le négligeais – c'était ce que j'espérais. Mes parents vieillissaient aussi et je commençais à comprendre qu'eux non plus ne seraient pas là éternellement. Je les avais oubliés pendant des années à cause de mon travail : plus de sept ans sans les voir à Noël tandis que j'organisais les fêtes pour les enfants de Madiba à Qunu. Le moment était venu de corriger cela et de passer du temps avec eux.

Quand je revins de chez mes parents sur la côte, après Noël, Madiba était sorti de l'hôpital et s'était réinstallé chez lui. Je repris mon travail – à présent fort limité – à la Fondation, en essayant de m'occuper autant que possible. Certains jours, j'étais vraiment déprimée, je restais au lit toute la journée. Ce n'était pas sain. J'avais très envie de voir Madiba, mais je savais que certains employés de la maison contactaient Makaziwe pour lui faire leur rapport dès que je passais rendre visite. Je m'attendais à ce qu'ils me disent que je n'étais pas la bienvenue.

Vint le jour de la première du documentaire *Miracle Rising*, à Londres. C'était l'histoire passionnante de la transition sud-africaine entre 1990 et 1994. On posait des questions aux personnes interviewées sur le rôle de Madiba à cette période, mais le film parlait surtout de Cyril Ramaphosa et Roelf Meyer, qui menèrent les négociations pour un règlement pacifique entre l'ANC et le Parti national lors de la Convention pour une Afrique du Sud démocratique (Codesa). La production me fit venir en avion à Londres pour la projection à la fin janvier, comme membre de l'équipe. Je n'avais pas voyagé depuis un moment et j'étais très heureuse de sortir du pays. Le film fut bien reçu et je fus fière d'y avoir contribué en voyant le résultat final. Je revis avec plaisir des gens avec qui j'avais perdu le contact ou que je ne côtoyais plus régulièrement, depuis que nous avions cessé de voyager. Je ne fus pas excessivement impressionnée par toutes les célébrités interrogées dans le documentaire, mais je compris que pour toucher un vaste public, ces personnalités jouaient un rôle important. J'aimais contribuer à l'Histoire ainsi, car je pouvais comprendre les difficultés que nous affrontions à l'époque. Le film fut également projeté en Afrique du Sud, où il fut bien reçu.

Le 14 février 2013, l'athlète paralympique Oscar Pistorius abattit sa compagne, le mannequin Reeva Steenkamp, qu'il aurait prise pour un cambrioleur. Le pays était sous le choc. L'un de nos héros était tombé, et avec lui notre espoir, et tout ce qu'incarnait la nouvelle Afrique du Sud, ce miracle, tout chancelait. Je ne sais pas pourquoi c'était si important, mais en ce jour de la Saint-Valentin, tout le monde était en deuil. Les gens, en particulier les Sud-Africains, avaient toujours voulu un héros. Madiba était le héros de tous, tout comme Oscar, qui avait surmonté son handicap et fait connaître notre pays. Les gens l'idolâtraient. Madiba avait toujours mis en garde contre l'idolâtrie, y compris celle qui le concernait. Madiba savait trop bien comme il est facile de tomber. Nous avions mis Oscar si haut sur son piédestal que sa chute fut d'autant plus dure et imprévue.

Dans ses *Conversations avec moi-même*, Madiba écrivait dans une lettre à Winnie Madikizela-Mandela, le 9 décembre 1979 :

> « On nous dit qu'un saint est un pécheur qui essaye d'être pur. On peut vivre en méchant les trois quarts de sa vie et être canonisé, parce qu'on a vécu saintement le quart restant. Dans la vraie vie, nous avons affaire non pas à des dieux, mais à des humains ordinaires, comme nous-mêmes : des hommes et des femmes pleins de contradictions, fiables et capricieux, forts et faibles, glorieux et indignes ; dans leur sang, la vermine lutte quotidiennement contre des purges puissantes. »

Madiba croyait qu'il y avait du bon et du mauvais dans tout être humain ; cela me fit changer mon point de vue sur les gens, lorsque l'un de ces événements se produisait. Je compris, là encore, à quel point Madiba avait fait évoluer ma pensée et ma perception de ce qui me semblait aller de soi.

Le 9 mars 2013, Madiba retourna à l'hôpital. Mme Machel me dit que ce n'était pas grave, une simple procédure médicale. Là encore, cela me rappela à quel point il était vulnérable. Chaque fois qu'il était admis à l'hôpital, c'était comme un rappel : le temps qui me restait avec lui était compté.

Le 22 mars, après sa sortie, je tentai de voir Madiba à trois reprises. La première fois, j'arrivai chez lui, et Makaziwe était là. Lors d'une discussion, elle avait clairement fait comprendre que je n'étais pas la bienvenue. Je n'avais plus de travail là-bas. Ce n'était pas à elle de le décider, j'en étais persuadée. Je décidai donc de l'éviter, mais je n'allais pas rester à l'écart rien que pour lui faire plaisir. Mum dut me défendre une fois encore, répétant que Madiba m'avait nommée, que c'était son choix, que cela leur plaise ou non, et qu'elle ferait respecter sa volonté jusqu'au jour où il ne serait plus. Mme Machel dit à Makaziwe et aux autres que ma présence occasionnelle était bonne pour l'équilibre émotionnel de Madiba ; en l'entendant dire cela, je pensai : Oui, et pour mon équilibre aussi, même si cela peut paraître une pensée bien égoïste. J'avais l'impression que certaines personnes vous mâchent et vous recrachent quand vous ne leur êtes plus utile. Je sais trop bien ce que Madiba en aurait pensé, mais ce n'est pas à moi de m'imaginer ce qu'il pouvait croire à ce stade. J'étais déchirée entre l'envie de me battre et celle de laisser les choses suivre leurs cours, et je pense qu'il vaut mieux opter pour la seconde solution. C'est la leçon que j'en ai tirée.

La deuxième fois où je tentai de voir Madiba, ce fut vers 15 heures. Makaziwe était encore là. Mme Machel était partie au bureau. Je décidai de rentrer chez moi et contactai Mme Machel pour revenir vers 18 heures. Je n'avais pas vu Madiba depuis deux semaines et j'avais prévu de passer du temps en famille les jours suivants. J'avais donc hâte de voir Madiba avant de partir. À 18 heures, quand je retournai à la maison, Makaziwe était partie. Mme Machel parlait à quelqu'un et comme j'avais aussi des affaires à discuter avec elle, j'attendis qu'elle ait terminé.

Il me sembla que, comme d'habitude, le personnel qui était du côté de Makaziwe l'avait contactée pour l'informer de ma présence. Elle arriva rapidement. Le personnel disparut mystérieusement, tandis que j'attendais dans la cuisine. Makaziwe entra et ferma la porte derrière elle. Elle me dit : « Ah, je voulais te parler de quelque chose depuis un moment. D'après des rumeurs, tu vas travailler sur un documentaire pour la chaîne History intitulé *Mandela : Les dernières années*. Je voulais te dire que, comme tu es l'une des personnes à qui papa faisait le plus confiance, ce serait extrêmement peu éthique de ta part d'y participer. »

Ce qui m'étonna, c'est que Makaziwe ait reconnu pour la première fois que j'avais joué un rôle dans la vie de son père. Elle avait sans doute entendu parler du documentaire *Miracle Rising*, dont Madiba n'était pas du tout le sujet principal, et elle avait mélangé les deux films, mais je ne pris pas la peine de la corriger. Ma fidélité allait à son père, et ma confiance aussi. Je m'étais engagée à protéger la dignité et l'intégrité de Madiba et celle de son épouse, mais pas plus. Les gens peuvent se demander pourquoi j'en parle à présent. Mais je pense que c'est différent. Je ne viole pas la dignité de Madiba. Il ne s'agit pas d'un compte rendu de son état de santé, des conséquences de sa maladie et ses souffrances. Il y a bien des choses dont je ne parlerai jamais. Ma relation de confiance, c'était avec Madiba. Pas avec sa famille, ni avec personne d'autre.

Le ton montait, quand Mme Machel me fit appeler. Sauvée par le gong, pensai-je – sinon, j'aurais peut-être dit des choses que j'aurais regrettées plus tard. Je parlai un moment avec Mme Machel et partis sans avoir vu Madiba, car Makaziwe était montée voir son père et je savais qu'elle me chasserait. J'étais profondément déçue de ne pas l'avoir vu, mais dans mon état de colère, je compris que ce n'était pas le meilleur moment. Je revins la semaine suivante et réussis à le voir cette fois. Son visage s'illumina. Il s'exclama : « Ah, Zeldina, tu es là. » « Oui, Khulu, c'est moi, comment allez-vous ? » Il se contenta de lever le pouce et me demanda : « Comment vont tes parents ? » Cela me toucha terriblement. Il ne parlait plus beaucoup et là encore, notre conversation en resta là, mais il avait pensé à demander des nouvelles de mes parents. Quel mystère que cet homme ait changé ma vie, ma façon de penser et surtout, mon cœur. Je m'assis un instant avec lui en lui tenant la main, et, quand il s'assoupit, je partis.

Quelques jours plus tard, on apprit la nouvelle : Zenani et Makaziwe contestaient la nomination de George Bizos, le vieil ami de Madiba, de son avocat Bally Chuene et de son camarade le ministre Tokyo Sexwale à la tête d'un fonds chargé de vendre les œuvres d'art du projet « L'art et la main ». Madiba avait nommé ces responsables pour superviser le projet en son nom. Il y aurait un vilain litige. J'étais profondément perturbée par cette nouvelle, car je pensais (ou j'avais cru) la question résolue depuis quelques mois. Comme ces questions privées ne m'avaient jamais concernée, je ne prenais pas la peine de m'en informer souvent. Des insultes et des dénégations suivirent dans les médias, chaque partie livrant des informations à ses propres sources et s'attaquant sans le moindre respect à l'un des plus vieux amis de Madiba, Me George Bizos. En fait, Zenani et Makaziwe avaient décidé de contester toutes les décisions de leur père. Elles savaient qu'il n'était plus capable de défendre ses choix et pour elles, il était temps de s'y opposer, car personne ne pouvait plus vérifier auprès de Madiba – et elles le savaient.

Je n'allais pas me mêler de ces affaires privées maintenant, mais j'avais accepté de soutenir les personnes nommées par Madiba à la demande de leur avocat, si j'étais appelée à témoigner. Cette décision avait été facile à prendre. Si Madiba avait voulu désigner l'un ou l'autre de ses enfants pour s'occuper de ces questions, il l'aurait fait quand il en était encore capable. De plus, j'étais prête à défendre ses choix preuves en main. Il en allait de même pour le personnel embauché et les gens en charge de ses œuvres. Ses avocats pouvaient l'attester.

Par la suite, la déclaration sous serment de l'avocat montra que Zenani Dlamini et Makaziwe Mandela allaient bien à l'encontre de sa volonté. L'avocat fournit les preuves de réunions dont nous nous souvenions parfaitement, où Madiba avait exprimé sa volonté très clairement. L'affaire fut classée.

Je dus me rappeler que ce n'était pas mon combat. Je devais plutôt aider Mme Machel, qui avait besoin de moi, et soutenir Madiba, en lui souriant, en le prenant dans mes bras ou en lui tenant la main. À cette période, quand je lui rendais visite, je voyais souvent Zoleka, l'une de ses petites-filles. C'était la mère de Zenani Jr, qui avait été tuée dans un accident de voiture en 2010 juste avant l'ouverture de la Coupe du monde de la FIFA. Zoleka ne se sentait pas menacée par ma présence et ne s'inquiétait pas de me voir assise avec son grand-père. Elle avait vraiment fait un effort pour passer du temps avec lui, presque quotidiennement, et je voyais que cela lui faisait plaisir.

Le 27 mars 2013, Madiba fut une fois de plus admis à l'hôpital. Il avait une nouvelle pneumonie. Quelques jours auparavant, je lui avais rendu visite chez lui ; je me rappelle que l'une des employées de maison souffrait d'une très forte grippe à ce moment-là. En partant, je n'arrivais pas à y croire. Et voilà qu'il était de retour à l'hôpital pour une pneumonie. À son âge, il était beaucoup plus vulnérable aux microbes. Pourtant, sous son propre toit, des gens travaillaient alors même qu'ils étaient malades. S'ils étaient malades, pourquoi venaient-ils encore ?

Il faut savoir abandonner. Pas parce qu'on le désire, mais parce qu'on y est obligé. Une fois encore, le monde retenait son souffle. C'était la période la plus difficile que j'aie connue. En grandissant, j'ai compris qu'il est bon d'ignorer ce qui nous attend, parce qu'on renoncerait facilement trop tôt. J'avais cru vivre mes pires expériences, mais celle-ci était de loin la plus angoissante et incertaine. Je n'avais qu'une envie, me rendre à l'hôpital, mais je savais que je devais l'éviter tant que Makaziwe y serait. Je voulais épargner le spectacle d'une altercation à Madiba, et j'étais prête à suivre les conseils de Mme Machel et Josina sur les moments de visite opportuns. Nous convînmes donc d'un jour et Josina m'amena en voiture. Je remarquai la presse qui campait devant l'hôpital, craignant avec Josina qu'ils nous filment. Comme en 2011, si nous devions apparaître ensemble dans les médias, je craignais de subir les foudres de certains membres de la famille. En partant, je me cachai sous la banquette arrière pour que personne ne me voie.

Nous étions très inquiètes pour Madiba, mais cela nous faisait rire que je me cache sous sa banquette arrière. J'avais l'impression d'être un espion de la guerre froide, transporté de Berlin-Est à Berlin-Ouest. Madiba resta onze nuits à l'hôpital, puis fut ramené à Johannesburg.

Une fois son état de santé amélioré, Mme Machel et moi nous organisâmes pour que des anciens collègues et vieux amis lui rendent visite de temps en temps. Quelques semaines plus tôt, le bureau de l'ANC avait demandé à voir Madiba. Le jour où je contactai ces gens, ils avaient une crise à gérer et demandèrent à repousser leur visite. Je leur demandai de bien vouloir nous dire quand ils pourraient passer, en les encourageant vraiment à venir. Mais Madiba tomba de nouveau malade et quelques semaines s'écoulèrent sans que la rencontre puisse avoir lieu.

Au début 2013, le Dr Mamphela Ramphele annonça qu'elle créait un nouveau parti politique pour contester les élections générales qui devait se tenir en 2014. La seule opposition importante au parti ANC au pouvoir est l'Alliance démocratique, un parti encore largement dominé par les Blancs, même s'ils sont beaucoup plus progressistes que l'ancien Parti national. Mamphela Ramphele est une universitaire respectée en Afrique du Sud, ancienne militante anti-apartheid et femme d'affaires de renom. C'est également une dirigeante de la Fondation Nelson-Mandela depuis sa création. Son annonce fut bien accueillie par beaucoup de gens, mais son parti, Agang, sembla rapidement perdre du terrain. Le Dr Ramphele avait été la première personne à conseiller Madiba sur sa santé après sa libération en 1990. Elle lui avait présenté le cardiologue qui l'avait soigné pendant de nombreuses années, jusqu'à ce que l'équipe de médecins militaires remplace les spécialistes privés. Le Dr Ramphele était donc une vieille amie de Madiba et de Mme Machel. Elle rendit visite à celle-ci un jour où Madiba se sentait assez bien pour s'asseoir en bas, dans son salon. Quand elle le vit, elle s'inquiéta de son affaiblissement, car elle ne l'avait pas vu depuis très longtemps. Sa visite fut courte, mais elle annonça par erreur à la radio qu'elle l'avait vu.

Une semaine avant, l'Alliance démocratique avait lancé sa campagne électorale intitulée «Connaissez votre Alliance». Ils voulaient informer le public de leur politique, et ce faisant, ils utilisèrent une photo de leur fondatrice, feu Mme Helen Suzman, se promenant bras dessus bras dessous avec Madiba. L'ANC s'en offusqua et attaqua l'AD pour avoir utilisé une image de Madiba dans sa campagne. La campagne de l'AD, tout comme la visite du Dr Ramphele, rendit l'ANC inutilement nerveuse. Personne n'avait jamais contesté le fait que Madiba faisait partie intégrante de l'ANC, qu'il s'y était engagé toute sa vie, et pourtant ses relations avec d'autres faisaient craindre à l'ANC pour sa « propriété » de Madiba.

Le révérend Jesse Jackson se trouvait en Afrique du Sud afin de recevoir une distinction nationale du président Zuma, pour sa contribution au combat pour la libération du pays. Le révérend Jackson voulait voir Madiba et quelqu'un de la présidence me contacta pour me transmettre la demande du président. Madiba n'était vraiment pas en état de recevoir des visiteurs, et en particulier des gens qu'il ne connaissait pas très bien. J'expliquai au monsieur de la présidence qu'une visite ne serait pas possible. Il répondit qu'il comprenait et qu'il transmettrait au président et au révérend Jackson.

L'une des personnes figurant sur notre liste de visiteurs, dès que Madiba serait en état d'en recevoir, était le vice-président Kgalema Motlanthe, qui essayait de le voir depuis des mois. Il avait été candidat malheureux à la présidence de l'ANC lors de la conférence nationale de décembre 2012. Le parti l'avait mis sur la touche et il était clair que son défi au président Zuma n'avait pas été bien reçu du tout. Madiba aimait beaucoup Kgalema, et Mme Machel et moi envisagions une éventuelle visite. Le vendredi soir, je contactai l'assistant de Kgalema pour essayer un rendez-vous la semaine suivante, si Madiba se sentait assez bien. Je lui dis qu'il pouvait répéter cette conversation à tout le monde.

Comme la Fondation avait changé mon contrat et que je ne travaillais plus pour elle qu'à temps partiel, je ne me rendais pas à Johannesburg tous les jours, quand je n'avais pas de tâche particulière ou que je décidais de travailler chez moi. Ce lundi, je m'occupais à autre chose et passai la plupart de la journée en moto. Je ne suivais pas ce qui se passait sur Twitter et restai déconnectée l'essentiel de la journée.

L'ANC était venue en mon absence. Étonnamment, ils avaient insisté pour que leur visite soit filmée – une sorte de « preuve vivante » que Madiba « allait bien ». Leur tactique se retourna contre eux : Madiba n'avait l'air ni en bonne santé ni heureux de leur visite.

En revenant à Johannesburg dans la soirée, je consultai Twitter et remarquai que la vidéo de Madiba, passée aux nouvelles du soir, avait provoqué un scandale. Je n'étais au courant de rien. Je trouvai la vidéo sur YouTube et fus écœurée du spectacle. Madiba était clairement malheureux. C'était le désordre total dans son salon, et, comme il s'agissait d'une visite du président et de dirigeants de l'ANC, les flashs étaient autorisés – or, tous les Sud-Africains savent que c'était interdit à cause de la sensibilité des yeux de Madiba. Celui-ci apparaissait lointain, détaché, parce qu'il était submergé. Il était évident que rien n'était contrôlé. Même l'équipe médicale responsable, le général Dabula et le médecin général Ramlakan se faisaient prendre en photo au lieu de protéger les yeux de Madiba et s'occuper de sa santé. C'était dérangeant. C'en était donc arrivé là ? On aurait dit un zoo, avec Madiba en cage, cerné par des touristes en adulation. Il semblait aux abois. Mme Machel participait à des réunions de la Fondation, à littéralement deux minutes de chez elle, et elle n'avait même pas été informée de ces visites.

On ne m'avait pas parlé de cette visite chez Madiba, sans doute parce qu'ils se doutaient que je n'aurais pas toléré un tel cirque. Les gens me détestaient quand je maintenais l'ordre et que je leur disais comment se comporter vis-à-vis de Madiba. Je voyais clairement pourquoi. Si je n'étais pas là, voilà ce qu'ils faisaient. Une « guerre » éclata sur Twitter et les journalistes demandèrent où j'étais. Je dus littéralement m'asseoir sur les mains pour m'empêcher de répondre. Le lendemain, en arrivant à la Fondation, je vis le PD-G d'alors, Achmat Dangor, qui commenta la vidéo avec écœurement. Je lui demandai : « Eh bien, c'est ce qu'ils voulaient tous, non ? » N'était-ce pas pour cela que certaines personnes avaient si souvent répété que Madiba n'avait plus besoin de secrétaire ? Si j'avais encore été là, je n'aurais pas permis qu'il aille devant les médias dans un tel état de vulnérabilité et de faiblesse. Je n'étais pas la seule en colère. Le public et sa famille étaient scandalisés du comportement de l'ANC.

Les semaines suivantes, ce fut plus facile pour moi de voir Madiba. La famille avait relâché sa « surveillance » et je pus lui rendre visite plus librement – cependant, je ne savais jamais si ce n'était pas la dernière fois que je le voyais.

Le 8 juin 2013, Madiba retourna à l'hôpital et la présidence annonça que son état était grave, mais stable. C'était une infection pulmonaire récurrente. Nous étions dévorés d'anxiété. Nous comprenions que cette fois, sa vie était sur le fil du rasoir. Deux jours après l'admission de Madiba, je me glissai dans l'hôpital tôt le matin, cachée sous la banquette arrière de Josina. Madiba était visiblement très malade et affaibli, mais il ouvrit les yeux et réussit à me sourire.

C'est seulement à ce moment-là que j'appris ce qui s'était passé le soir de son admission à l'hôpital. Quelqu'un, du personnel médical ou de la sécurité, avait décidé de le conduire à l'hôpital dans un véhicule médical militaire banalisé, pour éviter d'attirer les soupçons du public. Ma première question fut : «Quelle personne du public surveille Madiba à 3 heures du matin?» À mi-chemin de l'hôpital, le véhicule banalisé tomba en panne. Quarante minutes plus tard, les secours arrivèrent. Au début, je crus que c'était une plaisanterie. Comment Nelson Mandela, gravement malade, avait-il pu rester coincé quarante minutes en bordure d'autoroute au milieu de l'hiver et à 3 heures du matin? Comment était-ce possible? C'était une bonne chose que je ne l'aie pas appris avant. J'aurais sans doute explosé. On m'avait totalement lié les mains. Désarmée. Je n'avais plus ni influence ni pouvoir dans ce domaine. Et j'avais l'impression d'avoir négligé Madiba. Mon cœur saignait pour lui. Quelle peur il avait dû éprouver! Et Mme Machel, stressée, désemparée. Quand je l'avais vue, elle était manifestement traumatisée. Comment avait-on pu en arriver là? Comment cela avait-il pu arriver à Nelson Mandela, la personne vivante la plus révérée au monde ? D'ailleurs, s'il était encore vivant, ce n'était que par un miracle.

Les médias assiégèrent rapidement l'hôpital. Les journalistes arrivaient en avion du monde entier. Des millions de dollars dépensés pour des camionnettes de télévision, tandis que les spectateurs observaient le moindre souffle de Madiba. Pourtant, à l'intérieur, il remontait lentement la pente, en vrai lutteur. Certains membres du public prétendirent qu'il était temps pour nous de «le laisser partir». «Arrêtez de prier pour sa guérison», disaient-ils. Ce qu'ils n'avaient pas compris, c'est que ce combattant de la liberté obstiné déciderait lui-même quand il en aurait assez. Je travaillais plus de douze heures par jour à répondre à des correspondants du monde entier. Ils voulaient des réponses – et la confirmation de la déclaration présidentielle : état grave mais stable. Je me contentais de confirmer ce que le président avait dit tout en restant vague, mais l'atmosphère était anxieuse. Josina et moi avions de longues conversations et nous cramponnions l'une à l'autre. Il fallait se libérer de cette inquiétude, ou elle contaminerait bientôt la famille et Madiba finirait par la sentir lui aussi.

Lors d'une de ses visites à l'hôpital, Zindzi, une fille de Madiba, demanda à Josina si j'étais passée. Zindzi dit qu'à son avis je devais avoir l'occasion de rendre visite à son père, et Josina répondit que j'étais venue quelques jours auparavant. Zindzi répondit : «Alors je suis tranquille.» Cela me toucha beaucoup. Une autre personne que les Machel s'intéressait à moi, et j'en étais reconnaissante. Le lendemain de ma visite, on avait renforcé la sécurité à l'hôpital. J'en ris avec Josina, en disant que ces précautions supplémentaires étaient sans doute dues à mon infiltration, cachée à l'arrière de sa voiture. Puis je dis à Josina que tout ne tournait pas autour de moi. Dans cette atmosphère pesante, ces histoires incroyables arrivaient au moins à nous faire rire. Par la suite, on apprit aux nouvelles que la sécurité avait été renforcée pour empêcher les journalistes d'entrer. J'étais heureuse de ne pas en être la cause.

La dernière fois que je vis Madiba vivant, ce fut le soir du 11 juillet 2013, la veille de mon départ pour l'excursion annuelle en moto de la Journée Mandela. Je pénétrai dans l'hôpital avec Malenga Machel, le fils de Mme Machel. Nous étions passés par l'arrière, pour ne pas être repérés par les médias. Madiba était toujours très malade. Je laissai un moment Malenga en compagnie de Madiba et sa mère, puis ils m'appelèrent. Madiba pouvait toujours ouvrir les yeux et exprimer ses émotions, mais il partait rapidement. Je frissonnais, debout à côté de son lit, traumatisée de le voir dans un état pareil. Je ne voyais pas ses mains. Je voulus les toucher mais ne les trouvai pas. J'étais paralysée, engourdie. Mme Machel dit à Madiba que j'étais là mais il avait les yeux clos. Elle me fit signe que je pouvais lui parler.

Je savais que je devais avoir l'air gaie : «Bonjour Khulu, c'est Zeldina. Je suis venue vous voir…» Et voilà : il ouvrit les yeux, me fit son plus grand et éclatant sourire, et plongea son regard dans le mien. «Comment allez-vous, Khulu ? Vous allez l'air bien», même si c'était faux. «Vous me manquez, Khulu.» Il continuait à sourire. Mum et Malenga me taquinaient, disant que Madiba n'avait pas offert un tel sourire aux autres. Puis il s'éloigna de nouveau, fermant les yeux. Je restai là quelques minutes. Mum et Malenga allèrent un peu plus loin dans la chambre et Mum dit que je pouvais lui parler si je voulais. Je dis ce que je devais dire, encore. Je pris sur moi et lui dis que je partais en moto le lendemain, lui rappelant son commentaire sur ma première virée en 2010, lorsqu'il avait demandé : « Pourquoi as-tu fait cela ? » et que j'avais répondu : « Pour vous, Khulu. » J'allais de nouveau partir pour lui. J'étais très triste de m'en aller ce soir-là, mais son sourire était tout ce dont j'avais besoin pour garder courage. Je ne pensais pas que c'était la dernière fois que je le verrais.

En rentrant à Johannesburg après ma virée en moto, j'essayai de voir Madiba à quelques reprises. Mais chaque fois que je demandai à Mum, il y avait un empêchement. Je revins deux fois, pour voir Mum à d'autres sujets, mais je ne pus revoir Madiba.

Le 15 juin, un article parut en première page du *Saturday Star*, repris dans le journal du dimanche afrikaner *Rapport* le lendemain. Shaun van Heerden, un fidèle ami et garde du corps depuis plus de dix ans, avait craqué. Il avait été suspendu de nouveau après des allégations du médecin général, selon lesquelles il avait transmis des informations aux médias sur l'endroit où Madiba était hospitalisé. Dans l'article, le médecin général faisait allusion à l'incident de la Coupe du monde de football en 2010, avec les médecins militaires qui menaient notre monde à la baguette.

J'avais beaucoup de peine pour Shaun. C'était lui qui m'aidait à voir Madiba chaque fois que j'étais à la maison et que Mme Machel n'était pas là pour m'aider à surmonter les barrières de paperasse que la famille de Madiba avait édifiées à mon encontre. Je ne savais pas comment je m'en sortirais sans Shaun.

Quelques jours après, l'histoire de l'ambulance tombée en panne avec Madiba fit les gros titres dans le monde entier, après une fuite dans les médias. Les journaux décrivirent Mme Machel comme «paniquée» à ce moment-là. Le lendemain, Makaziwe arriva à l'hôpital en appelant Mme Machel «Madame Paniquée». Mum fut blessée de cette agression. Josina et moi tâchions de la réconforter constamment. Josina s'en occupait souvent quand je ne le pouvais pas. Le Professeur me manquait. Il aurait été là pour nous aider et nous guider ; son absence laissait un vide que j'ai du mal à exprimer.

La semaine précédant l'hospitalisation de Madiba, j'avais été informée par un bon ami travaillant aux brasseries SAB qu'on avait réussi à retrouver notre ancienne gouvernante, Jogabeth. Cela faisait des années que je pensais à elle et j'avais essayé parfois de la retrouver, mais je m'étais heurtée à un mur et j'avais abandonné. Mais son mari touchait une retraite de la SAB, et, rien qu'en donnant son nom et quelques renseignements sur son adresse dans les années 1980, ils avaient réussi à la retrouver pour moi. Je mis aussitôt mes parents au courant et nous appelâmes tous Jogabeth et Esau un soir. Nous étions submergés de bonheur de les revoir. Nous avions prévu une réunion, mais Madiba tomba malade et il fallut ajourner. Mon cœur était plein de joie et mes yeux pleins de larmes quand Jogabeth me dit « Toutes ces années, je t'ai vue à la télé en pensant "ma Zellie a bien grandi", mais comment je pouvais te recontacter ? » J'étais touchée par cette fidélité. J'espère la revoir bientôt, reprendre contact et voir si je peux faire quelque chose pour l'aider dans sa vieillesse. Elle avait donné une période de sa vie pour moi. Il était temps de lui rendre la pareille.

Madiba, lui, ne cessait de nous étonner. Même pendant sa longue maladie, il nous donna, à nous et au monde, le temps de nous préparer à une vie sans lui. Le deuil nous affectait tous. Les gens se sentaient vidés. Je rêvais souvent de lui. Parfois de beaux rêves, parfois des cauchemars. Je me réveillais tous les matins et me rappelais, sous le choc, qu'il était encore malade. Je saisissais mon portable pour voir s'il y avait eu des nouvelles ou des messages pendant la nuit. Je m'inquiétais sans cesse pour lui. Pendant de courts moments, la vie quotidienne reprenait son cours, puis la réalité me rejetait dans ces limbes où nous errions tous. Je me sentais inutile. Mon travail ne m'occupait plus à plein temps et j'étais comme un bateau au cœur de la tempête. Des émotions en montagnes russes tous les jours, frustrée et blessée par mon incapacité à le voir ou à lui parler. Mes rêves se firent plus intenses, et le matin, je devais me convaincre que ce n'étaient que des rêves. Ils se firent plus fréquents à mesure que je me préparais à la dernière étape de notre séparation.

Ce qui m'inquiétait le plus et m'empêchait de dormir, c'était de savoir si, pendant sa longue maladie, il avait été assez conscient pour se demander : Pourquoi Zeldina n'est-elle pas ici ? Je frémis à l'idée qu'il ait pu penser cela. À la fin, je l'avais abandonné, alors que je lui avais promis de ne jamais le faire. Avait-il cru que je l'avais négligé? À présent, dix-neuf ans plus tard, j'avais très envie de poser ma main blanche sur sa peau sombre; de toucher sa peau, qui, d'après mon éducation, ne valait pas la mienne. Pourtant, ce fut cette peau sombre qui donna son sens à ma vie. À l'âge de quarante-trois ans, tout mon être désirait toucher encore cette main, sentir les plis autour des jointures, et voir son sourire illuminer la pièce quand je lui dirais : «Ne vous inquiétez pas, Khulu, je ne vous ai pas abandonné.»

13

Tot weersiens Khulu !

Dans le film *Un long chemin vers la liberté*, le personnage de Nelson Mandela monte lentement sur une colline de Qunu. Il s'éloigne, tournant le dos à la caméra. La lumière est douce, il gravit tranquillement la pente légère de sa démarche familière. Je savais que ce n'était pas lui. C'était Idris Elba, un acteur britannique, mais l'image était si forte, si évocatrice, si poignante que j'éclatai en sanglots dans le cinéma. Les larmes coulaient et coulaient encore, comme jamais. Elles dégoulinaient en cascade sur mes joues. J'essayai de m'en empêcher, ce qui n'arrangea rien. Ce soir-là, après avoir vu la première d'*Un long chemin vers la liberté* en Afrique du Sud, je pleurai pour m'endormir, pour la première fois en quarante-trois ans. C'était comme une préparation au deuil. Je savais que Madiba était presque parti. Qu'il souffrait. Mais cette reconstitution de sa vie surmontait tous les obstacles et rappelait d'innombrables souvenirs.

Madiba ne vit jamais le film. Il sortit de l'hôpital en novembre 2013, près de la fin. Il avait donné sa bénédiction au scénario presque deux décennies plus tôt.

Le producteur, Anant Singh, avait acheté les droits
de l'histoire de Madiba et il avait fallu vingt ans pour
qu'elle arrive sur grand écran, juste à temps pour nous
souvenir.

Le film, qui nous remémorait les sacrifices de
Madiba, nous montrait aussi un Nelson Mandela plus
jeune et plus fort. Aujourd'hui, son corps était brisé
et affaibli, mais dans le film, il possédait une immense
énergie, il était solide et plein de vie. Il adorait danser le bop jazzy des années 1950 – et non le pas traî-
nant des dernières années, quand ses genoux avaient
cédé. Madiba nous racontait comment il allait danser
à Sophiatown ; dans le film, je revoyais cette époque.
En voyage à l'étranger, nous restions souvent là tous
les deux à déjeuner ou à dîner, et il me régalait des
anecdotes de sa jeunesse. J'étais un public parfait. Je
n'ai jamais eu de problème à laisser courir mon imagination, et je lui demandais à quoi il ressemblait,
comment il se tenait, s'habillait, s'il charmait les filles
et comment il dansait. Mes questions directes l'amu-
saient et je demandai souvent : « Est-ce que les femmes
se battaient pour danser avec vous ? » Dans un rire
timide, il répondait : « Oui, bien sûr ! », et j'éclatais de
rire à mon tour.

Cela faisait quelques mois que je ne le voyais plus.
Mme Machel m'invita à prendre le thé chez eux un
jour, après la sortie de Madiba, pourtant considéré
dans un état critique mais stable. Mme Machel dit
qu'elle savait à quel point j'adorais Madiba ; à son avis,
ce n'était pas une bonne idée que je le voie dans un
tel état d'affaiblissement. Au début, j'avais soupçonné
la famille de lui avoir dit de me tenir à l'écart, mais

en y réfléchissant, je pensai que c'était mieux ainsi. Je ne voulais pas le voir aussi désarmé. Je ne voulais pas perdre le contrôle de mes émotions en sa présence. Il me fallut attendre après sa mort pour apprendre que j'avais bel et bien été interdite de visite.

Mon esprit bouillonnait sans cesse, essayant de comprendre pourquoi Madiba ne lâchait pas prise, et s'il en était capable. C'était obsédant. Ces pensées me dévoraient chaque jour, peu à peu : ne pas savoir ni comprendre ce qui lui arrivait.

Parfois je me demandais, comme bien des Sud-Africains, s'il était maintenu en vie artificiellement. Mais Mme Machel et Josina me dirent qu'il y avait encore une étincelle, qu'il arrivait parfois à prendre la main de quelqu'un ou à ouvrir les yeux. Mais en novembre, même ces petits gestes cessèrent. Il s'en allait, malgré les efforts colossaux des médecins pour le garder en vie.

Il sombrait souvent, il lui fallait alors une intervention médicale supplémentaire, il approchait de la fin, mais de temps en temps il allait mieux. Ses médecins étaient stupéfaits de lui voir une telle force alors qu'il était si affaibli. Je me demandais s'il commençait à avoir peur de la mort, à présent. Il se montrait évasif à ce sujet, disant des choses comme « quand tu es parti, ton corps est mort ». Les gens évoquaient ces ancêtres qui ne l'avaient pas encore appelé, et je me demandais s'il en était conscient. Madiba était respectueux de la tradition, mais elle ne l'obsédait pas.

Au fil des jours, je restais là aux aguets, anxieuse, dans l'attente de nouvelles de sa santé. On vivait alors dans des limbes permanents. J'échangeais des SMS et des mails inquiets avec Mme Machel et Josina. Parfois, je les rencontrais en essayant de reprendre mon travail comme à l'ordinaire, et j'évitais de leur poser trop de questions. Je demandais juste : « Il va bien ? », « Mum, vous pensez qu'il ne souffre pas ? », ou encore : « Mum, vous pensez qu'il est conscient de ce qui se passe ? » J'essayais de ne pas jouer les curieux comme les autres, et de montrer mon soutien à Madiba en soutenant son épouse. Après tout, le premier jour où j'avais rencontré Madiba à Paris, en 1996, il m'avait dit que je devais aussi m'occuper de Mum et ne jamais la perdre de vue. C'était exactement ce que je faisais encore.

Puis je reçus l'inévitable message. Le 3 décembre, Josina et Mum m'apprirent que l'état de Madiba se dégradait. Cela semblait être le début de la fin.

Je vis Josina le jeudi 5 décembre à la Fondation. Elle semblait épuisée. Le jeudi 5 décembre en début de soirée, Josina me téléphona pour me transmettre des instructions de Mme Machel. Je devais informer certains des meilleurs amis de Madiba que son état s'aggravait. C'était si difficile, cette franchise brutale. Il me fallut des heures pour appeler tout le monde sur la liste. Parmi ces gens figuraient des personnalités comme l'archevêque émérite Desmond Tutu, Ahmed Kathrada, Thabo Mbeki, George Bizos et d'autres proches de Madiba, mais qui n'appartenaient pas au gouvernement, et en temps normal ne seraient pas informés. Je me sentais forte au début, mais les réactions des correspondants – un mélange de douleur, de stupéfaction et d'incrédulité – anéantirent tout ce courage. Après chaque appel, je me reprenais en me répétant ce que disait Madiba, « cela paraît toujours impossible jusqu'à ce que ce soit fait », et j'appelais la personne suivante.

Dans la soirée, deux hélicoptères avaient survolé ma maison dangereusement bas. Comme je vivais à mi-chemin de Pretoria, la base des hélicoptères militaires, et de Johannesburg, où habitait Madiba, les hélicoptères devaient survoler mon quartier. L'armée se préparait-elle au pire ? Ou s'était-il déjà produit ? Si c'était l'armée, cela signifiait que c'était effectivement arrivé. Il y avait deux questions à envisager : d'abord, ils étaient probablement impliqués d'un point de vue protocolaire, et ensuite, ils craignaient peut-être l'*uhuru*, cette « nuit des longs couteaux » objet de tant de rumeurs, pendant laquelle les Noirs tueraient les Blancs à la mort de Madiba. Seuls les extrémistes participaient à ces échanges, et je savais désormais que l'Afrique du Sud était plus forte – et désormais capable, en tant que nation, de réagir à ce que nous craignions tous, Noirs et Blancs : la mort de Madiba.

Puis ce fut fait. Je sus qu'il était parti. Je n'avais pas besoin de demander. Je restai paralysée quelques instants puis bondis de la chaise dans la cuisine, en me disant que cela m'empêcherait de devenir hystérique. Je sortis et m'assis seule dans le calme de la chaude nuit d'été, pour réfléchir, prier et assimiler ce qui venait d'arriver. J'étais seule à la maison et mon premier instinct fut de prier, d'allumer des bougies et de me mettre au lit le plus tôt possible. Je savais ce qui m'attendait. Mon téléphone devenait fou. Je ne répondis à personne. Des rumeurs circulaient partout. Deux heures plus tard, je recevais des messages d'aussi loin que Los Angeles : « Madiba va bien ? » Je savais que si je répondais à un seul d'entre eux, la nouvelle se répandrait comme un feu de brousse. Je ne voulais pas mentir non plus.

Mon téléphone n'arrêtait pas de sonner et je coupai le son, pris deux somnifères et allai me coucher. Je savais que le président devait faire une déclaration officielle, mais je n'avais aucune idée de ce qui arriverait. J'informai le P-DG de la Fondation Nelson-Mandela, Sello Hatang, que je devais le voir au bureau demain matin à 6 heures. Il accepta et je partis me coucher.

J'envoyai un message à mon frère et son compagnon Rick, pour leur demander de récupérer mes chiens demain matin. J'ajoutai : « Je t'en prie, ne pose aucune question, viens juste chercher Winston et Indira dès que possible. » Quelqu'un devrait s'en occuper et je savais que je ne serais pas beaucoup chez moi dans les quelques jours à venir.

Le 6 décembre 2013, je me réveillai juste après 4 heures du matin. J'avais vingt-huit appels manqués et littéralement des centaines de mails, de SMS et de messages. Je me douchai, descendis prendre le café et lus quelques-uns de mes messages. Le monde s'était réveillé dans mon pire cauchemar. Madiba était parti. Le président l'avait annoncé dans la nuit et à ce jour, je n'ai toujours pas vu la vidéo de cette déclaration.

J'appelai mes parents avant 6 heures du matin. Tous deux étaient déjà au courant. Ils dorment avec la radio allumée dans leur chambre ; lorsque la musique habituelle fut interrompue par l'annonce du président, mon père réveilla ma mère pour la mettre au courant. Mon père, l'homme qui m'avait mise en garde contre la libération du terroriste en 1990, pleurait Madiba comme un enfant et passa toute la nuit à regarder ce qui se passait à la télévision. En entendant la tristesse dans leurs voix, je m'effondrai pour la première fois.

Je fonçai au bureau. Certains de mes collègues étaient déjà là. Tout le monde était affecté mais prenait sur lui, comme des soldats en mode opérationnel, sachant qu'il fallait se mettre au travail tout de suite en prévision des jours à venir. Il fallait acheter des livres de condoléances, préparer des déclarations et créer un espace pour que les gens puissent porter le deuil de Madiba. L'équipe fit un travail formidable, et sous la direction de Sello, elle réalisa très vite cet espace. J'appelai aussi l'une de mes amies, Minèe. Je lui demandai de venir au bureau pour s'occuper de mes lignes téléphoniques et répondre aux appels. Les médias se mirent à me pourchasser pour avoir mes commentaires et mes réactions, et Minèe dut les tenir à l'écart, tandis que j'essayais de déterminer la suite des événements. Pour relâcher un peu la pression des médias, je décidai de faire une déclaration. Je m'assis à l'ordinateur, les mots coulant en même temps que les larmes.

La Fondation Nelson-Mandela accepta de publier ma déclaration. Voilà ce que j'écrivis :

«J'ai souvent lutté contre une pression permanente. Mais alors, je le regardais, lui qui possédait tant de grâce et d'énergie. Je ne suis jamais partie. Je n'aurais jamais pu. Nelson Mandela n'exigeait pas notre loyauté, mais il inspirait une loyauté profonde et sans faille à tous ceux dont il croisait la route. À présent que nous pleurons le départ de Madiba, j'en viens à accepter lentement le fait que je ne le verrai plus. Mais les héros ne meurent jamais. Aussi triste que je sois, je ne pénétrerai plus jamais dans une pièce pour voir son sourire généreux et contagieux, et l'entendre dire : "Ah, Zeldina, tu es là." J'ai accepté le fait que l'héritage de Madiba ne dépende plus de sa présence. Il vivra dans tout ce qui porte son nom, livres, images, films. Il vivra dans les sentiments que nous éprouverons en entendant son nom, le respect et l'amour, l'unité qu'il nous a inspirée à tous, en tant que pays, mais aussi dans nos relations…

Je chérirai tous ses sourires, les moments agréables mais aussi difficiles, et en particulier les moments de simplicité… *Tot weersiens khulu* [à la prochaine fois, grand-père] !! Je t'aimerai chaque jour pour le restant de mes jours. »

Au moment où je tapai la dernière phrase, toute la réalité de la situation me heurta de plein fouet. Je faisais mes adieux. Était-ce réel ? Je n'avais jamais, jamais imaginé que je serais un jour assise à mon bureau en train d'écrire ces mots. J'avais l'impression de dire au revoir depuis une autre stratosphère. Minée recevait des appels et répondait aux messages en mon nom. Les gens me contactaient à titre personnel, parce qu'ils savaient tout ce que Madiba représentait pour moi, mais d'autres appelaient aussi parce que j'étais leur lien avec lui. Ils ne savaient comment ni où exprimer leur chagrin. Je dus d'abord réfléchir à ce qu'il fallait faire avant de penser à mes propres sentiments.

Depuis quelque temps, j'avais travaillé avec Mme Machel et Josina, dressant des listes dans cette éventualité. Y figuraient des gens qui avaient servi Madiba, des gens qui l'avaient accompagné lors des procès de la Trahison et de Rivonia : des amis, les dirigeants et responsables de toutes ses œuvres, ses soutiens, et ceux à qui nous faisions toujours appel quand Madiba avait besoin d'aide – pas seulement pour ses œuvres mais aussi parfois pour obtenir un travail pour l'un de ses petits-enfants, ou pour rendre service à un enfant. Ces listes avaient été mises à jour plusieurs fois, mais la dernière datait de juin 2013, lorsque Madiba avait été hospitalisé. Ces documents furent ensuite soumis à Makaziwe et Ndileka Mandela, la petite-fille aînée de Madiba. C'étaient les deux seuls membres de la famille impliqués dans la préparation des obsèques, qu'elles prévoyaient depuis huit ans.

À l'origine, l'État avait prévu d'organiser la cérémonie aux Bâtiments de l'Union, le centre de pouvoir du pays, où s'étaient tenues toutes les autres funérailles nationales. Madiba voulait être enterré à Qunu, mais il n'avait pas précisé qu'il désirait des obsèques officielles là-bas. C'était un homme simple, avec des besoins modestes, qui sous-estimait son importance dans le monde.

Pour certains, ces obsèques seraient l'occasion de conserver le pouvoir sur l'héritage de Mandela et un rôle au sein de sa famille.

J'étais reconnaissante à ceux qui se sont souvenus de moi et du petit rôle que j'ai joué dans la vie de Madiba. L'archevêque Desmond Tutu a fait allusion à moi dans un sermon très émouvant à la cathédrale Saint-George, au Cap. Pourtant – et cela doit nous rappeler avec humilité que nous sommes tous oubliables et remplaçables – l'archevêque oublia mon nom de famille et m'appela Zelda van Graan à plusieurs reprises. Il était fragilisé et bouleversé par le décès de celui qu'il respectait. À ce triste instant, les gens twittaient ou retransmettaient une image me montrant en train de dire : « Je changerais bien mon nom pour m'appeler van Graan. » C'était drôle, mais sur le moment je n'arrivais pas à rire.

Je fus aussi incroyablement touchée par la déclaration de la ministre de la Défense Nqakula, me remerciant pour mes années de service. Elle ajouta qu'à son avis je n'avais jamais eu le temps d'avoir un petit ami et même si je ne voulais pas qu'on en parle en public, elle avait raison, et c'était la première fois que quelqu'un le faisait. À une époque, je ne pouvais pas passer vingt minutes avec un homme sans que Madiba m'appelle pour quelque chose. Je ne me mettais jamais en colère. Madiba était le premier. Lorsqu'il m'arrivait d'avoir une passade ou autre relation insatisfaisante, je ne pouvais jamais m'y impliquer complètement. Cela ne me dérangeait pas. La gratitude de la ministre m'émut encore davantage. Je n'avais jamais attendu de remerciements. C'était Madiba qui me remerciait. Cela me suffisait, et je m'estimais trop heureuse d'avoir été choisie pour le servir, au-delà de tout ce que j'attendais dans la vie. Mais qu'un membre de l'ANC m'exprime sa reconnaissance, cela me bouleversait. Je ne m'intéressais pas à Madiba seulement parce que je m'occupais de lui. Je connaissais des millions de personnes qui s'occupaient de lui aussi et j'essayais de servir ses intérêts de mon mieux pour qu'il puisse honorer ses relations avec d'autres.

Mes comptes Twitter et Facebook, ma messagerie et mon portable débordaient de témoignages de remerciements. J'étais submergée, et il y en avait trop pour leur répondre. Je suis encline au détail, je pense avec l'hémisphère gauche, et au début, je crus que je pourrais remercier chaque correspondant personnellement… mais au fil des heures mon portable se bloqua à cause de la surcharge et je n'avais tout simplement pas le temps de faire ce que je voulais. Le pire, c'était que les gens qui me déversaient leur gratitude avaient tous subi la même perte que moi. Ils devaient surmonter leur propre chagrin, et pourtant ils avaient pensé à moi. J'étais profondément émue.

Il fallait à présent trouver comment accréditer les gens sur la «liste d'amis» de Madiba. Sello, qui était à présent directeur de la Fondation Nelson-Mandela, essayait de son côté d'obtenir des informations, tandis que les employés luttaient en permanence contre la désorganisation et répondaient à un feu roulant de questions. Sello, en tant que directeur, n'apprit rien de précis, et son personnel non plus.

Des gens appelaient pour avoir des précisions sur le service commémoratif qui devait se tenir au stade FNB de Soweto, le mardi 10 décembre. Il m'était impossible de répondre que je ne disposais pas de cette information et qu'on ne me la donnerait pas. La famille Machel apprit soudain qu'elle n'obtiendrait que cinq accréditations en plus de la «liste d'amis», et que Mme Machel compterait pour une personne. Donc, elle seule serait autorisée aux obsèques de son propre mari, avec quatre autres Machel. C'était tellement ridicule qu'on ne pouvait qu'en rire.

Les quelques jours qui suivirent, avant le service commémoratif, nous fûmes nombreux à ne pas dormir, essayant d'obtenir des informations et de comprendre l'organisation. Dire qu'elle était chaotique serait encore trop indulgent. Cette combinaison de mauvaise planification et de secret d'État semblait particulièrement mal adaptée à un événement aussi inévitable. J'avais voyagé partout dans le monde avec Madiba, assistant à des événements où se trouvaient parfois des centaines de chefs d'État. L'organisation n'était pas toujours parfaite, mais je n'avais jamais vu un désordre pareil. Personne ne pouvait vous donner tous les renseignements utiles, et le planning changeait toutes les cinq minutes. Même les responsables n'en savaient rien, semblait-il.

Le dimanche soir, après de nombreux échanges agressifs entre les chargés du protocole du gouvernement, la famille Mandela et moi-même, nous fûmes sauvés par une haute responsable de l'ANC. Elle vint à notre rescousse, réussissant à obtenir les accréditations pour la famille Machel avant de les faire parvenir au Saxon Hotel où je retrouvais Josina.

Cela devenait ridicule. Si nous pouvions à peine obtenir des autorisations pour que la veuve de Nelson Mandela et ses enfants participent à son service commémoratif, il deviendrait franchement impossible de les obtenir pour d'autres personnes.

Entre-temps, les envoyés des présidents Obama et Clinton étaient arrivés et essayaient d'obtenir des détails par mon intermédiaire. Toute cette désorganisation aggravait la pression et faisait monter la colère. Je demandais régulièrement pourquoi cette cérémonie était prévue depuis huit ans et voilà que personne ne nous répondait. Nous avions l'air d'amateurs pris par surprise. On nous assura que nous obtiendrions les accréditations pour la «liste des amis» le lendemain.

Lundi matin de bonne heure, je commençai ma série d'appels. Vers 14 heures, l'une de nos amies, Basetsana Khumalo, se rendit au siège de l'ANC pour récupérer les accréditations. Elle se rendit alors compte que seule la moitié des personnes les avait obtenues. La cérémonie avait lieu le lendemain. Impossible que des gens vivant à l'étranger prennent le risque de se rendre en Afrique du Sud pour la cérémonie s'ils n'étaient pas sûrs d'être accrédités. Aucune invitation ne fut envoyée et les amis de Madiba étaient censés se rendre au stade, selon le principe du premier arrivé premier servi, pour s'asseoir au milieu de la foule qui suivait la cérémonie. Y compris des personnalités comme l'archevêque Desmond Tutu.

Au milieu de toute cette agitation, comme si la situation pouvait encore empirer, je me rappelai un rendez-vous que j'avais pris la semaine passée. Le canal radiculaire. La douleur morale avait éclipsé la douleur dentaire. Une amie, Marli, m'amena chez le dentiste. Je n'arrivais pas à conduire et répondre au flot d'appels téléphoniques en même temps. Marli s'occupa de mes appels pendant l'opération, me répétant les questions tandis que j'étais allongée sur le fauteuil du dentiste, la bouche ouverte, à deux doigts d'être attachée comme dans un dessin humoristique.

J'écrivais la réponse sur un bout de papier, quasiment illisible, mais Marli réussit à répondre pendant l'heure et demie que je passai chez le dentiste. Celui-ci comprit vite qu'il ne pourrait pas terminer son travail et me demanda de revenir la semaine suivante pour l'achever. Voyant que j'étais sous pression, il se montra d'une grande patience. Il réussit à arrêter la douleur, et je repartis.

La bouche pleine de coton et d'anesthésiant qui m'engourdissaient le cerveau autant que les mâchoires (j'avais demandé au dentiste de m'injecter une quantité supérieure à celle autorisée, pour me calmer aussi les nerfs, mais il avait refusé), j'essayais d'expliquer aux gens que je n'avais toujours pas d'informations. Je tâchais de rester optimiste. Mais dès que j'avais enfin répondu à tout le monde, la première personne sur la liste rappelait pour avoir du nouveau. J'étais au bord de la crise de nerfs.

Par moments, Josina, Basetsana et moi nous hurlions dessus, avant d'éclater en sanglots hystériques, de ramasser les morceaux et d'essayer encore d'y mettre de l'ordre. Nous savions qu'ensemble nous pouvions nous permettre d'exploser ainsi. George Cohen, le directeur du Saxon Hotel qui était devenu un bon ami, ainsi que les propriétaires, la famille Steyn, avaient insisté pour que je reste chez eux à l'occasion de la cérémonie. George voulait m'aider et fit tout son possible. Je vivais à la périphérie de Johannesburg et, en m'offrant de rester en ville, il avait déjà allégé mon fardeau.

Comme certains amis de Madiba étaient aussi au Saxon Hotel, cela rendit les choses plus faciles pour communiquer avec eux. Dès que j'avais un renseignement, même très limité, je le transmettais à George qui le diffusait à son tour aux amis présents sur place, et à tous ceux qu'il pouvait contacter. Le personnel de la Fondation était occupé à prendre ses dispositions pour créer un espace public de deuil, et George et ses employés m'aidèrent à recevoir les appels, puis envoyèrent des chauffeurs se renseigner. En outre, George m'obligea à manger. Plus d'une fois, il me trouva sanglotant de douleur et d'impuissance; il me calmait alors et m'aidait à trouver des solutions. Pour moi, tous les amis de Madiba avaient été importants dans sa vie, leurs demandes d'informations étaient légitimes, et mon incapacité à les aider semblait de l'indifférence et de l'amateurisme.

Le lundi soir, le ministère de la Défense appela pour dire que je devais me rendre aux Bâtiments de l'Union à Pretoria pour régler les accréditations de la liste. C'était la seule solution à une heure aussi tardive. J'avais alors contacté tous les gens dont je pensais qu'ils pourraient nous aider. Le lundi à 19 heures, nous ne savions même pas à quelle heure la cérémonie devait commencer le lendemain.

Nous n'étions pas les seuls. Les médias n'avaient aucune idée de l'organisation, eux non plus. Le gouvernement ne faisait que le strict nécessaire, en distillant l'information au compte-goutte.

Entre-temps, Madiba était embaumé au premier hôpital militaire de Pretoria. Je sus par mon amie Robyn Curnow, qui était informée depuis des années par la famille, que Madiba était « escorté » vers l'au-delà par des Anciens de la tribu Thembu. Ils lui parleraient, lui expliquant ce qui se passait jour après jour. Madiba détestait la paperasserie et la bureaucratie, et je n'osais me demander comment il aurait réagi en apprenant notre frustration.

L'amie qui m'avait conduite chez le dentiste m'emmena aux Bâtiments de l'Union, en compagnie de Sara Latham, le sherpa du président Clinton – et aussi une vieille amie. Elle avait été personnellement envoyée en Afrique du Sud par les Clinton pour m'aider du mieux possible. À mi-chemin, Basetsana nous appela pour nous informer qu'ils n'imprimeraient pas les accréditations aux Bâtiments de l'Union, et que nous devions revenir à Johannesburg – ce que nous fîmes. On nous dit que nous recevrions les accréditations restantes vers 22 heures. À 22 h 30, je rappelai avec Josina et on nous apprit que nous les recevrions à 1 heure le mardi matin. À 1 heure, on nous dit que ce serait à 3 heures ; nous n'allâmes donc pas nous coucher. À 3 heures, nous n'avions aucune nouvelle. Nous attendions toujours. À 5 heures, j'appelai des gens. Des personnalités comme le magnat Johann Rupert étaient venues en avion du Cap pour assister à la cérémonie, mais son accréditation n'avait toujours pas été émise. À 6 heures du matin, je déposai deux cartes d'accréditation au portail de sa maison, des cartes portant des noms inconnus de lui ou de sa femme. Je n'avais aucun autre moyen de l'aider. Johann reprit son avion et rentra au Cap.

Johann était l'une des personnes que Madiba appelait toujours quand il avait besoin d'aide financière pour un projet. La relation de Madiba avec sa famille remontait aux négociations du début des années quatre-vingt-dix, après la libération de Madiba. Et pourtant, cet homme ne pouvait se rendre à la cérémonie pour Madiba, bien que celui-ci l'eût considéré comme l'un de ses fils.

En outre, aucun participant des œuvres de Madiba, ni leurs dirigeants ni les membres de leurs conseils d'administration, n'avait été accrédité. Tous ces noms avaient figuré sur la liste soumise à plusieurs reprises les deux dernières années. Il y avait aussi des employés et d'autres personnes ayant joué un rôle essentiel dans la vie de Madiba : tous avaient été oubliés pour les accréditations.

À 8 heures du matin, après avoir dormi seulement trois quarts d'heure, j'arrivai à nos bureaux, d'où la famille Machel s'apprêtait à partir. Je m'excusai platement auprès du M. Ndebele, le président de notre Fondation, ainsi que de Sello, notre P-DG. J'étais profondément déçue, blessée et gênée qu'on ne se soit pas occupés d'eux. Si Mme Machel n'avait pas soumis mon nom dans la liste de la famille, je n'aurais pas reçu d'accréditation. Des pans entiers du passé de Madiba semblaient ainsi ignorés ou lessivés. Les gens qu'il avait personnellement nommés, les institutions qu'il avait créées étaient marginalisés par mesquinerie.

L'avocat George Bizos, l'un des plus vieux amis de Madiba (leur relation remontait au procès de Rivonia), arriva à son tour au bureau, son nom ayant aussi été soumis dans la liste familiale. Je l'aidai à monter dans le bus et demandai à Lori, mon amie de Los Angeles et associée de Morgan Freeman, de ne pas le quitter. En arrivant au stade, c'était le chaos. Il pleuvait sans discontinuer et un orage incessant tombait sur Johannesburg. Certains disaient que c'était un signe de chance, que les dieux accueillaient Madiba. Lui aurait dit que c'était ridicule. La pluie compliqua encore une situation déjà difficile et perturbée. Quelqu'un a déclaré récemment que Madiba n'aimait pas trop qu'on fasse de cérémonie pour lui, et que la pluie était sans doute sa manière à lui de s'en assurer.

On nous envoya à gauche et à droite, de loge en loge. Il fallut monter et descendre les étages avec George Bizos, un monsieur âgé. À un moment, j'essayai d'aider l'archevêque Tutu, Kofi Annan et les Anciens qui étaient malmenés par la police à l'entrée d'une des suites. Quel manque de respect !

Lorsque Bono, Sol Kerzner, Charlize Theron et la famille de Douw Steyn arrivèrent, ils se virent aussi refuser l'entrée aux suites. Un responsable du protocole les chassa littéralement, leur disant de trouver «la première loge ouverte» dans un long couloir. Je les escortai, me contentant de les emmener dans la première pièce disponible, sans buffet et avec seulement des chaises en plastique orange. Au moins, ils avaient une certaine intimité. Circonstance aggravante, cette suite était située derrière un écran au fond de la scène, d'où ils ne voyaient presque rien. Je leur dis que je reviendrais les chercher une fois que je leur aurais trouvé un endroit plus digne, mais qu'il leur fallait rester ici car je ne voulais pas qu'ils soient malmenés par la police ou les gens du protocole. Je me répétai sans cesse : «Pour honorer Madiba, tu dois honorer ses relations.» Même si c'était la dernière chose que je pouvais faire pour lui, j'essayerais d'honorer les relations qu'il avait entretenues.

Après d'autres querelles, cris, hurlements et crises de nerfs, Jessie Duarte, la présidente adjointe de l'ANC, vint à mon secours. Je lui avais expliqué ce qui s'était produit et elle s'était disputée avec la police et le protocole devant la suite ministérielle, pour que les amis de Madiba soient installés dans un endroit convenable. Jessie Duarte partageait mon agacement, elle pensait que c'était inacceptable de traiter les gens avec un mépris pareil. Elle dépêcha un employé du protocole qui alla chercher nos amis.

Madiba détestait les cérémonies aux discours interminables. Il détestait que les gens chantent ses louanges pendant des heures et des heures. Pour lui, une fois que quelqu'un avait dit du bien de lui, c'était assez. Ce n'était donc guère la célébration de sa vie qu'il avait espérée. La journée n'était pas fériée et le stade de 90 000 places n'était même pas plein à moitié. C'en était gênant. Les spectateurs avaient dû prendre des congés pour assister à la cérémonie, et comme on était juste avant les vacances de Noël, ce fut tout simplement impossible pour beaucoup.

Rien n'avait été prévu non plus pour Josina et Malenga, les deux enfants de Mme Machel. Ils étaient avec nous et le reste de la famille Machel dans la suite ministérielle. Au milieu de la cérémonie, quelqu'un vint leur annoncer qu'il restait de la place sur le terrain avec le reste de la famille, mais je les empêchai de s'humilier en arrivant « après coup » sur le terrain. Madiba avait passé plus de temps avec ces deux jeunes personnes qu'avec bien des membres de sa propre lignée. Cette histoire les fit sourire, mais j'étais frappée du mépris extrême avec lesquelles on les avait ainsi traités.

Le président Clinton me fit appeler dans la suite présidentielle, parce qu'il voulait me saluer avec la ministre Hillary et Chelsea. JD, l'assistant du président, vint me chercher. Quand je les vis, je faillis m'effondrer. J'avais l'impression de voir mes parents et ma famille. J'avais passé bien des heures en leur compagnie ces dix-neuf dernières années, et ils savaient à quel point j'adorais Madiba, et je les adorais, eux. Ils partageaient notre douleur à tous. Ils aimaient profondément Madiba, au-delà de l'admiration professionnelle. En les voyant, je compris que mon deuil était le leur. L'important n'était pas tout le temps passé avec Madiba. La relation avec lui dépendait de ce qu'on éprouvait pour lui au fond de son cœur, et les Clinton en étaient conscients.

Le président Obama eut un moment d'inspiration digne de Martin Luther King et fit un discours qui restera dans l'Histoire comme l'un de ses meilleurs. Il y eut trop d'interventions, cependant, et ce n'était pas la célébration de la vie de Madiba que nous avions espérée. Les prises de parole durèrent des heures et des heures, avec très peu de chants, de danse ou de musique – ce que Madiba aurait préféré. Cela montrait bien à quel point certaines personnes n'avaient pas connu Madiba.

Le président Zuma fut hué par ses propres compatriotes, chaque fois que son visage ou son nom apparaissaient sur l'un des écrans géants du stade. Ce fut très gênant, mais je n'étais pas surprise le moins du monde. C'était un manque de respect – cette même attitude que Jacob Zuma n'avait pas condamnée lors de son procès pour viol quelques années auparavant, lorsque des jeunes indisciplinés de l'ANC avaient brûlé des T-shirts à l'effigie du président d'alors Thabo Mbeki. Cet irrespect se manifestait sous une forme différente. Comme lorsque la violence s'installe dans une relation. Une fois qu'on a laissé ces débordements se produire, on ne peut plus revenir en arrière. Si c'était permis hier, pourquoi ne serait-ce pas permis aujourd'hui ? J'étais gênée non seulement pour le président Zuma, mais pour l'Afrique du Sud tout entière.

Le mardi soir, après la cérémonie, nous nous rendîmes à Houghton pour voir Mme Machel ; le président Clinton et sa famille quittèrent l'Afrique du Sud peu après. Sol Kerzner, l'une des personnes qui arrivait toujours à faire sourire Madiba, partit aussi. L'homme d'affaires avisé avait de la tristesse dans le regard, lui aussi. Les dernières années, je disais parfois à Madiba que Sol ou les Clinton avaient appelé même si ce n'était pas vrai, et cela revigorait toujours Madiba quand il en avait besoin. Ces amis venaient nous voir aussi souvent que possible, chaque fois que leurs affaires les conduisaient en Afrique du Sud. Lorsque le président Clinton se rendait en Afrique, il faisait toujours en sorte de passer dans notre pays pour l'anniversaire de Madiba.

Avant d'aller au lit, j'essayais de prendre des dispositions pour que le lendemain matin, Bono, Naomi Campbell et la famille Steyn puissent rendre hommage à Madiba aux Bâtiments de l'Union, où sa dépouille était exposée. Madiba appréciait Bono, qui se servait de sa célébrité pour de bonnes causes. En retour, nous faisions toujours appel à lui pour jouer dans les concerts et les événements au profit des œuvres de Madiba, sans qu'il demande de cachet ou de défraiement. Naomi fut la première célébrité à soutenir publiquement le Fonds Nelson-Mandela pour l'enfance ; elle fut la première petite-fille honoraire de Madiba. Quand Madiba eut quitté sa maison de Soweto en se séparant de Winnie Madikizela-Mandela, la famille Steyn accueillit Madiba pendant six mois, et il acheva l'écriture d'*Un long chemin vers la liberté* chez eux ; l'ANC y prépara aussi la Constitution de transition. Les Steyn reçurent les amis et les camarades de Madiba, et lui offrirent un lieu pour voir les enfants de son fils Makgatho. Ces gens méritaient tous une place dans la vie de Madiba, et voilà qu'on n'avait rien prévu pour qu'ils puissent lui rendre un dernier hommage aux Bâtiments de l'Union.

Bridgette Radebe, l'épouse de notre ministre de la Justice Jeff Radebe, proposa de passer au Saxon Hotel pour nous aider à nous rendre aux Bâtiments de l'Union le lendemain matin. Les routes étaient toutes barrées : à moins d'être accrédité, il fallait faire la queue pendant des heures pour prendre les transports publics jusqu'aux Bâtiments de l'Union. Le mercredi matin à 6 heures, Bridgette appela pour dire que Jeff serait là à 8 heures. J'attendis jusqu'à 7 heures puis demandai à George, le directeur de l'hôtel, de réveiller Naomi, Bono et les Steyn. À 8 heures du matin, Bridgette appela pour dire que Jeff avait dû se rendre à une autre cérémonie et qu'il ne pourrait pas nous aider. La panique me saisit de nouveau. Comment pourrais-je conduire mes invités aux Bâtiments de l'Union? Le gouvernement ne s'imaginait sûrement pas que ces personnalités allaient faire la queue pendant cinq ou six heures avec le public pour rendre un dernier hommage à Madiba?

Je me sentais impuissante. J'avais toujours été capable de régler les problèmes, d'ouvrir les portes, mais celles-ci se fermaient les unes après les autres. Cela aurait mis Madiba en colère, et cette idée n'arrangeait rien. Il fallait se reprendre, s'adapter et trouver une autre solution.

Tandis que je téléphonais dans l'hôtel, l'ancien président F. W. de Klerk, qui s'y trouvait aussi, passa par là et m'entendit. M. de Klerk était président en 1990, quand Madiba sortit de prison. Madiba appréciait M. de Klerk et parlait de lui avec respect, un respect que je partageais. Quand j'eus fini mon appel, il me dit : « Zelda, parlez avec Norman, mon responsable de la sécurité, et voyez s'il peut vous aider. » À 9 h 15, nous partîmes tous en convoi avec l'ancien président de Klerk et sa femme Elita. L'ironie de la situation était trop forte pour moi. Voilà l'homme qui représentait l'apartheid pour tant de gens et qui, d'une certaine manière, aidait encore Madiba. C'était trop pour moi et j'aurais tellement voulu en parler à Madiba. Cela ne l'aurait pas surpris, pourtant. Il pensait sincèrement qu'en dépit de leurs différends politiques occasionnels, M. de Klerk était une personne bonne et raisonnable.

En arrivant à la *guest house* présidentielle, les célébrités purent rentrer, mais je restai dehors avec les

Steyn. Quand le ministre Jeff Radebe et sa femme Bridgette arrivèrent, ils durent m'accompagner à l'intérieur et il me fallut trouver une idée pour faire entrer les Steyn. Pour finir, nous parvînmes à faire transporter tous nos invités aux Bâtiments de l'Union, où était exposé Madiba.

En descendant l'escalier des Bâtiments de l'Union, je sentis le calme revenir en moi. Il fallait que je sois prête à faire mes adieux à Madiba, que je prépare ce que j'allais dire. Je n'avais rien prévu de dire à haute voix, mais lui m'entendrait. Il savait toujours ce que je pensais avant même que j'ouvre la bouche. Et quand parfois je lui parlais d'un sujet, il disait : « Tu sais, Zeldina, c'est étrange que tu en parles, parce que j'étais justement en train d'y penser. » Cette fois-ci, ce serait pareil.

À quelques mètres du cercueil, je compris que ce serait difficile. Je ne l'avais pas vu depuis quelques mois. Il commençait déjà à me manquer. Derrière moi, Naomi se figea. Elle avait peur, et je sentis des larmes couler sur mes joues. J'étais paniquée et même si je voulais aider Naomi, je ne pouvais m'empêcher de pleurer. Je me raccrochais à la main de Bridgette Radebe, mais elle la lâcha et prit celle de Naomi. Je voulais qu'elle l'aide, elle aussi. L'instant d'après, Olivia Machel, la fille de Samora Machel et belle-fille de Mme Machel, me prit la main gauche, Bono me prit la main droite, sa femme Ali à ses côtés et ce fut notre tour de nous approcher du cercueil.

Je restais aussi impassible que je pouvais – jusqu'au moment où je croisai les yeux de Mandla Mandela, le petit-fils de Madiba, qui montait la garde au chevet de son grand-père. Mon cœur se brisa. C'était une douleur physique, indescriptible, mais que bien des gens en deuil d'un être cher ont dû ressentir. Je voulais désespérément aller serrer Mandla dans mes bras, mais ce n'était pas possible. Il était comme mon petit frère.

Bono et Olivia me guidèrent jusqu'au cercueil et je vis Madiba. Sans vie. Mort. Froid. Khulu était parti. La première chose que je remarquai fut la cicatrice sur le côté du cou, où on avait visiblement inséré un tuyau, sans doute l'une des nombreuses perfusions qui l'avaient maintenu en vie les six derniers mois. À présent il ne restait plus rien, rien que cette cicatrice. La perforation s'était refermée, mais quand on travaille aussi longtemps avec quelqu'un, on finit par voir même ses cicatrices. Je connaissais la moindre petite marque sur son visage et celle-ci, sur son cou, était nouvelle. Puis je remarquai qu'il était d'une couleur gris sombre et ensuite, que sa poitrine était complètement aplatie. Aussi plate qu'une table. Cela me bouleversa de le voir ainsi, mais je savais que je n'avais qu'une minute pour dire au revoir. Bono s'en chargea en disant une prière ; elle était magnifique mais j'arrivais à peine à respirer. Bono remercia Dieu de la bénédiction qu'avait été Madiba, et Lui demanda de l'accompagner, et de nous accompagner pour trouver un sens à notre vie après Madiba. Bono nous éloigna ensuite du cercueil et j'eus envie d'y retourner en courant. Je voulais toujours dire quelque chose. Nous avons toujours quelque chose à ajouter, non ? Mais la vie m'a appris que nous regrettons souvent davantage ce que nous n'avons pas dit que ce que nous avons dit : ces dernières années, j'avais bien répété à Madiba à quel point je l'aimais et le respectais. Je n'avais jamais voulu regretter de ne pas l'avoir dit. En m'éloignant, je savais que c'était tout ce qu'il savait de moi, gisant dans son cercueil.

Bono et Olivia me tenaient par la main et je ne me rappelle pas avoir remonté les marches des Bâtiments de l'Union, pour la dernière fois sans doute. En revenant à la *guest house* présidentielle, personne ne parla. J'avais cessé de ravaler mes larmes, qui coulaient en cascade sur mon visage. J'avais du mal à respirer et je voulais être seule, mais je devais m'occuper d'autres personnes.

En revenant au Saxon Hotel, après le déjeuner, je fis tristement mes adieux à Bono et sa femme Ali. J'ai également noué des liens avec leur équipe, au fil des ans, et ils sont devenus des amis proches, comme un soutien spirituel. Bono a un côté prédicateur. Il possède une sagesse très profonde de la vie et pendant toute la longue maladie de Madiba, il avait souvent envoyé des messages d'encouragement, sans jamais demander d'informations, mais avec des paroles magnifiques. Je me rappelai le dicton : «Nous sommes tous là pour ramener les autres à la maison», et cela me calma un peu. J'étais épuisée à cause de la tension et des émotions de la journée. Je pensais que les amis de Madiba appartenaient tous, eux aussi, à une espèce humaine particulière. Madiba attirait un certain type de personnes. Cela aurait fait plaisir à Madiba de les voir prendre soin de moi. «C'est bien, Zeldina», disait-il.

La désorganisation persistait, et je dus trouver un moyen de survivre aux jours suivants. Je m'étais effondrée par moments, mais je n'avais pas eu le temps de réfléchir, d'assimiler pour de bon le départ de Madiba. Je n'avais pas eu le temps de penser à moi ni d'accepter cet événement. En outre, comme je n'avais pas vu Madiba depuis deux mois, j'avais du mal à croire qu'il était parti pour de bon. Je m'étais habituée au fait qu'il était chez lui, et en me réveillant tous les matins, ma première pensée était qu'il était gravement malade. On ne savait jamais comment la journée se terminerait, mais on n'attendait jamais la fin non plus.

Il fallait maintenant que j'obtienne une accréditation à la cérémonie prévue le dimanche 15 décembre 2013 à Qunu – pour Alfre Woodard, Oprah, Gayle King, Stedman Graham, Forest Whitaker et Richard Branson. Ils étaient tous venus des États-Unis pour y assister, mais je ne savais pas si j'arriverais à les aider. Ils n'avaient pas le statut de chefs d'État, tout en étant au-dessus du niveau ministériel. Il n'y avait rien de prévu pour eux. Ils étaient censés être traités comme le reste du public. Cela m'était impossible. Ainsi, ces contrariétés étranges et inutiles continuaient, alors que l'événement était prévu depuis huit ans.

En arrivant chez Madiba pour donner quelque chose à Mme Machel, je fus informée par une femme policier en uniforme que je ne pouvais pas entrer, car mon accréditation n'était plus valable. Je ne connaissais pas cet agent, et elle me refusa l'accès. Pourtant, l'un des gardes du corps de Madiba se trouvait à côté d'elle. Il garda le silence et n'essaya pas de m'aider. Je pénétrai dans le corps de garde et demandai au personnel de cuisine de vérifier qu'on m'attendait. On ne

me répondait pas au téléphone. Je demandai au garde
du corps combien de temps il avait travaillé pour
Madiba et il répondit huit ans. Je lui dis que Mum
m'avait appelée ici et lui demandai s'il ne trouvait
pas son comportement passif inacceptable. Il répondit qu'il n'était pas en service et qu'il tenait simplement compagnie à la dame en uniforme. Je lui lançai
enfin : «Comment pensez-vous que Madiba réagirait
s'il vous entendait ? Vous l'avez servi, vous devriez
le savoir. Vous devriez vraiment être fier de vous.»
J'appelai Mum sur son portable, fondant encore en
larmes, bien sûr, et elle envoya ses gardes du corps me
chercher à la grille.

En arrivant dans la maison, on me dit qu'il me fallait une accréditation avec photo. Je me rendis dans la
pièce au fond du jardin où des responsables du protocole gouvernemental s'occupaient de ces papiers,
et leur expliquai que Mme Machel m'avait demandé
de les voir pour obtenir mon accréditation. Ils refusèrent, prétendant que mon nom n'était pas sur la
liste, et que Makaziwe et Ndileka étaient les seules à
pouvoir m'accréditer. Je partis et dis à Mme Machel
que je m'en allais, que je ne pourrais rester au service
religieux auquel elle m'avait invitée. J'étais écœurée
que ce soit à la veuve en deuil d'intervenir pour mon
autorisation. Mme Machel ordonna à Isaac, le mari de
Makaziwe, de m'accompagner de nouveau au bureau
pour que je sois accréditée. Il eut beau leur dire qu'il
était l'époux de Makaziwe et que j'étais «une invitée
spéciale de Mme Machel», ils refusèrent encore. Il
fallut une longue négociation pour qu'ils acceptent
enfin. Je trouvai quelque peu étrange qu'Isaac

présente cette demande comme une requête spéciale de Mme Machel.

J'allai saluer Mme Machel et partis. Elle voulait que je reste pour le service religieux, mais j'étais trop bouleversée. Je l'assurai que je serais là si elle avait besoin d'aide. Elle me confiait encore certaines tâches administratives dont je m'occupais quand Madiba était en vie, comme procéder à des payements ou des transferts selon les instructions. L'ironie de la situation aggravait mon état émotionnel. Quand il s'agissait de me demander si j'avais bien transféré de l'argent sur leur compte, les membres de la famille savaient m'appeler vite, mais je n'étais pas digne d'être traitée en être humain, ni même d'être saluée – courtoisie élémentaire –, encore moins d'être accréditée convenablement.

J'avais encore le problème de l'accréditation Oprah/Branson/Whitaker à régler. Je quittai la maison.

Je passai les quelques heures suivantes à m'occuper de ce problème, précisément. Je contactai des gens par divers moyens pour leur demander de recevoir les amis de Madiba – et les responsables du protocole d'État me dirent qu'ils ne prenaient pas d'ordre du directeur de cabinet de la présidence. Apparemment, certaines factions du gouvernement étaient en conflit avec d'autres. Il ne s'agissait nullement d'honorer Madiba ou de lui conférer la dignité qu'il méritait, mais bien d'affirmer son pouvoir et de régler des comptes. D'un autre côté, personne ne savait vraiment qui dirigeait les opérations. Je ne pouvais m'empêcher de me demander s'il s'agissait simplement de huit ans de préparatifs mal menés, d'argent gaspillé en voyages à l'étranger dans des consultations avec d'autres pays pour un événement de grande ampleur, ou si c'était une tentative délibérée d'exclure des obsèques les gens qui n'étaient pas du «bon» côté. Lorsqu'on dispose de huit ans pour se préparer, on fait forcément bien les choses. C'était un spectacle lamentable et j'étais profondément peinée que des amis chers à Madiba soient traités ainsi. On insista pour qu'Oprah et les autres se rendent à la maison de Houghton pour recevoir leur accréditation. Je transmis l'information à tout le monde.

J'appris avec tristesse que pour recevoir leur accréditation, Oprah, Forest, Gayle et d'autres durent poser pour d'innombrables photos avec les gens du protocole. C'était répugnant. Madiba n'aurait jamais accepté qu'on traite ainsi ses amis. Je n'aurais jamais, jamais soumis Madiba à ce genre d'épreuve, et pourtant ses amis devaient prendre des photos avec des fans pour obtenir leur autorisation. En dix-neuf ans de service auprès de Madiba, je n'avais jamais demandé à ses invités d'être prise en photo avec eux, jamais. Je n'avais jamais demandé à Madiba de le faire non plus. Bien sûr, on m'avait photographiée en train de travailler avec lui, ou il me demandait parfois de le rejoindre avec ses invités, et, en quelques rares occasions, certains de ses amis demandèrent que je sois prise avec eux. Mais c'était précisément l'une des raisons pour lesquelles j'étais restée si longtemps avec Madiba. Je me conduisais de manière professionnelle et ne laissais jamais les familiarités ou la présence des photographes m'éloigner du comportement attendu par Madiba. Une fois, il me demanda si c'était parce que je ne voulais pas être prise en photo avec lui, et je répondis que non en riant. Ces scènes avec les amis de Madiba étaient totalement inacceptables.

J'arrivai au Cap-Oriental le vendredi avec Josina, certains membres de sa famille et des amis, dans l'avion privé affrété par Faizal et Malaika Motlekar. En atterrissant à Mthatha, je remarquai comme les collines étaient verdoyantes. Il avait beaucoup plu et il pleuvait toujours, ce qui aurait vraiment fait plaisir à Madiba ; j'aurais tant aimé qu'il le voie. Il était heureux quand les terres de son âme étaient bien irriguées et fertiles, propres au pâturage et au fermage. Dans une interview avec Robyn Curnow de CNN, l'un de ses petits-fils raconta que Madiba et lui se trouvaient dans le salon de Qunu et que Madiba avait dit à Mbuso, son jeune petit-fils, d'aller courir nu sous la pluie. Madiba disait qu'il le faisait quand il était jeune. Il adorait la vie sans condition, malgré toutes les épreuves qu'il avait endurées. Imaginez-vous quatre-vingts ans plus tôt : un jeune Nelson Mandela folâtrant dans les collines. Nu, sans le fardeau des années, ignorant de son avenir. Peut-être cette pluie était-elle une bonne manière pour Madiba de retourner chez lui.

En quittant l'aéroport, je me rappelai comment je le faisais sourire quand nous étions à Qunu et que je le saluais de son nom traditionnel « Aah Dalibhunga ! » La jeune Afrikaner qui l'accueillait par son nom xhosa. Cela l'amusait et son visage s'illuminait.

En passant devant quelques troupeaux, je me rappelai son adoration pour son bétail. Nous allions jusqu'à sa ferme pour voir les vaches et les taureaux et je pense qu'au fond de lui il aurait adoré être un gros éleveur. Il me disait que, dans sa tradition, la richesse d'un homme se mesurait à la quantité de bétail qu'il possédait. Il avait toujours entre trente et soixante têtes, et je répondais : «Oh mais alors, Khulu, comme vous êtes riche ! » et il riait.

Son ouverture, son contact naturel avec les gens, voilà ce que je me rappelais. Au cours de ces années, mon rôle principal auprès de lui fut de le protéger, d'être son bouclier, pour lui éviter d'être étouffé par l'amour des autres. Son ouverture semblait contredire l'aspect fermé de ses obsèques. Cela me laissait perplexe, m'attristait, me gênait même.

Les médias du monde entier venaient de fondre sur Qunu. Je me rappelais comme Madiba aimait les journalistes. Je pensai qu'il serait vraiment impressionné d'en voir autant à Qunu, et qu'il leur vanterait tant et plus son petit village. Madiba appelait souvent les médias, chaque fois qu'un journaliste écrivait un article critique sur lui. Il les invitait à déjeuner et au début, ils pensaient qu'ils allaient avoir des problèmes pour l'avoir critiqué. Mais une fois chez lui, ils apprenaient que Madiba voulait seulement discuter avec eux pour comprendre leur point de vue. Ils repartaient souvent sans avoir changé d'avis, mais ce n'était pas le but de Madiba. Il se faisait une idée plus précise après ces échanges, et parfois modifiait l'opinion de son interlocuteur en lui donnant des informations exactes, mais aucun journaliste ne repartait jamais fâché. En voyant tous ces visages connus à Qunu, je repensai à ces nombreuses fois où Madiba les avait charmés. Il adorait informer les médias et comprenait qu'ils faisaient leur métier. Mais ici, la situation était différente : les journalistes étaient tenus à l'écart, et la rétention d'information participait d'un jeu de pouvoir.

Le dimanche, nous nous réveillâmes à 4 heures du matin pour nous préparer à la cérémonie. J'essayai de trouver un moyen d'amener George Bizos à la maison pour qu'il ne soit pas obligé de monter dans un bus. Il est âgé, fragile, et se déplace avec difficulté. Ironie de la situation, ce fut l'un des ex-gardes du corps de Madiba qui nous aida à faire entrer George : Piet Erwee. Il passa tous les barrages et contrôles de police en imposant notre présence, sans accréditation lui-même, mais il venait rendre ses derniers devoirs à Madiba. Piet était employé par Rory Steyn, son ancien commandant de police et l'un des gardes du corps et confidents de Madiba durant la présidence. Rory dirige désormais une entreprise de sécurité florissante, et son histoire est encore un exemple du succès que l'on peut connaître si on s'adonne à sa passion.

En arrivant à Qunu, il me sembla tout naturel que George Bizos entre saluer la famille. Nous passâmes par la cuisine, car la porte d'entrée était fermée et on nous refusait le passage. La fille de Makaziwe était à l'intérieur ; elle criait qu'on n'ouvrirait la porte à personne. Je conduisis George et son fils dans la cuisine, puis dans le salon. Makaziwe passa et nous salua à peine. À mesure que Madiba s'affaiblissait, il apparut clairement que Makaziwe et les autres n'approuvaient pas ses choix – pas plus en matière de personnel que d'amis. C'était le cas pour George Bizos. Cette même année, Makaziwe avait contesté sa nomination à la tête d'une des fondations de Madiba, et une campagne de calomnies s'en était suivie, au cours de laquelle la fille de Makaziwe avait publiquement insulté et rabaissé George Bizos. Aucun de nous n'était le bienvenu dans cette maison.

Nous saluâmes Makaziwe de manière civilisée et elle entra dans la cuisine. Là, elle se retourna d'un coup et revint furieuse dans le salon : « Zelda, nous ne voulons pas de vous autres ici. Maintenant qu'Oncle George est là, il peut rester, mais nous ne voulons pas de vous autres. » Je répondis : « Je serais heureuse de faire plaisir à Makaziwe si quelqu'un voulait bien nous dire quoi faire de personnes comme Oncle George. » Makaziwe répéta : « Nous ne voulons pas de vous dans cette maison. » Isaac nous regardait. Je fis demi-tour et sortis. Oncle George et son fils passèrent devant Makaziwe et entrèrent dans le salon où les autres étaient réunis.

Peu de temps après arriva Tokyo Sexwale, un ancien collègue de Madiba de l'époque de Robben Island, qui avait également servi dans son gouvernement. Lui aussi, on lui montra la porte. Madiba avait nommé Tokyo au même conseil d'administration que George Bizos, et Makaziwe avait également contesté cette décision ; lui aussi était du mauvais côté de la famille. Madiba avait nommé George et Tokyo pour une excellente raison. Quand il tomba malade et ne parvint plus à s'exprimer, sa famille commença à remettre ses choix en cause et il était clair qu'une fois Madiba parti, Makaziwe et les autres attaqueraient sur tous les fronts. Il était tout aussi évident que si vous étiez ami ou allié de personnes en dehors de la faction

de Makaziwe ou Ndileka, vous n'étiez pas le bienvenu
dans la maison. Je ne fus pas la seule à être chassée.

J'avais beaucoup de mal et de chagrin à réconcilier
ces dernières années et les seize précédentes, avec ce
qui se passait à présent. Le moins qu'on puisse dire,
c'était que le contraste était complet.

Qunu est un village vallonné enclavé entre les
montagnes majestueuses du Cap-Oriental. La ferme
de Madiba est de petite taille, mais en comparaison
de ses voisins, elle est impressionnante. La maison
qu'il fit construire au début des années 2000 avec
Mme Machel n'a rien à voir avec le niveau de vie des
habitations environnantes, mais elle reste modeste
pour un personnage de sa stature. La structure gigantesque érigée pour ses obsèques me choqua à première vue. Ce n'était pas juste une grande tente mais
un dôme, sans doute de la taille d'un petit hangar
d'avion. J'appris que ce bâtiment avait été entreposé
pendant des années dans l'attente de «l'événement
vital». Il avait été acheté en Allemagne. Il fallait bien
les obsèques de Madiba pour que cela ne cause pas de
problème : les syndicats auraient protesté qu'il aurait
dû être fabriqué en Afrique du Sud, et que c'était une
occasion rêvée de créer des emplois. Bien des années
plus tôt, nous avions acheté des T-shirts asiatiques en
gros pour l'une des campagnes de Madiba : le public
et les médias nous avaient amplement critiqués pour
ne pas avoir soutenu l'industrie textile sud-africaine.
Mais pour la cérémonie, ce devait être différent. Il y
avait un bon kilomètre et demi de la maison au dôme,
reliés par une simple route gravillonnée. En contour-
nant le dôme, on se rend bien compte de la taille de

la propriété, et on voit le bétail dont Madiba était si fier.

Je me dirigeai vers le dôme où la cérémonie devait avoir lieu, tâchant simplement de garder Madiba à l'esprit et dans mon cœur. Il n'aurait pas aimé que l'on me fasse sortir de chez lui. Il n'aurait pas aimé cet énorme dôme ostentatoire dressé sur sa propriété. Quelques années avant, alors qu'il était capable de prendre ses décisions, il avait insisté pour que je sois avec eux lors de la cérémonie finale à la mort de Makgatho. Et voilà que j'étais exclue parce que Madiba ne pouvait plus insister pour m'avoir à ses côtés. De temps à autre, Madiba avait chassé des gens de chez lui – jusqu'en décembre 2009 : je lui avais conseillé plus d'indulgence... mais sa voix s'était tue.

En ces moments d'épreuve, je dus me rappeler l'une des plus grandes leçons de Madiba : ma relation, c'était avec lui, et personne ne pourrait me l'enlever. Les gens meurent, mais pas leurs amitiés, et ma relation avec Madiba ne mourrait jamais.

En arrivant au dôme – où des gens se rassemblaient, débarqués de bus de Mthatha, à presque une heure de route –, j'appris que le bus d'Oprah n'avait pas été autorisé à entrer. Nous avions de grandes difficultés à obtenir le droit d'atterrissage pour son avion à Mthatha, car il était réservé aux chefs d'État. C'était compréhensible – mais j'appris alors qu'il y avait eu des exceptions pour d'autres appareils. L'autobus qu'Oprah avait pris à l'aéroport de Mthatha n'était pas accrédité pour entrer dans la ferme, et elle fut débarquée au corps de ferme principal. Elle dut monter jusqu'au dôme sur des routes poussiéreuses, passant devant les vaches. Rory, l'ex-garde du corps de Madiba, réussit à trouver une voiture ministérielle pour l'emmener avec sa délégation. Oprah était déjà venue à deux reprises à Qunu; la dernière fois, elle avait organisé une soirée de Noël pour plus de vingt-cinq mille enfants du village et des environs. Madiba lui avait aussi demandé de construire une école, dans le cadre de son projet éducatif, et elle avait fondé l'Oprah Winfrey Academy près de Johannesburg, l'une des meilleures écoles privées d'Afrique du Sud. Madiba l'appréciait beaucoup, elle et son soutien pour les enfants défavorisés du pays. Il était aussi impressionné par sa richesse et parlait souvent aux gens de sa générosité, quand elle achetait des voitures à tous les participants à son émission. «Vous imaginez ça?» concluait Madiba.

Tandis qu'Oprah, Stedman, Forest et Gayle montaient au dôme, j'essayais de trouver des sièges pour George Bizos, Richard Branson et d'autres personnalités. Dès qu'une personne de ma connaissance arrivait, je les dirigeais vers l'endroit où Bridgette Radebe et son frère Patrice gardaient des sièges pour les amis de Madiba.

Mum était toujours dans la maison, se préparant à accompagner Madiba au dôme, son lieu de repos final. J'avais vu sur une vidéo de la veille qu'elle semblait tout à coup épuisée. On préparait Madiba pour son dernier voyage en haut de la colline, sur sa ferme bien-aimée de Qunu.

Après avoir installé tous les invités dont je me sentais responsable, je ne trouvai aucune place, à moins d'aller rejoindre les militaires qui participaient à la cérémonie. J'avais honte d'être submergée par l'émotion. Je sortis donc et trouvai un endroit sur l'herbe pour retrouver plus tard Robyn Curnow, mon amie qui suivait la cérémonie pour CNN à l'intérieur. Quant à moi, je regardais les obsèques sur un écran fixé à une camionnette de la télévision. Le corbillard arriva, avec le cercueil de Madiba sur un affût de canon, drapé dans le drapeau sud-africain. La situation était de nouveau paradoxale : j'étais dehors, et, même si je me sentais exclue, il ne restait que très peu de gens à l'extérieur et, étonnamment, j'eus comme l'occasion de faire des adieux personnels à Madiba. Au passage de la procession militaire, je ne pus m'empêcher de sangloter. Mandla marchait en tête, devant le véhicule de l'armée, veillant toujours sur son grand-père, et après Madiba, je vis la voiture de Mum, et je l'aperçus derrière la vitre. J'aurais tant voulu la réconforter – et qu'elle me console, elle aussi. Madiba avait droit aux honneurs militaires pour ses obsèques : tout le protocole de l'armée s'appliquait à son enterrement.

Deux jours avant la cérémonie, un tumulte agita les médias sur la venue de l'archevêque Desmond Tutu. Aucune information ne lui avait été communiquée. Je vis son chagrin et sa tristesse quand il arriva au dôme en compagnie de Trevor Manuel. Je le serrai dans mes bras le plus longtemps possible. Je voulais le consoler, mais je voulais aussi qu'il me console. Madiba l'aimait tant. Un inconnu, un homme noir, me vit frissonner de douleur. Il alla vers moi et m'étreignit en disant : « Zelda, *sisi* (sœur), ne t'inquiète pas, ça ira mieux. » Je faillis m'effondrer dans ses bras mais je réussis à me reprendre et je le remerciai en le serrant fort. Des semaines plus tard, je tentai de me rappeler le visage de cet homme, d'apprendre qui il était, si je pouvais le retrouver. Je voulais le remercier encore pour son geste. Ce n'était pas juste une accolade pour me consoler. Il s'inquiétait sincèrement pour moi. Cela me touchait au fond du cœur quand des personnes noires se tournaient ainsi vers moi. Quel chemin parcouru !

Le service commença. La scène était magnifiquement décorée de quatre-vingt-quinze cierges, un pour chaque année de Madiba. J'aurais dû lui rendre hommage et prier. Mais j'étais de nouveau inquiète pour la logistique, en particulier le retour d'Oprah et sa délégation à la ferme. Des gens riches et célèbres, que je n'avais jamais vus en dix-neuf ans, reçurent des accréditations. Seuls quatre cents des quatre mille invités purent accéder au site d'inhumation.

On me montra ces cartes d'accès, mais je n'en reçus aucune.

Ahmed Kathrada, un vieil ami de Madiba depuis la prison, fit le discours le plus émouvant de la cérémonie. Il rendit hommage à Madiba, qui avait rejoint l'équipe rêvée de l'ANC au ciel. Il était très ému, et j'étais triste de le voir ainsi. Kathy, comme nous l'appelons affectueusement, était lié à Madiba avant leur emprisonnement. Ils avaient passé dix-huit ans ensemble à Robben Island en plus de leur détention à Pollsmoor, après avoir quitté l'île.

La cérémonie se termina bientôt, après une série de discours. Certains orateurs étaient émouvants, d'autres semblaient profiter une dernière fois de la belle lumière de Madiba. La seule chose qui me rappela vraiment Madiba fut le morceau chanté par des enfants. *Rolihlahla Mandela* est un morceau écrit pour Madiba, et Mme Machel avait demandé à Mbongeni Ngema, un grand artiste sud-africain, de l'enregistrer avec des enfants une semaine avant les obsèques. J'écoutai la musique, le sourire contagieux de Madiba brillant dans mon esprit. J'imaginais toutes ces voix si pleines de vie. Mais tout cela a disparu maintenant. Ce fut la seule demande de Mme Machel qui fut acceptée aux obsèques, cette chanson, avec les quatre-vingt-quinze cierges dans le dôme évoquant la vie de Madiba.

En attendant que la cérémonie se termine, je lus la nécrologie en détail. Aucune des institutions mémorielles que Madiba avait personnellement créées n'apparaissait dans cette nécrologie, dans l'hommage ou les remerciements. Comme si elles n'avaient jamais existé.

Les gens se dirigeaient vers le lieu d'inhumation, passant devant moi : de nombreux amis de Madiba et bien sûr, toute la famille. Certains amis de Madiba demandèrent si je les accompagnerais, et je leur dis que je n'en avais pas reçu l'autorisation. Je savais que je venais de faire mes adieux. Ma relation avec Madiba n'était pas définie par ma présence au bord de sa tombe. Elle allait bien, bien au-delà. Robyn, Rory et moi, trois Sud-Africains blancs dont l'amour et le charisme de Madiba avaient changé la vie, restâmes là à regarder la cérémonie sur l'écran. Ma relation avec Madiba, ce n'était pas de me trouver à ses côtés dans les grands moments de sa vie. Elle se définissait par des moments ordinaires que je passais avec lui. Rory,

Robyn et moi nous tenions par la main, et je sus que c'était un moment historique auquel nous assistions en première ligne. Nous disions au revoir en personne à un grand homme, chacun à notre manière, notre Khulu, notre Tata et notre Madiba.

Nous étions là à regarder la cérémonie quand les vingt et un coups de canon furent tirés, tel un barrage de larmes dans le ciel. Des hélicoptères arborant le drapeau sud-africain volaient à l'unisson au-dessus des collines de Qunu, suivis d'avions de chasse. Le bruit de ces engins faisait vibrer mon corps. J'assimilais enfin. C'était terminé. J'éclatai bruyamment en sanglots sur l'épaule de Robyn tandis que Rory nous tenait la main, nous consolant, frissonnantes de douleur. Les larmes dégoulinaient sur mon visage. Robyn n'était plus devant la caméra à ce moment : c'était une amie qui me soutenait, mais, à notre insu, son micro était resté allumé. Mes sanglots furent diffusés sur CNN dans le monde entier, en même temps que les images du dernier voyage de Madiba. Le studio d'Atlanta cria dans l'oreillette de Robyn : « Le micro est ouvert ! » Elle sut que ma crise de larmes serait entendue par des millions de spectateurs. Moi pas. Au même moment, Robyn, déchirée, hésitait à me lâcher. Elle sut qu'elle ne le pourrait pas, et me serra encore plus fort pour me consoler. Quelques minutes plus tard, elle revint à la caméra, décrivant la scène autour d'elle, parlant de la grande impression de solitude et de tristesse après le départ de Madiba, les yeux rougis d'avoir pleuré avec nous. Elle expliqua qui était la personne qui pleurait : l'assistante de Madiba de longue date. Deux semaines plus tard seulement, Robyn m'apprit ce qui s'était passé et ce qu'elle avait dit à la caméra. Je ne me sentis pas trahie. J'avais besoin de mes deux amis Rory et Robyn pour empêcher mon cœur de se briser. Je voulais partager ma douleur avec le monde entier et je l'avais fait sans m'en rendre compte – mais en même temps, je ne m'étais jamais sentie si seule. La perte de Madiba m'obsédait et ce vide m'horrifiait.

Je me dirigeai vers la maison de Madiba. Il y avait encore du monde au cimetière. Je devais rentrer chez moi. D'abord à l'hôtel, puis à Johannesburg, le plus vite possible. Je n'en pouvais plus, je voulais être à la maison, seule avec mes chiens. À mi-chemin, Sam, l'un des gardes du corps de Madiba, me prit dans une voiturette de golf. Je ne sais pas à quoi je ressemblais mais en passant devant des visages familiers, des gens qui avaient servi Madiba de différentes manières m'arrêtèrent pour me dire quelques mots. J'avais l'impression d'être un sac de vêtements usés. Je n'avais plus d'énergie dans mon corps et je ne contrôlais plus la moindre émotion. De vieux collègues de l'ANC de Madiba, qui avaient tous été mis sur la touche ou empêchés de se rendre au cimetière, bavardèrent avec moi. J'eus la tentation de me rendre dans la maison pour regarder une dernière fois le fauteuil jaune et vide dans le salon de Madiba, mais j'étais pressée de trouver un moyen de transport et je décidai que ce n'était pas une bonne journée pour m'infliger un chagrin de plus. Je savais que je reviendrais bientôt.

À mon départ, j'avais pu organiser le transfert d'Oprah et de sa délégation du dôme jusqu'à la maison, où ils prendraient leur bus. Je réglai aussi le problème pour Richard Branson et laissai un véhicule pour George Bizos. Je ne pouvais plus rien faire d'autre. Je m'étais assuré que tout allait bien et il était temps de partir. Je me rendis à l'hôtel et me mis au lit, sans enlever mes vêtements de deuil. J'étais totalement épuisée. Je dormis deux heures et à mon réveil j'appris que mon adorable collègue, Yase, avait réussi à changer mon vol pour que je puisse retourner à Johannesburg le soir même. Il avait compris que je désirais le silence et la solitude, et fait tout son possible pour modifier mon vol. Ainsi, je roulai 260 km sous la pluie jusqu'à East London où je pris l'avion pour Johannesburg. J'arrivai chez moi à une heure du matin et il me fallut du temps pour m'endormir.

Les quelques jours suivants furent consacrés à régler les factures. Les obsèques avaient eu lieu dix jours avant Noël et les fournisseurs devaient payer leur personnel avant les vacances.

Je terminai mon opération dentaire, participai au dîner de soixante et unième anniversaire de Douw Steyn, qui fut un peu sinistre car il était aussi malade à ce moment-là, avec d'autres problèmes médicaux liés au stress de la semaine précédente. En juin, à peu près à l'époque de l'hospitalisation de Madiba, je m'étais blessée lors d'une séance de gym. J'éprouvais une douleur constante à la hanche, qui descendait parfois jusqu'au genou. Je n'arrivais pas à m'en débarrasser, malgré tous les étirements et analgésiques possibles. Le 19 décembre, je me réveillai un matin en croyant être paralysée. Mes jambes étaient toutes deux engourdies. Je ressentais la même douleur à la hanche qu'avant, mais plus grand-chose aux cuisses.

En rentrant de vacances, j'appelai une amie kiné car j'étais désespérée. Après de nombreuses séances, elle parvint à me débarrasser de toutes ces crampes dont je souffrais depuis juin. Comme cela était déjà arrivé, chaque fois que Madiba subissait une douleur physique, le stress et l'inquiétude se manifestaient également dans mon corps.

Enfin, le vendredi 20 décembre, je revins à Mthatha. Je voulais faire mes derniers adieux et rendre hommage à Madiba sur sa tombe. Les quelques jours d'avant, j'avais beaucoup réfléchi au sens de la vie, à notre mortalité, même si nous n'en discutions guère, car Madiba estimait que c'était un sujet très personnel. Ces deux dernières semaines, nous avions essayé de protéger Mme Machel autant que possible, mais elle savait que je n'avais pas été présente à l'enterrement. Je n'étais pas la seule à m'être vu refuser l'entrée. Meme, la gouvernante, et Betty, l'une des assistantes, avaient également été expulsées des places assises et empêchées de se rendre jusqu'à la tombe, ou même de se trouver dans le salon de Madiba lorsque le cercueil était arrivé de Johannesburg. Pourtant, elles aussi l'avaient loyalement servi pendant des années.

Les collines de Qunu retrouvaient le lent rythme de leur vie. On avait enlevé le dôme et des arroseurs aspergeaient l'herbe fraîchement plantée sur le site. Les vaches et les chèvres vagabondaient aussi librement qu'avant, indifférentes à ce changement dans nos existences. Je me rendis aussitôt à la ferme pour saluer Mme Machel. Ce serait la première fois que je la verrais depuis le jeudi d'avant l'enterrement.

Je voulais apprendre d'elle les détails. Était-il parti avec l'une de ses chemises préférées ? Elle répondit que non. Ce n'était pas l'une de ses préférées. Il était parti avec certains de ses objets personnels, les quelques rares affaires qui lui étaient précieuses. Je demandai pour sa canne. Une canne en ivoire, cadeau de Douw Steyn, en défense d'éléphant mâle mort à Shambala, la ferme de Douw, où il avait construit une maison pour Madiba pour qu'il y écrive la suite d'*Un long chemin vers la liberté*. Malheureusement – mais sans surprise – j'appris que la canne n'avait pas été retrouvée. Je discutai longtemps avec Mum de cette canne, suivant son parcours jusqu'à la maison de Qunu, puis de Houghton, où nous l'avions vue pour la dernière fois. Ni elle ni moi n'avions l'énergie de partir à la recherche de cette canne ; je rassérénai Mme Machel en l'assurant qu'elle referait bien surface un jour, que l'une d'entre nous serait encore vivante, ou que quelqu'un pourrait lire ces lignes et nous aider à la retrouver. Elle porte l'inscription bien lisible « À Madiba, de la part de Douw Steyn ». Un objet unique. Une canne en ivoire blanc massif. Madiba aurait dû partir avec.

En revenant de Qunu à Mthatha ce soir-là, vers 22 heures, je vis une lune splendide se lever au-dessus des collines de Mthatha. La lune orange la plus brillante que j'aie jamais vue. Il me vint à l'esprit que j'étais là, jeune Afrikaner blanche, roulant de Qunu à Mthatha toute seule. Madiba aurait insisté pour me faire accompagner par la sécurité. Cela me fit sourire. Un œil sur la lune, je compris que Madiba m'avait ôté toute peur. J'avais enfin grandi. Il y a presque vingt ans, je n'aurais même rêvé de parcourir cette route seule la nuit. Mais le Transkei, comme on l'appelait avant, vous entre dans la peau. Cet endroit finit par faire partie de vous. J'avais peur de tant de choses, il y a vingt ans : de la vie, des Noirs, de cet homme noir-là, et de l'avenir de l'Afrique du Sud… et voilà que je n'étais plus influencée ni manipulée par les craintes et la pensée dominantes. J'avais ma propre personnalité. Madiba m'avait donné la paix et la liberté. Il m'avait libérée des chaînes de mes peurs. Il n'avait pas seulement libéré l'homme noir, mais aussi le blanc. Je me sentais légère, libre et reconnaissante envers mon professeur, Nelson Mandela. J'avais énormément de peine, mais Madiba m'avait tant apporté. Sur le chemin du retour, les yeux sur la lune jaune et brillante, je lui parlai dans la voiture.

Finalement, nous retournâmes sur la tombe de Madiba le dimanche matin.

Nous devions partir vers midi. Peu après 8 heures du matin, Mum, Josina, Meme, Betty et quelques autres employés, gardes du corps et moi nous rendîmes en voiture au site funéraire. Nous avions commandé des fleurs fraîches la veille et commençâmes à nettoyer les tombes de Madiba et ses trois enfants. L'ambiance était silencieuse et solennelle. Les pierres tombales portaient toutes l'emblème familial, que je connaissais bien pour l'avoir vu sur les vins de la House of Mandela. Nous enlevâmes les fleurs fanées, des gerbes de fleurs blanches qui avaient été disposées sur le cercueil puis autour de la tombe, avec des roses et des orchidées. Le vent les avait éparpillées, le soleil les avait défraîchies. Nous les remplaçâmes par des fraîches ; ensuite, Mum nous réunit et demanda à

Meme de dire une prière. Meme s'exécuta, c'était une prière splendide ; je frissonnais en leur tenant la main. Meme pria en sotho aussi, et je l'imitai silencieusement en afrikaans, l'esprit tourné vers Madiba. Je le remerciai encore, lui répétant à quel point je tenais à lui – comme je le lui disais souvent – mais surtout qu'il devait se rappeler une chose : je l'aimais.

Peu après midi, nous décollions de l'aéroport de Mthatha. Ce fut le vol de cinquante-cinq minutes le plus long de nos vies, jusqu'à Johannesburg. Tout était fini. Terminé. Et le chapitre suivant serait plus dur. Je savais qu'une bataille se préparait autour du testament et des biens de Madiba, et du contrôle sur son héritage. C'était un signe des temps. Je savais qu'il était aussi temps pour moi de m'en aller. Ma tâche était accomplie. Les derniers jours et mois écoulés me rappelèrent l'histoire de Tolstoï. Quelle ironie, toutes ces ressemblances avec la vie de ce grand écrivain russe que Madiba aimait tant. À sa mort, des foules s'étaient réunies, mais son héritage avait été âprement disputé aussi.

J'étais assise près de la porte dans le petit appareil, tournée vers la queue. C'était bien mieux et plus pratique qu'un vol commercial mais nous avions tous l'impression d'être vulnérables, mis à nu, incapables de dissimuler nos émotions. J'éprouvais la douleur de Mum en la voyant éclater en sanglots, tandis que notre avion avançait lentement dans les nuages épais. Pour finir, tout le monde fondit en larmes sur son siège. Mum, Josina, Celina – la belle-sœur de Mme Machel – Betty, Cordier, le garde du corps, et moi. Personne ne parla pendant le vol.

Mum est si stoïque d'habitude, si forte. Mais en nous éloignant de lui dans les nuages, le laissant là seul, nous avions tous l'impression de l'abandonner. Pourtant, c'était la dernière chose que nous voulions pour Madiba, et la seule chose que je lui avais promis de ne jamais faire. Mais que faire maintenant ? Il est chez lui, et les héros ne meurent jamais. Il serait présent à jamais dans ces collines magnifiques, et je sais désormais qu'il sera encore plus puissant dans la mort que dans la vie.

Son image, son héritage doivent être protégés.

Je ne sais pas ce que je ferai du reste de ma vie. La longue maladie de Madiba m'a forcée à grandir. Elle m'a appris les leçons les plus précieuses et montré ce qu'il ne faut pas attendre des gens. Madiba n'a pas seulement réunifié un pays par sa maladie et par sa mort : il nous en a appris davantage que nous l'aurions cru possible. Je laisserai ma vie reprendre son cours et je sais désormais que je serai toujours là où je dois être, quel que soit l'endroit. Je n'ai pas d'autre plan que d'honorer Madiba chaque année, avec l'excursion en moto de la Journée de Mandela. Peut-être trouverai-je un autre travail et un homme avec qui vivre, un qui comprendra et respectera la partie de mon cœur qui est déjà prise… donnée à un vieil homme noir qui fut jadis l'ennemi de mon peuple et qui repose maintenant, tel un ancien roi, au plus profond des collines dorées de Qunu, en Afrique du Sud.

Nous le verrons à chaque lever et chaque coucher de soleil. Nous devons continuer à le chercher. Il nous protégera si nous nous rappelons ses leçons.

Et nous grimpions lentement au-dessus des nuages, parvenant à la lumière chaude du soleil africain qui brillait derrière les hublots de l'avion, réchauffant nos visages et séchant nos larmes. Quoi qu'il arrive désormais, je sais que nous aurons fait de notre mieux.

Tot weersiens Khulu ! Jusqu'à nos retrouvailles.

À suivre…

REMERCIEMENTS

Il me faudrait un autre livre pour remercier tous ceux qui ont joué un rôle dans ma vie ces quarante-trois dernières années. Il se peut que j'oublie bien des noms, et j'en présente mes excuses par avance. D'une manière très étrange, même les gens qui m'ont blessée ont contribué à ma formation. Tous ceux qui ont croisé mon chemin m'ont été une bénédiction, quelque rôle qu'ils aient joué dans ma vie. Je rends hommage à ceux qui ont souffert et se sont sacrifiés en ouvrant la voie, pour m'offrir la liberté que je goûte dans notre beau pays.

« Je suis parce que vous êtes. » Je remercie mes parents Des et Yvonne la Grange. Je vous aime plus que vous ne le saurez jamais. Je ne le montre pas souvent et je suis quelqu'un d'étrange, c'est certain, mais j'espère que vous savez à quel point j'apprécie votre amour et votre soutien inconditionnel. Vous avez posé les fondations de la discipline, des principes, de la morale et des valeurs auxquelles j'adhère aujourd'hui. Mon engagement, ma loyauté et ma détermination, je les ai hérités de vous. Grâce à vous, je sais ce que c'est qu'aimer.

À mon frère Anton et son compagnon Rick Venter, mon second frère, merci d'avoir toujours été là ; lorsque je ne pouvais faire confiance à personne d'autre, je pouvais me reposer sur vous. Merci pour vos encouragements, votre soutien sans faille et pour vous être occupés de moi. Vous êtes ma forteresse.

Aux autres membres de ma famille, les la Grange et les Strydom, merci.

À Maretha Slabbert, ma collègue de longue date et à la longue patience, merci de m'avoir toujours accompagnée. Nous avons partagé les meilleurs moments mais aussi les pires. Je t'aimerai toujours.

À mon amie de longue date Jennifer Preller, pour ton soutien maternel. Je suis heureuse d'avoir une amie qui s'occupe de moi comme toi. Merci pour m'avoir poussée au-delà de mes limites, pour avoir fait évoluer mon attitude et m'avoir donné des forces.

Aux parrains de mes chiens, Johrne et Alet van Huyssteen : je n'imagine pas la vie sans vous. À une période, vous passiez plus de temps chez moi que moi. Merci d'avoir toujours été disponibles au débotté pour vous occuper de ma maison, mes chiens et moi, et d'avoir parfois ramassé les morceaux. J'ai hâte de m'asseoir avec vous sur la terrasse de la maison de retraite.

À l'ami qui m'a aidée à garder mon équilibre mental, le Dr Ralf Brummerhof. Merci d'avoir toujours été là, jour et nuit, même pour les exercices de réflexes, qui m'ont permis de voir la réalité.

À Robyn Curnow et Kim Norgaard et leurs enfants Freya et Hella, merci pour leur accueil immédiat au sein de leur famille, et le privilège immense de leur solide amitié.

À Douw et Carolyn Steyn, merci pour votre amitié et le soin que vous prenez de moi.

Pour leurs conseils, leur protection et leur sagesse inestimable, merci à mon groupe : Minee Hendricks, Marli Hoffman, Ann-Lee Murray, Lori McCreary, Anele Mdoda, Sara Latham, Dianne Broodryk.

À certains amis, associés et gens tout particuliers, merci d'avoir béni ma vie, d'une manière ou d'une autre, par votre gentillesse, votre soutien ou même votre simple considération :

Constant et Hane Visser, Rian van Heerden, Gareth Cliff, Doug Band, Jon Davidson, Justin Cooper, Matt McKenna, Marius van Vuuren, Ian Douglas, Lucy Matthew, Catriona Garde, Rory Steyn, Elaine Saloner, Roddy Quinn, Kim Mari, Basetsana Khumalo, Johanna Mukoki, Rebs Mogoba, Mashadi Motlana, De Villiers Pienaar, Wayne Hendricks, Henk Opperman, Adriaan et Cecile Basson, George Ludeke, Waldimar Pelser, Pauli Massyn, George Cohen, Jonathan Butt, Matthew et Tracy Barnes, Dan Ntsala, Dot Field, Greg Coetzee, Rob et Amanda Flemming, Libby Moore, Jovita Machel, Patricia Machel, Lisa Halliday, Cora Forsmann, Tracy Davenport, Silvia Viljoen, Attie van Wyk, Artem et Sayora Gregorian, Huma Abedin, Sonja et Coetzee Zietsman, Hannah Richert, Deon Broodryk, Driki van Zyl, Hein et Helmien Bezuidenhout, Deon et Yzelle Stone, Angie Khumalo, Gretchen de Smit, Tinus et Chelyn Nel, Annie Laughton, Adrian Brink, Beverly Loxton, Jean Oelwang, Pieter de Waal et Janice Ferrante, Darren Scott, Donne Nicoll, John Carlin, Thato et Thabiso Sikwane, Niel et Andrea Viljoen, TJ, Louis, Tanya et Liz Steyn, Arpad Busson, Rina Broomberg, Ami Desai, Bryan et Jenine Habana, John et Roxy Smith, Schalk et Michelle Burger, Ryk Neethling, Tim et Clare Massey, Jerry et Prudence Inzerillo, Marilyn Karstaedt, Barbara Hogan, Jabu Mabuza, Graham Wood, Alan Knott-Craig, Mthobi Tyamzashe, Norman Adami, Don et Liz Gips, Rob et Lawri Brozin, Kevin Wilson, Dan Moyana, Karlheinz Koegel, Andrew Mlangeni, Olivia Machel, Frank Guistra, Susan Kriegler, Jogabeth et Esau Shilaluke, Oprah, Gayle King, Richard Friedland, SA le roi Willem Alexander et SA la reine Maxima, l'ancien président Thabo et Mme Zanele Mbeki, l'ancien président F. W. de Klerk et Elita de Klerk, le vice-président Kgalema Motlanthe, le juge Themba Sangoni, Khanyi Dhlomo, Unathi Msengane, Shiela Sisulu, Faizal et Malaika Motlekar, Jonathan et

Jennifer Oppenheimer, Nicky Oppenheimer, Gavin Koppel, Tommy Erasmus, Bongi Mkhabela, Charles Priebatch, les frères Kunene, Cyril Ramaphosa, David Rockefeller, Leon Vermaak, Benny Gool, Roger Friedman, Mac Maharaj, l'archevêque Thabo Mokgoba, Anant et Vaneshree Singh, l'évêque Malusi Mpulwana, Robyn Farrell, le Dr Mike Plit, le prince Bandar, Jolene Chait, Alfre Woodard, Roderick Spencer, Yusuf Surtee, Sharon Stone, Arki Busson, Charlize Theron, maître Thuli Madonsela, Zwelinzima Vavi, Nigel Badminton, Mauro Governato, Ben King, Whitey Basson, Wendy Luhabe, Bernard Krige, Vincent Maphai, Koos Bekker, Fred Phaswana, Ton Vosloo, Chris Liebenberg, Jeff et Bridgette Radebe, Roshann Paris, Joel Johnson, Amy Weinblum, Esmare Weideman, Denese Palm, Ayanda Dlodlo, la ministre Nosiviwe Nqakula, David Dinkins, Forest et Keisha Whitaker, le professeur Jonathan Jansen, Zindzi Mandela, Zoleka Mandela, le chef Zwelivelile Mandela, le chef Ngangomhlaba Matanzima, Bantu Holomisa, Patekile Holomisa, Zolani Mkiva, Phoebe Gerwel, Jessie Gerwel, Joseph Kruger. Zondwa Mandela, Mbuso Mandela, Andile Mandela, Zinhle Mandela, Luvuyo Mandela et Nandi Mandela.

À l'archevêque Desmond Tutu, Ahmed Kathrada, au président Clinton, à la ministre Hillary Clinton, à Chelsea Clinton, Bono, Ali, Sol et Andrea Kerzner, Naomi Campbell, Richard Branson, Peter Gabriel, Morgan Freeman, Peggy Dulany et à leur personnel, merci de votre affection et de votre soutien. Cela a été un privilège immense de vous connaître.

À Johann et Gaynor Rupert, merci de votre affection.

Frederick et Natacha Mostert, merci d'avoir cru en moi, de m'avoir inspirée, et d'avoir consacré de très nombreuses heures aux questions et au soutien juridiques, mais aussi pour notre amitié privilégiée.

Jeremy Gauntlett, merci pour vos conseils, votre soutien et vos services experts.

Bally Chuene, Michael Katz et Wim Trengove, Oncle George Bizos et sa famille, merci pour votre soutien toutes ces années, et pour m'avoir toujours consacré votre temps et votre énergie.

À Sacha et Christa Held, pour m'avoir permis de travailler sur ce livre dans votre maison de Maurice, merci.

À tous mes collègues de la présidence et de la Fondation Nelson-Mandela, dont certains avec qui j'ai perdu contact, merci de votre patience et de votre tolérance. Je remercie tout spécialement ceux avec qui j'ai travaillé en étroite collaboration pendant de longues périodes : Lois Dippenaar, Virginia Engel, Alan Pillay, Vimla Naidoo, Elize Wessels, Morris Chabalala, Meshack Mochele, Joel Netshitenzhe, Tony Trew, Fink Haysom, Fanie Pretorius, William Smith, Gerrit Wissing, Marieta van Rensburg, Hayley Lyners, Pam Barron, Shaun Johnson, Heather Henriques, Lydia Baylis, Jackie Maggot, Meme Kgagare, Betty Dima, Xoliswa Ndoyiya, Gloria Nocanda, Yase Godlo, John Samuel, Achmat Dangor, Marianne Mudziwa, Denise Pillay, Shereen Petersen, Buyi Sishuba, Thoko Mavuso, Gloria Jafta, Maeline Engelbrecht, Ruth Rensburg, Lee Davies, Tania Arrison, Elaine McKay, Marie Vos, Dudu Buthelezi, Jo Ditabo, Makano Morojelo, Merlyn van Voore, Mothomang Diaho, Ethel Arendze, Sandy Pillay, Ella Govender, Shirley Naidoo et toute autre personne que j'ai pu oublier.

Merci, professeur Njabulo Ndebele, président de la Fondation Nelson-Mandela, et Sello Hatang, directeur de la Fondation, pour votre gouvernance et votre sagesse.

Je remercie particulièrement Verne Harris du Centre de la mémoire à la Fondation Nelson-Mandela, pour votre camaraderie et pour avoir contribué à l'exactitude factuelle de cet ouvrage.

À tous les membres de l'Unité de protection présidentielle et de l'Armée de l'air sud-africaine avec qui j'ai travaillé en étroite collaboration et qui ont servi avec diligence, merci.

Au personnel médical passionné et professionnel, militaire ou des hôpitaux privés, qui a soigné Madiba et Mum, merci.

Au personnel de la First for Women Insurance Trust et au fonds Beeld Children, merci.

À la mémoire de : Mes grands-parents des deux côtés de ma famille, merci. Aux amis partis : juge Arthur Chaskalson, Oom Beyers Naude, Sean Chabalala, Mary Mxadana, John Reinders, Parks Mankahlana, Eric Molobi, Aggrey Klaaste, Dullah Omar, Marinus Daling, Miriam Makeba, Steve Tshwete, Oncle Raymond Mhlaba, Kader Asmal, Tante Adelaide Tambo, Oncle Walter et Tante Albertina Sisulu, Makgatho Mandela, Zenani Mandela Jnr.

À la mémoire de mon professeur, Jakes Gerwel. Vous me manquez encore tous les jours. Vous avez enrichi ma vie sur le plan personnel et professionnel d'une manière inconcevable, et ce fut une chance et une bénédiction immense d'avoir travaillé à vos côtés. Je vous rends hommage en appréciant profondément le rôle que vous avez joué auprès de Madiba et Mum, et dans ma vie, pour le restant de mes jours.

À mon agent expert Jonny Geller, à Kirsten Foster, Anna Davis et l'équipe de Curtis Brown, merci.

À Helen Conford, Penelope Vogler, Richard Duguid, Rebecca Lee, Casiana Ionita et l'équipe de Penguin, merci, j'apprécie profondément votre enthousiasme et votre soutien. Merci aussi à Stephen Johnson, Frederik de Jager, Ellen van Schalkwyk et toute l'équipe de Penguin Afrique du Sud. Merci également à Clare Ferraro, Wendy Wolf et toute l'équipe de Penguin États-Unis.

À tous mes amis dans les médias, trop nombreux pour être mentionnés ici, merci de votre patience et de votre compréhension, et même de nos divergences d'opinion occasionnelles. Vous m'avez appris à me forger une personnalité.

À tous ceux qui ont répondu à mes appels alors qu'ils n'y étaient plus obligés… MERCI !

À l'homme noir au visage inconnu qui m'a réconfortée pendant les obsèques de Madiba. Si je ne parviens pas à vous remercier en personne, je vous remercie ici.

À tous ceux qui m'ont offert un sourire, une embrassade ou un mot d'encouragement ces dix-neuf années, je vous salue avec gratitude.

À Mme Graça Machel, ma seconde mère, et ses enfants Josina, Malenga et Samora, merci de m'avoir acceptée dans votre famille, et de vous être occupés de moi comme si j'étais des vôtres. Je vous aime de cet amour inconditionnel que Madiba nous a appris. Je vous serai toujours reconnaissante de votre affection, votre aide et votre considération, et je tiendrai ma promesse à Madiba, et avec plaisir, de m'occuper de vous toute ma vie.

Enfin, mais surtout : merci Khulu !

CRÉDITS PHOTOGRAPHIQUES

SOURCES TEXTUELLES

5. *Voyager avec un président*
Hansard, 12 février 1997, débat après le discours du président à la Nation.

7. *Voyages et conflits*
William Ernest Henley, *Invictus*, *Book of Verses*, D. Nutt, Londres, 1888 ; erreur de citation délibérée.
Nelson Mandela, *Conversations with Myself*, Macmillan, Londres, 2010.

8. *Travailler avec des dirigeants mondiaux*
Nelson Mandela, *Conversations with Myself*, Macmillan, Londres, 2010.
Mathatha Tsedu, éditorial du *Sunday Times*, février 2003.

9. *Vacances et amis*
«Guerre civile à Madibaland», *Noseweek*, 1er avril 2005.
Nelson Mandela, *Conversations with Myself*, Macmillan, Londres, 2010.
Bill Clinton, discours lors d'un événement de collecte de fonds pour la Fondation Nelson-Mandela, juillet 2007.

10. *La plus grosse collecte de fonds de ma vie*
Nelson Mandela, *Conversations with Myself*, Macmillan, Londres, 2010.

11. *Rester jusqu'à la fin*
Nelson Mandela, *Conversations with Myself*, Macmillan, Londres, 2010.
William Ernest Henley, *Invictus*, *Book of Verses*, D. Nutt, Londres, 1888.

12. *Les adieux*
Nelson Mandela, *Conversations with Myself*, Macmillan, Londres, 2010.

Table

TROISIÈME PARTIE
De gardien à homme le plus célèbre du monde
1999-2008

QUATRIÈME PARTIE
Et ensuite ?
2009-2013